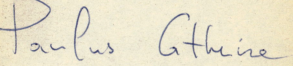

Paulus Gthire

James Joyce

Ulysse

I

TRADUCTION
D'AUGUSTE MOREL
REVUE PAR VALERY LARBAUD,
STUART GILBERT
ET L'AUTEUR

Gallimard

Titre original :

ULYSSES

© *Éditions Gallimard, 1929, renouvelé en 1957, pour la traduction française.*

I

Majestueux et dodu, Buck Mulligan parut en haut des marches, porteur d'un bol mousseux sur lequel reposaient en croix rasoir et glace à main. L'air suave du matin gonflait doucement derrière lui sa robe de chambre jaune, sans ceinture. Il éleva le bol et psalmodia :

— *Introïbo ad altare Dei.*

Puis arrêté, scrutant l'ombre de l'escalier en colimaçon, il jeta grossièrement :

— Montez, Kinch. Montez, abominable jésuite.

Et d'un pas solennel il gagna la plate-forme de tir. Avec gravité, se tournant vers elles, il bénit par trois fois la tour, la campagne environnante et les montagnes qui s'éveillaient. Apercevant alors Stephen Dedalus, il s'inclina dans sa direction, en traçant de rapides croix en l'air, avec des hochements de tête et des glouglotements. Accoudé sur la dernière marche, somnolent et contrarié, Stephen Dedalus considérait avec froideur le visage remuant et glouglotant qui le bénissait, tête chevaline aux cheveux sans tonsure, grenus et de la teinte du chêne clair.

Buck Mulligan avait jeté un rapide coup d'œil sous le miroir à main puis recouvert le bol d'un geste vif.

— A la boîte, dit-il, catégorique.

Et d'un ton de prédicant :

— Car ceci, ô mes bien-aimés, est la fin-fine Eucharistie : corps et âme, sambieu. Ralentir à l'orgue, s. v. p. Fermez les yeux, M'sieurs dames. Un instant. Ça ne va pas tout seul avec ces globules blancs. Silence, tous.

Guignant de l'œil vers le ciel, il modula dans le grave un long sifflement impératif, puis, comme ravi en extase, fit une pause ; ses dents égales et blanches s'allumaient ci et là de points d'or. Chrysostomos. En réponse, deux puissants coups de sifflet vrillèrent le calme.

— Merci, vieux frère, cria-t-il d'une voix gaie. Ça va. Coupez le courant s. v. p.

Il quitta d'un bond la plate-forme de tir, et tout en rassemblant sur ses jambes les pans flottants de sa robe de chambre, fixa son observateur avec gravité. Face de clair-obscur, replète : galbe ovale, mâchoire amère, tout le portrait d'un prélat, protecteur des arts, au moyen âge. Un sourire pacifique anima ses lèvres.

— Ironie des choses, fit-il, jovial. Ce nom absurde que vous avez ; un Grec de l'antiquité.

Et l'ayant menacé d'un doigt amical et facétieux, il marcha vers le parapet en riant tout seul. Stephen Dedalus qui lui avait emboîté le pas, s'assit à mi-chemin, accablé, sur le bord de la plate-forme de tir, le regardant qui équilibrait son miroir sur le parapet, plongeait le blaireau dans le bol, et faisait mousser cou et joues.

La voix joyeuse de Buck Mulligan poursuivait :

— Mon nom aussi est cocasse : Malachie Mulligan, deux dactyles. Mais il rend un son hellénique, pas vrai ? Sautelant et soleilleux comme le cabri lui-même. Il faut que nous allions à Athènes. Viendrez-vous si la tante veut bien se fendre d'une vingtaine de louis ?

Il posa le blaireau et cria, hilare :

— Viendra-t-il ? Gnognote de jésuite.

Puis commença de se raser avec soin.

— Dites-moi, Mulligan, fit Stephen paisiblement.

— Quoi, mon coco ?

— Combien de temps Haines va-t-il encore rester dans cette tour ?

La joue rasée de Buck Mulligan affleura son épaule droite et spontanément :

— Bon Dieu, est-il assez sinistre ! Le pesant Saxon. Trouve que vous n'êtes pas un gentleman. Nom de Dieu, ces salauds d'Anglais ! Crevant d'argent et d'indigestion. Parce qu'il sort d'Oxford. Vous, Dedalus, vous l'avez le vrai ton d'Oxford. Il ne peut pas vous dégoter. D'abord, je vous ai baptisé, moi, et de première : Kinch la fine-lame.

Il se rasait précautionneusement le menton.

— Toute la nuit, dit Stephen, il a déliré en rêve : il voyait une panthère noire. Où met-il l'étui de son fusil ?

— Un malheureux aliéné, dit Mulligan. Auriez-vous eu la frousse ?

— Certes, fit Stephen avec force, et réalisant mieux sa peur. Là, dans le noir, avec un homme que je ne connais pas, qui geint, divague, et veut tirer sur une panthère noire. Vous avez sauvé des gens qui se noyaient. Moi je n'ai rien d'un héros. S'il reste ici, je file.

Buck Mulligan fit une grimace à la mousse de son rasoir. D'un petit bond il fut à bas de son perchoir, et fouilla rapidement les poches de son pantalon.

— Chierie, gronda-t-il.

Revenant à la plate-forme, il plongea la main dans la pochette de Stephen :

— Consentez-moi le prêt de votre tire-jus pour essuyer mon rasoir.

Stephen le laissa tirer un mouchoir malpropre et chiffonné que Mulligan exhiba en le tenant par un

11

coin. Il en essuya soigneusement sa lame. Et considérant ce mouchoir :

— Le tire-jus de l'aède. Une nouvelle nuance d'art pour notre école poétique : vert pituite. On en a presque le goût dans la bouche, pas vrai ?

De retour au parapet il contempla la baie de Dublin, tandis que sa belle toison chêne clair frissonnait au vent.

— Sacredieu, fit-il, imperturbable. La voilà bien la mer, celle d'Algy, la grise et douce mère. La mer pituitaire. La mer contractilo-testiculaire. *Epi oinopa ponton*. Ah, Dedalus, les Grecs. Il faut que je vous les fasse connaître. Il faut que vous les lisiez dans le texte. *Thalatta ! Thalatta !* Elle est notre mère grande et douce. Venez la voir.

Stephen se leva, et le rejoignit au parapet. Accoudé, il observait la mer et le Courrier débouquant du port de Kingstown.

— Notre puissante mère, dit Buck Mulligan.

Et reportant soudain ses grands yeux inquisiteurs de la mer sur le visage de Stephen :

— Ma tante croit que vous avez tué votre mère. C'est pour ça qu'elle ne voudrait pas me voir frayer avec vous.

— Quelqu'un l'a tuée, fit Stephen, sombre.

— Nom de Dieu, Kinch, vous auriez tout de même pu vous mettre à genoux quand votre mère mourante vous l'a demandé. Je suis un animal à sang froid comme vous. Mais penser que votre mère à son dernier soupir vous a supplié de vous agenouiller et de prier pour elle ; et que vous avez refusé ! Il y a en vous quelque chose de démoniaque...

Il s'interrompit et savonna légèrement encore sa seconde joue. Un sourire indulgent retroussait sa lèvre.

— Mais un séduisant baladin, murmura-t-il. Kinch, le plus séduisant de tous les baladins.

Il se rasait à longs traits, silencieux et grave.

Stephen, un coude appuyé au granit rugueux, et le front dans sa paume, contemplait le bord effrangé de sa manche noire, luisante. Une souffrance qui n'était pas encore de la tendresse agitait son cœur. Depuis sa mort elle lui était apparue en rêve : son corps dévasté, flottant dans la robe brune avec laquelle on l'avait enterrée, exhalait une odeur de cire et de bois de rose ; son souffle, que muette et pleine de reproche elle exhalait vers lui, fleurait faiblement les cendres mouillées. A travers le parement élimé de sa manche, il voyait cette mer qu'à son côté une voix bien nourrie saluait comme une mère grande et douce. Le rond de la baie et de l'horizon encerclait une masse liquide d'un vert terne. Un bol de porcelaine blanche à côté de son lit de mort avait contenu la bile verte et visqueuse qu'elle avait arrachée à son foie gangrené dans des accès de vomissements qui la faisaient hurler.

Buck Mulligan essuyait de nouveau la lame de son rasoir.

— Ah, pauvre corps de chien, dit-il d'un ton amical. Il faut que je vous donne une chemise et quelques tire-jus. Comment vont les grimpants de seconde main ?

— Ils me vont assez bien.

Buck Mulligan s'attaquait maintenant au pourtour de sa lèvre inférieure.

— Quelle dérision, fit-il, satisfait, il faudrait dire de seconde jambe. Dieu sait quel syphilo-alcoolique les a lâchés. J'en ai une charmante paire filetée de gris. Vous serez ébouriffant là-dedans. Je ne blague pas, Kinch. Vous marquez foutrement bien quand vous êtes bien nippé.

— Merci, dit Stephen. Je ne peux pas les porter si c'est du gris.

— Il ne peut pas les porter, confia Buck Mulligan à sa figure dans le miroir. Le protocole est le protocole. Il tue sa mère, mais porter des pantalons gris, ça non.

Il ferma méticuleusement son rasoir, et de la pulpe caressante de ses doigts palpa l'épiderme lisse.

Stephen, détournant son regard de la mer, le reporta sur le visage plein, aux mobiles yeux bleu fumée.

— L'individu avec lequel j'étais au Ship hier soir, dit Buck Mulligan, prétend que vous êtes un P.G. Il est là-haut avec Conolly Norman à Dingoville. Paralysie générale des déments.

Il fouetta l'air en demi-cercle avec sa glace pour faire flamboyer au loin cette nouvelle dans le soleil qui maintenant irradiait la mer. Ses lèvres rasées riaient, et le rire s'empara du tronc bien musclé.

— Contemplez-vous, affreux barde.

Stephen s'inclina vers le miroir offert que scindait une courbe craquelure, cheveu pointe en l'air. Tel que lui et les autres me voient. Qui a choisi ce visage pour moi ? Ce museau de chien qui a besoin d'être épouillé. Il me demande aussi.

— J'ai chipé ça dans la chambre de la bonniche, dit Buck Mulligan. C'est tout ce qu'il lui faut : ma tante fait exclusivement usage de laiderons, à l'intention de Malachie. Ne l'induisez pas en tentation. Et elle s'appelle Ursule.

Avec un nouveau rire, il éloigna le miroir des yeux scrutateurs de Stephen.

— La rage de Caliban à ne pas se reconnaître dans le miroir. Si encore Wilde était vivant pour vous reluquer.

Stephen recula, et désignant la glace de l'index, dit avec amertume :

— Un symbole de l'art irlandais, ce miroir fêlé de bonne à tout faire.

Brusque, Buck Mulligan glissa son bras sous celui de Stephen et l'entraîna le long du parapet, rasoir et miroir bringuebalant dans la poche où il les avait fourrés.

14

— Ce n'est pas bien de vous taquiner comme ça, Kinch, n'est-ce pas ? fit-il bonasse. Dieu sait qu'il y a en vous plus qu'en aucun d'eux.

Encore une parade. Il craint la lancette de mon art comme je crains celle du sien. Le fer froid de la plume.

— Miroir fêlé de bonne à tout faire. Dites ça au bovin d'au-dessous et soutirez-lui une guinée. Il pue l'argent et trouve que vous n'êtes pas un gentleman. Son vieux dab a fait sa pelote en vendant du jalap aux Zoulous, ou en filoutant d'une manière ou d'une autre comme un saligaud. Dieu de dieu, Kinch, si seulement nous pouvions travailler ensemble, nous ferions quelque chose pour notre île. L'helléniser.

Le bras de Cranly. Son bras.

— Et dire qu'il faut que vous demandiez la charité à ces pourceaux. Je suis seul à savoir ce que vous valez. Pourquoi ne pas avoir plus confiance en moi ? Qu'est-ce qui vous hérisse contre moi ? Est-ce que c'est Haines ? S'il fait le moindre bruit par ici, je descendrai avec Seymour et nous le chahuterons mieux qu'on n'a chahuté Clive Kempthorpe.

Éclats de voix riches de jeunes riches dans les chambres de Clive Kempthorpe. Visages pâles. Ils se tiennent les côtes de rire en s'étayant l'un l'autre. Oh j'expire ! Annoncez la chose à sa mère avec ménagement, Aubrey ! J'en mourrai ! Sa chemise déchirée en rubans qui battent l'air, et ses culottes aux talons, il sautille et chancelle autour de la table, poursuivi par Ades de Magdalen College armé des ciseaux du tailleur. Une tête de veau affolée et dorée de marmelade d'orange. Je ne veux pas qu'on me déculotte. Ne faites donc pas la bête avec moi !

Par la fenêtre ouverte, les cris effarent le soir qui descend sur la cour d'honneur. Un jardinier sourd, en tablier, masqué du faciès de Matthew Arnold, pousse sa tondeuse sur la pelouse assombrie, et regarde de près la danse des fétus de l'herbe hachée.

15

Pour nous-mêmes... néo-paganisme... ombilic.

— Laissez-le tranquille, fit Stephen. Il n'y a rien à lui reprocher, sauf pendant la nuit.

— Alors, qu'est-ce que c'est ? demanda Buck Mulligan impatienté. Accouchez. Moi je suis franc avec vous. Qu'avez-vous contre moi ?

Ils s'arrêtèrent et regardèrent la pointe émoussée de Bray Head qui reposait sur l'eau comme le nez d'une baleine endormie. Stephen dégagea tranquillement son bras.

— Vous désirez le savoir ?

— Oui, qu'est-ce que c'est ? répondit Buck Mulligan. Je ne me souviens de rien.

Il regardait Stephen en face, tout en parlant. Une légère brise passa sur son front, éventant doucement ses cheveux blonds en désordre, éveillant dans ses yeux d'anxieuses lueurs argentées.

Stephen, déprimé par sa propre voix, commença :

— Vous rappelez-vous ce premier jour où je suis retourné chez vous après la mort de ma mère ?

Buck Mulligan eut un rapide froncement de sourcils :

— Quoi ? Où ? Je ne me rappelle rien. Je ne me rappelle jamais que les idées et les sensations. Quoi ? Pour l'amour de Dieu, que s'est-il passé ?

— Vous faisiez le thé, et j'ai traversé le palier pour aller reprendre de l'eau chaude. Votre mère sortait du salon avec une visite. Elle vous a demandé qui était dans votre chambre.

— Oui ? repartit Buck Mulligan. Qu'est-ce que j'ai dit ? Je n'en sais plus rien.

— Vous avez dit : *Oh, ce n'est que Dedalus dont la mère vient de crever comme une bête.*

Une rougeur qui le faisait plus jeune et plus avenant empourpra la joue de Buck Mulligan.

— Ai-je dit cela ? Quel mal y a-t-il ?

Nerveusement, il domina son embarras.

— Et qu'est-ce que la mort, celle de votre mère, ou la vôtre, ou la mienne ? Vous n'avez vu mourir que votre mère. Moi, à la Mater ou au Richmond, j'en vois tous les jours qui tournent de l'œil, et dans la salle de dissection je les vois débiter en tranches. Est-ce que ça n'est pas tout simplement bestial ? Tout ceci ne rime à rien. Vous avez refusé de vous mettre à genoux et de prier pour votre mère qui vous le demandait sur son lit de mort. Pourquoi ? Parce que vous avez en vous de la maudite essence de jésuite, bien qu'elle opère à rebours. Pour moi dans tout ceci il n'y a que dérision et bestialité. Ses lobes cérébraux ne fonctionnent plus. Elle appelle le médecin Sir Peter Teazle et cueille des boutons d'or sur son couvre-pieds. Contentez-la tant qu'elle y est encore. Vous avez contrarié son vœu suprême et voilà que vous me boudez parce que je n'ai pas la componction d'un croque-mort de chez Lalouette. Quelle absurdité ! C'est possible que je l'aie dit. Je n'avais nulle intention de manquer de respect à la mémoire de votre mère.

L'assurance lui venait avec les paroles. Stephen, pour l'empêcher de toucher encore à la plaie vive de son cœur, affirma, glacial :

— Je ne pensais pas à l'offense faite à ma mère.

— Alors, à quoi ?

— A l'offense faite à moi, déclara Stephen.

Buck Mulligan pirouetta sur son talon.

— Quel type impossible ! s'exclama-t-il.

Il se mit à longer le parapet d'un pas précipité. Stephen restait à son poste, contemplant vers le promontoire la mer calme. Promontoire et mer allaient s'estompant. Le sang battait dans ses yeux, troublait sa vision ; il sentait la fièvre de ses joues.

De l'intérieur de la tour, une voix forte appela :

— Vous êtes là-haut, Mulligan ?

— Je viens, répondit Buck Mulligan ; et tourné vers Stephen :

17

— Voyez la mer. Se fiche-t-elle assez des offenses ?
Débarquez Loyola, Kinch, et descendez. Le Saxon
réclame ses grillades matinales.

Un moment sa tête s'arrêta en face de la plus haute
marche, au niveau de la plate-forme :

— Ne ruminez pas là-dessus toute la journée. Ne
me demandez pas de logique. Lâchez les tristes
méditations.

Sa tête disparut, mais le bourdonnement de sa voix
décroissante se répandait par l'orifice de l'escalier :

Ne te détourne plus pour méditer
L'amer mystère de l'amour,
Car Fergus commande aux chars d'airain.

L'ombre des forêts flottait dans la paix du matin
entre la tour et la mer que regardait Stephen. Au
creux de la baie et au large blanchissait la mer
miroitante, éperonnée par des pieds fugaces et légers.
Sein blanc de la mer nébuleuse. Les accents enlacés
deux à deux. Une main cueillant les cordes de la harpe
et mêlant leurs accords jumeaux. Vagues couplées du
verbe, vif-argent qui vacille sur la sombre marée.

Un nuage se mit à couvrir lentement le soleil,
approfondissant de son ombre le vert de la baie. Elle
était là derrière Stephen, bol plein d'eaux amères. Le
chant de Fergus : je le chantais seul dans ma chambre,
prolongeant les longs accords sombres. Sa porte était
ouverte ; elle désirait m'entendre. Muet de crainte et
de pitié je m'approchai de son lit. Elle pleurait sur son
lit de misère. Oui, à cause de ces mots, Stephen :
l'amer mystère de l'amour.

Où maintenant ?

Ses secrets : vieux éventails de plumes, carnets de
bal à glands, imprégnés de musc, une parure de grains
d'ambre dans son tiroir fermé à clef. Une cage d'oiseau qui avait été suspendue à la fenêtre ensoleillée de

la maison où elle vécut jeune fille. Elle allait voir le vieux Royce dans la pantomime de Turco le Terrible, et riait avec tout le monde quand il chantait :

Je suis le garçon
Possesseur du don
De se rendre invisible.

Gaieté fantômale, enfuie en fumée : fumet de musc.

Ne te détourne plus pour méditer.

Pliée et rangée dans le souvenir de la nature avec ses jouets d'enfant. Tout un assaut de souvenirs. Le verre d'eau qu'elle prenait au robinet de la cuisine après avoir reçu la communion. Une pomme vidée et remplie de cassonade qui rôtissait pour elle dans un coin de l'âtre par un sombre soir d'automne. Ses ongles bien faits, rougis du sang des poux écrasés dans les chemises des enfants.

En rêve, silencieuse elle était venue à lui : son corps émacié flottant dans sa toilette de morte exhalait une odeur de cire et de bois de rose ; son souffle, penché vers lui en muets secrets, fleurait faiblement les cendres mouillées.

Ses yeux vitreux, du fond de la mort, fixés sur mon âme pour l'ébranler et la courber. Me fixant seul. La bougie spectrale qui éclairait son agonie. Lumière spectrale sur le visage supplicié. Son souffle retentissant et rauque, râlant l'horreur, pendant que tous priaient à genoux. Ses yeux fixés sur moi, comme pour me jeter bas. *Liliata rutilantium te confessorum turma circumdet : iubilantium te virginum chorus excipiat.*

Ah, vampire ! Mâcheuse de cadavres !

Non, mère. Laisse-moi tranquille, et laisse-moi vivre.

— Ohé, Kinch !

La voix de Buck Mulligan retentit au creux de la tour. Elle se rapprochait du haut de l'escalier, hélant toujours. Stephen, encore tremblant du cri de son âme, percevait la course ardente du soleil, et derrière lui, aériennes, de cordiales paroles.

— Dedalus, descendez, comme un bon petit rat. Le breakfast est prêt. Haines nous fait des excuses pour nous avoir réveillés cette nuit. Tout va bien.

— Je viens, dit Stephen, en faisant demi-tour.

— Venez, pour l'amour de Dieu. Pour l'amour de moi, pour l'amour de nous tous.

La tête de Buck Mulligan disparut et réapparut :

— Je lui ai sorti votre symbole de l'art irlandais. Il trouve cela très fort. Extorquez-lui un louis, pas ? Je veux dire une guinée.

— Je touche ce matin, annonça Stephen.

— La braise de la boîte ? Combien ? Quatre louis ? Prêtez-nous-en un.

— S'il vous le faut.

— Quatre resplendissants souverains ! s'écria Buck Mulligan enthousiaste. Nous nous offrirons une royale tournée pour épater les barbifiantes vieilles barbes. Quatre tout-puissants souverains.

Les mains en l'air, et frappant du pied chaque marche de pierre, il redescendit, chantant faux avec un accent cockney :

Ah qu'nous s'rons gais et contents,
Buvant whisky, vin et bière,
Au Couronnement,
Le jour du Couronnement !
Ah qu'nous s'rons gais et contents
Le jour du Couronnement !

Un soleil chaleureux s'égayait sur la mer. Le bol à barbe de nickel étincelait, oublié, sur le parapet.

L'emporter. Pourquoi ? Ou le laisser là, tout le jour, amitié au rancart ?

Stephen revint au bol, le prit un instant à pleines mains, éprouvant sa fraîcheur, flairant sous la mousse cette gluante salive qui poissait le blaireau. C'est ainsi que je portais l'encensoir à Clongowes. Je suis un autre à présent et néanmoins le même... Un servant toujours. Le serviteur d'un servant.

Dans la chambre commune de la tour, obscure sous sa voûte, la robe de Buck Mulligan s'activait autour du foyer, éclipsant ou révélant sa lueur jaune. Des hautes barbacanes, deux javelots de jour adouci tombaient rayant le sol dallé, et à l'intersection de leurs rayons une épaisse vapeur de charbon et de lard frit flottait avec un lent mouvement giratoire.

— Nous allons être asphyxiés, dit Buck Mulligan. Haines, ouvrez la porte, voulez-vous ?

Stephen posa le bol à barbe sur le bahut. Un individu de haute taille quitta le hamac où il était assis, marcha vers le seuil et ouvrit la porte intérieure.

— Avez-vous la clef ? fit sa voix.

— C'est Dedalus qui l'a, répondit Buck Mulligan. J'étouffe, sapristoche !

Il hurla sans se détourner du feu :

— Kinch !

— Elle est dans la serrure, dit Stephen qui s'avançait. La clef tourna deux fois en grinçant, et quand la lourde porte eut été entrebâillée, une lumière bienvenue et un air limpide entrèrent. Haines restait sur le seuil et regardait au-dehors. Stephen, halant jusqu'à la table sa valise debout, s'y jucha et attendit. Buck Mulligan lança les œufs frits sur un plat proche. Puis, transportant le plat et une grande théière jusqu'à la table, les y planta tout à trac avec un soupir de soulagement.

— Je me liquéfie, comme disait la chandelle quand... mais chut, pas un mot de plus sur ce sujet.

Debout Kinch. Pain, beurre, miel. Haines, arrivez. La pitance est prête. Bénissez-nous Seigneur et vos dons que voici. Où est le sucre ? Ah, putain, il n'y a pas de lait.

Stephen alla quérir dans le bahut la miche, le pot de miel et le beurrier. Buck Mulligan s'attabla, dans un brusque accès de mauvaise humeur.

— En voilà un boxon. Moi qui lui ai dit de venir à huit heures tapant.

— Nous pouvons le prendre à la russe, dit Stephen. Il y a un citron dans le bahut.

— Merde pour vous et vos poses de Paris. Je veux du lait de Sandycove.

Haines quitta le seuil et tranquillement :

— Voici la femme qui monte avec le lait.

— Les bénédictions du Seigneur soient sur vous, s'écria Buck Mulligan en bondissant de sa chaise. Asseyez-vous. Versez le thé par ici. Dans le sac le sucre. J'en ai assez de me battre avec ces sacrés œufs.

Il trancha dans le plat à tort et à travers, et flanqua une portion dans chacune des trois assiettes, en récitant :

— *In nomine Patris et Filii et Spiritus Sancti.*

Haines s'assit pour verser le thé.

— Je vous mets deux morceaux à chacun, fit-il. Dites donc, Mulligan, il est plutôt fort de thé, celui que vous faites.

Buck Mulligan qui taillait d'épaisses tranches à la miche, répondit en prenant une voix de vieille enjôleuse :

— Quand je faye du thé, je faye du thé, comme disait la mère Grogan. Et quand je faye de l'eau, je faye de l'eau.

— Sapristi, c'est du thé, déclara Haines.

Et Buck Mulligan toujours coupant et bêtifiant :

— *C'est comme ça, m'ame Cahill,* qu'elle dit. *Par-*

dine, m'ame, dit Mme Cahill, *le Seigneur vous accorde de
ne pas faire les deux dans le même pot.*

Il allongea vers chacun de ses commensaux une
épaisse tartine fichée au bout de son couteau.

— Voilà, dit-il, avec le plus grand sérieux, de la
couleur locale pour votre bouquin, Haines. Cinq
lignes de texte, dix pages de notes sur Dundrum, ses
aborigènes et ses divinités pisciformes. Des presses
des Parques, en l'année du grand vent.

Puis, tourné vers Stephen, haussant les sourcils, et
d'un ton plein de curiosité :

— Vous souvenez-vous, cher confrère, si la théière
pot-de-chambre de la mère Grogan est mentionnée
dans le Mabinogion ou dans les Upanishads ?

— Je ne crois pas, dit Stephen sans broncher.

— Vraiment ? s'exclama Buck Mulligan de même.
Vos raisons, je vous prie ?

— Je m'imagine, dit Stephen tout en mangeant,
que ce n'est ni dans le Mabinogion, ni en dehors. On
peut se représenter la mère Grogan comme une
parente de Mary-Ann.

Buck Mulligan jubilait :

— Délicieux ! Et sa voix se fit sucrée jusqu'à l'affè-
terie tandis qu'il découvrait ses dents blanches et
clignait de l'œil d'un air farce. Ainsi c'est votre
opinion ? Délicieux, vraiment.

En prenant soudain une expression ténébreuse, en
même temps qu'il recommençait de tailler vigoureusement à la miche, il attaqua d'une voix râpeuse et
rauque :

> *Car Mary-Ann la vieill' peau*
> *Ça ne lui fait ni froid ni chaud*
> *Quand ses cotillons elle trousse...*

S'empiffrant de friture il chiqua, il vrombit.
Une forme intercepta la lumière du seuil.

— Le lait, monsieur.

— Entrez, m'ame, dit Mulligan. Kinch, attrapez le pot.

Une vieille s'avança et se tint immobile aux côtés de Stephen.

— Voilà une belle matinée, monsieur. Grâce à Dieu.

— A qui ? fit Mulligan, lui jetant un coup d'œil. Eh, pour sûr.

Allongeant le bras en arrière jusqu'au bahut, Stephen atteignit le pot au lait.

— Les insulaires, dit Mulligan à Haines, d'un air détaché, parlent à tout bout de champ du collecteur de prépuces.

— Combien, monsieur ? demanda la vieille.

— Un litre, répondit Stephen.

Il la regarda remplir la mesure d'abord, puis le pot, d'un lait riche, immaculé, non le sien. Vieux tétons rabougris. Elle versa derechef une pleine mesure, plus un chiquet. Antique et mystérieuse, elle était venue d'un monde au matin, une messagère peut-être. Elle vantait la bonté du lait tout en le versant. Dès le petit jour à croupetons sous sa vache patiente, dans la plantureuse pâture, sorcière sur son vénéneux champignon, ses doigts ridés, rapides, pressant le trayon qui gicle. Le meuglement familier dont elles l'accueillaient, ces ruminantes satinées de rosée. Perle des pâturages et pauvre vieille femme, ainsi l'avait-on surnommée au temps jadis. Une mère-grand toujours en chemin, humble forme d'une immortelle au service de son conquérant et de son insoucieux séducteur, leur concubine à tous deux, une messagère du matin secret. Pour servir ou pour accuser, il n'eût pas su le dire, mais dédaignait de solliciter ses bonnes grâces.

— Excellent, en effet, m'ame, dit Buck Mulligan qui versait le lait dans les tasses.

— Goûtez-y, monsieur, dit-elle.

Il s'exécuta.

24

— Si seulement nous pouvions nous sustenter d'une aussi saine façon, lui dit-il en élevant la voix, nous n'aurions pas un pays plein de dents gâtées et d'intestins purulents. Nous vivons dans un spongieux marécage, nous mangeons de pauvres nourritures, et nos rues sont pavées de poussière, de crottin et de crachats de tuberculeux.

— C'est-y que vous étudiez la médecine, monsieur ? interrogea la vieille.

— Tout juste, m'ame.

Stephen écoutait dans un silence méprisant. Elle baisse sa vieille tête devant celui qui parle haut, son rebouteux, son médicastre : elle m'ignore. Aussi devant la parole de celui qui la confesse, qui, pour le tombeau, oint toute sa carcasse sauf ses flancs impurs, car elle est faite de la chair de l'homme, et non à l'image de Dieu, cette proie du serpent. Et encore devant cette voix forte qui en ce moment la réduit au silence, le regard vacillant et surpris.

— Comprenez-vous ? demanda Stephen.

— Est-ce français que vous parlez, monsieur ? dit la vieille à Haines.

Haines lui refit de confiance un plus long discours.

— C'est de l'irlandais, intervint Buck Mulligan. Connaissez-vous le gaélique ?

— Je me disais bien, au son, que ça devait être de l'irlandais. Vous êtes de l'Ouest, monsieur ?

— Je suis Anglais, déclara Haines.

— Il est Anglais, dit Buck Mulligan, et il est d'avis que nous devrions parler l'irlandais en Irlande.

— Bien sûr qu'il faudrait, répliqua la vieille, et j'ai grand-honte de ne pas le causer. Les gens qui savent disent que c'est une fameuse langue.

— Fameuse n'est pas le mot, dit Buck Mulligan. Une pure merveille. Donnez-nous encore du thé, Kinch. En voulez-vous une tasse, m'ame ?

— Non merci, monsieur, répondit la vieille, faisant

glisser l'anse de sa canne sur son avant-bras, et prête à partir.

Alors Haines :

— Avez-vous la note ? Ne vaut-il pas mieux la payer, Mulligan ?

Stephen remplissait les trois tasses.

— La note, monsieur ? fit-elle s'immobilisant. Ben ça fait sept matins un demi-litre à deux pence sept fois deux un shilling deux pence et ces trois matins un litre à quatre pence c'est trois litres pour un shilling plus un shilling et deux pence ça fait deux et deux, monsieur.

Buck Mulligan soupira, et après s'être calé les joues avec un croûton généreusement beurré sur les deux faces, il allongea ses jambes pour mieux explorer les poches de son pantalon.

— Soldez, et avec le sourire, lui dit Haines, aimable.

Stephen versa une troisième tasse, la valeur d'une cuiller de thé colorant faiblement le lait magnifique. Buck Mulligan ramena au jour un florin qu'il fit pivoter entre ses doigts en criant :

— Un miracle !

Et le faisant voyager le long de la table vers la vieille :

— Ne me demandez rien de plus, ma douce. Tout ce que j'ai pu je vous l'ai donné.

Stephen mit la pièce dans la main hésitante.

— Nous vous redevrons deux pence, dit-il.

— Ça ne presse pas, monsieur, fit-elle en empochant. Ça ne presse pas. Bonjour, monsieur.

Elle fit une révérence et s'en fut, suivie des plus tendres accents de Buck Mulligan :

— *Cœur de mon cœur, eussé-je davantage*
Que davantage à vos pieds serait mis.

Puis se tournant vers Dedalus :

— Dedalus, c'est un fait, je suis fauché. Cavalez jusqu'à votre bordel d'école et rapportez-nous de la galette. Aujourd'hui les bardes doivent boire et bâfrer. En ce jour l'Irlande compte que chacun fera son devoir.

— Cela me rappelle, dit Haines, que je dois aujourd'hui visiter votre Bibliothèque nationale.

— Notre trempette d'abord, fit Buck Mulligan.

Et gentiment, tourné vers Stephen :

— Est-ce le jour de votre décrassage mensuel, Kinch ?

Et s'adressant à Haines :

— L'impur barde se fait un point d'honneur de ne se laver qu'une fois par mois.

— Toute l'Irlande est baignée par le gulfstream, répliqua Stephen en faisant dégoutter du miel sur sa tranche de pain.

Du coin où il nouait d'une cravate lâche le col de sa chemise de tennis, Haines observa :

— Si vous le permettez, j'aurais plaisir à faire un recueil de vos aphorismes.

C'est à moi qu'il parle. Ils se lavent, se tubent, se récurent. Morsure de l'ensoi. Conscience. Pourtant il reste une tache.

— Celui du miroir fêlé de bonne à tout faire symbole de l'art irlandais est fichtrement bon.

Buck Mulligan, donnant du pied sous la table à Stephen, dit avec chaleur :

— Attendez de l'entendre parler d'Hamlet, Haines.

— Mais j'y compte bien, fit Haines, s'adressant toujours à Stephen. J'y pensais justement quand cette pauvre vieille est entrée.

— Ça me rapportera-t-il ? demanda Stephen.

Haines rit, et tout en prenant son souple feutre gris au crochet du hamac :

— Comment voulez-vous que je le sache ?

Il fit quelques pas vers le seuil. Buck Mulligan se pencha vers Stephen et avec brutalité :

— Les pieds dans le plat. Pourquoi avez-vous dit ça ?

— Eh bien quoi ? Il s'agit d'avoir de l'argent. De qui ? De la laitière ou de lui. Pile ou face, voilà tout.

— Je l'ai chauffé sur vous, dit Buck Mulligan, et puis voilà que vous arrivez avec vos loucheries de pouilleux et vos sombres facéties de jésuite.

— Bien peu d'espoir, continua Stephen, d'un côté comme de l'autre.

Buck Mulligan eut un soupir tragique en posant sa main sur le bras de Stephen.

— Du mien, Kinch, dit-il.

Et changeant brusquement de ton :

— Pour dire la vérité vraie, je pense que vous avez raison. Ils ne sont foutre bons qu'à ça. Pourquoi n'en jouez-vous pas comme je fais ? Le diable les patafiole. Il faut que nous nous démerdions.

Il se leva, et d'un air grave il déboucla sa ceinture et se dévêtit de sa robe, annonçant avec résignation :

— Mulligan est dépouillé de ses vêtements.

Il vida ses poches sur la table.

— Voici votre tire-jus.

Et tout en ajustant son col empesé, sa cravate rebelle, il les apostrophait, les querellait, et aussi sa chaîne de montre en goguette. Ses mains plongèrent dans sa malle et y fourragèrent tandis qu'il réclamait un mouchoir propre. Morsure de l'ensoi. Nom de Dieu, il faut camper le personnage. Il me faut des gants puce et des bottines vertes. Contradiction. Est-ce que je me contredis moi-même ? Soit, je me contredis. Mercuriel Malachie. Un projectile flasque et noir jaillit de ses mains éloquentes.

— Et voici votre couvre-chef du quartier latin.

Stephen le cueillit et s'en coiffa. Du seuil Haines les appelait :

— Venez-vous, vous autres ?

— Je suis paré, répondit Buck Mulligan, gagnant la porte. Sortons, Kinch. Vous avez liquidé les restes, je pense. Il franchissait le seuil à pas comptés, grave et consentant, l'accent quelque peu douloureux.

— Et étant sorti dehors, il rencontra Lamermant.

Stephen, prenant son bâton de frêne contre le mur, les rejoignit, et pendant qu'ils descendaient l'échelle, tira sur la lente porte de fer et tourna la clef. Il mit l'énorme clef dans sa poche intérieure.

Au pied de l'échelle, Buck Mulligan interrogea :

— Avez-vous pris la clef ?

— Je l'ai, dit Stephen, qui passa devant eux.

Il allait de l'avant. Il entendait derrière lui Buck Mulligan flageller de sa pesante serviette de bain les sommités des fougères ou des herbes :

— A bas, monsieur ! Comment osez-vous, monsieur !

Haines demanda :

— Payez-vous un loyer pour cette tour ?

— Douze louis, répondit Buck Mulligan.

— Au Secrétariat d'État de la Guerre, ajouta Stephen par-dessus son épaule.

Ils firent halte pendant que Haines examinait la tour et concluait :

— Plutôt glaciale en hiver, je pense. Vous les appelez Martello, n'est-ce pas ?

— Billy Pitt les a fait construire quand les Français tenaient la mer, dit Buck Mulligan. Mais la nôtre est l'omphalos.

— Quelle idée vous faites-vous d'Hamlet ? demanda Haines à Stephen.

— Non, non, criait Buck Mulligan douloureux. Je ne suis pas à la hauteur de Thomas d'Aquin et des cinquante-cinq raisons qu'il a trouvées pour étayer sa théorie. Attendez que je sois d'abord calé par quelques bocks.

Il se tourna vers Stephen, et tout en tirant avec soin les pointes de son gilet primevère :

— Vous ne pourriez pas y arriver à moins de trois bocks, hein, Kinch ?

— Ça attend si longtemps que ça peut bien attendre encore, répondit Stephen, apathique.

— Vous piquez ma curiosité, dit Haines, bon enfant. Serait-ce un paradoxe ?

— Peuh ! dit Buck Mulligan. Nous sommes loin maintenant de Wilde et du paradoxe. C'est tout à fait simple. Il démontre par l'algèbre que le petit-fils d'Hamlet est le grand-père de Shakespeare et qu'il est lui-même l'ombre de son propre père.

— Quoi ? dit Haines, désignant Stephen. Lui, lui-même ?

Plaquant sa serviette autour de son cou en manière d'étole, Buck Mulligan qui se tordait de rire dit à l'oreille de Stephen :

— O ombre de Kinch l'ancêtre ! Japhet à la recherche d'un père !

— Nous sommes toujours fatigués le matin, dit Stephen à Haines. Et c'est une assez longue histoire.

Buck Mulligan, prenant de nouveau les devants, éleva ses mains en l'air.

— Seul le bock sacré peut délier la langue de Dedalus, fit-il.

— Je veux dire, expliqua Haines à Stephen tout en marchant, que cette tour et ces falaises m'évoquent en quelque sorte Elseneur. *Qui surplombe son assise en la mer*, n'est-ce pas ?

Buck Mulligan se retourna soudain vers Stephen, mais sans rien dire. En cette minute de lumineux silence, Stephen perçut son deuil poussiéreux et minable au milieu de leurs vêtements clairs.

— C'est un conte merveilleux, dit Haines, les faisant s'arrêter encore.

Des yeux, pâles comme la mer rafraîchie du vent,

plus pâles encore, assurés, prudents. Le maître de la mer regardait au sud de la baie où ne se voyaient que le fil de fumée du Courrier, ténu sur l'horizon brillant, et une voile qui louvoyait devant les Muglins.

— J'ai lu une interprétation théologique de cela quelque part, reprit-il absorbé. La notion du Père et du Fils. Le Fils s'efforçant de s'identifier au Père.

Immédiatement, Buck Mulligan leur montra une face illuminée d'aise. Il les regarda, sa bouche bien dessinée entr'ouverte par la joie, ses yeux dont il avait exclu d'un seul coup toute compréhension, papillotant d'une gaieté folle. Il hocha de-ci de-là une tête molle de marionnette, sous les bords palpitants de son panama, et attaqua d'une voix puérilement et posément heureuse :

— *Un type aussi cocass' que moi où trouver ça ?*
Ma mère était un' juive, un oiseau mon papa.
Avec le Charpentier jamais ça ne bich'ra
A la santé d'mes Douze et de mon Golgotha.

Et levant un index avertisseur :

— *Si quelqu'un s'imagin' que je n' suis pas divin,*
I' n' boira pas à l'œil quand je ferai du vin,
Mais devra boir' de l'eau et la voudrait bien claire
Alors qu'avec du vin j'irai de l'eau refaire.

Il étreignit vivement la canne de Stephen en manière d'adieu, prit sa course vers un point escarpé de la falaise, faisant palpiter ses mains le long de ses flancs comme des nageoires ou des ailes prêtes au vol, et continua :

— *Adieu, adieu. Tous mes discours qu'on les écrive,*
Dites à Pierre et Paul que j'ai vaincu la mort.

Le dieu en moi ne peut faillir à mon essor,
Adieu..., ça souffle fort sur le mont des Olives.

Il cabriolait devant eux vers le trou de quarante pieds de profondeur, avec des bonds légers, ses mains battant comme des ailes, et son pétase frémissait au vent frais porteur de ses brefs cris d'oiseau.

Haines qui avait ri avec quelque réserve dit à Stephen en marchant à ses côtés :

— Nous ne devrions sans doute pas rire. On pourrait presque dire qu'il blasphème. Ce n'est pas que je sois croyant. Cependant sa gaieté rend en quelque sorte tout cela inoffensif, n'est-ce pas ? Comment appelle-t-il ça ? Joseph le Charpentier ?

— La ballade du Jovial Jésus, répondit Stephen.

— Oh, dit Haines, vous l'aviez déjà entendue ?

— Trois fois par jour, après les repas, dit Stephen laconique.

— Vous n'êtes pas croyant ? J'entends croyant au sens étroit du mot. Le monde créé de rien, les miracles, et le dieu concret.

— Pour moi le mot n'a qu'un seul sens, répondit Stephen.

Haines s'arrêta pour tirer de sa poche un étui d'argent poli où scintillait une pierre verte. Il en fit jouer le ressort d'un coup de pouce et l'offrit.

— Merci, dit Stephen, prenant une cigarette.

Haines se servit et fit claquer le couvercle. Il remit l'étui dans une poche de côté, prit dans son gilet un briquet de nickel, en fit de même jouer le ressort, et après avoir allumé sa cigarette, tendit à Stephen dans la conque de ses mains l'amadou flambant.

— Évidemment, reprit-il, comme ils se remettaient en marche. Ou vous croyez, ou vous ne croyez pas, n'est-ce pas ? Personnellement je ne puis digérer la notion d'un dieu concret. Vous ne soutenez pas cela, je suppose ?

— Vous voyez en moi, répondit Stephen renfrogné, un affreux spécimen de libre pensée.

Il avançait, sans jamais parler le premier, traînant sa canne à son côté. Le bout ferré suivait léger sur le sentier, crissant à ses talons : mon familier qui marche après moi, appelant Steeeeeeeeeeeeephen. Un tracé onduleux au long du sentier. Ils marcheront dessus ce soir, revenant par ici à la nuit. Il veut cette clef. Elle est à moi, je paie le loyer. Oui mais je mange son pain d'amertume. Lui donner la clef aussi. Tout. Il la demandera. Je l'ai vu dans ses yeux.

— Après tout, commença Haines...

Tourné vers lui, Stephen vit que ce regard froid qui le dévisageait n'était pas absolument malveillant.

— Après tout je pense que vous êtes de taille à vous affranchir. Il me semble que vous êtes votre propre maître.

— Je suis le serviteur de deux maîtres, dit Stephen, un Anglais et une Italienne.

— Italienne ? fit Haines.

Une reine extravagante, caduque et jalouse. A genoux devant moi.

— Et il y en a un troisième, dit Stephen, qui a besoin de moi pour des besognes de raccroc...

— Italienne ? répétait Haines. Qu'entendez-vous par là ?

— L'Empire britannique, répondit Stephen dont le teint se colorait, et la Sainte Église catholique, apostolique et romaine.

Avant de parler, Haines détacha de sa lèvre inférieure quelques miettes de tabac.

— Je suis capable de comprendre cela, dit-il avec calme. J'ose dire qu'un Irlandais doit penser ainsi. Nous Anglais nous sentons que nous ne vous avons pas traités très justement. La faute en est sans doute à l'Histoire.

Les puissantes et pompeuses appellations sonnaient

dans la mémoire de Stephen le triomphe de leurs cloches d'airain : *et unam sanctam catholicam et apostolicam ecclesiam* : la poussée lente, les modifications du rite et du dogme pareilles à celles de sa propre et précieuse pensée, une alchimie d'étoiles. Symbole des apôtres dans la messe du pape Marcel, voix fondues en une, entonnant leur solo de foi : et derrière ce chant, l'ange vigilant de l'église militante désarmait et menaçait les hérésiarques. Une horde d'hérésies en fuite, la mitre de travers : Photius et la race de railleurs à laquelle appartenait Mulligan, et Arius bataillant toute sa vie contre la consubstantialité du Père et du Fils, et Valentin rejetant dédaigneusement le corps terrestre du Christ, et le subtil Africain Sabellius qui soutenait que le Père était lui-même son propre Fils. Les paroles de Mulligan, un moment plus tôt, se moquant de l'étranger. Vaine moquerie. Le vide habitera tous ceux qui tissent le vent ; ils les défient, les désarment et les défont, ces anges belliqueux de l'Église, cette armée de Michel qui la défend à jamais du bouclier et de la lance, à l'heure du conflit.

Bravo ! Bravo ! Applaudissements prolongés. *Zut ! Nom de Dieu !*

— Bien entendu, disait la voix de Haines, je suis un Britannique et pense comme tel. D'autre part, je n'ai nulle envie de voir mon pays aux mains de la juiverie germanique. Là, j'en ai bien peur, est actuellement notre péril national.

Deux hommes, dressés au bord de la falaise, guettaient ; un agent d'affaires, un marin.

— Il cingle vers Bullock Harbour.

L'homme de mer hocha la tête vers le nord de la baie avec une expression quelque peu méprisante.

— Il y a cinq brasses par là, dit-il. Il sera entraîné par là à la marée montante d'une heure. Ça fait neuf jours aujourd'hui.

L'homme qui s'est noyé. Une voile virant par la baie vide, dans l'attente du ballot boursouflé bondi des fonds, qui dodelinera sous le soleil sa face gazeuse d'un blanc de sel. Me voici.

Ils se mirent à descendre le chemin en lacets jusqu'à la crique. Buck Mulligan était debout sur une roche, en manches de chemise, sa cravate dégrafée flottant sur l'épaule. Un jeune homme, qui s'accrochait à une pointe rocheuse près de lui, agitait comme une grenouille des jambes vertes dans la gélatineuse profondeur de l'eau.

— Votre frère est-il avec vous, Malachie?

— Là-bas, à Westmeath. Avec les Bannon.

— Encore là? J'ai reçu une carte de Bannon. Dit qu'il a trouvé là-bas un jeune et doux objet. Il l'appelle Petite Photo.

— Instantané, alors? Courte exposition!

Buck Mulligan s'assit pour délacer ses souliers. Un homme d'un certain âge projeta près de l'éperon rocheux une face rouge et soufflante. Il grimpait de pierre en pierre, l'eau luisait sur son crâne et sa couronne de cheveux gris, l'eau ruisselait à petits flots de la poitrine et de la panse, issait en jets de son pagne noir pendant.

Buck Mulligan laissa le champ libre à cette avance trébuchante, et regardant Haines et Stephen, se signa pieusement avec l'ongle du pouce sur le front, les lèvres et le thorax.

— Seymour est de retour en ville, dit le jeune homme, saisissant à nouveau son éperon rocheux. Plaque la médecine et va tâter de l'armée.

— Ah, merde, dit Buck Mulligan.

— Part la semaine prochaine pour potasser. Vous connaissez cette rousse de Carlisle, Lily?

— Oui.

— Elle roucoulait avec lui hier soir sur la jetée. Le père est pourri d'argent.

— A-t-elle un polichinelle dans le tiroir ?

— Demandez-le plutôt à Seymour.

— Seymour, un con d'officier, dit Buck Mulligan.

S'approuvant avec de petits hochements de tête, il émit ce truisme tout en tirant, debout, son pantalon :

— Les rousses font ça comme des chèvres.

Et subitement, comme affolé, il palpait son torse sous la chemise ballante.

— Ma douzième côte n'est plus là, cria-t-il. Je suis l'Uebermensch. Kinch l'édenté et moi, nous sommes les surhommes.

Il se dépêtra de sa chemise et la lança derrière lui sur les autres vêtements.

— Entrez-vous par ici, Malachie ?

— Oui, faites une place dans le lit.

Le jeune homme se poussa vigoureusement à reculons dans l'eau, et gagna le milieu de la crique en deux brasses longues et précises. Haines s'assit sur une roche et fuma.

— Vous ne venez pas ? lui demanda Buck Mulligan.

— Plus tard. Pas si près de mon déjeuner.

Stephen fit demi-tour.

— Je m'en vais, Mulligan.

— Donnez la clef, Kinch, pour tenir ma chemise à plat.

Stephen lui tendit la clef. Buck Mulligan la posa sur le tas de ses vêtements.

— Et quatre sous pour un bock. Jetez ça là.

Stephen jeta deux gros sous sur le mol amas. Habillage, déshabillage. Tout droit et les mains jointes, Buck Mulligan proférait solennellement :

— Celui qui vole le pauvre prête à Dieu. Ainsi parlait Zarathoustra.

Et son corps dodu plongea.

— Nous nous reverrons, dit Haines encore souriant de cet irlandisme débridé et tourné vers Stephen qui remontait le sentier.

Corne du taureau, sabot du cheval, sourire du Saxon.

— Au Ship, cria Buck Mulligan. Midi et demi.

— Bon, dit Stephen.

Il s'élevait par les lacets du sentier.

> *Liliata rutilantium*
> *Turma circumdet*
> *Iubilantium te virginum.*

L'auréole grise du prêtre dans la niche où il se rhabillait discrètement. Je ne veux pas coucher ici ce soir. Chez moi non plus je ne puis aller.

Une voix aux notes douces et soutenues l'appelait de la mer. Au tournant il agita la main. Elle appela de nouveau. Une tête lisse et brune de phoque, sur la mer, au loin, ronde.

Usurpateur.

A vous, Cochrane ; quelle ville fit appel à lui ?

— Tarente, monsieur.

— Très bien, et puis ?

— Il y eut une bataille, monsieur.

— Très bien. Où ?

Le regard vide du petit interrogea la fenêtre vide. Forgée par les filles de Mémoire. Et cependant elle fut, si elle ne fut pas telle que la tradition l'a transmise. Alors une phrase d'impatience, fracas des ailes d'outrance de Blake. J'entends s'effondrer l'espace, verre brisé, maçonnerie qui croule, et le temps un dernier éclair livide. Et puis que nous reste-t-il après ?

— J'ai oublié l'endroit, monsieur. 279 avant Jésus-Christ.

— Asculum, dit Stephen, regardant nom et date dans le livre zébré du sang.

— Oui, monsieur. Et il a dit : *Encore une victoire comme celle-là et nous sommes perdus*.

Cette phrase, le monde se l'est rappelée. Vague satisfaction mentale. D'une colline dominant la plaine semée de cadavres, un général parle, appuyé sur sa lance, à ses officiers. N'importe quel général à n'importe quels officiers. Ils prêtent l'oreille.

— Vous, Armstrong, interrogea Stephen. Quelle fut la fin de Pyrrhus ?

— La fin de Pyrrhus, monsieur ?

— Je sais, monsieur. Demandez-moi, dit Comyn.

— Attendez. Vous, Armstrong. Savez-vous quelque chose de Pyrrhus ?

Dans le cartable d'Armstrong gîtait un confortable sac de fourrés aux figues. De temps en temps il en roulait une dans ses paumes et l'avalait sans bruit. Des graines restaient collées à la pulpe de ses lèvres. Sucrée, cette haleine d'enfant. Gens cossus, fiers que le fils aîné fût dans la marine. Vico Road, Dalkey.

— Pyrrhus, monsieur ? Pyrrhus, un *pier*, une jetée-promenade.

Tous rirent. Sans gaieté, ce haut rire malicieux. Armstrong se profilait sot et réjoui faisant des yeux le tour de ses camarades. Tout à l'heure ils riront encore plus fort, conscients de mon manque d'autorité et du prix que paient leurs papas.

— Maintenant, fit Stephen, qui toucha l'épaule avec le livre, dites-moi ce que c'est qu'un *pier*.

— Un *pier*, monsieur, dit Armstrong. Une chose qui avance dans la mer. Une espèce de pont. Le *pier* de Kingstown, monsieur.

Quelques-uns riaient de nouveau : sans gaieté mais avec intention. Dans le dernier banc deux chuchotèrent. Oui. Ils savaient : sans avoir jamais appris ni sans avoir jamais été innocents. Tous savaient. Il étudiait leurs visages et il les enviait. Edith, Ethel, Gertie, Lily. Leurs pendants; haleines parfumées aussi par le thé et la confiture, sot ricanement de leurs bracelets quand elles se débattent.

— Kingstown pier, dit Stephen. Oui, un pont désappointé.

Ce mot mit du trouble dans leurs yeux.

— Comment, monsieur ? demanda Comyn. Un pont c'est par-dessus une rivière.

Bon pour le recueil de phrases de Haines. Personne ici qui puisse comprendre. Ce soir, adroitement, au milieu des libations et libres propos, pour percer l'armure lisse de son intellect. Mais alors ? Un bouffon à la cour de son maître, encouragé et méprisé, et tâchant de gagner la louange d'un maître débonnaire. Pourquoi tous avoir choisi ce rôle ? Pas uniquement pour cette caressante douceur. Pour eux aussi l'Histoire n'était que conte pareil à ceux qu'on a trop entendus, et leur pays un mont-de-piété.

Si Pyrrhus n'était pas tombé en Argos sous le geste d'une harpie ou si César n'avait pas été lardé à mort. La pensée ne peut les biffer. Le temps les a marqués de son fer et chargés de ses chaînes, ils sont chambrés dans la cellule des possibilités infinies qu'ils ont évincées. Mais étaient-elles possibles ces possibilités qui ne furent pas ? Ou la seule possibilité était-elle ce qui fut ? Tisse tisseur de vent.

— Racontez-nous une histoire, monsieur.

— Oh, oui, monsieur. Une histoire de revenants.

— Où en sommes-nous ici ? demanda Stephen, ouvrant un autre livre.

— *Ne pleurez plus*, dit Comyn.

— Allez-y, Talbot.

— Et l'histoire, monsieur ?

— Après, dit Stephen. Allez, Talbot.

Un gamin noiraud avait ouvert un livre bien dissimulé derrière le redan de son cartable. Il récitait les vers par saccades en louchant sur son texte :

— *Ne pleurez plus, dolent berger, ne pleurez plus,*
  Car Lycidas qui fait votre deuil vit encore,
  Tout descendu qu'il soit sous le plancher des eaux...

Ce doit donc être un mouvement, l'actuel du possible en tant que possible. La phrase d'Aristote prenait corps parmi les vers bredouillés et s'en allait flottant par le studieux silence de la bibliothèque Sainte-Geneviève où il avait lu soir après soir, à l'abri du péché parisien. Tout contre, un Siamois frêle compulsait un traité de stratégie. Cerveaux nourris et se nourrissant autour de moi ; sous les lampes à incandescence épinglés, avec des antennes faiblement palpitantes ; et dans le noir de mon esprit un aï, un paresseux du monde souterrain, ombrageux, ennemi du jour, remuant ses plis écailleux de monstre. La pensée est la pensée de la pensée. Clarté tranquille. L'âme est en somme tout ce qui est ; l'âme est la forme des formes. Soudaine tranquillité, vaste, incandescente : forme des formes.

Talbot répétait :

  — *Par l'ordre de celui qui marcha sur les flots,*
    Par l'ordre de celui...

— Tournez la page, dit paisiblement Stephen. Je ne vois rien.

— Quoi, monsieur ? demanda simplement Talbot penché en avant.

Sa main avait tourné la page. Il se redressa et continua, ça lui était revenu. De celui qui marcha sur les flots. Ici encore sur ces cœurs lâches s'étend son ombre et sur le cœur de celui qui le bafoue, sur ses lèvres et sur les miennes. Elle s'étend sur les figures attentives et curieuses de ceux qui lui présentèrent la pièce du tribut. A César ce qui est à César ; à Dieu ce qui est à Dieu. Un long regard des sombres yeux, une sentence énigmatique à tisser et retisser sur les métiers de l'Église. En vérité.

> *Devinette, devinette, devinez !*
> *Mon père m'a donné graine à semer.*

Talbot glissa son livre fermé dans le cartable.

— Ai-je interrogé tout le monde ? demanda Stephen.

— Oui, monsieur. Hockey à dix heures, monsieur.

— Demi-congé, monsieur. Jeudi.

— Qui peut répondre à une devinette ? reprit Stephen.

Ils empilaient leurs livres, pages froissées avec bruit, crayons claquants. Tas grouillant, ils bouclaient la courroie de leurs cartables et caquetaient gaiement :

— Une devinette, monsieur. Demandez-moi, monsieur.

— Oh, à moi, monsieur.

— Une difficile, monsieur.

— Voici la devinette, dit Stephen :

> *Le coq chantait,*
> *Le ciel était bleu ;*
> *La cloche du bon Dieu*
> *Sonnait onze heures.*
> *Temps pour cette pauvre âme*
> *De s'en aller aux cieux.*

Qu'est-ce ?

— Quoi, monsieur ?

— Encore, monsieur. On n'a pas entendu.

Leurs yeux s'ouvraient plus grands en écoutant une seconde fois les vers. Un silence et Cochrane dit :

— Qu'est-ce que c'est, monsieur ? Nous donnons notre langue au chat.

Stephen, un picotement dans la gorge, répondit :

— Le renard enterrant sa grand-mère sous un buisson de houx.

Il s'était levé avec un éclat de rire nerveux auquel les exclamations des enfants faisaient une espèce d'écho consterné.

Une canne heurta la porte tandis qu'une voix dans le corridor appelait :

— Hockey !

Ils se dispersèrent, se coulant hors des bancs, les escaladant. Vite disparus, et on entendit venant de la décharge le raclement des cannes, la rumeur de leurs souliers et de leurs voix.

Sargent, qui seul s'était attardé, s'avança lentement avec un cahier ouvert.

Ses cheveux emmêlés, son cou maigre, montraient de l'hésitation, et à travers ses lunettes embuées ses yeux débiles imploraient. Sur sa joue terne, exsangue, une tache d'encre en forme de datte s'étalait fraîche, et humide comme une bave de limaçon.

Il tendit son cahier. En tête était écrit le mot Arithmétique. Au-dessous zigzaguaient des chiffres et au bas une signature tortueuse aux patarafes confuses et accompagnée d'un pâté. Cyril Sargent : son nom et son cachet.

— M. Deasy m'a dit de tout recommencer, et de vous le montrer, monsieur.

Stephen effleura les bords du cahier. Nullité.

— Comprenez-vous maintenant comment vous devez les faire ?

— De onze à quinze, répondit Sargent. M. Deasy a dit que je devais les copier sur le tableau, monsieur.

— Pouvez-vous le faire tout seul ?

— Non, monsieur.

Laid et nul ; cou tout en longueur, cheveux broussailleux et une tache d'encre bave de limaçon. Pourtant une créature l'avait aimé, porté dans ses bras et dans son cœur. Sans elle, la race des hommes l'eût foulé aux pieds, flasque limaçon en bouillie. Elle avait aimé ce faible sang aqueux tiré du sien. Cela était-il donc réel ? La seule chose sûre en ce monde ? Le corps prostré de sa mère le fougueux Colomban dans son zèle saint l'enjamba. Elle n'était plus ; le squelette tremblant d'une brindille brûlée par le feu, une odeur de bois de rose et de cendre mouillée. Elle l'avait sauvé des pieds qui écrasent et avait disparu, ayant à peine été. Une pauvre âme partie aux cieux ; et dans la lande, sous les clignotantes étoiles, un renard, le relent rouge de ses rapines au poil, l'œil implacable et brasillant, grattait la terre, écoutait, rejetait la terre ; écoutait, scrappait et scrappait.

Assis près de lui Stephen résolut le problème. Il démontre par l'algèbre que le spectre de Shakespeare est le grand-père d'Hamlet. Sargent le fixait d'un regard oblique derrière ses lunettes posées de guingois. Les cannes de hockey se heurtaient bruyamment dans la décharge ; le bruit creux de la balle et les appels venus du terrain.

Au long de la page les chiffres déroulaient leur grave danse mauresque, mascarade de caractères, avec leurs petits bonnets bizarres de carrés et de cubes. Donnez la main, traversez, saluez votre danseuse — comme ça — fantaisistes lutins fils des Maures. Disparus eux aussi, Averroès et Moïse Maimonide, hommes sombres par la mine et le geste, faisant à leurs miroirs moqueurs flamboyer l'âme obscure du monde, ténèbre brillant dans la lumière et que la lumière n'a point comprise.

— Y êtes-vous, maintenant ? Pouvez-vous faire le second vous-même ?

— Oui, monsieur.

En longs jambages tremblés, Sargent copia les données. Attendant toujours une parole d'aide, sa main avançait scrupuleusement les symboles instables, une faible teinte de honte jouant sous son terne épiderme. *Amor matris :* génitif objectif et subjectif. De son sang pauvre, de son lait aigre et séreux elle l'avait nourri, et elle avait dissimulé ses langes aux yeux des gens.

J'étais semblable à lui, ces épaules fuyantes, cette gaucherie. C'est mon enfance qui près de moi se penche. Trop loin pour que ma main l'atteigne même du bout des doigts. La mienne est loin et la sienne est secrète comme nos yeux. Secrets silencieux, qui règnent rigides dans les palais sombres de nos deux cœurs ; secrets las de leur tyrannie ; tyrans désireux qu'on les détrône.

L'opération était faite.

— C'est très simple, dit Stephen en se levant.

— Oui, monsieur. Merci, répondit Sargent.

Il épongea la feuille avec un mince papier-buvard et alla ranger le cahier dans son pupitre.

— Vous devriez prendre votre canne et rejoindre les autres, dit Stephen accompagnant l'ingrate silhouette jusqu'à la porte.

— Oui, monsieur.

Dans le corridor son nom retentit ; on le hélait du terrain de jeu.

— Sargent !

— Courez, dit Stephen. M. Deasy vous appelle.

Il resta dans l'embrasure, regardant le traînard se hâter vers le terrain mesquin où bataillaient les voix aiguës. On les avait formés en équipes, et M. Deasy revenait à grands pas de ses pieds guêtrés sur les touffes d'herbe. Comme il atteignait le bâtiment de l'école les voix de nouveau en conflit l'appelèrent. Il tourna vers eux sa blanche moustache en colère.

— Qu'est-ce que c'est encore ? répétait-il en criant sans écouter.

— Cochrane et Halliday sont dans la même équipe, monsieur, lui cria Stephen.

— Voulez-vous m'attendre un moment dans mon cabinet jusqu'à ce que j'aie rétabli l'ordre ? dit M. Deasy.

Et tandis qu'il retraversait le terrain, l'air important, sa vieille voix s'enflait sévère :

— Qu'est-ce qui se passe ? Qu'est-ce que c'est encore ?

Leurs voix criardes l'assaillaient de toutes parts ; ils l'entouraient à qui mieux mieux, et le soleil trop cru décolorait le miel de ses cheveux mal teints.

Un air aigre et tabagique planait dans le cabinet de travail avec l'odeur de cuir fané et fatigué des sièges. Comme le premier jour quand il a marchandé avec moi ici. Maintenant et toujours. Le plateau avec les monnaies des Stuarts sur le bahut, vil trésor d'une tourbière : comme dès le commencement. Confortables dans l'écrin à cuillers en peluche pourpre passée les douze apôtres qui portèrent de par le monde la parole aux Gentils : et dans les siècles des siècles, ainsi soit-il.

Un pas hâtif sur la pierre de l'entrée et dans le corridor. Soufflant sa maigre moustache, M. Deasy s'arrêta près de la table.

— D'abord notre petit règlement de comptes, dit-il.

Il tira de son veston un portefeuille fermé par une lanière de cuir. Et clac, le portefeuille ouvert, il y prit deux billets, l'un recollé dans sa moitié, les déposa soigneusement sur la table :

— Deux, dit-il, rebouclant et faisant disparaître son portefeuille.

Ensuite, pour l'or, à son coffre-fort. Pour se donner une contenance, Stephen allongea la main vers les coquilles en tas dans le froid mortier de pierre :

buccins et cauris et rhombes, et celle-ci, en spirales comme un turban d'émir, et celle-là, coquille Saint-Jacques. Collection d'un vieux pèlerin, trésor défunt, coques vides.

Un souverain tomba, neuf et brillant, sur l'épaisseur laineuse du tapis de table.

— Trois, dit M. Deasy, jouant avec sa petite boîte à monnaie. C'est un objet à avoir, bien commode. Voyez. Ici pour les souverains. Ici pour les shillings, les six-pence, les demi-couronnes. Ici les couronnes, voyez.

Il fit sauter deux couronnes et deux shillings.

— Trois livres et douze shillings, dit-il. Je pense que le compte y est.

— Merci monsieur, dit Stephen, ramassant l'argent avec une hâte mêlée de gêne, et mettant le tout dans une poche de son pantalon.

— De rien, dit M. Deasy. C'est votre dû.

De nouveau libre, la main de Stephen revenait aux coques vides. Symboles aussi de beauté et de puissance. Une masse dans ma poche. Symboles souillés par la cupidité et l'avarice.

— Ne transportez pas ça comme ça, dit M. Deasy. Vous en ferez tomber n'importe où et le perdrez. Achetez donc une boîte pareille. Vous verrez comme c'est pratique.

Répondre quelque chose.

— La mienne serait souvent vide, dit Stephen.

La même chambre, la même heure et la même sagesse : et moi le même. Trois fois déjà. Trois nœuds coulants autour de moi. Bah, je puis les rompre à l'instant, s'il me plaît.

— Parce que vous n'économisez pas, dit M. Deasy, le doigt levé. Vous ne savez pas encore ce que c'est que l'argent. L'argent c'est le pouvoir, quand vous aurez vécu autant que moi. Je sais, je sais. Si jeunesse savait.

Mais que dit Shakespeare ? *Aie seulement la bourse bien garnie.*

— Iago, murmura Stephen.

Son regard quitta les vains coquillages pour le regard fixe du vieil homme.

— Il savait ce qu'est l'argent, dit M. Deasy. Il en a gagné. Un poète mais aussi un Anglais. Savez-vous quel est le point d'honneur britannique ? Savez-vous quelle est la phrase la plus orgueilleuse qui puisse sortir d'une bouche anglaise ?

Maître des mers. Ses yeux merfroids sur la baie vide ; c'est la faute de l'Histoire ; sur moi et mes paroles, sans haine.

— Que sur son empire, répondit Stephen, le soleil ne se couche jamais.

— Baste ! s'exclama M. Deasy. Ceci n'est pas anglais. C'est un Celte, un Celte de France qui l'a dit.

Il donnait des petits coups de sa boîte contre l'ongle de son pouce.

— Je vais vous dire, fit-il avec solennité, quelle est la suprême affirmation de son orgueil. *J'ai payé mon dû.*

Brave homme. Brave homme.

— *J'ai payé mon dû. Je n'ai jamais emprunté un shilling de ma vie.* Comprenez-vous ça ? *Je ne dois rien.* Comprenez-vous ?

Mulligan, neuf livres, trois paires de chaussettes, une paire de brodequins, des cravates. Curran, dix guinées. McCann, une guinée. Fred Ryan, deux shillings. Temple, deux déjeuners. Russell, une guinée, Cousins, dix shillings, Bob Reynolds, une demi-guinée, Köhler, trois guinées, Mme McKernan, cinq semaines de pension. La masse que j'ai là ou rien...

— Pour le moment, non, répondit Stephen.

M. Deasy, rangeant sa boîte, s'esclaffa de contentement.

— J'en étais bien sûr, dit-il, toujours hilare. Il

faudra bien que vous le compreniez un jour. Nous sommes un peuple généreux mais nous devrions aussi être équitables.

— J'ai peur de ces grands mots, dit Stephen, qui nous rendent si malheureux.

Pendant quelques minutes le regard austère de M. Deasy s'arrêta au-dessus de la cheminée sur l'élégance massive d'un homme en kilt de tartan : Albert-Edward, Prince de Galles.

— Vous me prenez pour un fossile, un vieux Tory, dit-il d'un ton réfléchi. J'ai vu trois générations depuis O'Connell. Je me souviens de la famine. Savez-vous que les loges orangistes ont travaillé pour la séparation vingt ans avant qu'O'Connell s'en mêlât et que les évêques de votre confession l'eussent dénoncé comme démagogue ? Vous autres Fenians vous oubliez certaines choses.

Glorieux, pieux, immortel souvenir. La loge du Diamant dans Armagh la splendide, pavoisée de cadavres papistes. Les tenants anglais, armés de pied en cap, gutturaux et masqués, prêtent serment. Le Nord fanatique et leur Bible loyaliste. Les Rebelles Tondus rendez-vous !

Stephen esquissa un geste bref.

— Moi aussi j'ai du sang de rebelle, dit M. Deasy. Du côté quenouille. Mais je descends de Sir John Blackwood qui vota pour l'union. Nous sommes tous Irlandais, tous fils de rois.

— Hélas, fit Stephen.

— *Per vias rectas*, telle était sa devise, dit M. Deasy fermement. Il enfila ses bottes à revers et chevaucha depuis les Ards of Down jusqu'à Dublin et vota pour elle.

Trotte, trotte, trotte roussin,
La rude route vers Dublin.

48

Un hobereau bourru, qui chevauche botté de brillantes bottes à revers. Beau temps, sir John. Beau temps, votre Honneur... Temps... Temps... Deux bottes à revers ballant à trotte-petit vers Dublin. Trotte-trotte, trotte-trotte, trotte roussin.

— A ce propos, dit M. Deasy, vous pouvez me rendre un service, M. Dedalus, vous qui avez des relations dans le monde littéraire. J'ai une lettre ici pour les journaux. Asseyez-vous un moment. Je n'ai plus qu'à recopier la fin.

Il alla au bureau près de la fenêtre, rapprocha deux fois sa chaise et relut quelques mots de la feuille placée sur le rouleau de sa machine à écrire.

— Asseyez-vous. Excusez-moi, dit-il en tournant la tête, *les préceptes du bon sens*. Rien qu'une minute.

De dessous ses sourcils touffus son regard allait au manuscrit placé près de lui, et tout en marmonnant, il commença d'aiguillonner lentement les touches rigides du clavier, se prenant à souffler lorsqu'il manœuvrait le rouleau pour effacer une erreur.

Stephen s'assit sans bruit devant la présence princière. Tout autour, dans leurs cadres, des portraits de chevaux défunts rendaient hommage, portant haut leurs têtes dociles : Repulse à Lord Hasting, Shotover au Duc de Westminster, Ceylan au Duc de Beaufort, *grand prix de Paris*, 1866. Des cavaliers lutins les montaient, guettant un signe. Il voyait leurs vitesses respectives, misant sur les couleurs du roi, et mêlait ses vivats aux vivats des foules disparues.

— Un point, signifia M. Deasy à ses touches. Seule une rapide élucidation de cette importante question...

Là où Cranly m'avait emmené pour faire rapidement fortune, courant après ses favoris entre les breaks éclaboussés, parmi les braillements des books compartimentés et les relents de la buvette, et toute cette boue liquide et bigarrée. Fair Rebel au pair ; dix contre un les autres. Dépassant les joueurs de dés et les bonneteurs nous nous précipitions derrière les sabots, derrière la mêlée des casquettes et des jaquettes, dépassant la face en rouelle de cette femme, la dame d'un boucher, qui enfonçait, altérée, son museau dans son quartier d'orange.

Du terrain de jeu des élèves, de stridentes clameurs s'élevèrent, et un coup de sifflet à roulette.

Encore : un but. Je suis au milieu d'eux, dans l'enchevêtrement acharné de leurs corps, la joute de la vie. Vous voulez dire ce chouchou de sa maman un peu cagneux, et l'air légèrement patraque. Joutes. Le temps heurté rebondit, choc à choc. Joutes, grondements et boue giclante des batailles, vomi froid des égorgés, entre-choquement de lances et de piques appâtées avec des boyaux sanguinolents.

— Ça y est, dit M. Deasy en se levant.

Il s'approcha de la table, épinglant ses feuilles. Stephen s'était levé.

— J'ai fait un comprimé de mon sujet, dit M. Deasy, il s'agit de cette épizootie, dite mal du pied et du museau. Jetez-y un coup d'œil. Il me paraît difficile de voir la chose autrement.

Puis-je vous demander d'accueillir dans vos colonnes ? Cette doctrine du *laisser faire* qui si souvent au cours de notre histoire. Notre commerce de bétail. Le sort de toutes nos vieilles industries. La clique de Liverpool qui sabota le projet de port de la Galway. Conflagration européenne. Les approvisionnements en céréales à travers le bref espace de mer du détroit. La plus-que-parfaite impassibilité du ministère de l'Agriculture. Qu'on me pardonne une citation classique. Cassandre. Par une femme qui ne valait pas mieux que sa réputation. Pour en venir au point en litige.

— Je ne leur mâche pas les mots, hein ? fit M. Deasy pendant que Stephen poursuivait sa lecture.

Mal du pied et du museau. Connu sous le nom de

préparation de Koch. Sérum et virus. Chevaux immunisés. Rinderpest. Chevaux de l'Empereur à Mürzsteg, basse Autriche. Chirurgiens vétérinaires. M. Henry Blackwood Price. Offre courtoise d'un essai loyal. Les préceptes du bon sens. Problème d'une importance capitale. C'est le cas de le dire, prendre le taureau par les cornes. Avec mes remerciements pour l'hospitalité de vos colonnes.

— Je tiens à ce que ceci soit imprimé et lu, dit M. Deasy. Vous verrez qu'à la prochaine alerte ils mettront l'embargo sur le bétail irlandais. Et c'est guérissable. On l'a guéri. Mon cousin Blackwood Price m'écrit qu'en Autriche des spécialistes traitent et guérissent à coup sûr cette maladie. Ils offrent de venir ici. Je travaille à gagner des influences au Ministère. Pour l'instant je veux essayer de la publicité. Je suis environné d'obstacles, de... d'intrigues, de... manœuvres souterraines, de...

Avant de parler, d'un geste de vieillard il agitait son index en l'air.

— Souvenez-vous de ce que je vous dis, M. Dedalus. L'Angleterre est aux mains des Juifs. Dans tous les postes éminents : la finance, la presse. Et leur présence là est l'indice de la décadence d'une nation. Partout où il se donnent réndez-vous, ils pompent la vitalité de la nation. Voilà des années que je vois cela venir. Aussi vrai que nous sommes ici, le mercantilisme juif a commencé son œuvre de destruction. La vieille Angleterre se meurt.

Il fit quelques pas rapides, et ses yeux prirent une vie azurée en traversant un large rayon de soleil. Il allait de long en large.

— Se meurt, dit-il, si elle n'est déjà morte.

> *L'appel de la fille qui vend sa chair*
> *Tisse ton suaire, ô vieille Angleterre.*

Ses yeux agrandis fixaient sévèrement une vision par delà le rayon de soleil dans lequel il s'était arrêté.

— Un marchand, dit Stephen, est celui qui achète bon marché et vend cher, juif ou gentil, n'est-il pas vrai ?

— Ils ont péché contre la lumière, dit M. Deasy gravement. Et vous pouvez voir les ténèbres dans leurs yeux. Et c'est pourquoi ils sont encore errants sur la terre.

Sur les marches de la Bourse à Paris, les hommes à l'épiderme doré chiffrant les cours avec leurs doigts bagués. Jabotement de jars. Ils fourmillaient dans le temple, bruyants et grotesques, avec des crânes bourrés de combines sous le gauche haut de forme. Pas les leurs, ces gestes, ces mots, ces vêtements. Leurs yeux lourds et lents démentaient les mots, l'ardeur des gestes inoffensifs, mais savaient les rancunes amassées, savaient la vanité de l'effort. Vaine patience qui entasse et thésaurise. Le temps à coup sûr disperserait tout. Trésor entassé au bord de la route, et que les passants pillent et dispersent. Leurs yeux savaient les ans d'errance, patients, ils savaient les stigmates de la race.

— Qui ne l'a fait ? dit Stephen.

— Que voulez-vous dire ? demanda M. Deasy.

Il fit un pas en avant et se trouva près de la table. Sa mâchoire pendait un peu de côté, perplexe. C'est ça, la sagesse des vieux ? Il attend une parole de moi.

— L'Histoire, dit Stephen, est un cauchemar dont j'essaie de m'éveiller.

Une clameur s'éleva du terrain de jeu. Coup de sifflet à roulette : un but. Et si ce cauchemar vous envoyait un coup de pied en traître ?

— Les voies du Créateur ne sont point les nôtres, dit M. Deasy. Toute l'Histoire est emportée vers un grand but, la manifestation de Dieu.

D'un coup de pouce, Stephen désigna la fenêtre :

— Voilà Dieu.

Hooray ! Ay ! Rrhuii !

— Quoi ? demanda M. Deasy.

— Un cri dans la rue, répondit Stephen en haussant les épaules.

M. Deasy baissa les yeux et tint un instant pincées entre ses doigts les ailes de son nez. Puis il releva les yeux et lâcha son nez.

— Je suis plus heureux que vous, dit-il. Nous avons commis bien des erreurs, bien des fautes. Une femme apporta le péché en ce monde. Pour une femme qui ne valait pas mieux que sa réputation, Hélène, femme fugitive de Ménélas, dix ans les Grecs guerroyèrent devant Troie. Une épouse sans foi fit débarquer l'étranger sur nos rivages, l'épouse de MacMurrough aidée de son concubin O'Rourke, prince de Breffni. Une femme aussi causa la déchéance de Parnell. Bien des erreurs, bien des manquements, mais non pas le péché des péchés. Je lutte encore à la fin de mes jours. Mais je combattrai pour le droit jusqu'au bout.

Car l'Ulster combattra
Et son droit prévaudra.

Stephen éleva ostensiblement les feuilles qu'il avait en main.

— Alors, monsieur, commença-t-il.

— Je prévois, dit M. Deasy, que vous ne resterez pas longtemps ici à faire ce travail. Je ne crois pas que vous soyez fait pour enseigner. Je me trompe peut-être.

— Plutôt pour apprendre, dit Stephen.

Et qu'apprendre de plus, ici ?

M. Deasy hocha la tête.

— Qui sait, dit-il. Il faut de l'humilité pour apprendre. Mais c'est la vie qui est la grande éducatrice.

Stephen fit bruire de nouveau les feuillets.

— En ce qui concerne ceci, commença-t-il.

— Oui, dit M. Deasy. Vous avez là deux copies. Si vous pouvez, faites-les paraître en même temps.

Télégramme. Foyer Irlandais.

— J'essaierai, dit Stephen, et vous le ferai savoir demain. Je connais un peu deux directeurs.

— C'est parfait, dit vivement M. Deasy. J'ai écrit hier soir à M. Field le député. Il y a aujourd'hui réunion du syndicat des marchands de bestiaux aux Armes de Dublin. Je lui ai demandé de donner lecture de ma lettre à l'assemblée. Vous, voyez si vous pouvez la faire passer dans vos deux journaux. Quels sont-ils ?

— *Le Télégramme du Soir...*

— Ça ira, dit M. Deasy. Il n'y a pas de temps à perdre. Maintenant il faut que je réponde à cette lettre de mon cousin.

— Au revoir, monsieur, dit Stephen, en mettant les papiers dans sa poche. Et merci.

— Du tout, du tout, dit M. Deasy qui fouillait dans les papiers de son bureau. J'aime rompre une lance avec vous, tout vieux que je suis.

— Au revoir monsieur, répéta Stephen avec un salut à son dos penché.

Il franchit le porche ouvert et suivit l'allée de gravier sous les arbres, accompagné par les vociférations et le claquement des cannes, venant du terrain de jeu. Les lions couchants des piliers, tandis qu'il passait la grille ; épouvantails édentés. Pourtant je lui donnerai un coup d'épaule. Mulligan va me gratifier d'un nouveau surnom : le barde-bienfaiteur-du-bœuf.

— M. Dedalus !

Il court après moi. Pas de lettre supplémentaire, j'espère.

— Rien qu'un instant.

— Oui monsieur, dit Stephen revenant à la grille.

M. Deasy s'était arrêté, essoufflé et ravalant sa respiration.

— Je voulais vous dire simplement ceci. On dit que l'Irlande est le seul pays qui puisse s'enorgueillir de n'avoir jamais persécuté les Juifs. Saviez-vous cela ? Non. Et savez-vous pourquoi ?

Il fronçait dans la lumière riante un austère sourcil.

— Pourquoi monsieur ? demanda Stephen qui essayait un sourire.

— Parce que, dit M. Deasy pompeusement, elle ne les a jamais laissés entrer.

Un rire en quinte de toux jaillit comme balle de sa gorge en tirant après lui une raclante chaîne de mucosités. Puis il tourna le dos avec sa toux, son rire et ses bras qui battaient l'air.

— Elle ne les a jamais laissés entrer, répétait-il au milieu de son rire, pendant qu'il foulait, gravigrade à pieds guêtrés, le gravier de l'allée. Voilà pourquoi.

A travers la marqueterie des feuilles, sur ses sages épaules, le soleil semait des paillettes, monnaies dansantes.

Inéluctable modalité du visible : tout au moins cela, sinon plus, qui est pensé à travers mes yeux. Signatures de tout ce que je suis appelé à lire ici, frai et varech qu'apporte la vague, la marée qui monte, ce soulier rouilleux. Vert-pituite, bleu-argent, rouille : signes colorés. Limites du diaphane. Mais il ajoute : dans les corps. Donc il les connaissait corps avant de les connaître colorés. Comment ? En cognant sa caboche contre, parbleu. Doucement. Il était chauve et millionnaire, *maestro di color che sanno*. Limite du diaphane dans. Pourquoi dans ? Diaphane, adiaphane.

Si on peut passer ses cinq doigts à travers, c'est une grille, sinon, une porte. Fermons les yeux pour voir.

Stephen ferma les yeux pour écouter ses chaussures broyer bruyamment goémon et coquilles. Il n'y a pas à dire, tu marches bien à travers. Oui, une enjambée à la fois. Très court espace de temps à travers de très courts temps d'espace. Cinq, six : le *nacheinander*. Exactement, et voilà l'inéluctable modalité de l'ouïe. Ouvre les yeux. Non. Sacredieu! Si j'allais tomber d'une falaise qui surplombe sa base, si je tombais à travers le *nebeneinander* inéluctablement. Je m'arrange très bien d'être comme ça dans le noir. Mon sabre de bois pend à mon côté. Tâtons avec : c'est comme ça qu'ils font. Mes deux pieds dans ses bottines sont au bout de ses jambes, *nebeneinander*. Ça sonne plein : la frappe du maillet de *Los Demiurgos*. Suis-je en route pour l'éternité sur cette grève de Sandymount ? Cric, crac, cron, cron. Monnaies de la mer sauvage : Deasy le Magister i connaissons ben ça.

> *T'en viens-tu pas à Sandymount*
> *Madeleine la vache ?*

Tu vois : le rythme prend corps. J'entends. Un tétramètre catalectique d'ïambes au pas cadencé. Non, au galop : *deleine la vache*.

Maintenant ouvre les yeux. Oui, mais pas tout de suite. Si tout s'était évanoui ? Si en les rouvrant je me trouvais pour jamais dans le noir adiaphane ? *Basta*. Je verrai bien si je peux voir.

Regarde maintenant. Tout est demeuré à sa place, hors de toi : maintenant et à jamais, dans tous les siècles des siècles.

Elles ont descendu prudemment les marches de Leahy's Terrace, *Frauenzimmer* : dans le sable sassé de la grève déclive leurs pieds plats et en dehors fonçaient avec mollesse. Comme moi, comme Algy, elles viennent à notre puissante mère. Le numéro un balançait lourdaudement son sac de sage-femme, le riflard de l'autre fourgonnait le sable. Sorties pour la journée de leur quartier, les Liberties. Mme Florence MacCabe, épouse survivante de feu Patk MacCabe, regrets éternels, de Bride Street. Une de sa confrérie m'a dragué piaulant dans cette vie. Tiré du néant. Qu'a-t-elle dans son sac ? Une fausse-couche à la remorque de son cordon douillettement matelassée d'ouate rougie. Les cordons tous bout à bout en remontant les âges, toronnant le câble de toute chair. C'est pourquoi les moines mystiques. Voulez-vous être tels que les dieux ? Contemplez votre nombril. Allô. Ici Kinch. Donnez-moi Édenville. Aleph, alpha : zéro, zéro, un.

Épouse et compagne d'Adam Kadmon : Héva, l'Ève nue. Elle n'avait pas de nombril. Contemple. Ventre sans tache, gros de toutes les grossesses, bouclier de vélin tendu, non, un monceau blanc de blé qui demeure auroral, nacré, maintenant et à jamais dans tous les siècles des siècles. Ventre de péché.

Dans l'obscurité pécheresse d'un ventre je fus moi aussi fait, et non engendré. Par eux, l'homme qui a ma voix et mes yeux et la femme fantôme au souffle odeur de cendres. Ils s'étreignirent et se séparèrent ayant accompli la volonté de l'accoupleur. De toute éternité. Il m'a voulu et maintenant. Il ne pourra jamais plus vouloir que je n'aie pas été. Une *lex eterna* demeure à Son côté. Est-ce là donc la divine substance en laquelle Père et Fils sont consubstantiels ? Où est ce pauvre cher Arius pour argumenter ? Guerroyant toute sa vie contre le contransmagnificandyouditam-tamtantialisme. Malchanceux hérésiarque. Dans un water-closet grec il a rendu son dernier souffle : euthanasie. Avec la mitre aux cabochons et la crosse, installé sur son trône, veuf de sa chaire veuve, son omophorion roide retroussé, et le postérieur breneux.

Des souffles se poursuivent autour de lui, souffles pinçants, pressants. Elles viennent, les vagues, étalons marins aux blanches crinières, mâchant leurs mors sous les radieuses rênes des vents, coursiers de Mananaan.

Il ne faut pas que j'oublie sa lettre aux journaux. Et après ? Au Ship, midi et demi. A propos, allons-y doucement avec cet argent, comme un grand dadais bien sage. Oui, il le faut.

Son pas se ralentit. M'y voici. Irai-je ou non chez tante Sarah ? Voix de mon père consubstantiel. Est-ce que tu as aperçu l'artiste ces temps-ci, ton frère Stephen ? Non ? Es-tu sûr qu'il n'est pas à Strasbourg Terrace avec sa tante Sally ? Eh, eh, il a peut-être bien d'autres chats à fouetter ! Et pi et pi et pi et pi dis-nous, Stephen, comment va l'oncle Si ? Larmoidieu ! à quoi je suis donc uni ! L'deux chnapans dans le guernier. Le petit soulot de saute-ruisseau et son frère le joueur de cornet à piston. Les illustres brigands de la Calabre. Et ce bigle de Walter monsieurant son papa, rien que ça. Monsieur. Oui, monsieur. Non, monsieur. Alors Jésus pleura et je comprends ça, nom d'un Christ !

Je tire la sonnette asthmatique de leur maisonnette aux volets clos. J'attends. On me prend pour un crocodile, on me guette d'un coin propice.

— C'est Stephen, monsieur.

— Faites-le entrer. Fais entrer Stephen.

On tire un verrou, et Walter m'accueille.

— Nous pensions que tu étais quelqu'un d'autre.

Au milieu des oreillers et couvertures de son large lit, tonton Richie étend par-dessus le monticule de ses genoux un robuste avant-bras. Thorax net. Il a lavé sa moitié d'en haut.

— Salut beau neveu.

Il écarte le pupitre volant sur lequel il établit des relevés de comptes pour Me Goff et Me Shapland

Tandy, et classe des actes de conciliation, des procès-verbaux d'enquêtes et ordres de *Duces Tecum*. Un cadre en chêne fossilisé au-dessus de sa tête chauve : le *Requiescat* de Wilde. Son bourdon de pipeur ramène Walter.

— Vous désirez, monsieur ?

— Du whisky pour Richie et Stephen, dis-le à maman. Où est-elle ?

— Elle baigne Crissie, monsieur.

La petite copine de papa au lit. Sa petite pomme d'amour.

— Mais non, oncle Richie...

— Appelle-moi Richie. Au diable l'eau de Selz. Ça vous avachit Wisky !

— Oncle Richie, je vous assure...

— Assieds-toi nom d'une pipe ou je t'assois par terre.

Walter louche vainement vers une chaise absente.

— Il n'a pas de quoi s'asseoir, monsieur.

— Tu veux dire qu'il n'a rien pour le poser dessus, nigaud. Apporte notre fauteuil Chippendale. Veux-tu une bouchée de n'importe quoi ? Pas de tes sacrées simagrées ici ; une fine tranche de lard frit avec un hareng ? Non, tu es sûr ? Allons, tant mieux. Il ne reste plus rien à la maison que des pilules contre les maux de reins.

All'erta !

Il siffle quelques mesures de l'*aria di sortita* de Ferrando. Le passage le plus grandiose de tout l'opéra, Stephen. Écoute.

Il siffle de nouveau d'une façon musicale et nuancée, en aspirant l'air, pendant que ses poings battent la grosse caisse sur ses genoux capitonnés.

Ce vent est plus doux.

Foyers qui s'effritent, le mien, le sien, tous. Tu disais aux fils de famille de Clongowes que tu avais un oncle juge et un oncle général. Lâche tout ça, Stephen. Là n'est pas la beauté. Pas davantage dans la baie somnolente de la bibliothèque Marsh où tu lisais les pâles prophéties de Joachim Abbas. Pour qui ces prophéties ? Pour la racaille aux cent têtes qui gravite autour du parvis. Un autre haïsseur de l'espèce devait de là se ruer dans les forêts de la folie, sa crinière écume-de-lune, ses prunelles étoiles. Houyhnhnm, homme-à-naseaux. Têtes chevalines, Temple. Buck Mulligan, Foxy Campbell, lames de couteaux. Abbas, père, doyen furibond, quel outrage mit le feu à leurs cervelles ? Paf ! *Descende, calve, ut ne nimium decalveris.* Une guirlande de cheveux gris autour de sa tête de réprouvé, voyez-le-moi qui dégringole péniblement jusqu'à la dernière marche de l'autel (*descende*), agrippant un ostensoir, avec des yeux de basilic. En bas, espèce de tondu ! Aux cornes de l'autel un chœur aux répons menaçants renforce le latin nasillard des ratichons évoluant dans leurs aubes, corpulents, tonsurés, oints et châtrés, gras de la graisse des rognons du froment.

Et peut-être qu'en ce moment même, au premier tournant, un prêtre fait l'élévation de la chose. Drelin-drelin ! Et deux rues plus loin un autre la range dans un ciboire. Drelin-din ! Et dans une chapelle de la Vierge un autre s'adjuge l'Eucharistie à lui tout seul. Drelin-drelin ! En bas, en haut, en avant, en arrière. Dan Occam y a pensé, le docteur invincible. Par les brumes d'un matin anglais le lutin hypostase lui chatouilla la cervelle. Comme il abaissait son hostie et s'agenouillait il entendit se conjuguer avec sa seconde sonnerie la première sonnerie dans le transept (il élève la sienne), et, se relevant, entendit (maintenant j'élève la mienne) leurs deux clochettes (l'autre s'agenouille) carillonner en diphtongue.

Cousin Stephen, vous ne serez jamais un saint. Ile des saints. Vous étiez terriblement pieux, pas vrai ? Vous imploriez la Très Sainte Vierge pour ne plus avoir le nez rouge. Vous conjuriez le démon dans la Serpentine Avenue pour que la veuve qui marchait devant vous, potelée, se retroussât plus haut sur le pavé mouillé. *O si, certo !* Allez, vendez votre âme pour ça, des chiffons teinturlurés épinglés autour d'une mouquère. Allez jusqu'au bout, ne craignez pas de tout dire ! Sur l'impériale du tram de Howth, tout seul, qui est-ce qui criait sous la pluie : *des femmes nues* ? Hein, qu'en dites-vous ?

Que dites-vous de quoi ? Est-ce qu'elles n'ont pas été inventées pour ça ?

Et quand vous preniez chaque soir sept livres pour en lire deux pages ? Eh oui, j'étais jeune. Vous vous faisiez des salamalecs dans la glace, avançant pour recevoir les applaudissements avec le plus grand sérieux : physionomie très frappante. Bravo pour le sinistre crétin ! Brra ! Personne ne vous voyait ; ne racontez ça à personne. Et les livres que vous vouliez écrire avec des lettres pour titres. Avez-vous lu son F ? Oh oui, mais je préfère Q. Oui, mais W est un chef-d'œuvre. C'est vrai, W. Rappelez-vous vos épiphanies sur papier vert de forme ovale, spéculations insondables, exemplaires à envoyer en cas de mort à toutes les grandes bibliothèques du monde, y compris l'Alexandrine ? Là quelqu'un devait les lire au bout de quelques milliers d'années, un mahamanvantara. Pic-de-la-mirandolesque. Oui, comme le nuage qui ressemble à la baleine. Quand on lit ces étranges pages de quelqu'un de disparu depuis longtemps on se sent un avec ce quelqu'un qui une fois...

Sous son pied le sable grenu avait disparu. Ses souliers foulèrent de nouveau un magma humide et grinçant, coquilles manches-de-couteau et crissants graviers, et tout ce qui vient briser sur les galets innombrables, bois criblé de vers, Armada perdue. Des sables imbibés d'eau gluante guettaient ses semelles pour les aspirer, exhalant une haleine d'égout. Il les côtoyait, marchant avec précaution. Embourbée à mi-corps dans la pâte plastique du sable, une bouteille de porter se tenait au port d'arme. Sentinelle : île de la soif terrible. Des cercles de tonneaux brisés au bord de l'eau ; sur le sable un dédale de filets sombres, astucieux ; plus loin des dos de maisons avec leurs portes griffonnées à la craie, et à mi-côte sur une corde de séchoir deux chemises crucifiées. Ringsend : wigwams de pilotes basanés et de patrons de barques. Leurs coquilles.

Il fit halte. J'ai dépassé le chemin de chez tante Sarah. Vais-je n'y pas aller ? Il paraît que non. Personne par ici. Il tourna nord-est et traversa le sable plus ferme dans la direction du Pigeonnier.

— Qui vous a mise dans cette fichue position ?
— C'est le pigeon, Joseph.

Patrice, en permission, lapait du lait chaud avec moi au bar Mac Mahon. Fils de ce canard sauvage, Kevin Egan de Paris. Un oiseau mon papa, il lapait le doux lait chaud avec sa jeune langue rose, face grasse de lapin de choux. Lape, lapin. Il espère gagner le gros lot. Les femmes, il se documentait sur elles dans Michelet. Mais il doit m'envoyer la vie de Jésus par Léo Taxil. L'avait prêtée à son ami.

— C'est tordant, vous savez. Moi, je suis socialiste. Je ne crois pas en l'existence de Dieu. Faut pas le dire à mon père.

— Il croit ?
— Mon père, oui.
Schluss. Il lape.

Mon chapeau du quartier latin. Nom de Dieu, il faut camper son personnage. Il me faut des gants puce. Vous étiez étudiant, n'est-ce pas ? En quoi, au nom de l'autre diable ? Pécéenne. P.C.N. vous savez : *physiques*, *chimiques* et *naturelles*. Aha ! Vous mangiez vos huit sols de *mou en civet*, ta marmite d'Égypte pleine de viande, coude à coude avec les automédons roteurs.

Dites seulement de votre ton le plus naturel : quand j'étais à Paris, boul'Mich', j'avais l'habitude de. Oui, l'habitude de porter sur vous des tickets oblitérés pour établir un alibi si on vous arrêtait à la suite d'un assassinat quelconque. La Justice. La nuit du dix-sept Février 1904 le prévenu a été vu par deux témoins. C'est un autre qui l'a fait : un autre moi. Chapeau, cravate, pardessus, nez. *Lui, c'est moi.* Il me semble que vous ne vous êtes pas embêté là-bas.

Fière allure. Comme qui essaies-tu de marcher ? J'oublie : un exproprié. Avec le mandat de maman, huit shillings, la porte du bureau de poste claquée à mon nez par le garçon. Une rage de dents à force de faim. *Encore deux minutes.* Regardez l'horloge. Il faut que je. *Fermé.* Sale salarié ! Ah, le bougre, le mettre en cent mille miettes, pan, d'un seul coup de feu, miettes-d'homme-boutons-de-cuivre mouchetant les murs partout. Les morceaux craaaqueclaaaquent trictrac tous en place. Pas de bobo ? Oh, pas du tout. La patte. Vous voyez de quoi il retourne, n'est-ce pas ? Ça va. Serrons-nous la pince. Ça va, ça va.

Vous alliez faire des merveilles, hein ? Missionnaire en Europe à la suite de l'enflammé Colomban. Fiacre et Duns Scot juchés au ciel sur leurs tabourets de discipline font déborder leurs chopes et s'esclaffent en leur latin : *Euge ! Euge !* Vous affectiez d'estropier l'anglais tout en traînant votre valise, six sous un porteur, le long de la jetée visqueuse de Newhaven. *Comment ?* Et quel riche butin vous rapportiez : le *Tutu*, cinq numéros dépenaillés de *Pantalon Blanc et Culotte Rouge*, un télégramme bleu, français aussi, curiosité à montrer :

— Mère mourante, reviens, père.

La tante pense que vous avez tué votre mère. C'est pour ça qu'elle ne veut pas.

> *Portons la santé de la tante,*
> *Je vous dirai pourquoi, de Mulligan :*
> *Par elle tout se fait d'une façon décente*
> *Dans la famille Hannigan.*

Ses pieds scandèrent soudain un rythme orgueilleux sur les sillons du sable, le long des blocs du rempart sud. Il les fixait fièrement ces pierres empilées, crânes de mammouths. Lumière d'or sur la mer, sur le sable, sur les blocs. Le soleil est là, et les arbres svelts, et les maisons citron.

Paris s'éveille débraillé, une lumière crue dans ses rues citron. La pulpe moite des croissants fumants, l'absinthe couleur de rainette, son encens matinal, flattent l'atmosphère, Belluomo quitte le lit de la femme de l'amant de sa femme, la ménagère s'ébranle, un mouchoir sur sa tête, une soucoupe d'acide acétique à la main. Chez Rodot, Yvonne et Madeleine refont leur beauté fripée, dents aurifiées qui broient des chaussons, bouche jaunie par le pus du flanc breton. Des visages de Parisiens passent, leurs charmeurs charmés, conquistadors au petit fer.

Somnolence de midi. Kevin Egan roule des cigarettes de poudre à canon entre des doigts barbouillés d'encre d'imprimerie et boit à petits coups sa fée verte comme Patrice faisait de sa blanche. Autour de nous des goinfres se calfatent le conduit de fayots poivrés. *Un demi-setier!* Un jet de vapeur de café hors du percolateur poli. Sur un signe de lui, elle me sert. *Il est Irlandais, Hollandais? Non fromage. Deux Irlandais, nous, Irlande, vous savez? Ah oui!* Elle pensait que vous demandiez du fromage *hollandais.* Votre post-prandium, connaissez-vous ce mot? Post-prandium. Un type que j'ai connu à Barcelone, un drôle de type, appelait ça son post-prandium. Eh bien! *Slainte!* Autour des tables, dalles de marbre, l'enchevêtrement des haleines vineuses et des gosiers grognants. Son haleine flotte au-dessus de nos assiettes maculées de sauce, entre ses lèvres la fée verte darde ses crocs. L'Irlande, les Dalcatiens, espoirs, conspirations, à présent Arthur Griffith. Pour m'atteler dans ses brancards, nos crimes, notre commune cause. Vous êtes bien le fils de votre père. Je reconnais sa voix. Sa chemise de futaine à fleurettes rouges agite ses pompons espagnols quand il fait ses confidences. M. Drumont, journaliste illustre. Drumont, savez-vous comment il a appelé la reine Victoria ? *Vieille ogresse aux dents jaunes*. Maud Gonne, quelle superbe femme. *La Patrie*, M. Millevoye, Félix Faure, savez-vous comment il est mort ? Hommes lascifs. La *froeken*, bonne à tout faire, qui à Upsal frotte au bain la nudité mâle. *Moi faire,* dit-elle. *Tous les Messieurs*. Mais pas ce monsieur-ci lui répondais-je. Coutume lascive. Le bain est la chose la plus intime. Je ne laisserais pas mon frère, pas même mon propre frère, usage absolument licencieux. Yeux verts je vous vois. Crocs je vous sens. Race licencieuse.

La fusée bleue agonise entre les doigts, puis brûle claire. Des brins de tabac répandus prennent feu : dans notre coin flamme et fumée âcre. Pommettes osseuses sous son chapeau de conspirateur. Comment le chef échappa, version authentique. Déguisé en jeune mariée, mon cher, voile, fleurs d'oranger, en voiture sur la route de Malahide. Comme je vous le dis. Leaders disparus, trahis, fuites épiques. Travestis : empoignés, envolés, courez après.

Amoureux bafoué. J'étais dans ce temps-là un jeune et beau gaillard, je vous assure. Un de ces jours je vous montrerai ma photo. Ma foi oui j'étais beau. Amoureux, pour l'amour d'elle il rôda avec le colonel Richard Burke, chef héréditaire de son clan, sous les murs de Clerkenwell, et, tapis comme des fauves, ils virent une flamme vengeresse les projeter en l'air dans le brouillard. Verre brisé, murailles qui croulent. Il se cache dans le gai *Pantruche*, Egan de Paris, où nul ne vient le chercher que moi. Ses stations quotidiennes, devant sa triste casse d'imprimeur, ses trois tavernes, la bauge montmartroise où il passe sa courte nuit, rue de la Goutte-d'Or, toute tapissée des visages de disparus que criblent les chiures de mouches. Sans amour, sans patrie, sans épouse. Elle, elle mène doucement sa bonne petite vie sans son proscrit, Madame, rue Gît-le-Cœur, avec un canari et deux pensionnaires un peu là. Joues duvetées, jupe rayée, frétillante poulette. Bafoué et plein d'espoir toujours. Dites à Pat que vous m'avez vu, voulez-vous ? J'aurais tout de même voulu faire quelque chose pour Pat. *Mon fils*, soldat français. Je lui avais appris à chanter : *Les gars de Kilkenny sont de joyeux lurons.* Connaissez-vous cette vieille chanson ? J'avais appris ça à Patrice. Le vieux Kilkenny : Saint-Canice, le Château de Strongbow sur la Nore. Ça commence ainsi : *O, O.* Il me prend la main, Napper Tandy.

> *O, O les gars de*
> *Kilkenny...*

Pauvre main ravagée sur la mienne. Eux ils ont oublié Kevin Egan qui ne les oublie pas. Se souvenant de toi, O Sion.

Il s'était rapproché de l'eau, et du sable mouillé souffletait ses souliers. Un air tout neuf lui faisait accueil, jouant sur ses nerfs exaltés, brise du large chargée de radieuses énergies. Eh mais, je ne m'en vais pas au feu-flottant de Kish, par hasard ? Il s'arrêta court, ses pieds commençant d'enfoncer lentement dans le sol mouvant. Demi-tour.

Et se retournant il scruta la côte sud, tandis que ses pieds s'enfonçaient encore lentement dans de nouveaux moules. La froide salle voûtée de la tour m'attend. Les javelots de lumière des barbacanes se déplacent sans cesse et sans cesse lentement, ainsi que s'enfoncent mes pieds, elles rampent vers l'ombre du soir sur le sol cadran solaire. Crépuscule bleu, tombée de nuit, nuit bleu profond. Sous la voûte obscure elles attendent, leurs chaises reculées et ma valise monolithe, autour d'une table couverte de vaisselle abandonnée. Qui s'en occupera ? Il a la clef. Je ne dormirai pas là à la fin de ce jour. La porte close d'une tour de silence qui tient ensevelis leurs corps de mort, le sahib-à-la-panthère-noire et son chien d'arrêt. Appel : pas de réponse. Il dégagea ses pieds de la succion du sol et revint par la digue de blocs. Prenez tout, gardez tout. Mon âme chemine avec moi, forme des formes. Ainsi, quand la lune en est au milieu de ses veilles nocturnes, je suis le sentier qui domine les rocs, de sable et d'argent, écoutant le flot tentateur d'Elseneur.

La marée me suit. Je peux la voir qui me gagne là-bas de vitesse. Alors revenons par la route de Poolbeg jusqu'à la grève. Il grimpa par-dessus la laiche et les gluants rubans et s'assit sur une roche plate, posant sa canne de frêne dans une anfractuosité.

La charogne d'un chien s'étalait boursouflée sur le goémon. Devant lui le plat-bord d'un bateau sombré dans le sable. *Un coche ensablé*, c'est ainsi que Louis Veuillot définissait la prose de Gautier. Ce sable entassé est le verbe que vents et marées ont vanné jusqu'ici. Et là, les tumuli de bâtisseurs défunts, une garenne de rats-belettes. Y cacher de l'or. Pourquoi pas ? Tu en as. Sables et pierres, lourds du passé. Les joujoux du Grand Pitaud. Gare à la claque sur l'oreille. Faitement c'est moi le sapré gigantin qui fait bimban avec ces saprés badaboums de blocs, il me faut des os pour traverser les eaux. Croque-mitaine ! Ze sens le sang d'un petit Fenian.

Un point vivant grossit, galope à travers l'arène sablonneuse, un chien. Bon Dieu, va-t-il venir me mordre ? Respectons sa liberté. Tu ne seras pas le maître des autres ni leur esclave. J'ai ma canne. Ne bougeons plus. Dans l'éloignement, remontant du flot coiffé d'écume vers la terre ferme, des silhouettes, deux. Les deux saintes femmes. Elles ont dissimulé la chose dans les roseaux. Coucou, je vous vois! Non, le chien. Il court les rejoindre. Qui?

Ici les galères des Lochlanns couraient à terre en quête de proie, les becs rouges de leurs proues rasant un ressac d'étain fondu. Vikings danois aux cols étincelants de torques de francisques au temps où Malachie portait le collier d'or. Une troupe de cachalots échoués dans le midi brûlant, qui lancent leur jet et se déhanchent sur les hauts fonds. Et de la cité famélique et palissadée une horde de nains aux justaucorps de cuir, ma race, qui se ruent, escaladent, tranchent à même le lard vert avec leurs couteaux d'écorcheurs. Famine, peste, massacres. Leur sang est le mien, leurs concupiscences déferlent en moi. Il allait parmi eux sur la Liffey gelée, ce moi, troquet, au milieu des feux crépitants de résine. Je ne parlais à personne; personne ne me parlait.

L'aboi du chien se rapprochait, s'arrêtait, s'éloignait. Chien de mon ennemi. Je n'ai fait que rester debout, pâle, silencieux, aux abois. *Terribilia meditans.* Un pourpoint primevère, l'homme à tout faire de la fortune, souriait de ma peur. Tu te ronges pour ça, pour le jappement de leurs bravos? Des prétendants: vivre leur vie. Le frère de Bruce, Thomas Fitzgerald, gentilhomme musqué, Perkin Warbeck, bâtard d'York, en culottes de soie rose-blanche ivoire, merveille d'un jour, et Lambert Simnel, avec sa suite de goujats et de gouges, laveur de vaisselle couronné. Tous fils de rois. Paradis des prétendants alors et aujourd'hui. Il a sauvé des gens qui se noyaient, et vous, vous tremblez aux glapissements d'un cabot. Mais les courtisans qui raillaient Guido dans Or San Michele étaient dans leur propre maison. Maison de...

Assez de vos absconsités médiévales. Feriez-vous ce qu'il a fait ? Il y aurait un bateau tout près, une bouée. *Natürlich*, mis là exprès pour vous. Le feriez-vous ou ne le feriez-vous pas ? L'homme qui s'est noyé il y a neuf jours aux abords du Rocher de la Vierge. On le guette en ce moment. La vérité, crachez-la. Je voudrais le faire. J'essaierais. Je ne suis pas un bon nageur. L'eau froide, molle. Quand je mettais le bout du nez dans la cuvette à Clongowes. Peux pas voir ! Qui est derrière moi ? Dehors, vite, vite ! Tu vois la marée qui de tous côtés vite déroule sa nappe sur les bancs de sable couleur coquedecacao ? Si seulement j'avais les pieds sur la terre ferme. Qu'il conserve sa vie et moi la mienne. Un homme qui se noie. Ses yeux d'homme hurlent vers moi dans l'horreur de sa mort. Moi... Avec lui par le fond... Elle, je ne pouvais pas la sauver. Les eaux : une mort amère : perdue.

Une femme et un homme. Je vois son petit zupon. Troussée, je parie.

Leur chien allait l'amble le long d'un banc de sable en train de fondre, trottant, reniflant dans toutes les directions. Cherchant quelque chose de perdu dans une vie antérieure. Soudain il fila bondissant comme un lièvre, oreilles rejetées en arrière, à la poursuite de l'ombre d'une mouette au vol rasant bas. Le sifflet aigu de l'homme frappa ses oreilles flexibles. Il volta, se rapprochant par bonds, puis au trot, pattes tricotantes. D'orangé un cerf passant, au naturel, sans massacre. Au bord de la dentelle du flot il s'arrêta, raide sur son train de devant, les oreilles pointées vers la mer. Le museau dressé il aboyait au renâclement des vagues, troupeau de morses. Elles serpentaient vers ses pattes, elles bouclaient, développaient crête sur crête, chaque neuvième chevauchant et crevant, de loin, de plus loin arrivant, de l'horizon des vagues et des vagues.

Chercheurs de coques. Ils pataugèrent un peu dans

l'eau, puis se baissant immergèrent leurs sacs et les ayant retirés, sortirent de l'eau. Le chien jappait en courant vers ses maîtres, leur sautait dessus, retombait sur ses quatre pattes, se dressait de nouveau contre eux avec des mômeries muettes, cajoleuses, d'ours. Tendresse méconnue, il les suivait vers le sable plus sec, une rouge loque pantelante de langue hors de sa gueule de loup. Son corps tacheté qui trottait en avant s'allongea soudain en un galop de veau. La charogne se trouvait sur son chemin. Il s'arrêta court, renifla, en fit le tour fièrement, un frère, flaira de plus près, tourna encore autour, reniflant avec précipitation, en connaisseur, tout le pelage vasé du chien mort. Ciboulot de chien, flair de chien, les yeux à terre, en route vers un grand but. Ah pauvre peau-de-chien. Ci-gît la peau du pauvre peau-de-chien.

— *Chiffon !* Lâche ça, sale cabot.

Le cri le ramena en chien couchant vers son maître qui d'un coup mol de son pied déchaussé l'envoya sans grand mal dinguer l'échine basse au-delà d'une langue de sable. Puis furtif il s'en revint en décrivant une courbe. Il ne me voit pas. Longeant le bord de la digue, l'allure vague, il baguenaude, flaire une roche et levant une patte crispée, la compisse. Puis le voilà qui trotte droit devant, lève encore la patte de derrière, et derechef un jet bref contre une roche inflairée. Les simples plaisirs du pauvre. Puis ses pattes de derrière dispersent le sable ; puis ses pattes de devant patrouillent et fouissent. Quelque chose qu'il a enterrée là, sa grand'mère. Il fouge le sable, patrouille et fouit, s'arrête pour écouter le vent, fait voler de nouveau le sable avec des ongles frénétiques, s'arrête court, un léopard, une panthère, produit adultérin, un rapace déchiquetant le cadavre.

Après qu'il m'a réveillé la nuit dernière, est-ce que ce n'était pas le même rêve que j'ai eu ? Voyons. Un porche ouvert. Rue des filles. Me rappeler. Haroun al

Raschid. J'y presque suis. Cet homme me conduisait, parlait. Je n'avais pas peur. Le melon qu'il tenait, il l'approchait de ma figure. Il souriait : fragrance crémeuse du fruit. C'était la règle, disait. Entrez. Suivez-moi. Tapis rouge par terre. Vous verrez qui.

Épaulant leurs sacs, ils traînent la jambe, les rouges fellahs. Ses pieds à lui, bleuis au bout du pantalon retroussé, claquant contre le sable collant : un cache-nez brique monte jusqu'au menton non rasé. A pas de femme elle suit. Le ruffian et sa ribaude. C'est à son dos à elle qu'est accroché le butin. Le sable grenu et les débris de coquilles font croûte à ses pieds nus. Sur sa face pelée par le vent ses cheveux traînent. Derrière son seigneur sa marmite, bions, vers la grand'vergne. Quand la nuit cache les défauts de son corps, sous l'arcade d'un passage où les chiens ont fait leurs ordures, tapie dans son châle brun, elle raccroche. Son petit homme régale deux soldats du Royal Dublin chez O'Loughlin de Blackpitts. Baise-la, quaille-la, en gras jargon de pègre, ma quaillante largue girofle. Une démoniaque blancheur sous ses guenilles rances. Ruelle Fumbally cette nuit : les odeurs de la tannerie.

> *Blanches louches, rouge pantiere,*
> *Et friande elle est ta criole,*
> *Viens t'en piausser avec meziere,*
> *Dans la sorgue on fera riole.*

Ce que le bedonnant Thomas d'Aquin appelle délectation morose, *frate porcospino.* Avant la chute, Adam copulait mais ne jouissait pas. Laissez-le donc bramer : friande elle est ta criole. Langage pas pour une miette pire que le sien. Mots de moines, grains de rosaires qui bredouillent sur leurs panses ; mots de la pègre, pépites qui pèsent ort dans ses poches.

Les voici qui passent.

Un œil en coin à mon chapeau Hamlet. Et si j'étais tout à coup nu ici même où je suis ? Mais non. A travers tous les sables du monde, suivie vers l'ouest par l'épée flamboyante du soleil, elle trekke son chemin vers les terres du soir. Elle trimarde, schleppe, traîne, tire, trascine sa charge. Une marée qui rampe à l'ouest tirée par la lune la suit. Marées en elle, avec des myriades d'îles, sang qui n'est pas mien, *oinopa ponton*, une mer sombre comme le vin. Voici la servante de la lune. Dans le sommeil le signe liquide lui dit son heure, la fait lever. Lit nuptial, lit de parturition, lit de mort aux spectrales bougies. *Omnis caro ad te veniet*. Et voici la vampire qui vient, ses yeux perceurs de tempêtes, sa voilure de chauve-souris qui ensanglante la mer, bouche au baiser de sa bouche.

Là. Prenons ça au vol, vite. Mes tablettes. Bouche à son baiser. Non. Il en faut deux. Collons-les bien. Bouche au baiser de sa bouche.

Il faisait la moue, et ses lèvres effleuraient et mâchonnaient de fictives lèvres de vent : bouche à son ventre. Antre, tombe où tout entre. Du moule de sa bouche son souffle sortait en sons inarticulés. Oo... hîî... ha : grondement d'astres en trombe, ronds brandons qui grondent voya voya voya voya voyage. Du papier. Les billets de banque, zut alors. La lettre du vieux Deasy. La voilà. En vous remerciant pour l'hospitalité, déchirons le bout de la feuille resté blanc. Le dos au soleil il s'étira tout de son long vers la table d'un rocher plat et griffonna des mots. C'est la deuxième fois que j'oublie de prendre des fiches sur le bureau de la bibliothèque.

Son ombre portait sur les roches pendant qu'il terminait, penché. Pourquoi ne serait-elle pas illimitée, pourquoi ne s'étendrait-elle pas jusqu'à la plus lointaine étoile ? Elles sont là sombres derrière cette lumière, ténèbres luisant dans la lumière, delta de Cassiopée, mondes. Il est là, ce moi, augure à baguette de frêne et sandales empruntées, assis le jour près d'une mer livide, ignoré, et marchant dans la nuit violette sous une influence d'astres baroques. Je repousse cette ombre circonscrite, inéluctable forme humaine, et la rappelle. Illimitée, pourrait-elle être mienne, forme de ma forme ? Qui prend garde à moi ici ? Où et par qui seront jamais lus ces mots que j'écris ? Des signes sur champ blanc. Quelque part à quelqu'un de votre voix la plus flûtée. Le bon évêque de Cloyne fit sortir le voile du temple de son chapeau ecclésiastique : voile de l'espace aux emblèmes de couleur hachurés sur champ. Attends. Colorés sur le plat ; oui c'est bien cela. Je vois le plat, puis je pense la distance, près, loin, je vois le plat, Est arrière. Ah, voyons maintenant : ça retombe subitement, dans un figé de stéréoscope. Déclic du truc. Vous trouvez mes paroles obscures. L'obscurité est dans nos âmes, n'est-ce pas votre avis ? Encore plus flûtée. Notre âme blessée de la honte du péché se cramponne à nous toujours plus, femme cramponnée à son amant, plus, toujours.

Elle se confie à moi, sa main douce, ses yeux aux longs cils. Et maintenant, où donc nom de nom est-ce que je l'emmène derrière le voile ? Dans l'inéluctable modalité de l'inéluctable visualité. Elle, elle, elle. Quelle elle ? La vierge à l'étalage de Hodges Figgis, lundi, cherchant un de ces livres alphabets que vous deviez écrire. De quel œil tu l'as regardée. Le poignet sous la cordelière tressée de son ombrelle. Elle vit d'amour et d'eau claire dans Leeson Park : une femme de lettres. Sers ça à d'autres, Stevie ; une femme facile. Je parie qu'elle porte un de ces nom de dieu de corsets avec des jarretelles et des bas jaunes bossus de reprises. Parle-lui de chaussons aux pommes, *piuttosto*. Où as-tu la tête ?

Caressez-moi. Doux yeux. Main douce, douce-douce. Je suis si seul ici. Oh, caressez-moi sans attendre, tout de suite. Quel est ce mot que tous les hommes savent ?

73

Je suis ici seul et tranquille. Et triste. Touchez-moi, touchez-moi.

Il s'étendit tout de son long, le dos sur les rocs pointus, tandis qu'il bourrait dans sa poche ses notes et son crayon, chapeau rabattu sur les yeux. C'est le mouvement de Kevin Egan que je viens de faire, lorsqu'il va piquer sa sieste, repos dominical. *Et vidit Deus. Et erant valde bona.* Allo! Bonjour, ô vous le bienvenu comme les fleurs en mai. Sous l'auvent de son chapeau et à travers ses cils palpitants de lunules, le soleil au zénith. Je suis pris dans cet embrasement. L'heure de Pan, le faunesque midi. Parmi les plantes-serpents lourdes de gommes les fruits d'où sourd le lait, là où s'élargissent des feuilles étalées sur les eaux couleur de bronze. La douleur est loin.

Ne te détourne plus pour méditer.

Son regard méditatif s'était posé sur les bouts carrés de ses bottines. Laissés-pour-compte *nebeneinander* d'un copain chic. Il comptait les sillons du cuir crevassé dans lequel le pied d'un autre s'était niché au chaud. Pied qui frappe le sol avec l'arrogance d'un pontife. Pied que j'aversionne. Mais quel n'était pas ton ravissement de voir que tu pouvais mettre le soulier d'Esther Osvalt : c'est à Paris que je l'ai connue. *Tiens, quel petit pied!* Ami solide, âme fraternelle : amour à la Wilde qui n'ose pas dire son nom. Et il pense à me lâcher. A qui la faute? Tel que je suis. Tout entier ou pas du tout.

Du lac de Cock l'eau fluait à force en longs lassos, recouvrait l'or vert des îlots de sable, s'enflait et fluait. Mon bâton va être emporté par le flot. Attendons. Non, le flot passe, passe en se courrouçant contre les roches basses, tourbillonne et passe. Mieux vaut en finir au plus vite avec cette corvée. Attention : un discours en quatre mots du flot : sîîsou, hrss, rsseeiss, ouass. Souffle véhément des eaux parmi des serpents de mer, des chevaux cabrés, des rocs. Dans des tasses de rochers le flot flaque : flic, flac, floc : bruit de barils. Et, répandu, son discours tarit. Il flue en murmure, largement il flue, flottantes flaques d'écume, fleurs qui se déploient.

Sous l'influence du flux il voyait les algues convulsées s'élever avec langueur, balancer des bras qui éludent quand leurs cotillons elles troussent, balancer dans l'eau chuchotante, et lever de timides frondes d'argent. Jour après jour, nuit après nuit : soulevées, inondées, laissées à plat. Seigneur, elles sont lasses, et au chuchotement de l'eau elles soupirent. Saint Ambroise l'entendit, le soupir des feuillages et des vagues, en attente, dans l'attente depuis toujours de la plénitude de leurs temps, *diebus ac noctibus iniurias patiens ingemiscit.* Pour nulle fin rassemblées, puis en vain relâchées, s'avançant avec le flot, avec lui revenant en arrière : écheveaux du métier de la lune. Elle aussi, lasse aux yeux des amants, des hommes lascifs, une reine nue rayonnante en son royaume, elle tire à elle le réseau des eaux.

Cinq brasses là-bas. Par cinq brasses d'eau ton père repose. Il a dit : à une heure. Repêchage d'un noyé. Haut de l'eau à la barre de Dublin. Poussant devant lui un amas flottant de détritus, un banc de poissons en éventail, de cocasses coquilles. Un cadavre blanc de sel, émergeant dans le ressac, ballotté vers la terre, mètre à mètre, un marsouin. Le voilà. Accrochez-le vite. *Tout descendu qu'il soit sous le plancher des eaux.* Il est à nous. Stoppe.

Sac de gaz cadavériques macérant dans une saumure infecte. Un frisson de fretin engraissé d'un spongieux morceau de choix fuit des interstices de sa braguette boutonnée. Dieu se fait homme se fait poisson se fait oie barnacle se fait édredon. Vivant, je respire des souffles morts, foule la poussière de mort, dévore un urineux rebut de chairs mortes. Hissé roide sur le plat-bord, il exhale aux cieux la puanteur de son tombeau vert, le trou lépreux de son nez ronflant au soleil.

Une marine métamorphose ceci, des yeux bruns bleuis de sel. Mort par la mer, la plus douce des morts qui s'offrent à l'homme. Antique Père Océan. *Prix de Paris :* évitez les contrefaçons. L'essayer c'est l'adopter. Ah ce qu'on s'est bien amusé.

Allons. J'ai soif. Le ciel se couvre. Il n'y a pourtant pas de nuages noirs. Orage. Il tombe tout étincelant, orgueilleux éclair de l'intellect. *Lucifer, dico, qui nescit occasum.* Non. Mon chapeau coquillard, mon bâton de pèlerin, et ses miennes sandalantes chaussures. Où ? Vers les terres du soir. Le soir se retrouvera.

Il avait pris sa canne par la poignée, esquissait mollement quelques feintes, s'attardant encore. Oui, le soir se retrouvera en moi, sans moi. Tous les jours rencontrent leur fin. A propos, quand est-ce que ce sera, le prochain ? Mardi sera le jour le plus long. De tout cet heureux nouvel an, maman, rataplan plan plan. Lawn Tennison, gentleman-poète. *Giâ.* Pour la vieille sorcière aux dents jaunes. Et monsieur Drumont, gentleman-journaliste. *Giâ.* Mes dents sont très mauvaises. Pourquoi, me le demande ? Touchons. Celle-là aussi est fichue. Coquilles. Devrais-je aller chez le dentiste avec cet argent, je me le demande ? Et celle-là. Kinch l'Édenté, surhomme. Pourquoi ça, je me le demande ; ou bien cela correspondrait-il à quelque chose ?

Mon mouchoir. Il l'a jeté. Je me le rappelle. Ne l'ai-je pas repris ?

Sa main tâtonna en vain dans ses poches. Non, je ne l'ai pas repris. Je n'ai plus qu'à en acheter un.

Il déposa soigneusement à l'angle d'une roche le mucus sec cueilli dans une de ses narines. Ni vu ni connu je t'embrouille.

Mais derrière ? Peut-être quelqu'un.

Il avait tourné la tête et regardait par-dessus son épaule. Déplaçant en plein ciel ses hauts espars de trois-mâts, voiles carguées sur les barres de perroquet, rentrait au port, remontant le courant, silhouette silencieuse dans le silence, un navire.

II

M. Léopold Bloom se nourrissait avec délectation des organes internes des mammifères et des oiseaux. Il aimait une épaisse soupe d'abatis, les gésiers au goût de noisette, un cœur rôti avec sa farce, des tranches de foie frites dans la chapelure, des œufs de morue rissolés. Par-dessus tout il aimait les rognons de mouton au gril qui flattaient ses papilles gustatives d'une belle saveur au léger parfum d'urine.

Il avait des rognons en tête tandis qu'il allait et venait sans bruit dans la cuisine, disposant son petit déjeuner à elle sur le plateau bosselé. Dans la cuisine un air froid, une clarté froide, mais dehors une douce matinée d'été partout répandue. Et ainsi, il commençait à se sentir le ventre creux.

Les charbons rougissaient.

Une autre tranche de pain beurré ; trois, quatre ; bon. Elle n'aimait pas que son assiette fût pleine. Bon. Il laissa le plateau, prit la bouilloire sur le rebord du foyer et la plaça sur le feu, un peu de côté. Sise là, d'aplomb et maussade, le bec agressif. Thé bientôt. Tant mieux. Gorge sèche. La chatte tournait contre le pied de la table, raide et la queue en l'air.

— Mrkrgnaô !

— Ah ! vous voilà, dit M. Bloom en se détournant du feu.

La chatte répondit par un miaulement, et fit un nouveau tour de pied de table, toujours roide et miaulant. La même dégaine que sur ma table à écrire. Prr. Gratte ma tête. Prr.

M. Bloom observait, curieux et bonhomme, la souple silhouette noire. C'est si net : le lustre de son fourreau lisse, le bouton blanc sous la queue, le phosphore des prunelles vertes. Les mains aux genoux, il se pencha vers elle.

— Du lait pour la minouche !

— Mrkrgnaô !

On prétend qu'ils ne sont pas intelligents. Ils nous comprennent mieux que nous ne les comprenons. Elle comprend tout ce qui concerne ses besoins. Et la mémoire des offenses. Me demande comment je lui apparais. Haut comme une tour ? Non, elle me saute sur le dos.

— A peur des poulets, dit-il moqueur. A peur des pou-poussins. Jamais vu une minouche aussi sotte que cette minouche-là.

Cruelle. C'est dans sa nature. Drôle que les souris ne gémissent pas. Ont l'air d'aimer ça.

— Mrkrgnaô ! fit la chatte plus fort.

Ses yeux clignotaient mi-clos de désir et de vergogne, et en filant son miaulement plaintif elle montrait ses dents couleur de lait. M. Bloom observait les sombres pupilles que la convoitise rétrécissait jusqu'à ce que les yeux ne fussent plus que deux vertes gemmes. Alors il alla prendre au dressoir la cruche que le laitier de Hanlon venait de remplir, versa du lait tiède et mousseux dans une soucoupe et la posa lentement par terre.

— Gurrhr ! fit la chatte se précipitant pour laper.

Il regardait les moustaches luire comme des fils métalliques dans la lumière atténuée pendant que la chatte faisait trois petits plongeons et lapait à petits coups légers. Est-ce vrai que quand on leur coupe les

moustaches ils ne prennent plus de souris ? Pourquoi ?
Parce qu'ils brillent dans le noir, peut-être, les bouts.
Ou que c'est comme des espèces d'antennes dans le
noir, peut-être.

Il l'écoutait laplaper. Œufs et jambon, non. Pas de
bons œufs par cette sécheresse. Besoin d'eau fraîche.
Jeudi ; pas un bon jour non plus pour un rognon de
mouton chez Buckley. Frit au beurre, avec un soupçon
de poivre. Plutôt un rognon de porc chez Dlugacz.
Pendant que l'eau chauffe. La chatte lapait plus
lentement, puis nettoyait la soucoupe. Pourquoi ont-
ils des langues si rêches ? Pour mieux laper, percées
comme des râpes. Rien qu'elle puisse chaparder ? Il
regarda autour de lui. Non.

Ses souliers craquant discrètement, il monta l'escalier jusqu'à l'antichambre et s'arrêta devant la porte
de la chambre à coucher. Elle aimerait peut-être
quelque chose d'un peu relevé. Le matin elle aime
mieux les tartines minces beurrées. Pourtant, une fois
par hasard.

Il dit à mi-voix dans l'antichambre nue :

— Je vais jusqu'au coin. De retour dans une
minute.

Le son de sa voix dans les oreilles, il ajouta :

— Vous ne désirez rien pour votre déjeuner ?

Un faible grognement somnolent :

— Mn.

Non. Elle ne désirait rien. Il entendit alors un
chaud, un profond soupir, plus assoupi, comme elle se
retournait dans le lit et que les anneaux de cuivre
desserrés cliquetaient. Il faut vraiment que je les fasse
réparer. Dommage. Le transport depuis Gibraltar.
Elle a oublié le peu d'espagnol qu'elle savait. Qu'est-
ce que son père a pu payer ça ? Vieux modèle. Ah oui,
au fait. Acheté à la vente du gouverneur. Un prompt
coup de marteau. On ne l'aurait pas mis dedans, le
vieux Tweedy. Oui, monsieur. C'était à Plevna. Je sors

des rangs, monsieur, et j'en suis fier. Il a eu assez de flair pour spéculer sur les timbres. Et c'était voir de loin.

Il décrocha son chapeau du champignon auquel pendait son lourd pardessus marqué de ses initiales et son imperméable usagé de la vente des objets perdus. Timbres : effigies au derrière collant. Je m'imagine qu'il y a des tas d'officiers dans la partie. Ça ne fait pas de doute. La marque graisseuse du fond de son chapeau lui rappela silencieusement : Plasto, chap de luxe. Il jeta un rapide coup d'œil sous la bande de cuir. Petit papier blanc. En sûreté là.

Sur le pas de la porte il se mit à chercher le passe-partout dans sa poche de derrière. Pas là. Dans mon autre pantalon. Faut aller le chercher. La pomme de terre je l'ai. La penderie grince. Inutile de la déranger. Elle avait encore sommeil en se retournant tout à l'heure. Il tira la porte d'entrée sur lui, posément, encore un peu, jusqu'à ce que la latte du bas vînt effleurer le seuil, couvercle contre à contre. Ça paraît fermé. Ça ira bien comme ça jusqu'à ce que je revienne.

Il traversa et prit le côté du soleil, évitant le trou de cave du numéro soixante-quinze. Le soleil s'approchait du clocher de St-George. J'ai idée qu'il fera chaud. Et surtout en noir ça se sent davantage. Le noir conduit, reflète (est-ce réfracte ?) la chaleur. Mais je ne pouvais pas y aller avec ce complet clair. Ça n'est pas un pique-nique. Par moments ses yeux se fermaient de béatitude dans cette bonne tiédeur. La voiture de Boland qui vient livrer notre pain quotidien avec ses plateaux, mais elle préfère le pain rassis, les chaussons croustillants avec le dessus encore chaud. Ça vous fait sentir jeune. Quelque part en Orient : le petit jour ; partir à l'aube, marcher en avant du soleil, lui dérober un jour. Et toujours ainsi théoriquement n'être jamais plus vieux d'un jour. Suivre un rivage, en pays inconnu, atteindre la porte d'une ville, là une sentinelle, vieux troupier aussi, les grosses moustaches du vieux Tweedy, appuyée sur une longue espèce de lance. Flâner par des rues ombragées de bannes. Des figures passent enturbannées. Cavernes sombres où on vend des tapis, un hercule, Turco le Terrible, assis les jambes croisées, fumant une pipe serpentine. Cris des vendeurs dans les rues. Eau parfumée au fenouil, sherbets. Errer à l'aventure tout le jour. Rencontrer peut-être un voleur ou deux. Eh bien, va pour la rencontre. Voilà le crépuscule qui approche. Les ombres des mosquées le long des piliers ; Iman avec son parchemin roulé. Un frisson dans les arbres, signal, le vent du soir. Je continue. Ciel d'or qui se fane. Mère au guet sur sa porte. Elle rappelle ses enfants dans son idiome obscur. Mur élevé : derrière, des cordes nasillardes. Nuit ciel lune, violet, couleur des jarretières neuves de Molly. Instruments à cordes. Écoutons. Une jeune fille jouant d'un de ces instruments qui s'appellent comment déjà, tympanons ? Je passe.

Probablement pas comme ça du tout. L'espece ɑe description qu'on trouve dans les livres : En suivant le soleil. Un soleil éclate sur la couverture. Il sourit, amusé. Ce que disait Arthur Griffith de la vignette surmontant l'article de tête de *L'Homme Libre* : un soleil homerule se levant au nord-ouest dans la ruelle derrière la banque d'Irlande. Son sourire de contentement se prolongeait. Ça, c'est bien une trouvaille de Youdi : soleil homerule se levant au nord-ouest.

Il arrivait près de chez Larry O'Rourke. De la cave à travers le soupirail grillé montait le chuchotement mou du porter. Par la porte ouverte le bar lâchait des effluves de gingembre, de poussière de thé, de biscuit mâché. Bonne maison tout de même, juste au terminus des tramways. Par exemple M'Auley, plus bas, ne vaut rien comme situation. Il est vrai que si on lançait une ligne de trams le long du Circulaire-Nord depuis le marché aux bestiaux jusqu'aux quais, la plus-value ferait un bond énorme.

Tête chauve au-dessus du rideau. Un vieux finaud. Inutile de le cuisiner pour une annonce. Il sait mieux que personne sa petite affaire. Le voilà bien là, mon fameux Larry, en manches de chemise accoté à la caisse au sucre et l'œil sur son commis en tablier qui s'active avec son seau d'eau et sa serpillière. Simon Dedalus le singe à la perfection en plissant ses yeux. Savez-vous ce que je vais vous dire ? Qu'est-ce que c'est, M. O'Rourke ? Et bien voilà. Les Russes ça sera le petit déjeuner des Japonais.

M'arrêter et dire un mot, un mot de l'enterrement par exemple. Bien triste ce pauvre Dignam, M. O'Rourke.

Tournant dans Dorset Street, il lança à travers la porte un gaillard :

— Bonjour, M. O'Rourke.
— Bonjour, bonjour.
— Beau temps, monsieur.
— Pour sûr.

Comment font-ils leur magot ? On les voit arriver de leur cambrousse de Leitrim, serveurs rouquins, ils rincent les récipients vides et font la ripopée à la cave. Et puis, crac, les voilà florissants comme Adam Findlater ou Dan Tallon. Et pensez à la concurrence. Soif universelle. Un bon casse-tête : traverser Dublin sans passer devant un zinc. Impossible qu'ils puissent mettre de côté honnêtement. Avec les ivrognes peut-être. Poser trois retenir cinq. Qu'est-ce que c'est que ça ? Vingt ronds par-ci par-là, au compte-gouttes. Peut-être les commandes de gros. Tours de passe-passe avec les voyageurs qui font la place. Arrondissez pour le patron et nous couperons la poire en deux, eh ?

Combien peut-il gagner sur le porter en un mois ? Disons dix barriques de la marchandise. Disons qu'il se fait dix pour cent. Oh! davantage. Dix. Quinze. Il passait devant l'école communale St-Joseph. Mélopée des marmots. Fenêtres ouvertes. L'air pur favorise la mémoire. A l'unisson. Abécé déefgé kaelem opécu eresté doublevé. Des garçons? Oui. Inishturk. Inishark. Inishboffin. A leur jographi. La mienne. Mont Bloom.

Il s'arrêta devant l'étalage de Dlugacz, fixant les chapelets de saucisses, le boudin blanc et noir. Cinquante multiplié par. Dans sa tête les chiffres s'estompaient sans solution; contrarié il les laissa échapper. Ses yeux se nourrissaient des chaînons luisants de chair hachée et il humait paisiblement la tiède exhalaison du sang de cochon cuit et aromatisé.

Un rognon suintait goutte à goutte sur un plat à dessin genre chinois, bleu et blanc : le dernier. Il s'arrêta près du comptoir à côté de la bonne des voisins. Va-t-elle me le souffler? Elle lisait sa liste aux commissions, bout de papier dans sa main. Mains gercées : la carbonade. Et une livre et demie de chipolata. Son regard se complaisait à ses hanches vigoureuses. Lui s'appelle Woods. Que peut-il bien faire? La femme plutôt âgée. Il a besoin de chair fraîche. Défense d'introduire des promis. Du biceps quand elle tape un tapis sur la corde. Et elle le tape, sapristi. Le saut que fait sa jupe tordue à chaque vlan.

Le charcutier aux yeux de furet pliait les saucisses qu'il avait détachées net avec ses doigts truffés, rose-saucisse. Elle a une viande solide, génisse nourrie à l'étable.

Il prit une page sur la pile de feuilles coupées. La ferme modèle de Kinnereth sur les bords du lac de Tibériade. Pourrait devenir un idéal sanatorium d'hiver. Moïse Montefiore. J'aurais parié qu'il en était. La ferme entourée de murs, bétail indistinct, pâturant. Il éloigna la page : plein d'intérêt; la rapprocha, le titre, le bétail indistinct, pâturant, le papier froufroutant.

Une jeune génisse blanche. Ces matins du marché aux bestiaux les bêtes beuglant dans leurs parcs, les moutons marqués, fiente qui flaque et choit, les éleveurs en souliers à clous qui pataugent dans la litière, faisant claquer leur paume sur un quartier arrière de viande à point, ça c'est de la première qualité, une baguette brute à la main. Patiemment il tenait sa page inclinée, contenant son impulsion, son désir, les yeux bien sages, le regard posé. La jupe tordue se balançant vlan et vlan et vlan.

Le charcutier grippa deux feuilles de la pile, enveloppa les saucisses de choix et fit une rose grimace.

— Et voilà, mimoizelle.

Avec un sourire hardi, elle tendit une pièce et son poignet massif.

— Merci, mimoizelle. Et un shilling trois pence que voilà. Et pour vous s'il vous plaît ?

En hâte M. Bloom montra du doigt. Faire vite et marcher derrière elle, si elle n'est pas trop loin, derrière ses jambons en mouvement. Agréable comme premier tableau de la journée. Dépêche-toi sacré mâtin. Faire le foin pendant que le soleil brille. Elle était debout devant la porte, au soleil ; puis nonchalante, à pas lents, elle prit à droite. Il soupira avec son nez : jamais elles ne comprennent. Mains gercées de carbonade. Ongles de pieds encroûtés aussi. Des scapulaires bruns et en lambeaux la défendent par devant et par derrière. L'aiguillon de son indifférence devint en lui une faible satisfaction intime. Elle est pour un autre : un agent hors service la serrait de près dans Eccles Lane. Ils les aiment substantielles. Saucisses de choix. Oh je vous en prie monsieur l'agent, je suis toute perdue.

— Trois pence, s'il vous plaît.

Sa main reçut la glande tendre et moite et la glissa dans une poche de son veston, sortit de la poche de son pantalon trois gros sous et les posa sur le petit hérisson de caoutchouc. Un instant là, vérifiés vite et vite glissés pièce à pièce dans le tiroir-caisse.

— Merci monsieur. A une autre fois.

Une brève étincelle dans les yeux de renard le remerciait. Une seconde et M. Bloom détourna son regard. Non, vaut mieux pas ; une autre fois :

— Bonjour fit-il, s'en allant.

— Bonjour, monsieur.

Rien en vue. Partie. Qu'importe ?

Il s'en retourna par Dorset Street, lisant gravement Agendath Netaim : Société de planteurs. Acheter au gouvernement turc des terrains sablonneux et les planter d'eucalyptus. Excellents comme ombrage, combustible et bois de construction. Au Nord de Jaffa bois d'orangers et immenses cultures de melons. Vous versez huit marks par dunam de terre qu'on plante pour vous, avec oliviers, orangers, amandiers et citronniers. Les oliviers coûtent moins. Les orangers nécessitent des travaux d'irrigation. Vous recevez chaque année des échantillons de la récolte. Votre nom est inscrit comme propriétaire à vie au grand livre de la Société. Pouvez ne payer que dix livres comptant et le solde en versements annuels. Bleibtreustrasse 34, Berlin, W. 15.

Très peu pour moi. Pourtant il y a une idée là-dedans.

Il regarda le bétail indistinct dans un halo d'argent de canicule. Oliviers poudrés d'argent. Longs jours paisibles ; taille, maturité. Les olives sont empilées dans des bocaux, hein ? Il m'en reste quelques-unes de chez Andrews. Molly les recrachant. En sait le goût maintenant. Les oranges dans du papier de soie et des caisses à claire-voie. Les citrons aussi. Me demande si le pauvre Citron de Saint Kevin's Parade vit encore. Et Mastiansky avec sa vieille cithare. Quelles bonnes soirées dans ce temps-là. Molly dans le fauteuil d'osier de Citron. Tentant à tenir, fruit frais cireux, à tenir dans la main et porter aux narines, en aspirer le parfum. Comme ça, parfum lourd, sucré, véhément. Toujours le même, chaque année. Et ça se vendait cher, m'a dit Moisel. Place Arbutus ; rue des Plaisants ; plaisant passé. Il disait qu'il n'y fallait pas un défaut. Un tel voyage à faire : Espagne, Gibraltar, la Méditerranée, le Levant. Les caisses alignées sur les quais à Jaffa, le bonhomme qui les pointe sur son livre, les lascars culottés de calicot qui les coltinent. Tiens, voilà machin qui sort de chez. Comment va ? Ne voit pas. Type qu'on connaît juste assez pour un coup de chapeau, plutôt rasoir. Même dos que le capitaine norvégien. Le rencontrerai-je aujourd'hui ? La voiture d'arrosage. Pour amener la pluie. Sur la terre comme au ciel.

Un nuage se mit à couvrir le soleil, lent, large et lent. Gris. Lointain.

Non ça n'est pas comme ça cet Orient-là. Une terre stérile, un désert. Lac volcanique, la mer morte ; ni poissons, ni plantes marines, profonde en la terre. Nul vent ne soulèverait ses vagues de plomb, ses eaux chargées de vapeurs empoisonnées. La pluie de soufre on a appelé ça : les villes de la plaine, Sodome, Gomorrhe, Edom. Tous des noms morts. Une mer morte dans une terre morte, grise et vieille. Vieille à présent. Elle a porté la plus ancienne, la première race. Une vieille fée carabosse sortant de chez Cassidy traversa, la main crispée sur le col d'une pinte. Le peuple le plus ancien. Errant de par la terre, de captivité en captivité, multipliant, mourant, et partout naissant. Et la voilà maintenant cette terre. Désormais elle ne peut plus enfanter. Mort : celui d'une vieille femme : con gris et avachi du monde.

Désolation.

Une grise horreur lui desséchait la peau. Il plia la feuille et la mit au fond de sa poche, puis, tournant dans Eccles Street, se hâta vers son domicile. Une huile froide coulait dans ses veines et lui figeait le sang; l'âge le revêtait d'une chape de sel. Bon, me voici arrivé. Bouche du matin esprit chagrin. Me suis levé du pied gauche. Il faut que je recommence à faire du Sandow. A plat sur les mains. Les maisons de briques brun moisi. Le numéro quatre-vingts encore vacant. Pourquoi ? Location demandée vingt-huit livres seulement. S'adresser à Towers, Battersby, North, MacArthur. Fenêtres du rez-de-chaussée placardées d'affiches. Emplâtres sur un œil malade. Sentir la bonne vapeur du thé, la fumée de la poêle, le beurre qui grésille. Être tout proche de sa chair abondante chaude du lit. Oui, oui.

Un chaud rayon de soleil accourait de Berkeley Road, agile en légères sandales, le long du trottoir qui s'égayait. Elle court, court à ma rencontre, fille aux cheveux d'or dans le vent.

Deux lettres et une carte par terre dans l'antichambre. Il se baissa pour les ramasser. Mme Marion Bloom. Son cœur se mit à battre plus lentement. Écriture décidée. Mme Marion.

— Poldy !

Il ferma les yeux à demi en pénétrant dans la chambre à coucher, et traversant la jaune et tiède pénombre arriva près de sa tête ébouriffée.

Pour qui les lettres ?

Il les regarda. Mullingar. Milly.

— Une lettre de Milly pour moi, dit-il, circonspect, et une carte pour vous. Et une lettre pour vous.

Il posa la carte et la lettre sur le couvre-lit de croisé près de la courbe de ses genoux.

— Voulez-vous que je relève le store ?

Pendant qu'il faisait remonter le store par petites secousses à mi-hauteur, il la vit du coin de l'œil regarder sa lettre et la pousser sous l'oreiller.

— Comme ça ? dit-il en se retournant.

Appuyée sur le coude, elle lisait la carte.

— Elle a reçu les affaires, dit-elle.

Il attendit jusqu'à ce qu'elle eût posé la carte de côté et se fût lentement remise en boule avec un soupir satisfait.

— Dépêchez-vous pour le thé, dit-elle. J'ai le gosier sec.

— L'eau bout, répondit-il.

Mais il s'attarda à débarrasser la chaise : son jupon rayé, du linge froissé et sali ; et en une brassée il posa le tout sur le pied du lit.

Comme il descendait à la cuisine, elle appela :

— Poldy !

— Quoi ?

— Ébouillantez la théière.

Ça bouillait, pas d'erreur : une vapeur légère, plume sortant du bec. Il échauda, vida la théière, y mit quatre cuillerées de thé combles, et pencha la bouilloire pour verser l'eau. Laissant infuser, il ôta la bouilloire, plaqua la poêle sur les charbons ardents, et regarda le morceau de beurre glisser et fondre. Pendant qu'il déballait le rognon, la chatte eut tout contre lui un miaulement de faim. Si on lui donne trop de viande elle ne chassera plus. On prétend qu'ils ne mangent pas de porc. Le rite. Tiens. Il laissa tomber à sa portée le papier taché de sang, et envoya le rognon dans le beurre qui grésillait. Poivre. Puisant une pincée au coquetier ébréché, il saupoudra en rond.

Alors il fendit l'enveloppe et parcourut sa lettre recto et verso. Mercis ; béret neuf ; M. Coghlan ; pique-nique au Loch Owel ; jeune étudiant ; les jeunes filles de la grève, de Dache Boylan.

Le thé était infusé. Avec un sourire, il remplit sa tasse personnelle « à moustache » en faux Derby. Cadeau d'anniversaire de la puérile Milly. N'avait que cinq ans alors. Non, voyons, quatre ; je lui avais donné le collier imitation d'ambre qu'elle a cassé. Elle s'envoyait des bouts de papier d'emballage pliés dans la boîte aux lettres. Tout en versant il souriait.

> *O Milly Bloom, vous êtes ma tendresse,*
> *Vous êtes mon miroir du soir jusqu'au matin;*
> *Je vous préférerais, vous, fussiez-vous pauvresse,*
> *A la Katey Keogh, son âme et son jardin.*

Pauvre vieux professeur Goodwin. Un cas désespéré. Mais c'était un vieux type très courtois. La façon démodée qu'il avait pour raccompagner Molly hors de l'estrade. Et la petite glace dans son chapeau de soie. Le soir où Milly l'a apportée au salon. Oh, regardez ce que j'ai trouvé dans le chapeau du professeur Goodwin! Nous avons tous ri. Déjà le sexe qui perçait. Un malin petit bout de femme.

Avec une fourchette il piqua le rognon et le fit claquer en le retournant; puis il plaça la théière sur le plateau. En le soulevant il fit vibrer sa bosse. Tout y est? Tartines beurrées, quatre, sucre, cuiller, sa crème. Oui. Le pouce accrochant l'anse de la théière, il monta l'escalier. Il entr'ouvrit la porte d'une poussée douce du genou, fit entrer le plateau et le déposa sur la chaise à la tête du lit.

— Comme vous avez été long, dit-elle.

Elle fit cliqueter les cuivres en se soulevant avec vivacité, un coude à l'oreiller. Il considérait sans trouble ses formes rebondies et l'intervalle entre les nénés volumineux et doux, fléchis dans sa chemise de nuit comme les mamelles d'une chèvre. La chaleur de sa chair montait du lit et se mêlait à l'arôme du thé qu'elle versait.

Un lambeau d'enveloppe pointait sous l'oreiller creusé d'une fossette. Au moment de partir il s'arrêta pour rajuster le couvre-pieds.

— De qui la lettre? demanda-t-il.

Écriture décidée, Marion.

— Oh, de Boylan, répondit-elle. Il doit apporter le programme.

— Qu'allez-vous chanter ?

— *Là ci darem* avec J. C. Doyle, et *Pour Un Peu d'Amour*.

Ses lèvres charnues souriaient en buvant. Assez rance l'odeur que laissent le lendemain ces pastilles du sérail. Comme l'eau croupie d'un porte-bouquet.

— Voulez-vous que j'ouvre un peu la fenêtre ?

Elle plia une mince tartine, et la mettant dans sa bouche :

— A quelle heure l'enterrement ?

— Onze heures, je crois, répondit-il. Je n'ai pas vu le journal.

Suivant l'indication de son doigt il prit sur le lit sa culotte sale par une jambe. Non ? Alors, une jarretière grise enroulée sur elle-même et recroquevillée autour d'un bas. Semelle déformée, luisante.

— Non, ce livre.

Un autre bas. Son jupon.

— Il a peut-être tombé, dit-elle.

Il tâtait çà et là. *Voglio e non vorrei*. Me demande si elle prononce bien ce mot *voglio*. Pas sur le lit. A sans doute glissé. Il se baissa et souleva la draperie. Le livre s'étalait à terre contre la rondeur du vase de nuit à filets orange.

— Montrez voir, dit-elle. J'ai mis une marque. Un mot que je voulais vous demander.

Elle avala une gorgée de sa tasse tenue sans souci de l'anse et ayant essuyé tout de go le bout de ses doigts sur la couverture, se mit à suivre le texte avec une épingle à cheveux jusqu'à ce qu'elle rencontrât le mot.

— Mes tempes si quoi ? demanda-t-il.

— Là, dit-elle. Qu'est-ce que ça veut dire ?

Il se pencha vers elle et lut près de l'ongle poli de son pouce.

— Métempsycose ?

— Oui. D'où sort-il celui-là ?

— Métempsycose, reprit-il, fronçant le front. C'est grec, ça vient du grec. Ça signifie la transmigration des âmes.

— Quelle balançoire ! dit-elle. Sortez-moi ça en mots simples.

Il sourit, observant de côté son œil moqueur. Les mêmes jeunes yeux. La nuit qui suivit les charades. Dolphin's Barn. Il tournait les pages malpropres. Rubis, l'Orgueil du Cirque. Oh, oh ! Illustration. Un Italien féroce avec un fouet de charretier. Ce doit être Rubis orgueil du sur le plancher nue. Prêt gracieux d'un drap. *Le monstre Maffei s'interrompit, et avec un juron, rejeta loin de lui sa victime.* Partout de la cruauté. Animaux dopés. Le trapèze au Cirque Hengler. J'étais forcé de regarder ailleurs. Le populo bouche bée. Tordez-vous le cou et on se tordra de rire. Il y en a des familles entières. On les désarticule jeunes pour qu'ils puissent métempsycoser. Que nous vivons après la mort. Nos âmes. Que l'âme d'un homme après sa mort. L'âme de Dignam.

— L'avez-vous fini ? demanda-t-il.

— Oui, dit-elle. Il n'y a rien de folichon dedans. Croyez-vous que ce soit son premier qu'elle aime tout le temps ?

— Je ne l'ai jamais lu. En voulez-vous un autre ?

— Oui. Un autre de Paul de Kock. Quel coquin de nom il a.

Elle se versa de nouveau du thé en regardant du coin de l'œil couler le filet.

Il faut que je renouvelle à cette librairie de Capel Street ou sans ça on relancera Kearny qui s'est porté garant pour moi. Réincarnation, voilà le mot.

— Il y a des gens qui croient, dit-il, que nous continuons à vivre après la mort dans un corps différent et que nous avons vécu avant. Ils nomment ça la réincarnation. Ils disent que nous aurions tous

95

déjà vécu sur la terre ou sur une autre planète il y a des milliers d'années. Et que nous l'aurions oublié. Il y en a qui prétendent se rappeler leurs vies antérieures.

La crème épaisse colimaçonnait dans son thé. Plutôt lui rappeler le mot Métempsycose. Il faudrait un exemple. Quel exemple ?

La Nymphe au bain au-dessus du lit. Prime du numéro de Pâques du *Froufrou*. Superbe chef-d'œuvre en couleurs artistiques. Couleur du thé avant qu'on y mette le lait. Quelque chose d'elle avec les cheveux dénoués, en plus fin. Le cadre m'a coûté trois shillings six. Elle disait que ça serait gentil au-dessus du lit. Nymphes nues, la Grèce ; et voilà mon exemple, les gens de ce temps-là.

Il tournait les pages à rebours.

— La métempsycose, dit-il, voilà comment les Grecs d'autrefois appelaient ça. Ils croyaient par exemple qu'on pouvait être changé en animal, ou en arbre. Par exemple les nymphes, comme ils les appelaient.

Elle cessa d'agiter le sucre avec sa cuiller. Elle regardait droit devant elle, le nez en quête, et reniflait.

— Ça sent le brûlé, dit-elle. Avez-vous laissé quelque chose sur le feu ?

— Le rognon ! s'exclama-t-il.

De force il fit entrer le livre dans une poche intérieure de son veston, et après avoir buté de l'orteil contre la commode estropiée, il se précipita vers l'odeur, dégringolant l'escalier avec des pattes d'échassier effaré. Un jet de fumée âcre fusait coléreux d'un côté de la poêle. En forçant une dent de fourchette sous le rognon il le décolla et le tourna sens dessus dessous. A peine brûlé. Il le fit sauter de la poêle sur une assiette et fit dégoutter dessus le jus rare et noirâtre.

Tasse de thé maintenant. Il s'assit, coupa et beurra une tranche de pain. Il sépara la surface brûlée, et la jeta à la chatte. Puis il piqua un gros morceau et se mit à mastiquer en connaisseur la chair élastique et délectable. Juste à point. Une gorgée de thé. Il tailla des dés de pain, en sauça un qu'il porta à sa bouche. Qu'est-ce qu'il y avait déjà sur ce jeune étudiant et ce pique-nique ? Il mit la lettre bien à plat près de lui et la lut attentivement tout en mâchant, et en sauçant le second dé de pain avant de le porter à sa bouche.

Petit pépère chéri,
   Mille et mille mercis pour le beau cadeau de mon jour de naissance. Il me va chouettement. Tout le monde dit que c'est moi la plus chic avec mon béret neuf. J'ai reçu la belle boîte de chocolats à la crème de maman et je lui écris. Ils sont délicieux. Me voilà lancée en plein dans la photo et ça marche comme sur des roulettes. M. Coghlan en a pris une de moi et Madame l'enverra quand ça sera développé. Il y a eu de la presse hier. Quel beau temps, toutes les élégances à pattes d'éléphant étaient là à se faire tirer. Nous allons lundi avec des amis pour un pique-nique au loch Owel. Ma tendresse à maman et pour vous un gros baiser et des mercis. Je les entends au piano en bas. Il y aura samedi un concert au Greville Arms. Il y a un jeune étudiant qui vient quelquefois le soir qui s'appelle Bannon il a des cousins ou quelque chose comme ça qui sont de grosses légumes et il chante la romance de Boylan (un peu plus j'écrivais Dache Boylan) sur les jeunes filles de la grève. Dites-lui que Milly-linotte lui envoie ma distinguée considération. Il faut que je termine bien tendrement.

   Votre fille qui vous aime,

                                          Milly.

P.-S. — Excusez griffonnage, écris au galop. A bientôt.

Quinze ans hier. Aussi le quinze du mois ; curieux. Son premier anniversaire loin de la maison. Séparation. Me rappelle cette matinée d'été où elle est née, ma course pour aller réveiller Mme Thornton dans Denzille Street. Une bonne femme épatante. Ce qu'elle a dû en mettre au monde. Au premier coup d'œil elle a su que le pauvre petit Rudy ne vivrait pas. Eh bien, monsieur, Dieu est bon. Elle l'a vu tout de suite. S'il avait vécu il aurait onze ans maintenant.

Vague et mélancolique il fixait le post-scriptum. Excusez griffonnage. Au galop. Piano en bas. Le papillon sort de sa chrysalide. La scène avec elle au café XL à propos du bracelet. Ne voulait ni manger ses gâteaux, ni parler, ni lever les yeux. Petite rouée. Il sauçait d'autres dés de pain et finissait son rognon morceau par morceau. Douze shillings six par semaine. Pas grand'chose. Ça pourrait être pire. Figurante de Music-Hall. Jeune étudiant. Il avala une gorgée de thé refroidi pour faire descendre son déjeuner. Puis il relut la lettre, deux fois.

Après tout, elle sait se conduire. Pourtant si ? Non, il n'y a encore rien. Évidemment tout est possible. En tout cas attendre que ça se dessine. Un diable à quatre. Ses jambes fines galopant dans l'escalier. La destinée. Elle se fait maintenant. Coquette, très.

Il sourit avec une tendresse inquiète vers la fenêtre de la cuisine. Le jour où je l'ai surprise dans la rue en train de pincer ses joues pour les faire plus roses. Un peu anémique. Au lait trop longtemps. Et ce jour sur le *Roi d'Erin* autour du Kish. Le vieux sabot de malheur bourlinguait ferme. Pas l'ombre de frousse. Son écharpe bleu pâle, et ses cheveux au vent.

> *Toutes boucles, toutes fossettes,*
> *Elles tournent nos pauvres têtes.*

Jeunes filles de la grève. Enveloppe déchirée. Ses mains vissées dans les poches du pantalon, un cocher de fiacre en balade qui chantonne. L'ami de la famille. Prononce *turnent*. La jetée aux lumières, soir d'été, orchestre,

> *Ces jeunes grâces dont on rêve,*
> *Ces jeunes filles de la grève.*

Milly elle aussi. Jeunes baisers : le premier. Il y a un bout de temps maintenant. Mme Marion. Elle lit au lit en ce moment, tout en séparant les mèches de ses cheveux, et en souriant elle les tresse.

Un faible regret malaise qui s'insinue dans ses moelles, qui augmente. Cela arrivera, oui. Empêcher. Inutile. Je n'y peux rien. Douceurs des légères lèvres de jeunes filles. Cela viendra pour elle aussi. Il sentait le malaise latent s'étendre. Trop tard maintenant je n'y peux plus rien. Lèvres baisées. Lèvres de la femme, baiseuses, baisées, pleines, prenantes, collantes.

Vaut mieux qu'elle reste là-bas ; loin. L'occuper. Désirait un chien pour se distraire. Je pourrais y aller faire un tour. En août pour les fêtes, deux shillings six seulement l'aller et retour. Mais c'est dans six semaines. Me débrouiller pour un billet de presse. Ou par M'Coy.

La chatte, qui avait fait toute la toilette de son poil, revenait au papier taché par la viande, le flairait et s'en allait majestueusement vers la porte. Un regard en arrière, vers lui, un miaulement. A besoin de sortir. Attendez devant une porte, elle finira par s'ouvrir. Qu'elle attende. Elle a le tracassin. Électrique. Orage dans l'air. Elle se passait la patte derrière l'oreille tout à l'heure, le dos au feu.

Une plénitude en lui, une pesanteur ; puis une douce

détente des entrailles. Il se leva, commençant à défaire la ceinture de son pantalon. La chatte miaulait après lui.

— Miao! fit-il comme réponse. Attendez que je sois prêt.

Lourdeur ; la journée sera chaude.

Trop fatigant de s'offrir les marches jusqu'au palier.

Un journal. Il aimait à lire sur le siège. Pourvu qu'aucun macaque ne vienne frapper juste pendant que j'y.

Dans le tiroir de la table il trouva un vieux numéro du *Pêle-mêle*. Il l'emporta plié sous l'aisselle, se dirigea vers la porte et l'ouvrit. La chatte monta par bonds moelleux. Ah, c'est ce qu'elle voulait : monter pour se pelotonner sur le lit.

Prêtant l'oreille, il entendit sa voix à elle :

— Venez vite, minette. Venez.

Il sortit dans le jardin par la porte de derrière, s'arrêtant, l'oreille tendue vers le jardin d'à côté. Aucun bruit. Peut-être à étendre le linge. La servante était au jardin, et rin et rin. Belle matinée.

Il se baissa pour examiner une maigre rangée de menthe poivrée poussant le long du mur. Faire un kiosque là. Des fèves d'Espagne. De la vigne vierge. Tout le terrain a besoin d'être fumé, sol ingrat. Une couche brunâtre de sulfure. Toute la terre serait comme cela si on ne fumait pas. Les eaux de vaisselle. De la marne, qu'est-ce que c'est au juste? Les poules du jardin d'à côté ; leurs crottes excellente fumure de surface. Pourtant les excréments des bestiaux sont meilleurs, et surtout s'ils sont nourris de ces tourteaux gras. Fumier de couche. Rien de meilleur pour nettoyer les gants de femmes en chevreau. Le sable nettoie. Les cendres aussi. Tout le terrain à recréer. Semer des pois dans ce coin-là. Des laitues. Ne jamais manquer de légumes verts. Mais tout n'est pas rose dans les jardins. Cette abeille ou cette mouche à viande du lundi de la Pentecôte.

Il fit quelques pas. Au fait, où est mon chapeau ? Je dois l'avoir remis à la patère. Ou est-ce qu'il aurait pris un billet de parterre ? C'est drôle je ne me le rappelle pas. Trop de choses au portemanteau. Quatre parapluies, son imperméable. C'est en ramassant les lettres. Le timbre de la boutique de Drago qui tinte. Cocasse, au moment que j'y pensais. Cheveux bruns luisants de pommade au-dessus du col. N'ai eu tout juste qu'un débarbouillage et un coup de peigne. Aurai-je le temps de prendre un bain ce matin ? Tara Street. On dit que c'est le garçon de caisse qui a aidé James Stephens à s'échapper. Il s'appelle O'Brien.

Quelle voix de basse-taille ce bougre de Dlugacz. Agenda comment donc ? Et voilà, mimoizelle ? Montage de coup.

D'un coup de pied il ouvrit la porte branlante des lieux. Tâchons de ne pas salir ce pantalon avant l'enterrement. Il entra en baissant la tête sous le linteau bas. Sans fermer complètement la porte, il défit ses bretelles dans la puanteur du plâtre verdi et des toiles d'araignées poussiéreuses. Avant de s'asseoir il mit l'œil à une fente et regarda la fenêtre des voisins. Le roi comptait ses écus, et ru et ru. Personne.

Bien tassé sur le siège il déplia son journal, et tourna les pages sur ses genoux nus. Du neuf et du coulant. Rien ne presse. Retenons un peu. Notre nouvelle primée. *Le coup de maître de Matcham*. Par M. Philip Beaufoy, Cercle des Théâtromanes, Londres. L'auteur a reçu le prix d'une guinée par colonne. Trois et demie. Trois livres trois. Trois livres treize shillings six.

Paisible il se mit à lire, en se retenant, la première colonne, puis cédant et résistant, entreprit la seconde. A mi-colonne cessant toute résistance, il laissa ses entrailles se soulager à leur aise pendant qu'il lisait,

lisait sans hâte. Cette légère constipation d'hier tout à fait finie. Pas trop gros j'espère, pour ne pas ramener les hémorroïdes. Non, juste ce qu'il faut. Ça y est. Constipé, une tablette de cascara sagrada. La vie pourrait être ainsi. Ça ne l'agitait ni ne l'émotionnait, mais c'était quelque chose d'adroit et de bien amené. En ce moment on imprime n'importe quoi. Saison des remplissages. Il continuait à lire au-dessus de sa propre odeur qui montait. Adroit certainement. *Matcham pense fréquemment au coup de maître qui lui gagna cette rieuse magicienne qui maintenant.* Commencement est moral, la fin aussi. *La main dans la main.* Bien troussé. Il revint à ce qu'il avait lu, et en même temps qu'il sentait ses eaux s'évacuer paisiblement, il enviait ce bon M. Beaufoy d'avoir écrit la chose et reçu la somme de trois livres treize shillings six pence.

Je pourrais bâtir un sketch. Par M. et Mme L. M. Bloom. Trouver l'affabulation de quelque proverbe qui ? Temps où j'essayais de noter sur ma manchette ce qu'elle disait en s'habillant. N'aime pas qu'on s'habille ensemble. Éraflé en me rasant. Mordant sa lèvre inférieure en agrafant la fente de sa jupe. Je la chronométrais. 9,15. Roberts ne vous a pas encore payé ? 9,20. Quelle robe avait Gretta Conroy. 9,23. Quelle idée ai-je eue d'acheter ce peigne ? 9,24. Ce chou m'a gonflée. Un grain de poussière sur le vernis de son soulier.

Sa façon de frotter vivement la trépointe d'un soulier après l'autre contre le mollet de son bas. Le lendemain du bal de bienfaisance où l'orchestre de May avait joué la danse des heures de Ponchielli. Expliquer ça : les heures du matin, midi, puis le soir vient, puis les heures de la nuit. Elle se brossait les dents. Ç'avait été le premier soir. Sa tête à elle qui dansait. Les branches de son éventail cliquetaient. Ce Boylan est-il à l'aise ? Il a de l'argent. Eh bien ? J'ai remarqué que son haleine sentait bon en dansant. Inutile de fredonner. Y faire allusion. Drôle de musique hier soir. La glace était dans l'obscurité. Elle frottait vigoureusement sa glace à main contre le tricot qui contenait son néné rebondi et bougeur. S'y regardant. Stries dans les yeux. Impossible d'être sûr.

Heures du soir, jeunes filles en gaze grise. Heures nocturnes en noir avec des poignards et des loups. Idée poétique, d'abord rose, puis dorée, puis grise, puis noire. Et véridique aussi, pourtant. Le jour, ensuite la nuit.

Il déchira brusquement la moitié de la nouvelle primée et se torcha avec. Alors il remonta son pantalon, rajusta ses bretelles et se reboutonna. Il claqua la porte déclinquée et rétive des lieux, et quitta la pénombre pour le grand jour.

En pleine lumière, délesté et rafraîchi, il passa méticuleusement la revue de son pantalon noir, le bas, les genoux et les jarrets. Quelle heure l'enterrement ? Il faudra consulter le journal.

Dans l'air un grincement suivi d'un grave ronron. Les cloches de l'église St-George. Elles frappent l'heure : airin sombre et puissant.

> *Aïho ! Aïho !*
> *Aïho ! Aïho !*
> *Aïho ! Aïho !*

Moins le quart. Encore une fois : l'harmonique suivant, aérienne. Une tierce.

Pauvre Dignam !

D'un pas mesuré M. Bloom longea les camions du quai de sir John Rogerson, Windmill Lane, Leask le broyeur de lin, le bureau des Postes et Télégraphes. Aurais pu donner aussi cette adresse. Et l'Abri du Marin. Il s'éloigna du vacarme matinal des quais pour prendre Lime Street. Près des cottages Brady un apprenti de tannerie traînassait, son seau d'abats au bras, fumant un mégot tout mâchonné. Une gamine plus petite avec des marques d'eczéma sur le front l'examinait en tenant distraitement un cercle de barrique déformé. Lui dire que s'il fume il ne grandira pas. O laissons-le faire ! Sa vie n'est pas un tel lit de roses ! Il attend à la porte des bistrots pour ramener papa à la maison. Reviens chez M'man, P'pa. Heure morte ; il n'y aura pas grand monde. Il traversa Townsend Street, passa devant la façade rébarbative de Béthel. El, oui ; maison de ; Aleph Beth. Et devant Nichol, pompes funèbres. C'est pour onze heures. Tout le temps. Suppose que c'est Kelleher qui a dégoté ça pour O'Neill. Chante les yeux fermés, Corny. Rencontrée au jardin. Au serein. Quel chopin. Un mouchard. Son nom et son adresse alors elle me donna avec mon mirliton mirliton tonton. Sûrement lui qui l'a dégoté. Enterrez-le avec le moins de frais possible dans un trucmachinchose. Avec mon mirliton, mirliton, tontaine, tonton.

Dans Westland Row il s'arrêta devant la vitrine de la Belfast and Oriental Tea Company et se mit à lire les étiquettes des paquets aux papiers de plomb : Mélange premier choix, Qualité supérieure, Thé des Familles. Quelle chaleur ! Du thé. Je pourrai en avoir par Tom Kernan. Mais impossible de lui demander ça à un enterrement. Tout en continuant sa lecture machinale il ôta son chapeau dont il flaira l'odeur de brillantine, et avec une lenteur pleine d'aisance se passa la main droite sur le front et sur les cheveux. Vraiment chaud ce matin. Son regard sous ses paupières abaissées alla au nœud minuscule de la bande de cuir à l'intérieur de son chap de luxe. Elle y est bien. Sa main droite plongea comme dans une vasque. Il trouva tout de suite derrière la bande de cuir une carte qu'il fit passer dans la poche de son gilet.

Comme il fait chaud. Sa main droite refit plus lentement dans ses cheveux et sur son front le même geste : Mélange premier choix, composé des meilleurs Ceylan. L'Extrême Orient. Quel beau pays ça doit être : le jardin de la terre, grandes feuilles paresseuses pour se laisser aller dessus à la dérive, cactus, prairies tout en fleurs, lianes-serpents comme ils les appellent. Est-ce vraiment comme ça ? Et ces Cinghalais qui tirent leur flemme au soleil en *dolce farniente*. N'en fichent pas un coup de la journée. Dorment six mois sur douze. Trop chaud pour se disputer. Influence du climat. Torpeur. Fleurs d'oisiveté. Surtout l'air qui les nourrit. Azotes. La serre chaude du Jardin Botanique. Sensitives. Nénuphars. Pétales qui n'ont pas la force de. Maladie du sommeil dans l'air. On marche sur des feuilles de roses. Figurez-vous là un repas de tripes et de pieds à la poulette. Où était-il donc ce type que j'ai vu quelque part sur une image ? Ah, dans la mer morte, flottant sur le dos, en train de lire un livre sous un parasol ouvert. Pas moyen de couler même si on le voulait ; presque solide à force de sel. Parce que le poids de l'eau, non, le poids du corps dans l'eau est égal au poids de la. Ou est-ce le volume qui est égal au poids ? C'est une loi à peu près comme ça. Vance à l'École qui faisait craquer ses phalanges en faisant sa classe. Curriculum du collège. Curriculum crac-crac. Qu'est-ce que c'est que le poids au juste quand on dit le poids ? Trente-deux pieds à la seconde, à la seconde. Loi de la chute des corps : à la seconde, à la seconde. Ils tombent tous à terre. La terre. C'est la force de gravité de la terre qui est le poids.

Il s'éloigna et traversa la rue sans se presser.

Comment marchait-elle avec ses saucisses ? A peu près comme cela. Tout en marchant il avait pris dans sa poche de veston *L'Homme Libre* plié, l'avait déplié et l'ayant roulé en long comme une baguette, il en frappait sa jambe à chacun de ses pas nonchalants. Air dégagé ; juste entrer pour voir. A la seconde, à la seconde. A la seconde c'est-à-dire à chaque seconde. Du bord du trottoir il lança un regard perçant à travers la porte du bureau de poste. Levée supplémentaire. Lettres. Personne. Entrons.

Il tendit la carte à travers le grillage de cuivre.

— Y a-t-il des lettres pour moi ?

Pendant que l'employé explorait une petite case de son pigeonnier il se mit à examiner une affiche de recrutement avec des soldats de toutes armes à la parade, et, le bout de son journal sous le nez, il reniflait la pâte de papier fraîchement imprimée. Probablement pas de réponse. Suis allé trop loin la dernière fois.

L'employée lui remit à travers le grillage sa carte avec une lettre. Il la remercia et jeta un coup d'œil rapide sur l'enveloppe dactylographiée.

Monsieur Henry Fleury,
Poste Restante, Westland Row.
Cité.

En tout cas elle a répondu. Il glissa carte et lettre dans sa poche de veston, et de nouveau passa la revue des soldats alignés à la parade. Où est le régiment du vieux Tweedy ? Réformé d'office. Là : bonnet à poil et plumet. Non, c'est un grenadier. Revers pointus. Le voilà : Royal Dublin Fusiliers. Tuniques rouges. Trop voyant. Ça doit être pour cela que les femmes courent après. L'uniforme. Cela les engage à s'engager et à avoir de la tenue. La lettre de Maud Gonne qui demandait de leur interdire la rue O'Connell la nuit :

honte de notre capitale irlandaise. Le journal de Griffith poursuit maintenant le même but ; une armée pourrie de maladies vénériennes : et il règne sur les mers ce peuple de soulos. Ce qu'ils ont l'air tourte : comme hypnotisés. Fixe. Marquez le pas. Gamelle-elle, Plumard-ard. Régiment du Roi. On ne te le voit jamais en pompier ou en pandore. Il est franc-maçon, mais oui.

Il sortit nonchalamment du bureau de poste et tourna à droite. Des paroles ; comme si cela pouvait empêcher ça. Mettant sa main dans sa poche, il introduisit l'index sous le rabat de l'enveloppe, la déchirant par saccades. Les femmes s'en fichent pas mal je pense. Ses doigts avaient extrait la lettre et froissé l'enveloppe dans sa poche. Quelque chose d'épinglé dessus : une photo peut-être. Cheveux ? Non.

M'Coy. M'en débarrasser vite. Me ferait quitter ma route, déteste les gens quand je...

— Tiens Bloom. Où filez-vous ?

— Tiens M'Coy. Ma foi je ne sais pas trop.

— Et la petite santé ?

— Admirable. Et vous-même ?

— On se défend, dit M'Coy.

Les yeux sur la cravate noire et les vêtements, il demanda à mi-voix, déférent :

— Il n'y a... rien de fâcheux, j'espère ? Je vois que vous...

— Oh non, dit M. Bloom. Ce pauvre Dignam, vous savez. On l'enterre aujourd'hui.

— Ah oui, pauvre garçon. C'est vrai. A quelle heure ?

Une photo, sûrement, non. Un insigne peut-être.

— On... Onze heures, répondit M. Bloom.

— Il faut que j'essaie d'y aller, dit M'Coy. Onze heures n'est-ce pas ? Je ne l'ai appris qu'hier soir. Qui donc me l'a dit ? Holohan. Vous connaissez Clochipède ?

107

— Je connais.

M. Bloom regardait de l'autre côté de la rue un cabriolet de place devant la porte du Grosvenor. Le porteur hissait la valise entre les deux sièges. Elle restait debout attendant que l'homme, mari, frère, lui ressemble, ait trouvé de la monnaie au fond de sa poche. Du style, cette sorte de manteau à col roulé, chaud par un temps pareil, on dirait de la ratine.

Comme elle est désinvolte avec ses mains dans ses poches rapportées. Comme cette dédaigneuse créature au match de polo. Femmes sont toutes pleines d'esprit de caste jusqu'à ce qu'on les touche au bon endroit. Belle est et bien agit. Une réserve prête à disparaître. L'honorable Madame et Brutus est un homme honorable. La posséder une fois en retire l'empois.

— J'étais avec Bob Doran, il est dans une de ses bombes périodiques, et chose, Bantam Lyons. Nous étions chez Conway, tout près d'ici.

Doran, Lyons, chez Conway. Elle porta à ses cheveux une main gantée. Et mon Clochipède qui s'amenait. Avec un verre dans le nez. Penchant la tête en arrière et regardant au loin entre ses paupières voilées, Bloom distinguait la peau glacée qui luisait dans le jour cru, les baguettes brodées. Comme je distingue bien aujourd'hui. C'est peut-être l'humidité qui est dans l'air qui vous fait voir plus loin. Parlant d'une chose ou d'une autre. Main de patricienne. De quel côté va-t-elle monter ?

— Et il me dit : *c'est triste cette histoire de notre pauvre ami Paddy !* Et moi je lui dis, *quel Paddy ? Le pauvre petit Paddy Dignam*, qu'il me dit.

En route pour la campagne : Broadstone probablement. Hautes bottines brunes avec des lacets qui pendillent. Pied bien tourné. Quand se décidera-t-il à se séparer de cette monnaie ? Elle voit que je la regarde. Toujours l'œil en quête d'un autre homme, un bon en-cas. Il leur faut deux cordes à leur arc.

— Et je lui dis, *comment ? Qu'est-ce qui lui est arrivé ?*

Vaniteuse ; riche ; bas de soie.

— Oui, dit M. Bloom.

Il fit un petit mouvement latéral pour n'avoir plus devant lui la tête parlante de M'Coy. Dans une minute elle montera.

— Et il me dit, *ce qui lui est arrivé ? Il est mort,* qu'il me dit. Et ma foi, il remplit son verre. Et je lui dis, *est-ce Paddy Dignam ?* Je ne pouvais en croire mes oreilles. J'étais avec lui pas plus tard que vendredi, ou était-ce jeudi dernier ? à l'Arche. Et il me dit, *parfaitement. Il est parti. Il est mort lundi le pauvre garçon.*

Attention, attention ! Éclair de soie des bas blancs cossus. Attention !

Un pesant tramway donnant du timbre s'interposa. Raté. Au diable ta gueule camarade. Sensation d'être mis à la porte. Paradis et la Péri. Ça arrive toujours comme ça. Juste au moment. Cette petite sous une porte dans Eustace Street, lundi je crois, qui ajustait sa jarretière. Son amie couvrant l'exhibition de. *Esprit de corps.* Ben, qu'est-ce qui vous prend à rester là bouche bée ?

— Oui, oui, dit M. Bloom après un morne soupir. Encore un de parti.

— Un des meilleurs, dit M'Coy.

Le tram était passé. Ils roulaient vers le pont de la Ceinture, sa main richement gantée sur l'appui de fer. Flafla, flafla : la flamme de son aigrette dans la lumière : flafla, fft.

— Votre femme va bien, je pense ? fit M'Coy changeant de ton.

— Mais oui, dit M. Bloom. Épatamment, merci.

Distrait, il déroula son bâton de journal et distrait lut :

> *Qu'est la maison sans*
> *Les pâtés Prunier ?*
> *Incomplète.*
> *Avec, c'est le paradis.*

— Ma moitié vient d'avoir un engagement. Du moins c'est presque conclu.

Encore le coup de la valise. Tu peux toujours y aller. Mais je ne marche pas.

M. Bloom affable sans empressement tourna vers lui ses larges paupières.

— Ma femme aussi, dit-il. Elle va chanter dans une chose très chic à l'Ulster Hall, à Belfast, le 25.

— Vraiment ? dit M'Coy. Enchanté d'apprendre ça, mon vieux, Qui monte ça ?

Mme Marion Bloom. Pas encore levée, la reine était dans son lit qui mangeait son pain bis, biribi. Pas de livre. Des cartes à jouer crasseuses étalées le long de sa cuisse par sept. La dame brune et l'homme blond. Chat boule de fourrure noire. Lambeau d'enveloppe.

> *Pour*
> *Un*
> *Peu*
> *D'amour*
> *Un peu d'amour...*

— C'est une espèce de tournée, vous comprenez ! dit M. Bloom pensif. *D'amour.* Il y a un comité de formé. Participation aux frais et aux bénéfices.

Tirant sur sa moustache rêche, M'Coy approuva.

— Allons, voilà qui va bien.

Il allait partir.

— Et puis, heureux de vous voir en forme, dit-il. A un de ces jours.

— Oui, dit M. Bloom.

— A propos, dit M'Coy. Pourriez-vous me rendre le service d'inscrire mon nom à l'enterrement ? Je voudrais bien y aller mais il est possible que je ne puisse pas, vous comprenez. Il y a une histoire de noyé à Sandycove qui pourrait bien nous réserver du nouveau et le coroner et moi il faudrait que nous allions sur les lieux si le corps est retrouvé. Vous n'avez qu'à glisser mon nom si je ne suis pas là, voulez-vous ?

— Comptez sur moi, dit M. Bloom prêt à partir. C'est convenu.

— Bon, dit M'Coy allègre. Merci mon vieux. J'irais si ça m'était possible. Eh bien, à la revoyure. C. P. M'Coy, ça suffira.

— Ça sera fait, répondit M. Bloom avec conviction.

Je n'ai pas donné dans le panneau. Le tapage. La bonne poire. Très peu pour moi. Valise pour laquelle j'ai un béguin. Cuir. Bouts renforcés, rivés, fermeture de sûreté à double verrou. Bob Cowley lui a prêté la sienne pour le concert des régates de Wicklow l'année dernière et n'en a jamais entendu parler depuis cet heureux jour.

M. Bloom, toujours flânant vers Brunswick Street, sourit. Ma moitié vient d'avoir un. Une trique de soprano avec des taches de son. Nez en lame de couteau. Assez gentille à sa manière dans une petite romance. Pas de gosier. Alors quoi, compère et compagnon ? Dans le même panier. Passeur de pommade. Ça vous porte sur le système. N'est-il pas capable d'entendre la différence ? Je pense qu'il verse un peu de ce côté-là. Moi ça m'horripile. M'imaginais que Belfast lui en boucherait un coin. J'espère que la petite vérole n'y a pas fait de progrès. Je ne crois pas qu'elle se laisserait revacciner. Votre femme et ma femme.

Ne serait-il pas en train de me moucharder ?

M. Bloom s'arrêta au coin de la rue, ses yeux errant sur les affiches hautes en couleurs. Limonade de Cantrell et Cochrane (aromatisée). Exposition d'été chez Cléry. Non, il s'en va tout droit. Tiens. Ce soir Léa : Mme Bandman Palmer. Aimerais la revoir là-dedans. Elle jouait Hamlet hier au soir. Travesti. Peut-être était-il une femme. Est-ce pour ça qu'Ophélie s'est suicidée ? Pauvre papa ! Comme il parlait souvent de Kate Bateman dans ce rôle ! Attendait aux portes de l'Adelphi, à Londres, toute la journée pour entrer. C'était l'année avant ma naissance : 65. Et la Ristori à Vienne. Qu'est-ce que c'était le titre ? C'est par Mosenthal. Est-ce Rachel ? Non. La scène dont il parlait toujours où le vieil Abraham aveugle reconnaît la voix et lui touche la figure avec ses doigts.

La voix de Nathan ! La voix de son fils ! J'entends la voix de Nathan qui laissa son père mourir de douleur et de chagrin dans mes bras, qui abandonna la maison de son père et le dieu de son père.

Chaque mot est si profond, Léopold.

Pauvre papa ! Pauvre homme ! Je suis content de n'être pas entré dans la chambre pour regarder sa figure. Ce jour-là ! Mon dieu ! mon dieu ! bah ! peut-être que ça valait mieux pour lui.

M. Bloom tourna le coin et passa près des rosses languissantes de la station. Inutile d'y penser plus longtemps. L'heure du sac d'avoine. Voudrais bien n'avoir pas rencontré ce type de M'Coy.

En s'approchant il entendait le broiement de l'avoine dorée, la mastication paisible de leurs dents. Leurs lourds yeux de gazelle le regardaient passer parmi l'exhalaison douce et avoinée du pissat de cheval. Leur Eldorado. Pauvres nicodèmes ! Du diable s'ils savent ou se soucient de quelque chose avec leur long nez collé dans leur sac d'avoine. Trop pleins pour parler. Tout de même ils ont la pitance et le garno. Et châtrés par-dessus le marché. Une andouille de caoutchouc noir ballante et mollasse entre leurs jambes de derrière. Ça n'empêche pas qu'ils puissent être heureux comme ça. Ont l'air de pauvres bonnes brutes. Mais c'est leur hennissement qui est quelquefois bien énervant.

Il tira la lettre de sa poche et l'enveloppa dans le journal qu'il portait. Pourrais me trouver nez à nez avec elle par ici. La ruelle est plus sûre.

Il passa devant l'Abri du Cocher. Étrange cette vie à la dérive des collignons. Partout et par tous les temps, à l'heure ou à la course, pas de volonté à eux. *Voglio e non.* J'aime leur passer de temps en temps une cigarette. Sociables. Lancent au passage des syllabes ailées. Il fredonna :

> *Là ci darem la mano*
> *La la lala la la.*

Puis s'engageant dans Cumberland Street il s'arrêta au bout de quelques pas contre le mur de la station, à l'abri du vent. Pas une âme ! Meade, bois de construction. Poutres empilées. Ruines et demeures. Il passa avec précaution sur un tracé de jeu de marelle avec son palet oublié. Pas une âme. Près du chantier un enfant accroupi, seul avec ses billes, lançait son calot d'un pouce came. Une chatte sagace, sphinx aux yeux mi-clos, veillait de son seuil tiède. Dommage de les déranger. Mahomet coupa un bout de son manteau pour ne pas réveiller sa pareille. Ouvrons ça. Et autrefois j'ai joué aux billes quand j'allais à l'école enfantine chez cette vieille dame. Elle aimait la mignonnette. Pension de Mme Ellis. Et M. ? Il ouvrit la lettre à l'abri du journal.

Une fleur. Je pense que c'est une. Une fleur jaune aux pétales aplatis. Donc pas fâchée ? Que dit-elle ?

Cher Henry,

J'ai reçu votre dernière lettre que vous m'avez écrite et je vous en remercie beaucoup. Je regrette que vous n'ayez pas trouvé bien ma dernière lettre. Pourquoi avez-vous mis des timbres dedans ? Je suis tout à fait fâchée contre vous. Je voudrais bien pouvoir vous punir pour cela. Je vous ai appelé méchant garnement parce que je n'aime pas cet autre monde-là. S'il vous plaît dites-moi exactement ce que veut dire ce mot-là. Vous n'êtes donc pas heureux chez vous, mon pauvre petit méchant garnement? Comme je voudrais pouvoir faire quelque chose pour vous. Je vous en prie dites-moi ce que vous pensez de mon humble petite personne. Souvent je pense au beau nom que vous avez. Cher Henry, quand nous reverrons-nous? Je pense à vous si souvent si vous saviez. Jamais je ne me suis sentie attirée par un homme comme par vous. J'en suis toute retournée. Dites, écrivez-moi une longue lettre, et donnez-moi des détails. Rappelez-vous que si vous ne le faites pas je me vengerai. Maintenant vous savez ce que je vous ferai, méchant garnement, si vous ne m'écrivez pas. Oh, comme il me tarde de vous revoir. Henry aimé, ne refusez pas ma demande avant que ma patience soit épuisée.

Alors je vous raconterai tout. Maintenant au revoir, méchant chéri. J'ai un si affreux mal de tête aujourd'hui et écrivez *par retour* à celle qui se languit de vous.

Martha.

P.-S. — Dites-moi sans faute quel parfum votre femme emploie. Je veux le savoir.

Gravement il arracha la fleur fixée par une épingle, respira sa presque absence d'odeur, et la plaça dans la pochette contre son cœur. Langage des fleurs. Elles l'aiment parce que personne ne peut comprendre. Ou un bouquet empoisonné pour se défaire de lui. Puis en avançant avec lenteur, il relut la lettre, murmurant un mot par-ci par-là. Très fâchée tulipes contre vous homme fleur chéri punir votre cactus si vous ne s'il vous plaît humble myosotis comme il me tarde violettes de mon chéri roses quand nous bientôt anémone nous reverrons vilain méchant de pédoncule ma femme parfum de Martha. Ayant tout relu, il enleva la lettre du journal et la mit dans une poche de son veston.

Une vague satisfaction entr'ouvrait ses lèvres. Quel changement depuis la première lettre. L'avait-elle écrite elle-même ? Le prenant de haut : une jeune fille de bonne famille comme moi, qui n'a jamais fait parler d'elle. Pourrions nous rencontrer un dimanche après le rosaire. Merci bien, très peu pour moi. L'ordinaire escarmouche amoureuse. Et se sauvant dans les coins. Aussi terrible qu'une scène avec Molly. Le cigare a un effet calmant. Narcotique. Aller plus loin la prochaine fois. Méchant garnement ; je me vengerai ; évidemment peur des mots. Brutal, pourquoi pas ? En tout cas essayer. Un peu chaque fois.

Ses doigts qui tripotaient toujours la lettre dans sa poche, en retirèrent l'épingle à tâtons. Épingle ordinaire ? Il la jeta sur la chaussée. L'a prise quelque part à ses vêtements ; tiennent par des épingles. Fabuleux cette quantité d'épingles qu'elles ont toujours. Pas de roses sans épines.

Des éclats de voix faubouriennes lui revenaient en mémoire. Ce soir-là dans la Coombe, les deux gerces collées ensemble sous la pluie.

> C'est Maria qu'a perdu l'épingle de sa culotte
> Qui n' sait comment faire
> Pour que ça ne tombe pas,
> Pour que ça ne tombe pas.

Ça ? La culotte. Un si affreux mal de tête. A probablement la visite de Rosette. Ou bien c'est de taper toute une journée assise. Tension visuelle fatigue l'estomac. Quel parfum votre femme emploie-t-elle ? Eh bien, a-t-on jamais vu !

115

Pour que ça ne tombe pas.

Marthe, Marie. J'ai vu ce tableau-là je ne sais plus où, vieux maître ou truquage pour amateurs. Il est assis dans leur maison, Il parle. Mystérieux. Les deux gerces de la Coombe écouteraient elles aussi.

Pour que ça ne tombe pas.

Séduisante sensation de soir. Ne plus errer de place en place. Juste prendre ses aises ; crépuscule apaisé ; laisser les choses aller. Oublier. Parler des pays où on est allé, des coutumes bizarres. L'autre, une cruche sur la tête, apportait le souper : des fruits, des olives, délicieuse eau fraîche du puits de pierre frigide comme le trou du mur d'Ashtown. Il faut que je prenne un gobelet de papier la prochaine fois que j'irai aux courses attelées. Elle écoute avec des yeux immenses, sombres et doux. Lui dire plus, plus encore : tout. Alors un soupir : silence. Longue longue quiétude.

Sous le pont du chemin de fer il prit l'enveloppe, vite en fit des morceaux qu'il éparpilla. Les morceaux voltigèrent à la dérive dans l'air humide, et s'échouèrent, vol blanc, sur le sol.

Henry Fleury. Pas plus difficile que cela de déchirer un chèque de cent livres. Simple bout de papier. Une fois Lord Iveagh a touché un chèque de sept chiffres à la banque d'Irlande, un million de livres. Exemple de ce qu'on arrive à faire d'argent avec le porter. Mais on dit que son frère Lord Ardilaun est obligé de changer de chemise quatre fois par jour. Peau qui fabrique des poux ou autre vermine. Un million de livres, minute. Deux pence une pinte, quatre pence un quart, huit pence un gallon, non, un shilling quatre pence le gallon de porter. En vingt combien de fois un shilling quatre, environ quinze fois. Oui, juste. Quinze millions de barils de porter.

Qu'est-ce que je parle de barils? Gallons. Environ un million de barils tout de même.

Un train remontant passa à grand fracas sur sa tête, wagon après wagon. Des barils ballottèrent sous son crâne : le terne porter y flaquait et s'y barattait. Les bondes sautèrent et un grand flot terne s'écoula. Comme un fleuve circuitant entre des langues de terre, y laissant d'indolents lagons et des remous de liqueur qui charriaient les fleurs étales de sa mousse.

Il était arrivé devant la porte ouverte au dos de l'église de Tous-les-Saints. Il se découvrit en entrant sous le porche, tira la carte de sa poche et la glissa de nouveau derrière la bande de cuir de son chapeau. Sacristi, j'aurais pu sonder M'Coy au sujet de mon billet pour Mullingar.

La même affiche sur la porte. Sermon par le révérend John Conmee S. J. sur Saint Pierre Claver et les Missions Africaines. Sauver des millions de Chinois. Comment s'y prennent-ils pour endoctriner ces païens? Préfèrent une once d'opium. Célestes. Grossière hérésie pour eux. Ils ont fait aussi des prières pour la conversion de Gladstone quand il était déjà dans le coma. Avec les protestants c'est le même tabac. Convertir à la vraie religion le Dr William J. Walsh D. D. Au Musée, Bouddha leur dieu, allongé sur le côté. Se la coule douce avec sa joue dans sa main. Baguettes odoriférantes qui brûlent. Rien de l'Ecce Homo. Couronne d'épines et croix. Idée lumineuse, Saint Patrick et le trèfle. Est-ce des bâtonnets avec lesquels ils mangent? Conmee; Martin Cunningham le connaît; très distingué. Regrette de ne pas m'être adressé à lui pour faire entrer Molly dans le chœur, au lieu de ce père Farley qui avait l'air d'un imbécile mais qui trompait son monde. Ils sont dressés à ça. Ce n'est pas lui qui s'en irait catéchiser les noirs à la sueur de son front et avec des conserves bleues sur le nez. Ses verres qui lancent des éclairs les amuseraient beaucoup. Aimerais les voir assis en rond avec leur lippe bouffie, extasiés, tout oreilles. Nature morte. Boivent ça comme du lait, j'imagine.

Le relent froid des pierres consacrées le sollicitait. Gravissant les degrés usés, il poussa la porte à ressort et entra doucement par-derrière l'autel.

Quelque chose en train, quelque office de confrérie. Dommage qu'il y ait si peu de monde. Bon petit coin discret pour être à côté d'une jeune fille. Qui est donc mon voisin? Collés ensemble pendant des heures avec accompagnement de musique lente. La femme de la messe de minuit. Septième ciel. Femmes agenouillées dans les bancs avec des licols rouges autour du cou, têtes baissées. Une fournée s'agenouillait à la grille de l'autel. Le prêtre alla le long de la rangée, murmurant, tenant la chose entre ses mains. Il s'arrêtait devant chaque femme, prenait une hostie qu'il secouait une ou deux fois (sont-elles dans l'eau?) et la lui mettait adroitement dans la bouche. Chapeau et tête s'effondraient. Maintenant la suivante: une petite vieille. Le prêtre se pencha pour la lui mettre dans la bouche, toujours murmurant. Latin. La suivante. Fermez les yeux ouvrez la bouche. Quoi? *Corpus.* Un corps. Un cadavre. Trouvaille, le latin. Les endort pour commencer. Salle des agonisants. Elles ne paraissent pas mastiquer; seulement avaler. Drôle d'idée, manger des petits morceaux de cadavre, bon, c'est pourquoi les cannibales en pincent pour.

Debout à l'écart il observait leurs masques d'aveugles pendant qu'elles redescendaient l'aile à la queue leu leu, en quête de leur place. Il s'approcha d'un banc et s'assit à l'un des bouts, tournant entre ses doigts son chapeau et son journal. Ces tuyaux de poêle qu'on nous fait porter. Nous devrions avoir des chapeaux à la forme de nos têtes. Il en voyait tout autour de lui, la tête sombrée, un licol rouge au cou, attendant que ça fondît dans leur estomac. Ça ressemble aux mazzoth ; c'est cette espèce de pain ; les pains de proposition. Regardez-les. Je parie que les voilà heureuses. Du nanan. Ça y est. Oui, on l'appelle pain des anges. Il y a une grande idée derrière. Espèce de Royaume de Dieu est en vous que vous sentez. Premiers communiants. Glace-vanille à deux ronds le cornet. Alors c'est comme une partie en famille, ensemble au même théâtre, dans le même bateau. Ils le sentent, c'est évident. Moins seuls. Dans notre confraternité. Et puis on sort un peu en gaieté. Soupape de sûreté. Croyez réellement une chose, elle existe. Cure de Lourdes, fleuve d'oubli, et l'apparition Knock, les statues qui saignent. Un vieux bonhomme endormi auprès de ce confessionnal. C'était de là ces ronflements. Croire les yeux fermés. En sécurité dans les bras de votre règne arrive. Berce toute souffrance. Se réveiller l'année prochaine à pareille heure.

Il vit le prêtre remiser le ciboire, bien au fond, et s'agenouiller une seconde devant, montrant une énorme semelle grisâtre, sous sa chose en dentelle. Et s'il perdait l'épingle de sa. Il ne saurait pas comment faire pour. Rond chauve par derrière. Lettres sur son dos I.N.R.I. ? Non, I.H.S. Molly m'a dit une fois ce que ça voulait dire. Ici Holocauste Sacré, ou, non, Ici Horrible Supplice, c'est ça. Eh bien, et l'autre ? Il Nous Refait Innocents.

Rendez-vous un dimanche après le rosaire. Ne refusez pas ma demande. La voir arriver avec une voilette et un sac noir. Au crépuscule et à contre-jour. Elle pourrait être ici avec un ruban autour du cou et faire l'autre chose tout de même en catimini. Leur réputation. Cet individu qui vendit les Invincibles. Il avait l'habitude de recevoir la, son nom, Carey, la communion tous les matins. Dans cette église-ci. Peter Carey. Non, je pensais à Peter Claver. C'est Denis

Carey. Se représenter ça. Une femme et six enfants à la maison. Et ne faisant que manigancer cet assassinat. Ces tape-gésier, c'est le vrai mot, il y a toujours en eux quelque chose de louche. Ils ne sont pas non plus nets en affaires. Non elle n'est pas là ; et la fleur ; non, non. Au fait ai-je déchiré cette enveloppe ? Oui, sous le pont.

Le prêtre rinçait le calice ; puis il lampa vivement la rinçure. Vin. Plus aristocratique que s'il buvait par exemple ce qu'ils ont l'habitude de boire, du porter Guinness ou quelque boisson hygiénique comme la petite bière dublinoise de Wheatley ou la limonade de Cantrell et Cochrane (aromatisée). Ils ne leur en donnent pas ; vin de proposition ; pain de consommation. Maigre chère. Pieuse fraude mais très bien ainsi ; autrement ils auraient l'un après l'autre les pires poivrots en mal de boire un coup. Fantastique, toute l'atmosphère de. C'est très bien ainsi. C'est parfait.

M. Bloom porta ses regards vers le chœur. Il n'y aura pas de musique. Tant pis. Qui peut bien tenir l'orgue ici ? Le vieux Glynn, lui, savait faire parler son instrument ; le *vibrato ;* cinquante livres par an on disait qu'il gagnait à Gardiner Street. Molly était en voix magnifiquement le jour du *Stabat Mater* de Rossini. Pour commencer, le sermon du Père Bernard Vaughan. Christ ou Pilate ? Christ, mais ne nous tenez pas dessus toute la soirée. C'était pour la musique qu'on était venu. Les remuements de pieds avaient cessé. On aurait entendu une épingle tomber. Je lui avais recommandé de diriger sa voix vers cet angle. Je pouvais sentir l'émotion dans l'air, à son maximum, les gens regardant là-haut :

Quis est homo ?

Certains morceaux de cette vieille musique sont incomparables. Mercadante : les sept paroles. La douzième messe de Mozart ; surtout le *Gloria.* Ces vieux papes étaient fins connaisseurs en musique, en sculpture et en peinture. Et Palestrina par exemple. Ils se donnaient tout le bon temps qu'ils pouvaient. Hygiénique aussi, le chant, les heures régulières, la fabrication des liqueurs. Bénédictine. La Chartreuse Verte. N'empêche que se procurer des eunuques pour leurs maîtrises c'était un peu fort de café. Qu'est-ce au juste comme voix ? Ça doit être curieux d'entendre ça après leurs basses profondes. Amateurs. Suppose qu'ils ne sentaient plus rien après. Sorte de tranquillité. Plus d'embêtements. Est-ce qu'ils ne font pas du lard ? Gloutons, grands, longues jambes. Qui sait ? Eunuque. Une façon de s'en tirer.

Il vit le prêtre se courber, baiser l'autel, puis faire face et bénir l'assistance. Toutes se signèrent et se mirent debout. M. Bloom regarda autour de lui et se leva, parcourant du regard tous les chapeaux. Bien entendu, rester debout pour l'évangile. Puis toutes se remirent à genoux et il se rassit tranquillement dans son banc. Le prêtre descendit de l'autel, tenant la chose en avant de lui, et lui et l'enfant de chœur dialoguèrent en latin. Enfin le prêtre s'agenouilla et commença de lire sur un carton :

— O Dieu, notre refuge et notre force...

M. Bloom allongea le cou pour saisir les mots. De l'anglais. Leur jeter un os. Je me souviens un peu. Depuis quand votre dernière messe ? *Gloria* et vierge immaculée. Joseph son époux. Pierre et Paul. Plus intéressant si on comprenait de quoi il retourne. Merveilleuse organisation vraiment, qui marche comme un mouvement d'horlogerie. Confession. Tout le monde a besoin de. Alors je vous raconterai tout. Pénitence. Punissez-moi je vous en prie. Grande arme entre leurs mains. Plus qu'un médecin ou un conseiller légal. Femme grillant d'envie de. Et je chuchuchuchuchu. Et avez-vous chochochochocho ? Et pourquoi avez-vous ? Regarde sa bague pour chercher une excuse. Murs murmurants des corridors ont des oreilles. Qui l'a appris, c'est le mari surpris. Petite blague du bon dieu. Et la voilà qui sort. Repentir à fleur de peau. Honte adorable. Prière à l'autel. Je vous salue Marie et Sainte Marie. Fleurs, encens, cires qui fondent. Cachent sa rougeur. Armée du Salut, tintamarresque contrefaçon. Prostituée convertie donnera une conférence. Comment j'ai trouvé le Seigneur. Il faut qu'ils aient de fameuses têtes, les types de Rome ; c'est eux qui montent toute la mécanique. Et qu'est-ce qu'ils ratissent en fait d'argent ! Des legs aussi : pour revenir en toute propriété au D. de S. P. Dire des messes publiques pour le repos de mon âme. Monastères et couvents. Le prêtre à la barre des témoins dans l'affaire du testament de Fermanagh. Pas moyen de l'intimider. Il avait réponse à tout, et comment ! Liberté et glorification de notre très sainte mère l'Église. Les docteurs de l'Église ; ils ont élucubré toute cette théologie.

Le prêtre récitait.

— Bienheureux Michel, archange, défends-nous à l'heure du danger. Sois notre sauvegarde contre la malice et les pièges du démon (que Dieu veuille le contenir, nous l'en prions humblement) ; et toi, ô prince des célestes légions, que Dieu aide ton bras à précipiter Satan à l'enfer et avec lui ces autres esprits du mal qui errent par le monde pour la ruine des âmes.

Prêtre et enfant de chœur se relevèrent et quittèrent la place. Tout est fini. Les femmes restaient encore là, en action de grâces.

Mieux vaut se défiler. Frère tapeur. Par ici peut-être avec le plateau. Donnez votre obole de Pâques.

Il se leva. Oh, oh ! Déboutonnés tout le temps ces deux boutons de mon gilet. Chez une femme, aguichant. Ça les ennuie si vous ne leur. Pourquoi ne me l'avez-vous pas fait remarquer plus tôt ? Ne vous le disent jamais. Tandis que nous. Excusez Mademoiselle, il y a un (fft !) un tout petit (fft !) duvet. Ou leur jupe derrière fente dégrafée. Aperçus lunaires. Comme je vous préfère un peu débraillée. Veine que ça ne soit pas situé plus au sud. Tout en se reboutonnant discrètement, il descendit la nef jusqu'au grand portail et se retrouva en pleine lumière. Un moment ébloui près de la vasque en froid marbre noir, tandis que devant et derrière lui deux fidèles trempaient une main furtive dans la marée basse de l'eau bénite. Trams ; une voiture de la teinturerie Prescott ; une veuve dans ses crêpes. La remarque parce que je suis en deuil moi-même. Il se couvrit. Que dit l'heure ? Le quart. Encore pas mal de temps. Je ferais bien de commander cette lotion. Où est-ce ? Ah, oui, la dernière fois. Chez Sweny, Lincoln Place. Les pharmaciens ne bougent guère. Leurs bocaux vert et jaune d'or sont trop lourds à changer de place. Hamilton Long, pharmacie fondée en l'année du déluge. Cimetière huguenot par là. Visiterai un jour ou l'autre.

Il prit Westland Row, direction sud. Mais la formule est dans l'autre pantalon. Ah, j'ai oublié aussi mon passe. Quelle scie cette histoire d'enterrement. Après tout, pauvre diable, ce n'est pas de sa faute. Quand est-ce que j'ai fait fabriquer ça pour la dernière fois ? Voyons. Je me rappelle que j'ai changé un souverain. Devait être le premier ou le deux du mois. Oh, il pourra chercher sur son registre d'ordonnances.

Le pharmacien tournait ses pages une à une. On dirait qu'il dégage une vague odeur de chose desséchée et friable. Crâne ratatiné. Vieux. A la poursuite de la pierre philosophale. Les alchimistes. Les drogues vous vieillissent après vous avoir exalté. Stupeur suit. Pourquoi ? Réaction. Toute une vie en une nuit. Petit à petit ça modifie votre personnalité. Toute la journée au milieu des herbes, des baumes, des désinfectants. L'arsenal lilial de ses pots d'albâtre. Mortier et pilon. Aq. Dist. Fol. Laur. Te Virid. L'odeur vous guérit presque comme la sonnette du dentiste. Le docteur Crac. Devrait bien se droguer un peu lui aussi. Électuaire ou émulsion. Le premier bougre qui a eu l'idée de cueillir une herbe pour se soigner avec ne manquait pas d'estomac. Les simples. Demandent de la prudence. Il y en aurait assez ici pour vous chloroformer. Épreuve : rougit le papier de tournesol. Chloroforme. Dose trop forte de laudanum. Soporifiques. Philtres d'amour. Élixir parégorique mauvais pour la toux. Obstrue les pores de la peau ou arrête le phlegme. Les poisons, seuls guérisseurs. Le remède là où on s'y attend le moins. Malin de la part de la nature.

— Environ une quinzaine, monsieur ?

— Oui, dit M. Bloom.

Il attendait près du comptoir, dans l'exhalation pénétrante des médicaments, l'odeur sèche et poussiéreuse des éponges et des loofahs. Tout le temps qu'on passe à raconter ses petites misères et ses douleurs.

— Huile d'amandes douces et teinture de benjoin, dit M. Bloom, et puis de l'eau de fleurs d'oranger.

Certainement cela lui faisait la peau d'une blancheur aussi délicate que la cire.

— Et de la cire blanche, ajouta-t-il.

Fait ressortir la couleur sombre de ses yeux. Me regardait, le drap remonté jusque sous les yeux, Espagnole, respirant sa propre odeur, tandis que je fixais mes boutons de manchettes. Ces recettes ménagères sont souvent les meilleures : fraises pour les dents ; orties et eau de pluie ; et on dit aussi de la farine d'avoine détrempée dans du babeurre. Aliment de la peau. Un des fils de la vieille reine, le duc d'Albany, je crois, n'avait qu'une seule peau. Oui, Léopold. Nous en avons trois. Poireaux, oignons et bourgeons pour les agrémenter. Il vous faut aussi un parfum ? Quel parfum est-ce que votre ? Peau d'Espagne. Cette fleur d'oranger. Savon pure crème. Eau si fraîche. Quelle bonne odeur ces savons. J'ai le temps d'aller prendre un bain, là-bas au coin. Hammam. Turc. Massage. La crasse se ramasse en rond dans le nombril. Plus agréable si c'était fait par une jolie fille. Je pense aussi à. Oui, je. Le faire dans le bain. Drôle d'envie que j'ai là, moi. L'eau retourne à l'eau. Joindre l'utile à l'agréable. Pas de temps pour un massage, dommage. Rafraîchi pour toute la journée. Un enterrement ça vous éteint.

— Oui, monsieur, dit le pharmacien. C'était deux shillings neuf. Avez-vous apporté une bouteille?

— Non, dit M. Bloom. Préparez-moi ça, s'il vous plaît. Je repasserai plus tard dans la journée et je vais prendre un de ces savons. C'est combien?

— Quatre pence, monsieur.

M. Bloom mit un pain sous son nez. Suave cire citronnée.

— Je prends celui-ci, dit-il. Ça fait trois shillings et un penny?

— Oui, monsieur, dit le pharmacien. Vous paierez le tout quand vous reviendrez.

— Bien, dit M. Bloom.

Il sortit sans se presser, le journal en bâton sous l'aisselle et dans sa main gauche le savon enveloppé de papier frais au toucher.

A son côté la voix et la main de Bantam Lyons:

— Allo, Bloom, quoi de neuf? Est-ce du jour? Faites voir une minute.

Mince alors! Encore une fois rasé sa moustache. Long et froid entre nez et bouche. Pour paraître plus jeune. Vraiment l'air piqué. Plus jeune que moi.

Bantam Lyons déroula le bâton avec doigts jaunes et ongles noirs. A besoin aussi d'un coup de savon. Pour enlever le plus gros. Bonjour, avez-vous employé le savon Pears? Pellicules sur ses épaules. Son cuir chevelu réclame un corps gras.

— Il faut que je voie pour ce cheval français qui court aujourd'hui. Où es-tu, espèce d'empapaouté ?

Il froissait les pages plissées. Le menton projeté sur son col trop haut. Feu du rasoir. Col carcan, il perdra ses cheveux. Préfère lui donner le journal et le semer.

— Vous pouvez le garder, dit M. Bloom.

— Ascot. Coupe d'Or. Attendez, murmurait Bentam Lyons. Une demi-mi. Maximum second.

— J'allais justement le jeter, dit M. Bloom.

Bantam Lyons leva brusquement des yeux où pointait une faible lueur malicieuse.

— Qu'est-ce que vous dites ? fit sa voix de tête.

— Je disais que vous pouvez le garder, répondit M. Bloom. J'allais justement le jeter.

Bantam Lyons hésita un instant, le regard en coin ; puis rejeta les feuilles dépliées sur les bras de M. Bloom.

— Je vais le risquer, dit-il. Voici, merci.

Il fila vers Conway's Corner. Le diable à ses trousses.

Avec un sourire, M. Bloom plia soigneusement les feuilles en carré et y logea le savon. Quelle drôle de gueule il a ce garçon-là. Pari mutuel. C'est devenu une épidémie. Les petits télégraphistes chipent pour parier six-pence. Mise en loterie d'un gros dindon tendre. Votre souper de Noël pour trois-pence. Jack Fleming mangeant la grenouille pour jouer puis levant le pied pour l'Amérique. Il tient un hôtel maintenant. Ceux-là on ne les revoit jamais. Marmites d'Égypte pleines de viande.

Il s'en fut d'un pas dégagé vers la mosquée des bains. Ça évoque une mosquée de briques rouges, les minarets. Tiens, aujourd'hui séance sportive au collège. Il examina l'affiche illustrée en fer à cheval contre la grille du parc du collège : cycliste ramassé comme un colimaçon dans sa coquille. Quelle affiche cochonnée. Pourquoi ne pas l'avoir fait rond comme sa roue ? Et les rayons : sports, sports, sports ; et le moyeu arrière : collège. En manière de tire-l'œil.

Voilà Corcorne devant la loge du portier. Le ménager ; espoir d'entrer faire un tour à l'œil. Comment allez-vous, M. Corcorne ? Et vous-même, monsieur ?

Temps divin vraiment. Si la vie était toujours comme ça. Temps de cricket. S'asseoir en rond sous des parasols. Les services l'un après l'autre. *Out !* Ils ne sont pas à la hauteur ici. Zéro pour six. En revanche le capitaine Buller a brisé une vitre du club de Kildare Street avec un coup destiné au square leg. C'est la pagaïe du champ de foire de Donny brooke qu'il leur faut. Ce qu'on s'est cassé de crânes quand M'Carthy a fait l'âne. Vague de chaleur. Ne durera pas. Toujours il fuit le courant de la vie, et notre trace à sa surface est pour nous un trésor sans prix.

Et maintenant la joie d'un bon bain : l'eau dans l'auge nette, le frais émail, le doux filet tiède. Ceci est mon corps.

Il voyait d'avance son corps pâle bien étalé, nu, dans une chaleur d'eaux maternelles, onctueux et parfumé par le savon fondant, mollement baigné. Il voyait son torse et ses membres frôlés de l'eau, supportés, flotter faiblement citrins ; son nombril, bouton charnu ; il voyait la sombre brousse de son pubis flotter, flottante barbe de fleuve autour du père indolent des postérités, languide et flottante fleur.

Le premier, Martin Cunningham enfonça son haut-de-forme et sa tête dans la voiture grinçante, et s'étant introduit avec adresse, s'assit. Après lui se hissa M. Power, attentif à se courber suffisamment.

— Entrez, Simon.

— Après vous, dit M. Bloom.

M. Dedalus se couvrit rapidement et monta en disant :

— Oui, oui.

— Nous y sommes tous ? demanda Martin Cunningham. Arrivez, Bloom.

M. Bloom pénétra et prit la place vacante. Il tira la portière après lui, la claqua et reclaqua jusqu'à ce qu'elle tînt bon. Le bras dans l'accoudoir, il regardait par la portière avec un air de componction les stores baissés de l'avenue. Un qui s'écarte : vieille femme aux aguets. Nez aplati blanc contre le carreau. Remercie sa bonne étoile que son tour soit passé encore une fois. Inouï l'intérêt qu'elles prennent à un cadavre. Heureuses de nous voir partir ; nous leur donnons une telle peine à l'arrivée. Besogne qui semble être à leur goût. Cachotteries chuchotées dans les coins. Elles trottent menu à pas fourrés de leurs pantoufles de crainte qu'il s'éveille. Puis l'affairement autour de lui. Sa toilette. Molly et Mme Fleming faisant le lit. Tirez un peu plus de votre côté. Notre linceul. On ne sait jamais qui vous manipulera mort. Savonnage et shampooing. Je crois qu'on taille les ongles et les cheveux. On en garde un peu dans une enveloppe. Continuent tout de même à pousser. Vilain boulot.

Tous attendaient. Sans mot dire. On charge les couronnes probablement. Je suis assis sur quelque chose de dur. Ah ce savon dans ma poche de derrière. Il vaudrait mieux l'ôter de là. Attendre l'occasion.

Tous attendaient. Puis on entendit des roues, en tête, qui se mettaient à tourner, puis plus près, puis des sabots de chevaux. Un cahot. Leur voiture démarra, grinçante et balancée. D'autres sabots et des roues qui grinçaient s'ébranlèrent par derrière. Les stores de l'avenue défilèrent et le numéro neuf avec son heurtoir encrêpé, sa porte entr'ouverte. Au pas.

Ils attendirent sans bouger, les genoux secoués, jusqu'à ce qu'ils eussent tourné pour longer les rails du tramway. Tritonville Road. Plus vite. Les roues rebondissaient en roulant sur les pavés ronds, et les vitres branlantes dansaient, crécelles, dans leur cadre.

— Quel chemin nous fait-il prendre ? demanda M. Power, interrogeant l'une et l'autre portières.

— Irishtown, dit Martin Cunningham. Ringsend. Brunswick Street.

M. Dedalus après avoir regardé confirma.

— C'est une belle vieille coutume, dit-il. Je suis content de voir qu'on ne l'a pas abandonnée.

Chacun regardait de son côté les passants soulever casquettes et chapeaux. Respect. A hauteur de Watery Lane, la voiture quitta la ligne des trams pour le côté macadamisé de la chaussée. M. Bloom à l'affût aperçut un mince jeune homme en deuil, sous un chapeau à larges bords.

— Voilà quelqu'un de votre connaissance qui passe, Dedalus, fit-il.

— Qui est-ce ?

— Votre propre héritier.

— Où est-il ? fit M. Dedalus se projetant vers la portière opposée.

La voiture dépassa les vieilles demeures déclassées, les tuyaux et déblais de leur chaussée éventrée, fit une embardée au tournant, et obliqua de nouveau vers les rails du tram, dans le fracas de ses roues caquetantes. Retombant à sa place, M. Dedalus demanda :

— Ce voyou de Mulligan était avec lui ? Son *fidus Achates*...

— Non, dit M. Bloom, il était seul.

— Chez sa tante Sally, je suppose, reprit M. Dedalus, la bande Goulding, le petit ivrogne de comptable et Crissie, la petite crotte à son papa, l'enfant malin qui connaît son propre père.

129

M. Bloom sourit sans conviction à Ringsend Road. Wallace Bros, fabricant de bouteilles. Le Pont Dodder.

Richie Goulding et la sacoche à papier timbré. Il dit l'étude Goulding, Collis et Ward. Ses plaisanteries sentent légèrement le moisi. C'en était un numéro. Valsant dans Stamer Street avec Ignatius Gallaher un dimanche matin, les deux chapeaux de la logeuse fichés sur son crâne. Toute la nuit dehors en bordée. Commence à s'en ressentir : sa douleur dans le dos, j'ai bien peur. Sa femme lui applique le fer à repasser. Croit qu'il se guérira avec des pilules. Simples boulettes de mie de pain. Gagnent à peu près du six cents pour cent dessus.

— Il s'acoquine avec de sales individus, ricanait M. Dedalus. Cette pourriture de Mulligan est à tous points de vue une fieffée fripouille. Son nom est en mauvaise odeur dans tout Dublin. Mais j'en jure Dieu et sa sainte mère que je prendrai sous mon bonnet d'écrire une de ces lettres à sa mère ou tante, quoi qu'elle soit, qui lui fera ouvrir des yeux grands comme une porte cochère. Il y aura de la casse et il me devra ça, je vous en donne ma parole.

Sa voix dominait le vacarme des roues.

— Je ne tolérerai pas que son bâtard de neveu perde mon fils. Le fils d'une araignée de comptoir. Vendait de la chandelle chez mon cousin Pierre Paul M'Swiney. Pas de ça, Lisette.

Il se tut. L'œil de M. Bloom allait de sa moustache en colère à la face paterne de M. Power, aux yeux et à la barbe de Martin Cunningham qui recevaient gravement les secousses de la voiture. Homme bruyant, volontaire. Tout plein de son fils. Il a raison. Quelque chose à transmettre à l'avenir. Si le petit Rudy avait vécu. Le voir grandir. Entendre sa voix dans la maison. Marcherait à côté de Molly dans un petit complet d'Eton. Mon fils. Moi dans ses yeux. Une singulière sensation c'eût été. Issu de moi. Une chance seulement. Ç'a dû être ce matin-là, à Raymond Terrace, elle était à la fenêtre, guettant les deux chiens qui étaient en train de faire ça près du mur du *Cessez-de-faire-le-mal*. Et l'agent qui levait le nez en ricanant. Elle avait cette robe crème avec un accroc qu'elle n'a jamais raccommodé. Si qu'on se bécotait, Poldy ? Bon dieu ! j'en meurs d'envie. Comment commence la vie.

Enceinte de cette fois-là. Obligée de refuser le concert à Greystones. Mon fils en elle. J'aurais pu l'aider dans la vie. J'aurais pu. En faire un homme à l'aise. Lui faire apprendre l'allemand aussi.

— Sommes-nous en retard ? demanda M. Power.

— Dix minutes, dit Martin Cunningham qui consulta sa montre.

Molly, Milly. La même chose, délayée. Ses jurons de garçon manqué. Nom d'un petit bonhomme ! Sabre de bois, pistolet de paille ! C'est une brave petite fille tout de même. Bientôt une femme, Mullingar. Mon papa chéri. Jeune étudiant. Oui, oui, une femme elle aussi. La vie. La vie.

La voiture donnait de la bande à droite et à gauche faisant osciller leurs quatre bustes.

— Corny aurait pu nous réserver une meilleure guimbarde, dit M. Power.

— Il l'aurait pu, dit M. Dedalus, n'était qu'il louche d'un certain côté et que ça le trouble. Vous me comprenez ?

Il fermait son œil gauche. Martin Cunningham se mit à chasser des miettes de pain de dessous ses cuisses.

— Des miettes, mon Dieu, qu'est-ce que ça veut dire ?

— Il semble qu'on ait pique-niqué ici dernièrement, dit M. Power.

Tous écartant leurs cuisses examinèrent d'un œil méfiant le cuir lépreux, aux boutons absents, des

131

sièges, M. Dedalus, le nez froncé, lui adressa une grimace et dit :

— Ou je me trompe fort, ou... Qu'en pensez-vous, Martin ?

— Ça m'a frappé aussi, dit Martin Cunningham.

M. Bloom cala de nouveau sa cuisse. Content d'avoir pris ce bain. Je sens mes pieds tout à fait propres. Mais il est regrettable que Mme Fleming n'ait pas mieux ravaudé ces chaussettes.

M. Dedalus soupirait, résigné.

— Après tout, fit-il, c'est la chose la plus naturelle du monde.

— Tom Kernan est-il venu ? demanda Martin Cunningham, en tortillant doucement la pointe de sa barbe.

— Oui, répondit M. Bloom. Il est derrière avec Ned Lambert et Hynes.

— Et Corny Kelleher ? demanda M. Power.

— Au cimetière, dit Martin Cunningham.

— J'ai rencontré M'Coy ce matin, dit M. Bloom. Il a dit qu'il essaierait de venir.

La voiture s'arrêta court.

— Qu'est-ce qui ne va pas ?

— Nous voilà en panne.

— Où sommes-nous ?

M. Bloom mit la tête à la portière.

— Le grand canal, dit-il.

Usine à gaz. Il paraît que ça guérit la coqueluche. Bonne affaire que Milly ne l'ait jamais attrapée. Pauvres gosses. Ça les plie en deux, bleus et noirs dans des convulsions. C'est une injustice. En fait de maladies elle s'en est tirée à bon compte par comparaison. La rougeole en tout et pour tout. Tisanes de graines de lin. Épidémies d'influenza, de scarlatine. Agents électoraux de la mort. Saisissez l'occasion. Refuge pour les chiens par ici. Pauvre vieil Athos... Soyez bon pour Athos, Léopold, c'est mon dernier vœu. Que votre volonté soit faite. Nous leur obéissons jusque dans la mort. Un griffonnage de mourant. Il n'a pas pu s'y faire, s'est mis à languir. Une bête bien tranquille. Comme sont habituellement les chiens des vieux messieurs.

Une goutte de pluie chut sur son chapeau. Il rentra la tête ; un brusque coup d'arrosoir pointillait les pavés gris. Gouttelettes espacées. Exactement. Comme à travers une passoire. Je m'y attendais. Je me rappelle maintenant que mes bottines craquaient.

— Changement de temps, dit-il avec placidité.

— Fâcheux que ça ne reste pas au beau, dit Martin Cunningham.

— La campagne a besoin d'eau, dit M. Power. Voici le soleil qui se montre.

Derrière ses verres, M. Dedalus lança un coup d'œil au soleil voilé et une muette imprécation au ciel.

— Aussi incertain qu'un derrière d'enfant, conclut-il.

— Nous voilà repartis.

Les roues ankylosées de la voiture se remirent à tourner, et les bustes à se balancer doucement, Martin Cunningham tortillait plus vite la pointe de sa barbe.

— Tom Kernan a été énorme hier soir, dit-il. Et Paddy Leonard qui se payait sa tête ouvertement.

— Donnez-nous-en un échantillon, Martin, dit M. Power très animé. Écoutez ça, Simon, à propos de Ben Dollard chantant le *Jeune Rebelle*.

— Énorme, dit pompeusement Martin Cunningham. *Sa façon de rendre cette simple ballade, Martin, est la plus incisive interprétation que j'aie jamais entendue au cours de ma longue expérience.*

— Incisive, dit M. Power en riant. Il en a plein la bouche de ce mot-là. Ça et l'arrangement rétrospectif.

— Avez-vous lu le discours de Dan Dawson ? demanda Martin Cunningham.

— Ma foi non, dit M. Dedalus. Où ça ?

— Dans le journal de ce matin.

M. Bloom sortit le journal de sa poche intérieure. Le livre que je dois changer pour elle.

— Non, non, dit promptement M. Dedalus. Plus tard je vous prie.

Le regard de M. Bloom parcourut la marge du journal, épluchant la nécrologie. Callan, Coleman, Dignam, Fawcett, Lowry, Naumann, Peake, quel Peake est-ce ? Est-ce celui qui était chez Crosbie et Alleyne ? Non. Sexton, Urbright. Les caractères s'effaçaient rapidement sur le papier fripé et à bout de résistance. Remerciements à la Petite Fleur. Perte cruelle. A la grande douleur des siens. Âgé de 88 ans, après une longue et pénible maladie. Messe de bout de mois Quinlan. Que le doux Jésus l'ait en sa miséricorde.

Il y a juste un mois que notre cher Henri
A pris tout droit son vol vers le ciel, sa patrie,
Sa perte est tous les jours par les siens ressentie,
Ils espèrent un jour le retrouver là-haut.

J'ai déchiré l'enveloppe ? Oui, où ai-je mis sa lettre après l'avoir lue dans mon bain ? Il tapota la poche de son gilet. Tout va bien. Cher Henri a pris son vol. Avant que ma patience soit épuisée.

École communale. Chantier Meade. La station de fiacres. Il n'y en a plus que deux maintenant. Dodelinant. Pleins comme des tiques. Plus d'os que de cervelle. L'autre trotte avec un client. Une heure que je suis passé là. Les cochers ont soulevé leurs chapeaux.

Le dos d'un aiguilleur se redressa brusquement contre un pylône de tramway près de la portière de M. Bloom. Ne pourrait-on pas inventer quelque chose d'automatique pour que la roue elle-même, bien plus commode ? Oui mais alors ce bonhomme perdrait son

134

turbin. Oui mais un autre bonhomme aurait le turbin de fabriquer le nouveau système.

La salle des concerts d'Antiennes. Rien en train. Un passant en complet beige clair avec un crêpe au bras. Chagrin modique. Quart de deuil. Un parent par alliance sans doute.

Ils dépassèrent Saint-Marc et sa chaire morne, prirent sous le pont du chemin de fer et longèrent le Théâtre de la Reine, en silence. Des affiches, Eugène Stratton. Mme Bandmann Palmer. Pourrai-je aller voir *Léa* ce soir, je me le demande. Je me disais que j'aimerais. Ou le *Lis de Killarney* ? Troupe d'opéra d'Elster Grimes. Nouveau spectacle sensationnel. Affiches flamboyantes encore fraîches pour la semaine prochaine. *La joyeuse Traversée.* Martin Cunningham pourrait me procurer une entrée pour la Gaieté. En lui payant une ou deux consommations. C'est bonnet blanc et blanc bonnet.

Il doit venir cet après-midi. Ce qu'elle doit chanter.

Plasto. Buste fontaine à la mémoire de Sir Philip Crampton. Qui était-ce ?

— Comment allez-vous ? dit Martin Cunningham qui esquissait un salut militaire.

— Il ne nous voit pas, dit M. Power. Si, il nous voit. Comment va ?

— Oui, demanda M. Dedalus.

— Dache Boylan, répondit M. Power. Il est là qui donne de l'air à ses accroche-cœurs.

Juste au moment où j'y pensais.

M. Dedalus avançait le buste pour saluer. De la porte des Côtes Rouges, le disque blanc d'un chapeau de paille lança la réponse : disparu.

M. Bloom entreprit l'inspection des ongles de sa main gauche, puis de ceux de la main droite. Les ongles, oui. Y a-t-il en lui quelque chose de spécial, qu'on qu'elle voit ? Fascination. Le plus vilain monsieur de Dublin. Il en vit. Quelquefois elles sentent ce qu'est un être. L'instinct. Mais un individu comme celui-là. Mes ongles. Je suis en train de les regarder : bien taillés. Et après, seule, réfléchissant. Son corps un petit peu moins ferme. Je m'en rends compte parce que je l'ai connu autrement. Ce qui cause ça je pense, c'est la peau qui ne peut pas se contracter assez vite quand la chair fléchit. Mais la ligne y est encore. La ligne est toujours là. Épaules, hanches, rondeurs. S'habillant le soir du bal. Chemise prise entre les joues de derrière.

Il joignit les mains dans ses genoux et, satisfait, laissa son regard distrait errer sur leurs visages.

M. Power demanda :

— Comment ça marche-t-il la tournée de concerts, Bloom ?

— Oh, très bien, dit M. Bloom. Cela promet beaucoup, c'est une bonne idée, vous savez.

— En êtes-vous, vous aussi ?

— Eh bien, non, dit M. Bloom. En réalité, je suis tenu d'aller dans le comté Clare pour une affaire privée. Vous comprenez, l'idée est de faire le tour des principales villes. Ce que vous perdez dans l'une, vous le rattrapez dans l'autre.

— Très juste, dit Martin Cunningham. C'est ce que fait Mary Anderson en ce moment.

— Avez-vous de bons artistes ?

— C'est Louis Werner qui est son impresario, dit M. Bloom. Oh, certes, nous avons le dessus du panier. J. C. Doyle et John Mac Cormack, j'espère, et. Tout ce qu'il y a de mieux, en somme.

— Et *Madame*, dit M. Power avec un sourire. La dernière mais non la moindre.

En manière de protestation polie, M. Bloom disjoignit ses mains, puis les joignit de nouveau. Smith O'Brien. Quelqu'un a déposé là une gerbe de fleurs. Une femme. Doit être l'anniversaire de sa mort. Vous en souhaitons beaucoup d'autres aussi heureux. Leurs genoux ballants s'accostaient sans bruit, tandis que la voiture passait devant la statue de Farrel.

Cets !... Lacets !... sur le bord du trottoir, un vieux bonhomme à la défroque décolorée, bouche ouverte, offrait sa marchandise, cets !...

— Quatre pour deux sous.

Je me demande pourquoi il a été rayé. Avait son étude dans Hume Street. Même raison que l'homonyme de Molly. Tweedy, procureur du roi à Waterford. A toujours gardé son haut-de-forme. Vestige de son ancienne correction. En deuil lui aussi. Terrible dégringolade, le pauvre bougre ; chassé de partout comme un chien galeux. O'Callaghan sur ses boulets.

Et *Madame*. Onze heures vingt. Levée. Mme Fleming fait le ménage. A sa coiffure ; elle fredonna : *Voglio e non vorrei*. Non ; *vorrei e non*. Elle examine le bout de ses cheveux pour voir s'ils font la fourche. *Mi trema un poco il*. Quelle belle note elle trouve sur ce *tre* : pathétique. Une fauvette. Une grive. Il y a un mot grive qui exprime ça.

Son regard effleura le visage agréable de M. Power. Grisonnant aux tempes. *Madame* ; il souriait. J'ai rendu le sourire. Un sourire en dit long. Pure politesse peut-être. Charmant garçon. Qui sait si c'est vrai cette femme qu'il entretiendrait ? Pas gai pour sa femme. Mais on dit, qui donc m'a dit ? qu'il n'y aurait pas de rapports sex. Probable qu'ils en auraient vite soupé. Oui, c'est Crofton qui l'a rencontré un soir comme il lui portait une livre de rumsteak. Qu'est-ce que c'est qu'elle était ? Fille de bar chez Jury. Ou bien était-ce au Moira ?

Ils passèrent sous la statue du Libérateur dans son énorme manteau.

Martin Cunningham poussa du coude M. Power.

— De la tribu de Ruben, dit-il.

Au coin de chez Elvery, à l'Éléphant, un grand individu à barbe noire, qui boitillait à l'appui d'une canne, leur montrait la courbe d'une main ouverte derrière son dos.

— Dans toute sa beauté première, dit M. Power.

M. Dedalus jeta un regard à l'homme qui boitait et fit doucement :

— Le diable t'étripe...

Pris de fou rire, M. Power interposa sa main entre sa figure et la fenêtre pendant que le véhicule côtoyait la statue de Gray.

— Nous nous en sommes tous servis, dit rondement Martin Cunningham.

Ses yeux rencontrèrent ceux de M. Bloom. Il ajouta en caressant sa barbe :

— Du moins presque tous.

A cet instant, M. Bloom entreprit ses compagnons avec volubilité :

— Elle est bien bonne, celle qui est en train de circuler sur Ruben J. et son fils.

— Celle du batelier ? demanda M. Power.

— Oui, est-ce qu'elle n'est pas épatante ?

— Qu'est-ce que c'est ? s'enquit M. Dedalus ; je n'en sais pas le premier mot.

— Il y avait une intrigue sous roche, débuta M. Bloom, et il s'était décidé à l'expédier à l'île de Man, en lieu sûr, mais comme ils étaient tous les deux.

— Quoi ? demanda M. Dedalus. Cette ineffable pochetée ?

— Oui, dit M. Bloom. Ils allaient au bateau tous les deux, quand il tenta de noyer.

— Noyer Barabbas ? J'espère, pour dieu ! qu'il a réussi ? s'écria M. Dedalus.

M. Power fit entendre derrière l'auvent de sa main un rire venu du nez, qui n'en finissait pas.

— Non, dit M. Bloom, de noyer le fils de son père...

Martin Cunningham lui coupa la parole :

— Ruben J. et fils filaient vers le bateau de l'île de Man, en longeant le quai de la rivière, quand le jeune sournois lui glissa entre les doigts, et le voilà par-dessus le parapet, dans la Liffey.

— Pour l'amour de Dieu... s'exclama M. Dedalus horrifié, il n'est pas mort ?

— Mort ! s'écria Martin Cunningham. Jamais de la vie. Un marinier armé d'une gaffe l'a repêché par le fond de sa culotte et il fut rendu à son père sur le quai. ius mort que vif. La moitié de la ville était là.

— Oui, dit M. Bloom ; mais le plus drôle...

— Et, reprit Martin Cunningham, Ruben J. a donné un florin au marinier pour avoir sauvé la vie de son rejeton.

On entendit un soupir étouffé derrière la main de M. Power.

— Oh mais oui, affirma Martin Cunningham. Héroïquement. Une pièce d'argent.

— N'est-ce pas qu'elle est bien bonne ? fit M. Bloom avec empressement.

— C'était un shilling huit pence de trop, trancha M. Dedalus.

Le rire comprimé de M. Power fit une tranquille explosion dans la voiture.

La colonne de Nelson.

— Huit prunes pour deux sous... Huit pour deux sous...

— Nous devrions avoir l'air un peu plus sérieux, dit Martin Cunningham.

M. Dedalus soupira.

— Ah, et puis après tout, dit-il, le pauvre petit Paddy ne nous chicanerait pas pour avoir ri. Il en a raconté lui-même plus d'une bonne.

— Dieu me pardonne ! dit M. Power, en essuyant avec ses doigts ses yeux humides. Pauvre Paddy ! Je ne pensais guère il y a une semaine quand je l'ai vu pour la dernière fois et avec son air de santé habituel que je roulerais derrière lui de cette façon-là. Il nous a quittés.

— Le plus honnête petit bonhomme qui ait jamais coiffé un chapeau, dit M. Dedalus. Il est parti bien brusquement.

— Syncope, dit Martin Cunningham, le cœur.

Il tapota mélancoliquement sa poitrine.

Face enflammée ; rouge vif. Trop de Jean Graindorge à la clé. Traitement des nez rouges. On se pique le nez jusqu'à ce qu'il en devienne lie de vin. Il en a dépensé de l'argent pour se le colorer. M. Power regardait défiler les maisons avec une appréhension chagrine.

— Il a eu une mort subite, le pauvre garçon, dit-il.

— La plus belle des morts, remarqua M. Bloom.

Tous le regardèrent avec de grands yeux.

— Pas de souffrance, reprit-il. Un instant, et tout est fini. Comme mourir en dormant.

Personne ne répondit.

Côté mort de la rue, celui-ci. Le jour, affaires languissantes, agences de locations, hôtel de tempérances, indicateur Falconer pour les chemins de fer, école des services civils, cercle catholique de Gill. Institut des aveugles. Pourquoi ? Sans doute une raison. Le soleil ou le vent. Le soir de même. Pioupious et bonniches. Sous le patronage de feu le père Mathieu. Pierre de fondation pour Parnell. Syncope. Le cœur.

Des chevaux blancs, avec un frontail de plumes blanches tournaient le coin de la Rotonde au galop. On entrevit un tout petit cercueil. En trombe vers la tombe. Une voiture de deuil. Non marié. Noir pour les gens mariés. Pie pour les vieux garçons. Bai pour les curés.

— Triste, dit Martin Cunningham, un enfant.

Une figure de nain mauve et ridée, comme était celle du petit Rudy. Un corps de nain, malléable comme du mastic, dans une boîte de sapin doublée de blanc. La Mutuelle-Inhumation paie. Un penny par semaine pour un morceau de gazon. Notre. Pauvre. Petit. Bébé. Chose dépourvue de sens. Erreur de la nature. S'il est vigoureux tient de la mère. Sinon du père. Plus de chance la prochaine fois.

— Pauvre petit être, dit M. Dedalus. Il est bien tiré d'affaire.

La voiture ralentit à la montée de Rutland Square. Que dinguent ses os. A tous les cahots. C'est un pauvre. Zéro, zéro.

— Au milieu de la vie, cita Martin Cunningham.

— Mais le pire de tout, dit M. Power, c'est quand l'homme attente à sa propre vie.

Martin Cunningham tira brusquement sa montre, toussa et la remit en place.

— Le pire déshonneur dans une famille, ajouta M. Power.

— Folie momentanée sans aucun doute, dit Martin Cunningham avec décision. Nous devons juger cela d'un point de vue charitable.

— On dit que l'homme qui le fait est un lâche, dit M. Dedalus.

— Ce n'est pas à nous de le juger, dit Martin Cunningham.

Sur le point de parler, M. Bloom referma la bouche. Les yeux grands ouverts de Martin Cunningham. Maintenant il regarde ailleurs. Humain et sympathique. Intelligent. Comme le visage de Shakespeare. Toujours une bonne parole prête. Ils ne pardonnent pas ça ici, ni l'infanticide. Refusent la sépulture chrétienne. La coutume de transpercer le cœur d'un épieu de bois dans la tombe. Comme s'il n'était pas déjà brisé. Il leur arrive de regretter trop tard. Cramponnés aux roseaux dans le fond de la rivière. Il m'a regardé. Et son effroyable ivrognesse de femme. Il a monté la maison plusieurs fois et elle qui va mettre le mobilier au clou presque tous les samedis. Quelle vie d'enfer elle lui fait mener. A faire pleurer les pierres. Et lui, se remet au travail de plus belle le lundi matin. Poussant à la roue. Seigneur, elle a dû en donner un spectacle ce soir-là devant Dedalus qui me l'a raconté. Saoule et faisant tout le diable et son train dans la maison avec le parapluie du pauvre Martin :

— *On dit qu' je suis la perle de l'Asie,*
   De l'Asie je suis la
   Geisha.

Il a évité de me regarder. Il sait. Que dinguent ses os.

Cet après-midi de l'enquête. La fiole à étiquette rouge sur la table. La chambre d'hôtel avec ses chromos de chasse. Étouffant là-dedans. Soleil à travers les lames des jalousies. Les oreilles de coroner, énormes et velues. Le garçon d'étage faisant sa déposition. Pensais d'abord qu'il dormait. Alors j'ai vu des lignes jaunes sur sa figure. Avait glissé au pied du lit. Conclusion de l'enquête : dose trop forte. Mort accidentelle. La lettre. Pour mon fils Léopold.

Ne plus souffrir. Ne plus s'éveiller. Zéro, zéro.

La voiture dinguait le long de Blessington Street. A tous les cahots.

— Nous allons grand train, il me semble, dit Martin Cunningham.

— Dieu veuille qu'il ne nous verse pas sur la route, dit M. Power.

— J'espère que non, dit Martin Cunningham. Il y aura une grande course demain en Allemagne. La coupe Gordon Bennett.

— Parbleu oui, dit M. Dedalus. Ce serait amusant à voir, ma foi.

Au tournant de Berkeley Street, près du bassin, un orgue de Barbarie les assaillit et les poursuivit d'une scie de café-concert tintamarresque et farce. Quelqu'un ici a-t-il vu Kelly ? Ka et deux elles igrec.

142

Marche funèbre de *Saül*. Il est pire que le vieil Antonio. Il m'a laissé sur mon mienio. Pirouette... La *Mater Misericordiæ*. Eccles Street. Ma maison là-bas. Grand édifice. C'est un hôpital d'incurables. Très encourageant. Hospice Notre-Dame pour les mourants. Dépositoire tout prêt en sous-sol. Là que la vieille Mme Riordan est morte. Elles ont un aspect terrible les femmes. Son écuelle et la bouche qu'on lui frotte avec la cuillère. Et puis le paravent autour de son lit pour la laisser mourir. Sympathique le jeune étudiant qui a pansé cette piqûre d'abeille que j'ai eue. Il est parti à la maison d'accouchement, à ce qu'il paraît. D'un extrême à l'autre.

La voiture prit un virage au galop, s'arrêta.

— Qu'est-ce qui ne va pas ?

Des bestiaux marqués passèrent des deux côtés de la voiture, meuglant, patonnant avec leur allure veule, balayant lentement de la queue leur croupe osseuse et crottée. Parmi eux et les débordant, un méli-mélo de moutons qui vagissaient, effarés.

— Des émigrants, dit M. Power.

— Hélà, hée... criait le toucheur, en faisant claquer son scion sur leurs côtes. Hélà, hée, tirez-vous des pattes.

Jeudi, comme de juste. Demain on tue. Bouvillons. Cuffe les a vendus environ vingt-sept louis la pièce. Sans doute pour Liverpool. Roastbeef pour Old England. Ils mettent la main sur les plus succulents. Et alors le cinquième quartier est perdu : toute la matière brute : peau, poil, corne. Ça se chiffre par une somme énorme dans l'année. Commerce des abats. Déchets d'abattoirs pour tanneries, savon, margarine. Me demande si ce truc marche encore de se procurer de la carne du train de Clonsilla.

La voiture avançait à travers le troupeau.

— Je ne peux pas comprendre pourquoi la Municipalité ne lance pas une ligne de trams entre le parc et les quais, dit M. Bloom. Tous ces animaux pourraient être transportés par wagons jusqu'au bateau.

— Au lieu de bloquer la circulation, dit Martin Cunningham. Très juste. On devrait le faire.

— Oui, reprit M. Bloom, et une autre chose que j'ai souvent pensée serait d'avoir des trams funéraires municipaux, comme ils en ont à Milan, vous savez. Prolonger la ligne jusqu'aux portes du cimetière et avoir des trams spéciaux, corbillard, voiture de deuil et tout. Voyez-vous ce que je veux dire ?

— En voilà une sacrée histoire, dit M. Dedalus. Wagon-couchettes et wagon-restaurant.

— Triste perspective pour Corny, ajouta M. Power.

— Pourquoi pas ? demanda M. Bloom tourné vers M. Dedalus. Ne serait-ce pas plus décent que de galoper à deux de front ?

— Après tout, il y a une idée là-dedans, concéda M. Dedalus.

— Et, dit Martin Cunningham, nous ne verrions plus ce que nous avons vu quand le corbillard a versé au coin de Dunphy et que le cercueil a été projeté sur la voie publique.

— Une chose affreuse, dit M. Power tout remué, et le corps est tombé sur la route ; affreuse !

— En tête au tournant de Dunphy, dit M. Dedalus approbateur. Coupe Gordon Bennett.

— Miséricorde ! s'exclama pieusement Martin Cunningham.

Patatras... La pelle. Un cercueil qui rebondit sur la route. Éclaté. Paddy Dignam en jaillit et roule roide dans la poussière dans un habit mortuaire brun trop large pour lui. Face écarlate. Grise maintenant. Bouche qui bée. Demande ce qui se passe. Bien raison de la leur fermer. Ouverte c'est affreux. Et puis l'intérieur se décompose rapidement. Beaucoup mieux de boucher tous les orifices. Oui, aussi. Avec de la cire. Le sphincter relâché. Cacheter tout.

— Dunphy, annonça M. Power, comme la voiture tournait à droite.

Dunphy, mastroquet du coin. Voitures de deuil arrêtées, noyant leur chagrin. Station au bord de la route. Situation épatante pour un bistro. M'attends à faire halte là au retour pour boire à sa santé. Passez-moi la consolation. Élixir de vie.

Mais je suppose que ça arrive. Saignerait-il par exemple, si un clou l'écorchait pendant la cabriole ? Peut-être que oui, peut-être que non. Dépend de l'endroit où. La circulation cesse. Mais un peu pour-rait suinter d'une artère. Il serait préférable de les ensevelir en rouge, rouge foncé.

En silence, ils roulèrent le long de Phibsborough Road. Un corbillard revenant à vide du cimetière les croisa au trot : a l'air soulagé.

Pont de Crossguns : le canal royal.

L'eau se précipitait en grondant à travers les vannes. Un homme debout entre des blocs de tourbe sur sa péniche qui descend. Sur le chemin de halage, près de l'écluse, un cheval au bout de sa longe lâche. A bord du *Lougarou*.

Ils le suivaient des yeux. Au fil de la route d'eau herbeuse et lente, il avait navigué vers la côte, traver-sant l'Irlande sur son radeau tiré par une corde de halage hors des lits des roseaux, par-dessus la vase, les bouteilles gavées de boue, les chiens crevés. Athlone. Mulligar. Moyvalley. Je pourrais aller voir Milly pédestrement en suivant le canal. Ou à bicyclette. Louer quelque vieux clou, bas sur pattes. Wren en avait un l'autre jour à la salle des ventes, mais pour dame. L'extension des voies navigables. La marotte de James M'Cann de me passer à la rame. Le transport le plus économique. Par petites journées. Maisons flot-tantes. Vie au grand air. Aussi les corbillards. Au ciel par eau. Peut-être irai-je sans écrire. En guise de surprise, Leixlip, Clonsilla. Descendre, écluse après écluse, jusqu'à Dublin. Avec la tourbe des marais du centre. Salut. Il a levé son chapeau de paille brune, saluant Paddy Dignam.

La voiture dépassa la maison de Brian Boroimhe. Tout près maintenant.

— Je serais curieux de savoir ce que devient notre ami Fogarty, dit M. Power.

— C'est à Tom Kernan qu'il faut demander ça, dit M. Dedalus.

— Comment ça ? dit Martin Cunningham. L'a laissé en pleurs, je suppose.

— Bien que loin des yeux, près du cœur, dit M. Dedalus.

Le véhicule obliqua vers la gauche pour prendre Finglas Road.

Le chantier du marbrier sur la droite. Dernier tour de piste. Sur la bande du terrain, une foule de formes silencieuses apparut, blanches, douloureuses, élevant des mains résignées ; pliant les genoux sous le chagrin, le doigt indicateur. Fragments de formes taillées au ciseau. Dans leur blanc silence, suppliant. Le premier choix. Thos. H. Dennany, entrepreneur de monuments funéraires.

Dépassé.

Sur le bord du trottoir, devant la maison de Jimmy Geary le sacristain, un vieux vagabond était assis et vidait en grommelant le gravat de sa godasse grise de poussière et qui bâillait. Après le voyage de la vie.

Des jardins moroses surgirent, l'un après l'autre ; des maisons moroses.

M. Power montra du doigt.

— C'est là que Childs a été assassiné, dit-il. La dernière maison.

— C'est bien là, dit M. Dedalus. Horrible affaire. Seymour Bushe l'a tiré de là. Assassin de son frère. Du moins l'a-t-on cru.

— L'accusation n'a pas fait la preuve, dit M. Power.

— Rien que des présomptions, dit Martin Cunningham. C'est le principe de la justice. Plutôt laisser échapper quatre-vingt-dix-neuf coupables que de condamner un seul innocent.

Ils regardaient. La propriété du meurtrier. Elle défilait sinistre. Volets clos, inhabitée, jardin envahi. Propriété complètement foutue. Injustement condamné. L'assassinat. L'image de l'assassin dans les yeux de la victime. Les gens sont friands de lire ces choses. Tête d'homme découverte dans un jardin. Les vêtements de la femme consistaient en. La façon dont elle fut frappée. Venait de subir les derniers outrages. L'arme employée. Le meurtrier reste introuvable. Indices. Un lacet de soulier. L'exhumation ordonnée. La lumière se fera.

Des crampes dans cette voiture. Peut-être ne serait-elle pas contente de me voir arriver sans prévenir. Faut faire attention avec les femmes. Surprenez-les une fois culottes bas. Elles ne vous pardonneront jamais. Quinze ans.

Les hautes grilles de Prospect ondulèrent sous leurs regards. Peupliers noirs, formes blanches, rares. Formes plus fréquentes, silhouettes blanches qui se multiplient parmi les arbres, une foule de formes blanches et des moignons de monuments, monde muet soutenant en l'air le néant de ses gestes.

La guimbarde geignit tout contre le trottoir : s'arrêta. Martin Cunningham allongea le bras, tira vigoureusement la poignée en arrière, et d'une pression du genou fit s'ouvrir la portière. Il descendit. M. Power et M. Dedalus suivirent.

Moment de déplacer ce savon. La main de M. Bloom déboutonna sa poche-revolver avec célérité et transporta le savon amalgamé à son papier dans la pochette de son veston. Il sortit de la voiture tout en remettant en place le journal qu'il tenait de l'autre main.

Enterrement mesquin : le char et trois voitures. Tout ça ne fait ni chaud ni froid. Cordons du poêle, rênes dorées, messe de requiem, salves d'artillerie. Les pompes de la mort. Près de la voiture de queue stationnait un ambulant avec sa petite voiture de gâteaux et de fruits. Des casse-museau, tenant ensemble : gâteaux pour les morts. Biscuits de chiens. Qui les mangeait ? Des familles qui sortent.

Il suivit ses compagnons, M. Kernan et Ned Lambert venaient après. Hynes marchait derrière eux. Corny Kelleher qui se tenait près du corbillard ouvert s'empara des deux couronnes. Il en tendit une au petit garçon.

Où donc est passé cet enterrement d'enfant ?

Un attelage de chevaux suant et soufflant qui venait de Finglas passa, tirant après lui dans le silence funèbre un fardier criard chargé d'un bloc de granit. Le charretier qui marchait en tête salua.

Au cercueil maintenant. Arrivé ici avant nous, tout mort qu'il est. Cheval qui se détourne pour le regarder, plumet oblique. Œil morne : collier étroit pour son cou, comprimant un vaisseau ou autre chose. Savent-ils ce qu'ils charrient ici tous les jours ? Probablement vingt ou trente enterrements par jour ? Et encore le Mont-Jérôme pour les protestants. Enterrements sur toute la surface du globe, partout, à toute minute. A pleines charretées par là-dessous dare-dare. A chaque heure des milliers. Trop de monde sur cette terre.

Une femme et une petite fille en deuil sortaient des grilles. De l'ordre des rapaces, face anguleuse, créature âpre, le bonnet de travers. Visage de la petite barbouillé de crasse et de larmes, son bras accroché au bras de la femme, levant les yeux pour savoir s'il faut pleurer. Face de limande, livide, pas trace de sang.

Les croque-morts mirent le cercueil à l'épaule et lui

firent franchir les grilles. Autant de poids mort. Me sentais moi-même plus lourd en sortant du bain. Le refroidi d'abord ; puis les amis du refroidi. Derrière, Corny Kelleher et le petit garçon, avec leurs couronnes. Qui à côté d'eux ? Ah, le beau-frère.

Par derrière tous se mirent en marche.

Martin Cunningham chuchota :

— Je ne vivais pas quand vous avez parlé de suicide devant Bloom.

— Pourquoi ? chuchota M. Power. Qu'y a-t-il ?

— Son père s'est empoisonné, chuchota Martin Cunningham. Il avait le Queen's Hotel à Ennis. Vous l'avez entendu dire qu'il allait à Clare. L'anniversaire.

— Mon Dieu ! chuchota M. Power. Première nouvelle pour moi. Il s'est empoisonné !

Il jeta un regard en arrière vers l'homme dont les yeux sombres et songeurs étaient fixés sur le mausolée du cardinal. Il parlait.

— Était-il assuré ? demandait M. Bloom.

— Je crois que oui, répondait M. Kernan, mais la police est lourdement grevée. Martin essaie de faire entrer le petit bonhomme à Artane.

— Combien d'enfants laisse-t-il ?

— Cinq. Ned Lambert dit qu'il essaiera de faire entrer une des filles chez Todd.

— Triste situation, dit M. Bloom avec douceur. Cinq jeunes enfants.

— Un rude coup pour la pauvre femme, ajouta M. Kernan.

— Oui, vraiment, appuya M. Bloom.

Elle tient le bon bout à présent.

Il regardait les chaussures qu'il avait lui-même cirées et frottées. Elle lui avait survécu, perdu son mari. Plus mort pour elle que pour moi. L'un doit survivre à l'autre. Le sage le proclame. Sur la terre il y a moins d'hommes que de femmes. Lui faire mes condoléances. Perte irréparable que la vôtre. Je vous souhaite d'aller le retrouver bientôt. Bon pour les veuves hindoues seulement. Elle reconvolerait peut-être. Avec lui ? Non. Pourtant qui sait après tout ? le veuvage ne se porte plus depuis que la vieille reine est morte. Traînée sur une prolonge d'artillerie. Victoria et Albert. Service anniversaire à Frogmore. Mais à la fin elle avait mis quelques violettes à son chapeau. Vaniteuse dans le tréfonds de son cœur. Tout cela pour une ombre. Consort, pas même un roi. Son fils était la réalité. Quelque chose de neuf, de quoi espérer au lieu de ce passé qu'elle voulait ravoir, qu'elle attendait. Il ne revient jamais. L'un doit partir d'abord : seul, dans le trou ; fini de partager avec elle le lit tiède.

— Comment va, Simon ? dit Ned Lambert aimable, la main dans la main. Il y a une éternité que je ne vous ai vu.

— Mieux que jamais. Comment vont-ils tous dans leur bonne ville de Cork ?

— J'étais là-bas le lundi de Pâques pour les courses, dit Ned Lambert. Les mêmes vieux avocassiers. Me suis arrêté chez Dick Tivy.

— Et comment va Dick le costaud ?

— Il n'y a plus rien entre le ciel et lui, répondit Ned Lambert.

— Par St-Paul ! dit M. Dedalus contenant sa surprise. Dick Tivy chauve ?

— Martin Cunningham va ouvrir une souscription pour les enfants, dit Ned Lambert, avec un geste en avant. Quelques shillings par tête. Simplement pour leur permettre de tenir jusqu'à ce qu'on puisse toucher l'assurance.

— Oui, oui, dit M. Dedalus avec deux airs. Est-ce le fils aîné là-bas devant ?

— Oui, dit Ned Lambert, avec le frère de la femme. John Henry Menton est derrière. Il s'est inscrit pour un louis.

— Je l'aurais juré, dit M. Dedalus. Souvent je disais

au pauvre Paddy d'être plus à son affaire. Il y a plus méchant que John Henry sous la calotte des cieux.

— Comment a-t-il perdu sa place ? demanda Ned Lambert. Boisson, quoi ?

— Le point faible de bien des braves gens, dit M. Dedalus avec un soupir.

Ils firent halte à la porte de la chapelle mortuaire. M. Bloom, derrière le petit garçon à la couronne, considérait la tête aux cheveux lissés, le cou frêle et ridé dans le col tout neuf. Pauvre gosse ! Était-il là quand le père ? Tous les deux inconscients. Redevenir lucide au dernier moment et reconnaître pour la dernière fois. Tout ce qu'il aurait pu faire. Je dois trois shillings à O'Grady. Comprendrait-il ? Les croquemorts portèrent le cercueil dans la chapelle. Quel bout sa tête ?

Au bout d'un instant il rejoignit les autres à l'intérieur, clignant des yeux dans la demi-obscurité. Le cercueil reposait sur ses tréteaux à l'entrée du chœur, un grand cierge jaune à chacun des quatre coins. Toujours en avant de nous. Après avoir placé les deux couronnes aux deux coins de tête, Corny Kelleher fit signe au petit garçon de s'agenouiller. Les gens du cortège s'agenouillèrent à leur tour ici et là sur des prie-dieu. M. Bloom était resté en arrière près des fonts baptismaux, et quand tous furent à genoux, il fit glisser adroitement de sa poche son journal déplié et y posa son genou droit. Méticuleux, il installa son chapeau noir sur son genou gauche et tout en le tenant par le bord s'inclina pieusement.

Un enfant de chœur, qui portait un récipient de cuivre avec quelque chose dedans, entra par une porte. Le prêtre blousé de blanc venait après, d'une main il ajustait son étole, de l'autre balançait un petit livre sur son ventre de crapaud. Qui lira le *Credo* ? C'est moi, dit le corbeau.

Ils s'immobilisèrent près des tréteaux et le prêtre commença de lire dans son livre, croassant en vitesse.

Le Père Serqueux. Je savais qu'il y avait du cercueil dans son nom. *Dominenomine.* Un fort en gueule, ça se voit. Le grand manitou de l'affaire. Hercule de sacristie. Malheur à qui lui fait la nique : ministre de Dieu. Tu es Pierre. Prêt à craquer aux coutures comme un porc à l'engrais, dit Dedalus. Promène un ventre de chiot empoisonné. Cet homme a le chic pour trouver des expressions. Hum : craquer aux coutures.

— *Non intres in judicium cum servo tuo, Domine.*

Ça leur donne de l'importance tout ce latin qu'on débite sur eux. Messe chantée. Crêpes de deuil. Papier à lettres bordé de noir. Le nom consigné sur le registre de l'église. Froide et humide ici. Ont besoin de bien se nourrir pour pouvoir rester assis toute la matinée dans cette pénombre à battre la semelle en attendant le suivant s'il vous plaît. Œil de crapaud aussi. Qu'est-ce qui le gonfle de cette façon-là ? Molly, c'est le chou qui la fait gonfler. L'air de l'endroit peut-être. On dirait que c'est plein de mauvais gaz. Il y a forcément un sacré tas de mauvais gaz partout ici. Les bouchers par exemple : ils se mettent à ressembler à des biftecks crus. Qui donc me racontait ? Mervyn Brown. Dans les caveaux de Saint-Werburgh, de très belles orgues d'il y a cent cinquante ans, on est quelquefois forcé de percer un trou dans les bières pour laisser les mauvais gaz s'échapper et brûler. Ça fuse, bleu. Une prise de ça et vous êtes nettoyé.

Ma rotule me fait mal. Aïe. Ça va mieux.

Le prêtre prit dans le récipient que tenait l'enfant de chœur une baguette avec une boule au bout et la secoua au-dessus du cercueil. Puis il se transporta à l'autre extrémité et secoua de nouveau. Après quoi il s'en revint et remit l'instrument dans son seau. Autant avant de vous reposer ! Tout est écrit ; il est obligé de faire tout ça.

— *Et ne nos inducas in tentationem.*

De sa voix de chanterelle l'enfant de chœur récitait les répons. J'ai souvent pensé qu'il vaudrait mieux n'avoir que des domestiques mâles. Jusqu'à quinze ans environ. Car après ça, bien sûr...

Je suppose que c'était de l'eau bénite. Sème le sommeil avec. Il doit avoir une indigestion de cette besogne, secouer cette chose sur tous les cadavres qu'on lui colloque. Ce ne serait pas mauvais qu'il puisse voir ce sur quoi il secoue. Arrive une nouvelle fournée chaque jour que Dieu fait : hommes mûrs, femmes âgées, enfants, femmes mortes en couches, hommes barbus, hommes d'affaires chauves, jeunes filles phtisiques avec de petites poitrines de moineau. Tout le long de l'année il a marmotté sur eux la même chose et secoué la même eau sur eux : sommeil. Sur Dignam maintenant.

— *In paradisum.*

A dit qu'il allait en paradis ou qu'il est en paradis. Dit ça pour tout le monde. Quelle fastidieuse besogne ! Mais il faut bien qu'il dise quelque chose.

Le prêtre ferma son livre et sortit, suivi de l'enfant de chœur. Corny Kelleher ouvrit les portes latérales et les fossoyeurs entrèrent, enlevèrent de nouveau le cercueil, le sortirent de l'église et le firent glisser sur leur chariot. Corny Kelleher donna une couronne au petit garçon et l'autre au beau-frère. A leur suite, par les portes latérales les autres débouchèrent à l'air tiède et gris. M. Bloom sortit le dernier, repliant et empochant encore une fois son journal. Il fixa gravement le sol jusqu'à ce que le chariot mortuaire s'ébranlât, prenant à gauche. Les roues de fer crissaient sur le gravier broyé et la séquelle assourdie des souliers s'engagea derrière le charreton dans une sente de sépulcres.

De ri de ra de ri de ra tra. Seigneur, voilà que je me mets à chantonner ici.

— Le rond-point O'Connell, dit M. Dedalus à la cantonade.

Les yeux placides de M. Power s'élevèrent jusqu'à la pointe du haut obélisque.

— Il repose au milieu de son peuple, le vieux Dan O', dit-il. Mais son cœur est enseveli à Rome. Combien de cœurs brisés gisent ici, Simon !

— Sa tombe à elle est plus par là, Jack, dit M. Dedalus. Je serai bientôt étendu à côté d'elle. Qu'il me prenne dès qu'Il le voudra.

Cédant à l'émotion, il se mit à pleurer discrètement, la démarche un peu incertaine. M. Power lui prit le bras.

— Elle est mieux où elle est, dit-il affectueusement.

— Oui, je sais, dit M. Dedalus avec un léger spasme. Je pense bien qu'elle est au ciel, s'il y a un ciel.

Corny Kelleher sortit de son rang, laissant les autres le dépasser lentement.

— Tristes circonstances, commença M. Kernan avec politesse.

M. Bloom ferma les yeux et inclina par deux fois la tête, l'air convaincu.

— Les autres remettent leurs chapeaux, dit M. Kernan. Je pense que nous pouvons les imiter. Nous sommes les derniers. Ce cimetière est un endroit traître.

Ils se couvrirent.

— Le digne homme a un peu dépêché son service, ne trouvez-vous pas ? dit M. Kernan d'un ton de blâme.

M. Bloom fit oui de la tête, grave, affrontant les yeux vifs striés de rouge. Yeux secrets, yeux secrets et inquisiteurs. Franc-maçon peut-être ; pas sûr. Encore une fois près de lui. Nous sommes les derniers. Du même bateau. Espère qu'il va ajouter quelque chose.

M. Kernan continua :

— Le service de l'église protestante irlandaise,

celui du Mont-Jérôme, est plus simple, plus émouvant dirai-je.

M. Bloom eut un geste de prudent acquiescement. Quant à la langue, c'est une autre affaire.

Solennel M. Kernan cita :

— *Je suis la résurrection et la vie.* Voilà qui vous remue jusqu'au fond du cœur.

— En effet, dit M. Bloom.

Votre cœur peut-être, mais la belle jambe pour le pauvre diable entre ses quatre planches qui voit pousser le pissenlit par la racine ! Rien à remuer là. Siège des affections. Cœur brisé. Une pompe en somme, pompant des milliers de litres de sang par jour. Un beau jour elle se bouche et ça y est. Des tas et des tas partout ici : poumons, cœurs, foies. Vieilles pompes rouillées ; un point c'est tout. La résurrection et la vie. Une fois mort, vous êtes bien mort. Cette invention du jugement dernier. Les faire tous surgir de leurs tombeaux. Lazare, lève-toi et sors ! Et il arriva cinquième et perdit la partie. Lève-toi ! Le dernier jour ! Et alors chaque particulier furetant pour dénicher son foie et son mou et le reste de son saint-frusquin. Bougrement difficile de se retrouver ce matin-là. Une once de poudre au creux d'un crâne. Poids de l'once trente et un grammes. Mesure de Troyes.

Corny Kelleher vint se ranger à leur côté.

— Tout a marché numéro un, dit-il. Quoi ?

Il les regardait de son œil somnolent... Épaules de flic. Avec ton mirliton tonton.

— Comme il convient, dit M. Kernan.

— Quoi ? Hein ? fit Corny Kelleher.

M. Kernan réitéra.

— Quel est ce type en arrière avec Tom Kernan ? demandait John Henry Menton. Je connais cette tête-là.

Ned Lambert se retourna.

— Bloom, dit-il. Madame Marion Tweedy, qui était, qui est, je veux dire, le soprano. C'est sa femme.

— Oh mais oui, dit John Henry Menton. Il y a quelque temps que je ne l'ai pas vue. C'était une fort jolie femme. J'ai dansé avec elle, il y a, attendez, quinze, dix-sept ans, c'était le bon temps, chez Mat Dillon, à Roundtown. Elle vous remplissait agréablement les bras.

Il regardait derrière lui dans l'assistance.

— Qu'est-il ? Qu'est-ce qu'il a fait ? N'était-il pas dans la papeterie ? Je me suis querellé avec lui un soir, je me rappelle, aux boules.

Ned Lambert sourit.

— Oui, c'est exact, chez Lesage Hely. Voyageur en papier buvard.

— Seigneur dieu, dit John Henry Menton, qu'est-ce qui lui a pris d'épouser un coco pareil ? Elle avait pas mal de cran alors.

— Encore maintenant, dit Ned Lambert. Il est rabatteur d'annonces.

John Henry Menton regardait au loin devant lui.

Le charreton tourna dans une contre-allée. Au passage du mort un homme corpulent, posté dans la verdure, souleva son chapeau. Les fossoyeurs touchèrent leur casquette.

— John O'Connell, dit M. Power, satisfait. Il n'oublie jamais un ami.

M. O'Connell leur serra la main à tous en silence. M. Dedalus dit :

— Je viens vous faire une nouvelle visite.

— Mon cher Simon, répondit le conservateur à voix basse, je ne vous veux point comme client.

Après avoir salué Ned Lambert et John Henry Menton il marcha près de Martin Cunningham en manipulant deux clefs derrière son dos.

— Connaissez-vous cette histoire, leur demanda-t-il, sur Mulcahy de la Coombe ?

— Pas moi, dit Martin Cunningham.

Ils inclinèrent en même temps leurs hauts-de-forme et Hynes prêta l'oreille. Le conservateur avait suspendu ses pouces aux anneaux d'or de sa chaîne de montre et commençait d'une voix contenue au milieu de leurs sourires vagues.

— On raconte, dit-il, que deux poivrots sont venus ici un soir de brouillard chercher la sépulture d'un ami à eux. Ils demandèrent après Mulcahy de la Coombe et on leur indiqua l'endroit. Après avoir piétiné dans le brouillard ils trouvèrent la tombe, en fin de compte. Un des poivrots épela le nom : Terence Mulcahy. L'autre poivrot guigna une statue du Rédempteur que la veuve avait fait mettre là.

Le conservateur cligna de l'œil vers une des tombes qu'ils côtoyaient. Il reprit.

— Et, après avoir lorgné la divine effigie, *Merde alors, mince de ressemblance*, dit-il. *Mulcahy, ce loustic-là ? Foutu sculpteur, va !*

Récompensé par des sourires il se laissa dépasser pour causer avec Corny Kelleher, recevant de lui des fiches qu'il retournait et vérifiait tout en marchant.

— Il a raconté ça avec intention, expliquait Martin Cunningham à Hynes.

— J'ai compris, dit Hynes, je l'avais compris.

— Pour remonter un pauvre bougre, dit Martin Cunningham. Par pure bonté d'âme ; un point c'est tout.

M. Bloom admirait les imposantes proportions du conservateur. Tous ont le désir d'être en bons termes avec lui. Un type comme il faut, John O'Connell, taillé sur le bon patron. Ses clefs, comme l'annonce de Cleys. N'a pas peur que quelqu'un saute le mur, pas de contre-marques à délivrer. *Habeat corpus*. Il faut que je m'occupe de cette annonce après l'enterrement. Avais-je écrit Ballsbridge sur l'enveloppe avec laquelle j'ai caché ce que j'écrivais à Martha quand

157

elle m'a dérangé ? Espérons que ça n'a pas été mis au rebut. Gagnerait à se raser. Le poil pousse gris. C'est le premier son de cloche quand ça pousse gris et que le caractère se gâte. Des fils d'argent parmi les gris. Être sa femme, quelle idée. Comment a-t-il eu le culot de demander une jeune fille en mariage ? Viens vivre avec moi dans le cimetière. Lui faire reluire ça devant les yeux. Ça pouvait l'exciter d'abord. Fleureter avec la mort. Les ombres de la nuit sur les morts allongés. Les ombres des tombeaux quand bâille le charnier, et Daniel O'Connell doit être un descendant, je suppose. Qui donc disait que c'était un original ? grand pro-créateur devant l'Éternel et bon catholique tout de même comme un grand colosse dans la nuit. Feux follets. Gaz des tombeaux. Faut qu'elle évite de penser à tout ça pour pouvoir devenir enceinte. Les femmes surtout sont si impressionnables. Au lit lui raconter une histoire de revenants pour la faire dormir. Avez-vous jamais vu un fantôme ? Eh bien ! moi, j'en ai vu un. C'était par une nuit noire comme de l'encre. C'était sur le coup de minuit. Tout de même ils pourraient très bien s'embrasser s'ils étaient au diapa-son. Les prostituées dans les cimetières turcs. On peut leur apprendre n'importe quoi en les prenant jeunes. Possible de lever une jeune veuve ici. Des hommes aiment ça. L'amour entre les pierres tombales. Roméo. Plaisirs pimentés. Au milieu de la mort nous sommes en vie. Les extrêmes se touchent. Supplice de Tantale pour les pauvres défunts. L'odeur du bifteck grillé pour des miséreux qui dévorent leur propre substance. Désir d'émoustiller les gens. Molly voulait faire ça à la fenêtre. En tout cas il a huit enfants.

Il en a vu une belle collection passer par ici depuis le temps, remplir autour de lui les terrains l'un après l'autre. Terres saintes. Plus de place si on les enterrait debout. Assis ou à genoux on ne pourrait pas. Debout ? La tête pourrait émerger un jour ou l'autre par affaissement du sol, avec un doigt en l'air. La terre doit être comme une ruche : cellules oblongues. Et il entretient ça bien soigné, gazon net, bordures. Le Mont-Jérôme, le Major Gamble l'appelle son jardin. C'en est bien un. Devrait y planter des fleurs somnifères. Les pavots géants des cimetières chinois font le meilleur opium, m'a dit Mastiansky. Justement le Jardin Botanique près d'ici. C'est le sang filtrant à travers le sol qui fait éclore de la vie. Même idée des Juifs qui avaient tué un petit chrétien, dit-on. A chacun sa valeur. Cadavre gras d'un gentleman en bon état de conservation, épicurien, incomparable pour jardin fruitier. Une occasion. Pour la carcasse de William Wilkinson, inspecteur et comptable, récemment décédé, trois livres treize shillings six. Dévoué à vos ordres.

Je suis sûr que la terre serait tout à fait riche avec de l'engrais de cadavres, os, chair, parties cornées, fosses communes. Effrayant. Tournent au vert et au rose, en se décomposant. Pourrissent vite dans une terre humide. Les vieux desséchés plus durs à entamer. Alors une espèce de fromgi suiffeux. Après commencent à noircir et une mélasse suinte d'eux. Après ils sèchent. Papillons tête-de-mort. Naturellement les cellules ou je ne sais pas trop quoi continuent à vivre. Se recombinent. Pratiquement on vit à jamais. Rien à manger ; elles se mangent elles-mêmes.

Mais ils doivent engendrer une infernale quantité de larves. Tout le sol doit en tournebouler. Elles tournent nos pauvres têtes. Ces jolies petites filles de la grève. Il a le regard d'un homme heureux. Ça lui donne de l'importance de voir tous les autres qui s'en vont avant lui. Quelle idée a-t-il de la vie ? Aime à blaguer lui aussi ; ça lui réchauffe l'intérieur. L'histoire du communiqué. Spurgeon parti pour le ciel ce matin à 4 heures. A 11 heures du soir (fermeture), ne s'est pas encore présenté. Pierre. Les morts eux-mêmes, en tout

159

cas les hommes aimeraient entendre une bonne blague et les femmes savoir ce qui se porte. Une poire pour la soif ou bien un grog brûlant, fort, sucré, bon contre l'humidité. Il faut bien rire quelquefois : pourquoi pas de cette façon-là ? Fossoyeurs d'*Hamlet*. Ça montre une profonde connaissance du cœur humain. N'osent pas blaguer un mort avant deux ans au moins. *De mortuis nil nisi prius*. Commencer par quitter le deuil. Difficile de se représenter l'enterrement du Conservateur. A l'air d'une mauvaise plaisanterie. Lire son propre article nécrologique, on dit que ça fait vivre plus longtemps. On reprend haleine. Un nouveau bail.

— Combien en avez-vous pour demain ? demanda le conservateur.

— Deux, répondit Corny Kelleher. Dix heures et demie et onze heures.

Le conservateur mit les papiers dans sa poche. Le charreton avait cessé de rouler. Posant avec précaution le pied entre les tombes, les assistants vinrent se ranger des deux côtés de la fosse. Les fossoyeurs prirent le cercueil et le déposèrent la tête au bord du trou pour y passer le coulant.

Enterrons-le. Nous venons enterrer César. Ses ides de mars ou de juin. Il ne sait pas qui est là et ça lui est égal.

Au fait, qui est donc ce grand flandrin là-bas avec le mackintosh ? Mais qui est-ce, je voudrais bien le savoir. Je donnerais bien quelque chose pour le savoir. Toujours quelqu'un qui surgit auquel on ne pensait guère. Un type pourrait vivre dans son coin tout seul toute sa vie. Oui il pourrait. Mais il aurait tout de même besoin de quelqu'un pour le descendre dans le trou qu'il aura pu creuser lui-même. Nous le creusons tous. Il n'y a que l'homme qui enterre. Non, les fourmis aussi. La première idée qui vient à n'importe qui. Enterrer les morts. On dit que Robinson Crusoé

160

c'était l'homme de la nature. Eh bien, Vendredi l'a enterré. En y réfléchissant, chaque vendredi enterre un jeudi.

> *Hélas mon pauvre Robinson,*
> *ça te serait arrivé tout de bon?*

Pauvre Dignam! La dernière fois qu'il se couche à la surface dans sa boîte. En pensant à tout ce qu'il y en a ça semble un gaspillage de bois. Tout ce qui s'en ronge. On pourrait inventer un cercueil soigné avec un panneau à glissière lâcher tout. Oui, mais ils pourraient refuser de s'en servir après d'autres. Ils sont si maniaques. Mettez-moi dans ma terre natale. Un peu de terre de la Terre Sainte. Rien que les mères et les enfants mort-nés dans le même cercueil. Je comprends pourquoi. Je comprends. Pour les protéger aussi longtemps que possible même dans la terre. La maison de l'Irlandais c'est son cercueil. Embaumement dans les catacombes, les momies, même principe.

M. Bloom restait en arrière, son chapeau à la main, comptant les têtes nues. Douze. Je suis le treizième. Non. C'est le type au mackintosh qui fait le treizième. Nombre fatal. De quelle diable de boîte sort-il celui-là? Il n'était pas à la Chapelle, ça j'en mettrais ma main au feu. Sotte superstition le nombre treize.

Un beau lainage moelleux ce complet de Ned Lambert. Un soupçon de pourpre. J'en ai eu comme ça quand nous habitions Lombart Street West. Il a été très gandin. Changeait de costume trois fois par jour. Il faut que Mesias me retourne mon complet gris. Zut. Il est teint. Sa femme, mais non il n'est pas marié, sa femme de ménage aurait dû lui ôter ces fils.

Jambes arc-boutées, les hommes laissaient filer sur les glissières le cercueil qui disparut. Ils se relevèrent en s'écartant; tous tête nue. Vingt.

Un temps.

Si tous nous devenions subitement d'autres.

Au loin un âne se mit à braire. La pluie. Pas si âne qu'on croit. On dit que jamais on n'en voit de mort. Honte de la mort. Se cachent. Le pauvre papa aussi est allé ailleurs.

Autour des têtes découvertes une brise caressante murmurait. Murmure. Au chevet de la tombe le petit qui tenait sa couronne à deux mains fixait le trou sombre avec des yeux tranquilles. M. Bloom alla se placer derrière la carrure du bon conservateur. Redingote bien coupée. Peut-être qu'il les passe en revue pour savoir lequel partira le premier. Bah! c'est un long repos. Fini de sentir. C'est au moment même qu'on sent. Doit être foutrement désagréable. D'abord pouvez pas y croire. Il y a erreur; quelqu'un d'autre. Voyez la porte en face. Attendez, il faut que je. Je n'ai pas encore. Alors on vous tire les rideaux. C'est de la lumière qu'il faudrait. Murmures autour de vous. Ne voudriez-vous pas voir un prêtre? Puis décalage et la cervelle qui bat la campagne. Délire, tout ce que vous aviez caché toute votre vie. Colletage avec la mort. Son sommeil n'est pas naturel. Pressez la paupière inférieure. Regardez si son nez se pince si sa mâchoire tombe si la plante de ses pieds jaunit. Enlevez l'oreiller et laissez-le finir par terre puisqu'il est condamné. Le démon dans le tableau de *la mort du Pécheur* qui lui montre une femme. Le mourant en chemise qui veut la prendre dans ses bras. Dernier acte de *Lucie. Ah, jamais plus ne te contemplerai-je?* Boum! Elle expire. Enfin parti. Gens parlent un peu de vous; vous oublient. N'oubliez pas de prier pour lui. Souvenez-vous de lui dans vos prières. Parnell lui-même. Le Jour du Lierre se meurt.

Défilé : le saut dans le trou à la file indienne.

Nous prions maintenant pour le repos de son âme. J'espère que vous êtes en bonne santé et pas trop

162

échaudé. Changement d'air idéal. De la poêle à frire de la vie dans le feu du purgatoire.

Pense-t-il quelquefois qu'un trou l'attend lui-même ? On dit que vous y pensez quand vous avez des frissons au soleil. Quelqu'un a marché dessus. En scène ! crie le régisseur. Près de vous. Le mien là-bas du côté de Finglas, le bout que j'ai acheté. Maman, la pauvre maman, et le petit Rudy.

Les fossoyeurs saisirent leurs pelles et envoyèrent à la volée sur le cercueil d'énormes mottes. M. Bloom détourna la tête. Et s'il n'avait pas cessé de vivre ? Brrr ! Nom d'un chien, ça serait abominable ! Non, non ; bien sûr qu'il est mort. Il est mort, bien sûr. Il est mort lundi. On devrait faire une loi forçant à vous percer le cœur pour être plus sûr ou bien mettre une sonnerie électrique ou un téléphone dans le cercueil avec une espèce de treillis d'aération. Signal de détresse. Trois jours. Relativement long pour l'été. Ça vaudrait mieux de leur faire vider les lieux dès qu'on est sûr que.

La terre tombait plus mollement. Commence à être oublié. Loin des yeux loin du cœur.

Le conservateur qui opérait sa retraite remit son chapeau. En avait assez. Se ressaisissant, les assistants, un par un, se couvrirent sans ostentation. M. Bloom tout en se recoiffant vit l'imposante silhouette se frayer adroitement un chemin dans le dédale des tombes. Sûr de lui et de sa route, il traversait son morne domaine.

Hynes note quelque chose sur son carnet. Ah, les noms. Mais il les sait tous. Non, il vient à moi.

— Je suis en train de recueillir les noms, dit Hynes parlant dans son gilet. Quel est votre nom de baptême ? Je ne sais plus au juste.

— L, dit M. Bloom. Léopold. Et vous pourriez mettre aussi le nom de M'Coy. Il me l'a demandé.

— Charley, fit Hynes en écrivant. Je sais. Il a été à *L'Homme Libre*.

Il y était avant d'avoir son poste à la morgue sous les ordres de Louis Byrne. Excellente idée de faire faire des autopsies aux médecins. Découvrent ce qu'ils s'imaginent connaître. Il est mort un mardi. On l'a fichu dehors. Levé le pied avec le pognon de quelques annonces. Charley, vous êtes mon chouchou. C'est pourquoi il m'avait demandé de. Bon, bon, pas de mal. J'ai fait le nécessaire, M'Coy. Merci, mon vieux, bien obligé. Le laisser sur l'impression d'un service rendu ; ne me coûte rien.

— Et voyons, demanda Hynes, connaissez-vous l'individu avec le... l'individu qui était par là avec le...?

Il cherchait des yeux.

— Mackintosh. Oui je l'ai vu, répondit M. Bloom. Où est-il passé ?

— M'Intosh, dit Hynes, en griffonnant. Je ne sais pas qui c'est. C'est bien son nom ?

Il s'éloigna, regardant à droite et à gauche.

— Mais non, commençait M. Bloom, qui avait fait demi-tour sur place. Mais non, Hynes.

Il n'entend pas. Quoi ? Où a-t-il disparu ? Pas trace. Eh bien par exemple ! Quelqu'un ici a-t-il vu ? Ka et deux elles. S'est escamoté. Bon dieu, qu'est-ce qu'il a bien pu devenir ?

Le septième fossoyeur s'approcha de M. Bloom pour reprendre une pelle inutilisée.

— Oh pardon !

Il s'écarta vivement.

La terre, humide et brune, apparaissait dans la fosse. Elle montait. Presque au ras. Puis les mottes humides formèrent monticule et les fossoyeurs déposèrent leurs pelles. Tous se découvrirent une dernière fois. L'enfant cala sa couronne contre un angle ; le beau-frère la sienne contre une motte. Les fossoyeurs remirent leurs casquettes et emportèrent leurs pelles terreuses vers le chariot. Là ils secouèrent légèrement le fer sur l'herbe : net. L'un d'eux se baissa pour enlever du manche une touffe de longues herbes. Un autre, se séparant de ses compagnons, s'éloigna d'un pas lent l'arme à l'épaule, le fer bleu-blanc. En silence au chevet de la tombe un troisième enroulait la sangle du cercueil. Son cordon ombilical. Le beau-frère se détournant mit quelque chose dans la main libre du fossoyeur. Remerciements muets. Bien fâché, monsieur, pour votre peine. Hochement de tête. Je sais ce que c'est. Voici pour vous autres.

Les amis du mort se dispersaient sans hâte, sans but, au hasard des chemins, faisant halte pour lire un nom sur une tombe.

— Revenons donc par le tombeau de Parnell, dit Hynes. Nous avons le temps.

— Allons, dit M. Power.

Ils tournèrent à droite, suivant le fil de leurs pensées engourdies. La voix blanche de M. Power émit avec une nuance d'appréhension :

— Il y en a qui disent qu'il n'a jamais été dans ce tombeau. Le cercueil aurait été rempli de pierres et un jour on le verrait revenir.

Hynes secoua la tête.

— Parnell ne reviendra jamais, dit-il. Il est là, tout ce qui était mortel en lui est là. Paix à ses cendres.

Dissimulé par la végétation de l'allée, M. Bloom marchait environné d'anges attristés, de croix, de colonnes tronquées, de caveaux de familles, d'espérances pétrifiées en prière, les yeux au ciel, des cœurs et des mains de la vieille Irlande. Il y aurait plus de bon sens à consacrer charitablement l'argent à des vivants. Priez pour le repos de l'âme de. Réellement quelqu'un le fait-il ? On le plante là et on en est quitte. On l'a balancé comme du poussier par un trou de cave. Et pour gagner du temps on les met en bloc. Jour des morts. Le vingt-sept je serai près de sa tombe. Dix shillings pour le jardinier. Il enlève les mauvaises herbes. Vieux lui aussi. Plié en deux avec son sécateur qui claque. Sur le bord de la tombe. Qui est passé. Qui a quitté cette vie. Comme s'ils l'avaient fait volontairement. Tous avec un coup de pied quelque part. Qui a dévissé son billard. Plus intéressant s'ils expliquaient ce qu'ils ont été. Un tel charron. Je voyageais pour le linoleum. En faillite, j'ai remboursé cinq shillings par livre. Ou une femme avec sa casserole. Je faisais du bon haricot de mouton. Élégie dans un cimetière de campagne devrait être intitulé ce poème; de qui est-ce, Wordsworth ou Thomas Campbell? Les protestants mettent : entré dans son repos. La tombe du vieux Docteur Murren. La grande guérisseuse l'a hospitalisé. Ma foi, c'est le champ du repos pour eux. Plaisante résidence de campagne. Crépie et repeinte à neuf. Lieu rêvé pour en fumer une sans se biler en lisant la *Croix*. Les annonces de mariage on ne les enguirlande pas. Couronnes rouillées pendues à des crochets, guirlandes en simili bronze. A prix égal meilleur usage. N'importe, les fleurs ont plus de poésie. Les autres finissent par agacer, à ne jamais se faner. Ça ne dit rien. Immortelles.

Peu farouche un oiseau restait perché sur une branche de peuplier. Comme empaillé. Comme le cadeau de noces que nous avait fait le conseiller municipal Hooper. Ohé! Tranquille comme Baptiste. Sait qu'il n'y a pas de fronde pour le descendre. Encore plus tristes les animaux morts. Milly-linotte enterrant le petit oiseau mort dans la boîte à allumettes de la cuisine, un collier de pâquerettes et ses miettes cœurs et collerettes sur le petit tombeau.

Ça c'est le Sacré Cœur : il le montre. Le cœur sur la main. Devrait être sur le côté et rouge, ça devrait être peint comme un vrai cœur. L'Irlande lui a été comme qui dirait consacrée. Ne paraît pas précisément ravi.

Pourquoi m'avoir infligé ça? Est-ce que les oiseaux viendraient le becqueter comme le jeune garçon avec la corbeille de fruits? mais il disait que non parce qu'ils auraient eu peur du jeune garçon. C'était Apollon, ce peintre.

Quelle quantité! Et tous ils ont arpenté Dublin en leur temps. Fidèles disparus. Tels vous voici tels nous étions.

D'ailleurs comment pourrait-on se les rappeler tous? Les yeux, la démarche, la voix. Au fait, la voix oui : le gramophone. Mettre un gramophone dans chaque tombe ou plutôt le garder à la maison. Après le dîner du dimanche. Mets donc le pauvre arrière-grand-père. Craahraarc! Voilàvoilàvoilà suissisiheureux craarc sisiheureuxrevoir voilàvoilà suissisiheurraviravi rahrahraher. Vous rappellerait la voix comme la photo le visage. Autrement on ne pourrait plus se représenter la figure au bout de, disons quinze ans. Par exemple qui? Par exemple quelqu'un qui est mort pendant que j'étais chez Lesage Hely.

Tstscrr! Le gravier craque. Attention. Halte.

Vivement intéressé son regard plongea dans une chapelle funéraire. Quelque animal. Attendons. Le voilà qui vient. Un rat rondouillard trottinait en bordure du caveau, remuant le gravier. Un vieux routier, un arrière-grand-père; la connaît dans les coins. Le bon vivant gris s'aplatit sous la plinthe, gigotant pour s'introduire. Bonne cachette pour un trésor.

Qui habite là? Ici repose Robert Emery. Robert Emmet fut inhumé ici à la lueur des torches, est-ce exact? Façon de faire sa ronde.

Queue disparue maintenant.

Un de ces gaillards-là n'en aurait pas pour longtemps à vous arranger un type. Vous épluchent proprement les os sans se soucier du proprio. C'est leur viande ordinaire à eux. Un cadavre c'est de la viande avariée. Bon, et qu'est-ce que c'est que le fromage ? Du cadavre de lait. J'ai lu dans ces *Voyages en Chine* que pour les Chinois un blanc ça sent le cadavre. La crémation est préférable. Les prêtres sont enragés contre. Ils travaillent pour l'autre raison sociale. Brûleurs en gros et fours hollandais. En temps de peste. Fosses de chaux vive pour les consumer. Chambre d'asphyxie pour les animaux. Poussière, en poussière. Ou bien jeter à la mer. Où est-ce, la tour du silence des Parsis ? Mangés par les oiseaux. Terre, feu, eau. On dit que la noyade est la plus agréable. On revoit toute sa vie dans un éclair. Mais pour être ramené à la vie autre histoire. Et pas moyen d'enterrer dans les airs. Laisser tomber d'un aéroplane ? Je me demande si la nouvelle se répand quand il y en a un frais d'apporté. Communications souterraines. Nous avons appris ça d'eux. Ça ne m'étonnerait pas. Leur honnête gueuleton de chaque jour. Les mouches viennent avant qu'on ne soit tout à fait mort. Ont eu vent de Dignam. L'odeur ne leur fait rien. Bouillie de cadavre qui se désagrège blancdesel ; odeur, goût comme du navet blanc cru.

Les grilles luisaient en face : encore ouvertes. Rentrons dans le monde. Assez de ce lieu. Chaque fois vous en rapproche un petit peu plus. La dernière fois que je suis venu ici c'était pour l'enterrement de Mme Sinico. Le pauvre papa aussi. L'amour qui tue. Et même qui fouille la terre la nuit avec une lanterne, comme ce fait-divers que j'ai lu, pour arriver à des femmes récemment inhumées ou même putréfiées fissurées et coulantes. Vous donne la chair de poule à la longue. Je vous apparaîtrai après ma mort. Vous verrez mon spectre après ma mort. Mon spectre vous hantera après ma mort. Après la mort il est un autre monde appelé enfer. Je n'aime pas cet autre monde, a-t-elle écrit. Moi pas davantage. Tant à voir à entendre à sentir encore. Sentir près de soi des êtres chauds et vivants. Laissons-les dormir dans leurs lits grouillants d'asticots. Ils ne m'auront pas encore ce coup-ci. Des lits chauds ; de la chaude vie pleine de beau sang riche.

Martin Cunningham apparut dans un sentier transversal, en grave conversation.

L'avoué, je pense. Je le reconnais. Menton. John Henry, avoué, spécialiste en serments et affidavit. Dignam a été dans son étude. Chez Mat Dillon il y a bel âge. Les soirées hospitalières de ce brave Mat. Poulet froid, cigares, la cave à liqueurs Tantale. Vraiment un cœur d'or. Oui, Menton. A piqué une crise un soir aux boules parce que je l'avais voilé. Pure chance de ma part : le fort de la boule. C'est pourquoi il m'a eu tellement dans le nez. Le coup de foudre de l'antipathie, Molly et Flocy Dillon enlacées sous les lilas et qui riaient. On est toujours mortifié quand il y a des femmes là.

Un renfoncement sur le côté de son chapeau. Dans la voiture sans doute.

— Pardon, monsieur, dit M. Bloom derrière eux. Ils firent halte.

— Votre chapeau est un peu cabossé, dit M. Bloom le montrant du doigt.

John Henry Menton le fixa un instant sans faire un geste.

— Là, précisait Martin Cunningham à la rescousse.

John Henry Menton enleva son chapeau, fit bomber le creux et lustra le poil avec soin sur la manche de son veston. Il planta de nouveau son chapeau sur sa tête.

— C'est parfait, dit Martin Cunningham.

John Henry Menton s'acquitta d'un petit salut sec.

— Merci, dit-il brièvement.

Ils se dirigeaient vers les grilles. M. Bloom défrisé se laissa distancer de quelques pas pour ne pas les entendre. Martin faisant la loi. Martin qui peut retour-

ner un imbécile pareil avec son petit doigt sans qu'il
s'en doute.

Yeux de poisson mort. Ça ne fait rien. Peut-être qu'il
aura des regrets quand il comprendra plus tard. Avoir
ainsi le beau rôle.

Merci. Comme nous sommes ce matin magnanimes.

AU CŒUR DE LA MÉTROPOLE HIBERNIENNE.

Devant la Colonne de Nelson les trams ralentis-
saient, bifurquaient, changeaient de prise, démar-
raient vers Blackrock, Kingstown et Dalkey, Clonskea,
Rathgar et Terenure, Palmerston Park et Upper
Rathmines, Sandymount Green, Rathmines,
Ringsend, Sandymount Tower et Harold's Cross. Le
contrôleur enroué de la Compagnie des Tramways
Réunis de Dublin braillait les départs.

— Rathgar et Terenure !
— Sandymount Green, en voiture !

A droite et à gauche, parallèles, dans un fracas de
sonneries et de coups de timbre, une voiture à impériale et une voiture simple quittaient leur terminus,
inclinaient vers leurs voies descendantes, glissaient
parallèles.

— En route, Palmerston Park !

MESSAGERS DE LA COURONNE.

Sous le porche du Bureau Central des Postes les
décrotteurs s'offraient et jouaient de la brosse. Alignés
dans North Prince's Street les cars postaux de Sa
Majesté, en livrée vermillon rehaussée des initiales
royales E. R., encaissaient l'avalanche bruyante des
sacs de lettres, cartes postales, cartes-lettres, paquets
affranchis et recommandés à destination de la ville, de
la province, de l'Angleterre et d'Outremer.

Hors des Entrepôts Prince, des haquetiers aux brodequins balourds boulaient de sourds barils et les faisaient rebondir sur le haquet de la brasserie. Sur le haquet de la brasserie rebondissaient de sourds barils boulés par les haquetiers aux brodequins balourds hors des Entrepôts Prince.

— Voici la chose, dit Red Murray. Alexander Cleys.

— Coupez-moi ça, voulez-vous ? dit M. Bloom, et je le porterai jusqu'au *Télégramme*.

La porte du Bureau de Ruttledge grinça de nouveau. Davy Stephens, perdu dans un vaste manteau cape, tête bouclée surmontée d'un petit feutre, sortit en tenant sous le bras un rouleau de papier, tel un courrier du Roi.

En quatre coups de ciseaux Red Murray détacha net l'annonce du journal. Ciseaux et pot à colle.

— Je passerai par les presses, dit M. Bloom, en prenant la coupure carrée.

— Bien entendu, s'il veut un entrefilet, dit Red Murray avec empressement, sa plume derrière l'oreille, nous sommes prêts à lui en faire un.

— Bien, dit M. Bloom avec un signe de tête. Je cuisinerai ça.

Nous.

WILLIAM BRAYEN ESQUIRE,
D'OAKLANDS, SANDYMOUNT.

Red Murray toucha le bras de M. Bloom avec les ciseaux en murmurant :

— Brayden.

M. Bloom se détourna et vit le portier en livrée

171

soulever sa casquette à initiales tandis qu'une majestueuse silhouette passait le seuil entre les tableaux d'affichage du *Supplément de L'Homme Libre et de La Nation*, hebdomadaire de *L'Homme Libre et La Nation*, quotidien. Sourd roulis des barils de Guinness. Elle monta majestueusement l'escalier à la remorque d'un parapluie, face solennelle entourée d'une barbe. Dos en gabardine s'élevant à chaque marche : dos. Toutes ses méninges sont dans sa nuque, dit Simon Dedalus. Bourrelets de chair là — derrière. Pli du cou gras, pacha, poussah, pacha.

— Ne trouvez-vous pas que son visage rappelle celui de Notre Sauveur ! chuchota Red Murray.

La porte du bureau de Ruttledge chuchotait : Ui ; rrui. On place toujours les portes en face l'une de l'autre pour que le vent. Entrée. Sortie.

Notre Sauveur : visage ovale encadré d'une barbe ; parlant dans le soir. Marie, Marthe. A la remorque d'un parapluie-épée vers la rampe : Mario le ténor.

— Ou celui de Mario, dit M. Bloom.

— Oui, reconnut Red Murray. Mais on a dit que Mario est le portrait de Notre Sauveur.

Jésus Mario joues au carmin, pourpoint et jambes de fuseau. La main sur son cœur. Dans *Martha*.

Re-viens m'offrir ta foi,
Re-viens près de moi.

LA CROSSE ET LA PLUME.

— Son Éminence a téléphoné deux fois ce matin, dit gravement Red Murray.

Il regardait disparaître genoux, jambes, chaussures, cou.

Un petit télégraphiste fit irruption, jeta preste une

enveloppe sur le comptoir, et courant la poste s'en fut en criant :

— *L'Homme Libre !*

Lentement M. Bloom dit :

— Eh mais, c'est aussi un de nos Sauveurs.

Un pâle sourire le suivit tandis qu'il soulevait le battant du comptoir, passait par la porte de côté, longeait l'escalier sombre et chaud, le couloir et le plancher qui maintenant vibrait. Mais sauvera-t-il la vente au numéro ? Frappe, frappe.

Il poussa le tambour vitré de la porte et entra en foulant un fatras de papier d'emballage. Par une double rangée de retentissantes rotatives, il se dirigea vers le bureau de Nannetti.

C'EST AVEC DE SINCÈRES REGRETS QUE NOUS APPRENONS LA DISPARITION D'UN HONORABLE CITOYEN DE NOTRE VILLE.

Hynes est là aussi : sans doute pour le compte rendu de l'enterrement. Frappant frappe. Ce matin les obsèques de M. Patrick Dignam. Machines. Pulvérisent un homme si elles le happent au passage. Mènent le monde maintenant. Ses rouages à lui aussi travaillent à force. Comme ceux-ci, déchaînés : ça fermente. Ça travaille à plein, ça force à plein. Et ce gros rat forçant à plein pour entrer.

LA TOILETTE D'UN GRAND QUOTIDIEN.

M. Bloom debout derrière le prote gringalet admirait une chevelure brillante.

Étonnant qu'il n'ait jamais vu sa vraie patrie. L'Irlande ma patrie. L'élu de College Green. Il a fait un pétard du diable et des efforts de possédé pour lancer son canard sans ailes. Ce sont les à-côtés et les annonces qui font vivre un hebdomadaire et non pas les nouvelles rancies de la politique. Mathusalem est mort. Annonces officielles, an mil et. Domaine situé sur le territoire de Rosenallis, baronnie de Tinnachinch. Avis à tous les intéressés, inventaire conforme aux décrets mentionnant les statistiques des mules et genets exportés de Ballina. Notes du Jardinier. La Semaine Comique. Les Coq-à-l'âne hebdomadaires de Phil Blake. La Page de l'Oncle Toby pour les tout-petits. La Petite Correspondance, naïfs ruraux. Cher Monsieur le Directeur, quel est le meilleur remède contre les vents. J'aimerais cette rubrique. On apprend des tas de choses à instruire les autres. P.D.P. Page Des Potins. Plutôt Des Photos. Baigneurs bien galbés sur sable d'or. Le plus gros ballon du monde. Deux sœurs se marient le même jour. Deux jeunes mariés qui se rient franchement au nez. Cuprani aussi, l'imprimeur. Plus Irlandais que l'Irlande.

Les machines trépidaient à trois temps. Frappe, frappe, frappe. Supposons qu'il ait une attaque et que personne ne soit capable de les arrêter, elles iraient trépidant tant et plus sur le même rouleau, imprimant à tort et à travers et à perte de vue. Beau galimatias. Il en faut de la présence d'esprit.

— Alors, faites passer dans l'édition du soir, M. Le Conseiller, dit Hynes.

— Bientôt il l'appellera M. le Maire. On dit que le grand John le pistonne ferme.

Sans répondre, le prote griffonna *à tirer* dans un coin de la feuille et fit signe à un compositeur. Sans rien dire il tendit la feuille au-dessus de son écran de verre malpropre.

— Parfait, merci, dit Hynes en s'en allant.

M. Bloom lui barrait le passage.

— Si vous voulez toucher, le caissier va partir pour déjeuner, dit-il, avec un geste du pouce en arrière.

174

— Vous avez touché ? demanda Hynes.

— Hm, fit Bloom. Dépêchez-vous, vous mettrez la main dessus.

— Merci mon cher, dit Hynes. Je vais le mettre en perce à mon tour.

Il se précipita vers les bureaux de *L'Homme Libre.*

Trois balles que je lui ai prêtées chez Meagher. Trois semaines. Troisième rappel.

NOUS VOYONS LE RABATTEUR A L'ŒUVRE.

M. Bloom posa sa coupure sur le bureau de M. Nannetti.

— Excusez-moi, M. le Conseiller, dit-il. C'est pour cette annonce. Cleys, vous savez.

M. Nannetti considéra un instant la coupure et fit oui de la tête.

— Il voudrait cela pour Juillet, dit M. Bloom.

Il n'entend pas. Nanan. Nerfs d'acier.

Le prote avança son crayon vers le papier.

— Mais voilà, dit M. Bloom. Il voudrait une modification. Cleys, vous y êtes. Il voudrait deux clefs dans le haut.

Quel infernal boucan là-dedans ! Comprend-il ce que je.

Le prote se retourna l'oreille attentive et, levant le coude, commença de se gratter lentement l'aisselle à travers l'alpaga de son veston.

— Comme ça, dit M. Bloom, qui croisa ses deux index en haut de la coupure.

Laissons-le d'abord digérer ça.

Les yeux de M. Bloom quittant ses doigts en croix observèrent le teint terreux du prote, je pense que c'est une menace de jaunisse, et, au-delà, les obéissantes bobines qui déversaient de colossales platées de papier. Briffe-ça. Briffe-ça. Des kilomètres dévidés.

175

Qu'est-ce que ça peut devenir après ? Eh, ça enveloppe de la viande, des paquets ; quantité d'usages, mille et mille choses.

Glissant adroitement ses mots dans l'intervalle des coups frappés, il fit un dessin rapide sur le bois couvert de cicatrices.

LA MAISON A CLE(Y)S.

— Comme ça, voyez-vous. Ici deux clés croisées. Un cercle. Alors, là, le nom Alexandre Cleys, négociant en thés, vins et spiritueux. Et cætera.

Que je n'aie pas l'air de lui apprendre son propre métier.

— Vous savez parfaitement vous-même, M. le Conseiller, ce qu'il lui faut. Alors en exergue et en gros caractères : la maison à clés. Vous voyez ça. Pensez-vous que ce soit une bonne idée ?

Le prote fit voyager ses ongles jusqu'à ses fausses côtes qu'il se mit à gratter tranquillement.

— L'idée, dit M. Bloom, c'est la maison à clés. Vous savez, M. le Conseiller, le parlement de l'île de Man. Allusion au Home Rule. Les touristes, n'est-ce pas ? qui viennent de l'île de Man. Ça accroche le regard, n'est-ce pas ? Pouvez-vous faire ça ?

Je pourrais peut-être lui demander comment il faut prononcer ce *voglio*. Mais si par hasard il ne savait pas cela pourrait le gêner. Mieux vaut pas.

— C'est faisable, dit le prote. Avez-vous le topo ?

— Je peux me le procurer, dit M. Bloom. C'est dans un journal de Kilkenny. Il a une maison là aussi. Je vais courir lui demander. Eh bien, vous pourriez faire ça avec un petit entrefilet attirant l'attention. Vous savez, la chose habituelle. Établissement de tout premier ordre. Une lacune comblée. Et patati et patata.

Le prote réfléchit un instant.

— C'est faisable, dit-il. Qu'il renouvelle son abonnement pour trois mois.

Un compositeur lui apportait une longue bande d'épreuves, toute molle. Il se mit à la corriger en silence. Debout M. Bloom écoutait les fortes pulsations des manivelles, regardait les typos muets devant leurs casses.

ORTHOGRAPHE.

Faut-il qu'il sache bien son orthographe. Fièvre des épreuves. Martin Cunningham a oublié de nous passer ce matin son concours de rébus orthographiques. C'est amusant de lire les terr (deux r) ibles diffi (faut-il deux f ?) cultés d'un colporteur fourbu, qui démolit, o, la symétrie d'une poire pelée sous le mur d'un cimetière. Est-ce assez idiot ? Cimetière qui arrive là bien entendu à cause de symétrie.

J'aurais pu dire quand il a enfoncé son tube. Merci. J'aurais dû dire quelque chose sur un vieux chapeau, quelque chose comme ça. Non, j'aurais pu dire. Il paraît tout neuf maintenant. Pour voir sa tête.

Sllt. Le cylindre inférieur de la première machine vient de projeter son plateau mobile avec sllt la première fournée de feuilles pliées format main. Sllt. Presque humaine dans sa manière sllt de se rappeler à votre souvenir. Fait exactement tout son possible pour parler. Cette porte aussi qui sllt pour demander qu'on la ferme. Chaque chose parle à sa façon. Sllt.

LETTRE OUVERTE
D'UN PRINCE DE L'ÉGLISE.

Le prote rendit les épreuves d'un geste bref :

— Un moment. Où est la lettre de l'archevêque ?

Elle doit être insérée dans *Le Télégramme*. Où est machin-chose ?

Il semblait interroger ses machines qui menaient leur tapage sans répondre.

— Monks, monsieur ? demanda une voix qui venait de la boîte aux caractères.

— Oui. Où est Monks ?

— Monks !

M. Bloom reprit sa coupure. Moment de s'en aller.

— Alors je me procurerai le modèle, M. Nannetti, dit-il, et je suis sûr que vous mettrez ça en bonne place.

— Monks !

— Oui, monsieur.

Renouvellement de trois mois. Il va d'abord falloir que je dépense pas mal de salive. A tenter en tout cas. Appuyer sur Août : dire que c'est excellent, mois de l'exposition chevaline. Ballsbridge. Affluence de touristes pour l'exposition.

LE PÈRE-ACTUALITÉS.

Il traversa la chambre des casses, frôlant un vieillard courbé en deux, avec lunettes et tablier. Le vieux Monks, le Père-Actualités. Que de choses abracadabrantes lui sont passées par les mains depuis le temps : articles nécrologiques, réclames de chands de vins, discours, actions en divorce, repêchages de noyés. A l'heure qu'il est, bien près du bout de son rouleau. Un bonhomme sobre et sérieux qui a quelque chose à la Caisse d'Épargne je parie. Femme cuisine et lave bien. Fille à sa machine à coudre sur le devant. Jeannette la simplette, pas de folies en tête.

Il s'arrêta un moment pour observer un compositeur qui disposait avec précision ses caractères. Les
lit d'abord à rebours. Et il fait ça très vite. Ça doit
demander un certain entraînement. mangiD. kcirtaP.
Pauvre papa et son Hagadah, me faisant la lecture en
suivant de droite à gauche avec son doigt. Pessach.
L'an prochain à Jérusalem. Seigneur, Seigneur !
Toutes ces histoires interminables pour nous tirer de
la terre d'Égypte vers la maison de servitude *alleluia*.
Shema Israel Adonai Elohenu. Non, c'est l'autre. Et les
douze frères, fils de Jacob. Et puis l'agneau et le chat
et le chien et le bâton et l'eau et le boucher, et alors
l'ange de la mort tue le boucher et il tue le bœuf et le
chien tue le chat. Ça paraît un peu bébête si on ne se
donne pas la peine d'approfondir. Ça veut dire la
justice mais c'est plutôt que tous se mangent les uns
les autres. Et en fin de compte c'est la vie ni plus ni
moins. Comme il va vite en besogne. C'est en forgeant
qu'on devient forgeron. Il a des yeux au bout des
doigts.

M. Bloom s'éloigna des bruyantes trépidations et
prit la galerie conduisant au palier. Voyons : vais-je
m'appuyer tout ce trajet en tram pour risquer de le
trouver sorti ? Plutôt un coup de téléphone pour
commencer. Numéro ? Le même que la maison de
Citron. Vingt-huit. Vingt-huit deux fois quatre.

POURTANT CE SAVON ENCORE..

Il descendit l'escalier de l'immeuble. Qui diable a
zébré tous ces murs avec des allumettes ? On dirait
que c'est un pari. Une lourde odeur de cambouis

toujours la même dans ces ateliers. La colle forte tiède chez Thom la porte à côté quand j'y étais.

Il prit son mouchoir et se tamponna les narines, Citronlimon ? Ah oui, le savon que j'ai mis là. Dans cette poche-là je le perdrai. Remettant son mouchoir en place, il enleva le savon, et l'introduisit dans sa poche-revolver qu'il boutonna.

Quel parfum votre femme emploie ? J'aurais encore le temps d'aller à la maison : tram ; quelque chose que j'ai oublié. Un simple coup d'œil avant la toilette. Non. Ici. Non.

Des éclats de rire aigus s'échappaient des bureaux du *Télégramme du Soir*. Sais qui c'est. Qu'est-ce qui se passe ? Un petit tour là-dedans pour téléphoner. C'est Ned Lambert.

Il entra sans bruit.

ÉRIN, Ô VERT JOYAU
DE LA MER ARGENTÉE.

— La statue du quémandeur, murmura le professeur MacHugh au carreau poussiéreux de la fenêtre, dans un souffle doux et biscuité.

M. Dedalus, reportant un œil fixe de la cheminée vide au visage persifleur de Ned Lambert, lui lança aigrement :

— Bordel de dieu, est-ce qu'il n'y a pas de quoi vous chavirer le trou du cul ?

Assis sur la table, Ned Lambert continuait sa lecture :

— *Ou encore, notez les méandres de quelque ru gazouilleur cependant qu'il babille et chemine, éventé par les zéphirs les plus suaves, et bien qu'il se querelle avec les pierreux obstacles, jusqu'au domaine bleu de Neptune aux ondes qui se cabrent, emmi les lits de mousse, lutiné par le soleil en sa gloire, ou dessous les*

180

ombres que jettent à son sein mélancolique les faisceaux feuillus des géants de la forêt. Qu'en dites-vous, Simon ? demanda-t-il par-dessus le bord de son journal. Qu'est-ce que vous en dites comme salmigondis ?

— Il corse son Château-Lapompe, dit M. Dedalus.

Ned Lambert riait aux éclats et se frappait les genoux avec la feuille en répétant :

— *Le sein mélancolique et les fessiers feuillus.* O mes enfants ! mes enfants !

— Et Xénophon regardait Marathon, dit M. Dedalus, dont les yeux allèrent de nouveau du foyer à la fenêtre, et Marathon regardait la mer.

— Ça suffit, cria de la fenêtre le professeur MacHugh. Je ne veux pas en entendre davantage.

Il dépêcha le fragment semi-circulaire du biscuit sec qu'il grignotait et, mis en appétit, se disposait à entamer celui qu'il tenait de l'autre main.

Pompeux charabia. Vieilles vessies. Je vois que Ned Lambert s'offre un jour de vacances. Toute votre journée, un enterrement, ça la décale. Il a de l'influence, à ce qu'on dit. Le vieux Chatterton, le vice-chancelier, est son grand-oncle ou son arrière-grand-oncle. Tout près de quatre-vingt-dix, paraît-il. Probable que son article nécrologique est fin prêt depuis un bon bout de temps. Se cramponne pour les faire enrager. Pourrait bien partir le premier lui, là. Jean-jean, laisse la place à ton oncle. Le très honorable Hedges Eyre Chatterton. Je parierais qu'il lui signe quelques-uns de ces bons vieux chèques tremblés à sacrifier sur l'autel du dieu terme. La manne quand il dévissera. Alleluia.

— Encore une petite convulsion, dit Ned Lambert.

— Qu'est-ce que c'est ? demanda M. Bloom.

— Un fragment de Cicéron récemment découvert, répondit avec emphase le professeur MacHugh. *Notre belle patrie.*

— Celle de qui ? demanda simplement M. Bloom.

— Question des plus pertinentes, dit le professeur tout en mâchonnant. Avec un accent sur le qui.

— La patrie de Dan Dawson, dit M. Dedalus.

— Est-ce son discours d'hier soir ? demanda M. Bloom.

Ned Lambert fit oui.

— Mais écoutez ça, dit-il.

La poignée de la porte poussée de l'extérieur vint frapper M. Bloom à la hauteur des reins.

— Excusez-moi, fit J. J. O'Molloy en entrant.

M. Bloom rapidement s'était rangé.

— Oh, de rien, dit-il.

— Bonjour, Jack.

— Entrez, entrez.

— Bonjour.

— Comment allez-vous, Dedalus ?

— Bien. Et vous-même ?

J. J. O'Molloy secoua la tête.

TRISTE.

C'était le plus grand espoir du jeune barreau. Poitrinaire, le pauvre diable. Cette rougeur hectique c'est bien la fin. Un rien pourrait l'emmener. Quel vent l'amène, je me le demande. Ennuis d'argent.

— *Ou encore si nous gravissons seulement les sommets des montages attroupées.*

— Vous avez une mine superbe.

— Peut-on voir le patron ? questionna J. J. O'Molloy, l'œil sur la porte du fond.

— Comment donc ! dit le professeur MacHugh. Le

182

voir et l'entendre. Il est dans son sanctuaire avec Lenehan.

J. J. O'Molloy fit quelques pas vers le pupitre et se mit à tourner les pages roses de la collection.

Clientèle qui fond. Un qui-eût-pu. Dans le marasme. Il joue. Dettes d'honneur. Récoltant la tempête. Recevait fréquemment de fortes provisions de D. et T. Fitzgerald. Des perruques pour faire croire à leur matière grise. Ils exhibent leur cervelle avec impudeur comme le cœur de la statue à Glasnevin. Je crois qu'il écrit quelques articles littéraires avec Gabriel Conroy pour *L'Express*. Garçon cultivé. Myles Crawford avait commencé dans *L'Indépendant*. Risible la façon dont ces gens de la presse virent de bord dès qu'ils ont vent d'un nouveau débouché. Girouettes. Soufflent le froid et le chaud. Lequel croire ? Une chanson vaut jusqu'à la suivante. S'engueulent comme des chiffonniers dans leurs colonnes et puis n i ni fini. Amis comme cochons une heure après.

— Ah, pour l'amour de Dieu, écoutez encore ceci, supplia Ned Lambert : *Ou encore si nous gravissons seulement les sommets des montagnes attroupées...*

— Boursouflage ! coupa le professeur bourru. Assez de vent dans les outres !

— *Les sommets*, continua Ned Lambert, *qui s'érigent toujours plus haut, afin de baigner pour ainsi dire nos âmes...*

— Qu'il aille au bain, dit M. Dedalus. Dieu de dieu ! Vrai ! Et qu'est-ce qu'on lui ordonne pour ça ?

— *Pour ainsi dire, dans les panoramas sans pairs de l'album de l'Irlande, inégalés, en dépit des prototypes si vantés en d'autres contrées, et que leur beauté parfaite a mis hors concours, épais taillis, plaines onduleuses, luxuriants pâturages aux vernales verdeurs, plongeant dans les lueurs irréelles et translucides de notre crépuscule irlandais mystérieux et doux...*

— Et la lune, dit le professeur MacHugh. Il a oublié Hamlet.

— *Qui enveloppe la scène et s'étend à la ronde et attend que l'orbe éclatant de la lune vienne à briller en irradiant ses effluves d'argent.*

— Oh! s'écria M. Dedalus en laissant échapper un grognement de désespoir, merde aux petits oignons! En voilà assez, Ned. La vie est trop courte.

Il enleva son haut-de-forme, en soufflant avec irritation dans sa grosse moustache, et peigna ses cheveux à la mode Galles avec le râteau de ses doigts.

Ned Lambert avait lâché le journal, et croassait de joie. Soudain un rire énorme et rauque secoua le visage mal rasé et lunetté de noir du professeur MacHugh.

— Boule de son! s'écria-t-il.

LA MÉTHODE WETHERUP.

Très bien de s'en fiche comme ça à froid, mais ça s'avale comme de la brioche ces choses-là. Il était dans la boulange, n'est-ce pas? C'est pour ça qu'on l'avait surnommé Boule de Son. En tout cas il a su bien chauffer son four. Fille fiancée à ce type dans les bureaux du fisc qui a une auto. Gentiment amorcé ça. Réceptions à table ouverte. A pleine ventrée. Comme disait toujours Wetherup : Pour les tenir prenez-les par la gueule.

La porte du fond s'ouvrit en tempête devant une tête d'oiseau cramoisie et crêtée de cheveux duveteux. L'œil bleu cynique les dévisageait et la voix éraillée questionna :

— Qu'est-ce que c'est ?

— Et voici venir le faux comte de champagne authentique, dit le professeur MacHugh, solennel.

— Fouous-moi la paix, bougre de vieux pédagogue ! bredouilla le directeur en guise de réponse.

— Venez, Ned, dit M. Dedalus en mettant son chapeau. Après ça j'ai besoin de boire frais.

— Boire ! s'écria le directeur. Rien à boire avant la messe.

— C'est cela même, dit M. Dedalus en sortant. Vous venez, Ned ?

Ned Lambert descendit de la table en glissant de côté. Le regard bleu du directeur errait sur le visage de M. Bloom où hésitait un sourire.

— En êtes-vous, Myles ? demanda Ned Lambert.

OU L'ON ÉVOQUE
DE FAMEUSES BATAILLES.

— La milice de North Cork ! cria le directeur, en allant à grandes enjambées vers la cheminée. Nous avons eu chaque fois le dessus ! North Cork et des officiers espagnols !

— Où ça se passait-il, Myles ? demanda Ned Lambert avec un coup d'œil songeur à l'empeigne de ses chaussures.

— Dans l'Ohio ! hurla le directeur.

— Pardi oui, concéda Ned Lambert.

Et en passant il murmura pour J. J. O'Molloy :

— Un début de d. t. Bien triste.

— Ohio ! claironna le directeur sur le mode aigu en levant bien haut sa tête cramoisie. Mon Ohio !

— Un parfait crétique ! remarqua le professeur. Longue, brève et longue.

Il prit une bobine de fil gommé dans la poche de son gilet, en cassa un bout qu'il fit vivement vibrer, tendu, entre deux et deux de ses dents non lavées.

— Bingbang, bangbang.

M. Bloom, voyant le terrain libre, se rapprocha de la porte du fond.

— Une petite minute, M. Crawford, dit-il. Je voudrais seulement donner un coup de téléphone pour une annonce.

Il passa la porte.

— Eh bien, et l'éditorial de ce soir ? demanda le professeur MacHugh, qui, s'étant rapproché du directeur, lui mit sur l'épaule une main ferme.

— Ça ira tout seul, dit Myles Crawford un peu calmé. Ne vous en faites pas. Tiens, tiens, Jack. Ça va tout seul.

— Bonjour Myles, dit J. J. O'Molloy, laissant les feuilles qu'il tenait retomber mollement sur les autres pages de la collection. Est-ce aujourd'hui que passe cette escroquerie canadienne ?

De l'autre côté le téléphone ronronnait.

— Vingt-huit... Non, vingt... Deux fois quatre... Oui.

DÉNICHEZ LE GAGNANT.

Lenehan sortit du bureau de la rédaction avec la mise en train du *Sport*.

— Qui veut le fin tuyau pour la Coupe d'Or ? Sceptre monté par O'Madden.

Il lança sur la table le papier pelure de la mise en train.

Criailleries des petits porteurs pieds nus dans le hall qui se rapprochent, et la porte violemment ouverte.

— Chut ! dit Lenehan. J'entends du tapage derrière la porte.

Le professeur MacHugh traversa la pièce et saisit au collet un galopin qui pleurnichait pendant que les autres vidaient le hall en courant et dégringolaient l'escalier. Les feuilles de papier pelure s'envolèrent en bruissant dans le courant d'air, grimoire bleu qui oscilla un moment dans le vide avant d'atterrir sous la table.

— C'est pas moi, monsieur. C'est le grand qui m'a poussé, monsieur.

— Flanquez-le dehors et fermez la porte, dit le directeur. Il y a un ouragan ici.

Lenehan avait entrepris la chasse aux pelures sur le plancher et grogna en se baissant deux fois.

— Nous attendions l'édition spéciale des courses, monsieur, dit le petit crieur. C'est Pat Farell qui m'a poussé, monsieur.

Il désignait deux museaux en arrêt près du chambranle.

— Lui, m'sieur.

— Débarrassez-nous le plancher, dit le professeur d'une voix furibonde.

Il poussa l'enfant dehors et claqua la porte.

J. J. O'Molloy feuilletait la collection à grand bruit de papier froissé, furetant et murmurant :

— Voir la suite page six, quatrième colonne.

— Oui... ici *Le Télégramme du Soir*, disait M. Bloom à l'appareil dans le bureau du directeur. Est-ce le patron... ? Oui, *Télégramme*... ? Où ça ?... Aha ! A quelle vente ?... Aha ! compris... Bon. Je le rejoindrai.

La sonnerie recommença au moment où il raccrochait. Il entra en coup de vent et se cogna contre Lenehan qui se battait avec la seconde feuille de papier pelure.

— *Pardon, monsieur,* dit Lenehan, se rattrapant un instant à lui et faisant la grimace.

— C'est de ma faute, dit M. Bloom, captif résigné. Vous ai-je fait mal ? Je suis très pressé.

— Le genou, dit Lenehan.

Il geignait comiquement en se frottant le genou :

— L'accumulation des *anno Domini.*

— Désolé, dit M. Bloom.

Il gagna la porte, l'ouvrit à demi et s'arrêta. J. J. O'Molloy tournait les pages avec fracas. Les petits cireurs accroupis sur les marches du seuil faisaient retentir le grand corridor nu du son de deux voix perçantes avec accompagnement de serinette :

> *Nous sommes les gars de Wexford*
> *Dont le cœur fait le bras plus fort.*

EXIT BLOOM.

— Je ne fais qu'un saut jusqu'au Bachelor's Walk, dit M. Bloom, pour cette annonce de Cleys. Il faut que je règle ça. On me dit qu'il est là chez Dillon.

Un instant il les regarda indécis. Le directeur, qui la tête dans ses mains était accoudé à la cheminée, étendit tout à coup son bras dans un geste théâtral.

— Allez ! déclama-t-il. Le monde s'ouvre devant vous.

— Je reviens tout de suite, dit M. Bloom qui fila.

Prenant les pelures des mains de Lenehan, J. J. O'Molloy se mit à les lire en soufflant dessus pour les séparer, sans commentaire.

— Il aura son annonce, dit le professeur en regardant par-dessus le demi-rideau, à travers les ronds noirs de ses lunettes. Voyez les petits voyous à ses trousses.

— Où ça ? Faites voir ! s'écriait Lenehan courant à la fenêtre.

UNE PROCESSION SUR LA VOIE PUBLIQUE.

Tous deux par-dessus le demi-rideau regardaient avec un sourire la file des petits crieurs qui piaffaient dans le sillage de M. Bloom, qui faisaient zigzaguer blanc dans la brise un cerf-volant moqueur, une queue de papillons blancs.

— Regardez cette petite gouape derrière lui à la chienlit, dit Lenehan, c'est marrant. Oh ma rate ! Il a pigé sa dégaine et ses pieds plats. Du petit quarante-neuf. A pas de pipeurs d'alouettes.

Il esquissa en charge à travers la pièce des glissés de mazurka, allant de la cheminée à J. J. O'Molloy qui déposa les pelures dans ses mains ouvertes.

— Qu'est-ce qu'il y a ? fit Myles Crawford avec un sursaut. Où sont passés les deux autres ?

— Qui ? dit le professeur en se retournant. Partis prendre une consommation à l'Oval. Paddy Hooper y est aussi avec Jack Hall. Arrivés d'hier soir.

— Eh bien, allons, dit Myles Crawford. Où est mon chapeau ?

Tout en regagnant son bureau d'un pas roide, il écartait les pans de sa jaquette et faisait tinter ses clefs dans sa poche de derrière. Elles tintèrent encore dans le vide et contre le bois quand il ferma le tiroir du meuble.

— Parti pour la gloire, dit à voix basse le professeur MacHugh.

— Selon toute apparence, murmura J. J. O'Molloy rêveur, en tirant son étui à cigarettes, mais ne pas toujours se fier aux apparences. Qui de vous a le plus d'allumettes ?

LE CALUMET DE PAIX.

Il offrit une cigarette au professeur et en prit une. Prompt, Lenehan craqua une allumette et donna du feu à l'un et à l'autre. J. J. O'Molloy rouvrit son étui et le lui tendit.

— Merci, *my dear*, dit Lenehan, qui prit une cigarette.

Chapeau de paille de travers, le directeur sortit de son bureau. Montrant d'un doigt sévère le professeur MacHugh, il déclama sur un ton chantant :

> *C'est rang et renom qui te tentèrent,*
> *L'empire qui charma ton cœur.*

Le professeur tiqua, les lèvres pincées.

— Eh là-bas, foutu vieux Romain de la décadence ? dit Myles Crawford.

Il prit une cigarette dans l'étui ouvert. Lenehan annonça en lui donnant du feu d'un geste aisé :

— Silence, écoutez ma devinette dernier cri !

— *Imperium Romanum*, disait doucement J. J. O'Molloy. Cela vous a plus grand air que British ou Brixton. On dirait un grésillement de graisse au feu.

Myles Crawford envoya au plafond une première bouffée véhémente.

— Tout juste, dit-il. Nous sommes la graisse. Nous autres Irlandais nous sommes la graisse dans le feu. Et nous sommes aussi foutus qu'une boule de neige en enfer.

— Halte-là! fit le professeur MacHugh, qui leva posément deux doigts crochus. Il ne faut pas nous laisser emballer par les mots, par le bruit des mots. Il s'agit de Rome, impériale, impérieuse, impérative.

Il déploya des bras d'orateur aux manchettes élimées et sales, et après un temps :

— Que fut leur civilisation? Grande, je l'accorde; mais vile. Collecteurs; égouts. Dans le désert et sur le sommet de la montagne les Juifs disaient : *Il est bon d'être ici. Élevons un autel à Jéhovah.* Le Romain, comme l'Anglais qui a marché sur ses traces, apportait partout où il mettait le pied (chez nous il ne l'a jamais mis) cette unique obsession de l'égout. Drapé dans sa toge il regardait autour de lui et disait : *Il est bon d'être ici. Construisons un water-closet.*

— Ce qu'ils firent tout de bon, dit Lenehan. Nos bons vieux ancêtres, eux, ainsi que nous le voyons dans le premier chapitre du livre de Guinness, en tenaient pour la liberté en toutes matières.

— Ils étaient les dignes fils de nature, murmura J. J. O'Molloy. Mais nous avons aussi la loi Romaine.

— Et Ponce-Pilate est son prophète, psalmodia le professeur MacHugh.

— Connaissez-vous cette anecdote sur le président de la Cour des Comptes Palles? demanda J. J. O'Molloy. C'était au banquet de l'Université royale. Tout marchait comme sur des roulettes...

— D'abord ma devinette, dit Lenehan. Êtes-vous prêts?

M. O'Madden Burke, grand corps flottant dans un complet de tweed gris de Donegal, arrivait par le corridor. Derrière lui, Stephen Dedalus, qui se découvrit en entrant.

— Entrez, mes enfants! s'écria Lenehan.

— J'escorte un suppliant, dit M. O'Madden Burke sur le mode harmonieux. La Jeunesse guidée par l'Expérience rend visite à la Notoriété.

— Comment allez-vous? dit le directeur, la main tendue. Entrez. Votre paternel sort d'ici.

? ? ?

Lenehan s'adressant à tous :

— Silence! Quel opéra ressemble à une filature? Réfléchissez, pesez, excogitez, répondez.

Stephen tendit les feuilles dactylographiées, en désignant le titre et la signature.

— Qui? demanda le directeur.

Bout déchiré.

— M. Garrett Deasy, dit Stephen.

— Ce vieux père fouettard, dit le directeur. Qui a déchiré ça? A-t-il été pris de court?

> Elle vient en voile ardent
> Du sud orageux, sa couche,
> Elle vient, pâle vampire,
> Coller sa bouche à ma bouche.

— Bonjour, Stephen, dit le professeur qui venait regarder par-dessus leur épaule. Pied et museau? Seriez-vous devenu...?

Barde bienfaiteur-du-bœuf.

SCANDALE DANS UN GRAND RESTAURANT.

— Bonjour, monsieur, répondit Stephen en rougissant. La lettre n'est pas de moi. M. Garrett Deasy m'avait demandé de...

— Oh, je le connais, dit Myles Crawford, et j'ai connu aussi sa femme. La plus effroyable virago qui fut jamais créée et mise au monde. Bon Dieu de bon Dieu! c'est elle qui l'avait la maladie du pied et du museau, pas d'erreur. Le soir où elle a lancé le potage à la tête du garçon, au Star and Garter. Aoh, ah!

Une femme apporta le péché en ce monde. Pour Hélène, femme fugitive de Ménélas, dix ans les Grecs... O'Rourke, prince de Breffni.

— Est-il veuf? demanda Stephen.

— Heu, par intérim, dit Myles Crawford, en parcourant la copie. Chevaux de l'Empereur. Habsburg. Un Irlandais lui sauva la vie sur les remparts de Vienne. Ne l'oubliez pas! Maximilien Karl O'Donnell, graf von Tirconnel en Irlande. A chargé son héritier présomptif de porter au roi les insignes de feld-maréchal autrichien. C'est là que les choses se gâteront un jour ou l'autre. Oiseaux migrateurs. Parfaitement, c'est de règle. Ne l'oubliez pas!

— Oui, mais voilà le hic, s'en est-il souvenu? dit flegmatiquement J. J. O'Molloy qui mettait sens dessus dessous un fer à cheval presse-papier. Sauver la vie d'un prince c'est travailler pour le roi de Prusse.

Le professeur MacHugh se retourna sur lui.

— Et sinon? dit-il.

Je vais vous raconter ça, commença Myles Crawford. Il y avait un jour un Hongrois...

LES CAUSES PERDUES.
ON CITE LE NOM D'UN NOBLE MARQUIS.

— Notre loyauté fut toujours acquise aux causes perdues, dit le professeur. Le succès pour nous est mort de l'intelligence et de l'imagination. Nous ne sommes jamais loyaux avec ceux qui réussissent. Nous les servons. Pour ma part j'enseigne cette langue redondante, le latin. Je parle la langue d'un peuple dont le cerveau est régi par cette maxime : le temps c'est de l'argent. Domination temporelle. *Dominus!* Lord! Où est le spirituel? Lord Jesus! Lord Salisbury. Un divan dans un club du West End. Mais le grec!

193

Un sourire lucide éclaira ses yeux dans leurs disques noirs, et allongea encore ses longues lèvres.

— Le grec ! répétait-il. *Kyrios !* Mot rayonnant ! Les voyelles, Sémites et Saxons ne savent pas ce que c'est. *Kyrie !* L'irradiation de l'intelligence. Je devrais professer le grec, langue de l'esprit. *Kyrie eleison !* Le faiseur de closets et le bâtisseur d'égouts ne seront jamais les maîtres de notre âme. Nous sommes les hommes liges de cette chevalerie européenne et catholique qui a sombré à Trafalgar, de cet empire spirituel, rien d'un *imperium,* qui s'engloutit avec les flottes athéniennes à Ægospotamos. Oui, oui. Elles s'en allèrent par le fond. Pyrrhus, égaré par un oracle, fit une dernière tentative pour relever la fortune de la Grèce. Loyal à une cause perdue.

Il les quitta pour aller vers la fenêtre.

— Ils engageaient la bataille, dit M. O'Madden Burke d'une voix incolore, mais toujours pour la perdre.

— Hihihi ! pleurnichailla Lenehan. A cause d'une brique reçue à la fin du match. Pauvre, pauvre, pauvre Pyrrhus !

Et il chuchota pour la seule oreille de Stephen :

L'A-PROPOS DE LENEHAN.

— MacHugh, *pontifiant pandit,*
Sous châssis noirs ses deux yeux mit.
Puisque double voient ses mirettes,
Que lui sert de porter lunettes ?
Est-ce assez Jacques ? Tu l'as dit.

194

Porte le deuil de Salluste, dit Mulligan. Dont la mère vient de crever comme une bête.

Myles Crawford bourra les feuilles dans sa poche.

— Ça ira, dit-il. Je lirai le reste plus tard. Ça ira.

Lenehan protestait des deux mains.

— Et ma devinette ! Quel est l'opéra qui ressemble à une filature ?

— Un opéra ? répétait M. O'Madden Burke dont le visage se faisait sursybillin.

Lenehan triomphant annonça :

— *L'Étoile du Nord*. Vous y êtes ? Les Toiles du Nord. Na !

Et gentiment il donna du doigt dans les côtes de M. O'Madden Burke. Comme pris de syncope, M. O'Madden Burke s'affaissait avec grâce sur son parapluie.

— Au secours ! soupira-t-il. Je tombe en pommoison.

Lenehan, sur la pointe des pieds, lui éventa prestement le visage avec pelures froufroutantes.

Le professeur qui revenait *via* les collections, effleura de la main les cravates lâches de Stephen et de M. O'Madden Burke.

— Paris, hier et aujourd'hui, dit-il. Vous avez l'air de deux communards.

— De sans-culottes qui ont pris la Bastille, dit J. J. O'Molloy, avec une douce ironie. Ou ne serait-ce pas vous qui auriez fait son affaire au lieutenant-général de Finlande en vous y mettant tous les deux ? Vous paraissez bien être les auteurs du crime. Le général Bobrikoff.

SALADE RUSSE.

— Justement nous cherchions le moyen, dit Stephen.

195

— Réunion de tous les talents, dit Myles Crawford. Le barreau, l'enseignement.

— Le turf, avança Lenehan.

— La littérature, la presse.

— Et si Bloom était là, dit le professeur, l'art aimable de la publicité.

— Et Madame Bloom, ajouta M. O'Madden Burke, muse du chant. L'idole de Dublin.

Lenehan toussa très fort.

— Hemhem! fit-il encore à mi-voix. J'ai une gorge dans le chat. J'ai pris froid dans le parc. La grille était restée ouverte.

« VOUS LE POUVEZ. »

Le directeur posa une main agitée sur l'épaule de Stephen.

— Je veux que vous écriviez quelque chose pour moi, dit-il. Quelque chose qui ait du mordant, qui ravigote. Vous le pouvez. Je le lis sur votre figure. *Dans le livre ouvert de la jeunesse.*

Le lis sur votre figure. Le lis dans vos yeux. Vilain petit carottier.

— Maladie du pied et du museau! s'écriait le directeur, tout indignation et mépris. Grande réunion nationaliste à Borris-en-Ossory. Couillonnades! On lui bourre le crâne, au public! Donnez-lui quelque chose qui ait du mordant, qui ravigote. Collez-nous tous dedans, et merde pour lui s'il n'est pas content. Père, Fils et Saint-Esprit et les chiottes Mac Carthy.

— Nous sommes tous des pourvoyeurs de pain spirituel, dit M. O'Madden Burke.

Stephen levant les yeux rencontra le regard assuré et inattentif du directeur.

— Il cherche à vous mettre le grappin dessus, dit
J. J. O'Molloy.

LE GRAND GALLAHER.

— Vous le pouvez, répéta Myles Crawford, le poing
pathétique. Patience. Nous frapperons l'Europe de
stupeur, comme Ignatius Gallaher au temps où il
bricolait et faisait le marqueur de billard au Clarence.
Gallaher, voilà le journaliste qu'il vous aurait fallu.
Celui-là maniait la plume. Vous savez comment il a
percé ? Je vais vous le dire. Ce fut un coup de maître
sans égal dans le journalisme. Ça se passait en quatre-
vingt-un, le six mai, à l'époque des Invincibles, du
meurtre de Phœnix Park, vous n'étiez pas né, je pense.
Je vais vous faire voir ça.

Il les planta là pour se précipiter vers les collections.

— Venez voir ça, dit-il en se tournant vers eux. Le
New York World avait demandé par câble une informa-
tion spéciale. Vous vous souvenez de ce moment-là ?

Le professeur MacHugh fit un geste affirmatif.

— Le *New York World*, répétait le directeur très
excité, repoussant son chapeau de paille en arrière. Où
ça s'est passé. Tim Kelly, non, Kavanagh, Joe Brady et
les autres. Où Peau-de-Bouc conduisit le véhicule.
Tout le trajet, vous y êtes ?

— Peau-de-Bouc, dit M. O'Madden Burke. Fitz Harris. Il paraît que c'est lui qui tient l'Abri du Cocher, là-
bas, au Pont Butt. Je le tiens d'Holohan. Connaissez-
vous Holohan ?

— Cinq et trois font huit ? dit Myles Crawford.

— Et le pauvre Gumley est là aussi, m'a-t-il dit, à
surveiller un chantier de pierres de la ville. Veilleur de
nuit.

Surpris, Stephen se retourna.

— Gumley ? interrogea-t-il. Ai-je bien entendu ? Ne serait-ce pas l'ami de mon père ?

— La paix avec Gumley, s'écria Myles Crawford en colère. Laissez-le paître ses pierres, et voir à ce qu'elles ne fichent pas le camp. Écoutez ça. Que fit Ignatius Gallaher ? Vous allez voir. Trait de génie. Il a câblé immédiatement. Tenez-vous le *Supplément de l'Homme Libre* du 17 mars ? Bon. Vous y êtes ?

Il rabattit brusquement quelques feuillets et colla le doigt sur un passage.

— Prenez page quatre, nous disons l'annonce du café Bransome. Vous l'avez ? Bon.

La sonnerie du téléphone grelottait.

UNE VOIX DANS L'ÉLOIGNEMENT.

— J'y vais, dit le professeur en s'éloignant.

— B, la grille du parc. Bon.

Vibrant, son doigt allait par bonds d'un point à un autre.

— T, la résidence du Vice-Roi. C, le lieu de l'attentat. K, Knockmaroon Gate.

La peau flasque de son cou tremblotait comme le fanon d'un coq. D'un geste violent il refourra dans son gilet le faux plastron mal empesé qui s'en échappait.

— Allô ? Ici *Le Télégramme du Soir*... Allô ? Qui est là... Oui... Oui... Oui...

— De F à P, c'est la route que parcourut Peau-de-Bouc avec son véhicule pour créer un alibi. Inchicore, Roundtown, Windy Arbour, Palmerston Park, Ranelagh, F. A. B. P. Ça y est ? X c'est le café Davy dans Upper Leeson Street.

Le professeur reparut à la porte.

— Bloom est au téléphone, dit-il.

— Qu'il aille se faire pendre, lança le directeur. X est le café de Burke, là.

— Très fort, dit Lenehan, très.

— Il leur a servi ça tout chaud, dit Myles Crawford, toute la sacrée sanglante histoire.

Cauchemar dont tu ne pourras jamais t'éveiller.

— J'ai vu ça, dit le directeur avec orgueil. J'y étais. Ce bougre de Dick Adams de Cork, la meilleure pâte d'homme qu'ait jamais pétrie le Créateur, et moi-même.

Lenehan, saluant l'espace, annonçait :

— C'est Adam, Madame, Adam du fait d'Evâh hâve.

— L'Histoire ! criait Myles Crawford. La vieille dame de Prince's Street arriva bonne première. Résultat, des pleurs et des grincements de dents. Au moyen d'une annonce. C'est Gregor Grey qui avait fait le plan. Ça lui a mis le pied à l'étrier. C'est alors que Paddy Hooper a travaillé Tay Pay jusqu'à ce qu'il l'ait pris avec lui au *Star*. Maintenant il est avec Blumenfeld. Voilà la presse. Voilà le talent. Pyatt ! Leur papa à tous.

— Le père de la presse à grosses manchettes, appuya Lenehan, et le beau-frère de Chris Callinan.

— Allô ?... Êtes-vous là ?... Oui, il est encore ici. Arrivez vous-même.

— Où trouver à présent un journaliste de ce calibre, hein ? criait le directeur.

Il ferma la collection avec fracas.

— Bougrement fort, dit Lenehan à M. O'Madden Burke.

— Épatant, dit M. O'Madden Burke.

Le professeur MacHugh réapparut.

— A propos des Invincibles, dit-il, saviez-vous que quelques camelots ont été traduits en Correctionnelle ?

— Mais oui, dit J. J. O'Molloy très animé. Lady Dudley retournait chez elle à travers le parc afin de voir les arbres abattus par le cyclone de l'année dernière quand l'idée lui vint d'acheter une vue de Dublin. Et voilà que cette vue était une carte postale à la mémoire de Joe Brady ou bien de Bibi ou de Peau-de-Bouc. Juste à la porte de la Résidence, croyez-vous !

— Aujourd'hui ils sont tous bons pour la rubrique des chiens crevés, lança Myles Crawford. La presse et le barreau ! Peuh ! Où trouver à la barre des sujets comme Whiteside, Isaac Butt, et O'Hagan qui parlait d'or ? Ah ouat ! C'est de la foutaise à présent. Tous pour la boîte à deux sous.

Sa bouche qui n'émettait plus de sons gardait encore une moue de mépris.

Quelle est celle qui voudrait de ma bouche pour son baiser ? Qui sait ? Alors pourquoi l'avoir écrit ?

RIMES ET RAISONS.

Bouche, couche. En quoi la bouche est-elle une couche ? Ou la couche une bouche ? Après tout. Couche, souche, touche, mouche, babouche. Les Rimes : deux hommes vêtus de même, d'aspect semblable, deux par deux

> .... *la tua pace*
> .... *che parlar ti piace*
> .... *mentreche il vento, come fa, si tace.*

filles en vert, en rose, feuille-morte, enlacées ; *per l'aer perso* en mauve, couleur de pourpre, *quella pacifica oriafiamma* de l'or des bannières, *di rimirar fè più ardenti.* Mais moi, tous les vieux pénitents, en semelles

200

de plomb, parlenoirsous la nuit : bouche couche ; antre ventre.

— Parlez pour vous, dit M. O'Madden Burke.

A CHAQUE JOUR SUFFIT...

J. J. O'Molloy qui souriait jaune releva le gant.

— Mon cher Myles, dit-il en jetant sa cigarette, vous interprétez mal mes paroles. Selon mes instructions actuelles je ne plaiderai pas aujourd'hui pour la profession trois, en tant que profession, mais votre ardeur native de Cork vous fait prendre le mors aux dents. Pourquoi ne pas citer Henry Grattan et Flood et Démosthène et Edmund Burke ? Ignatius Gallaher, nous le connaissons tous, lui et son patron de Chapeli-zod, Harmsword, père du journal à un sou, et son cousin le canard d'Amérique, pour ne pas parler de *La Gazette de Paddy Kelly*, *La Feuille de Pue* et de notre vigilant ami *L'Argus de Skibereen*. Pourquoi nous citer un maître de l'éloquence judiciaire tel que Whiteside ? A chaque jour suffit son quotidien.

QUI NOUS REPORTE
AUX JOURS DE JADIS.

— Grattan et Flood ont écrit dans ce journal-ci, lui cria le directeur à bout portant. Patriotes et volon-taires. Où en êtes-vous maintenant ? Fondé en 1763. Dr Lucas. Qui pouvez-vous comparer aujourd'hui à John Philpot Curran ? Pah !

— Eh bien, dit J. J. O'Molloy, Bushe, l'avocat général, par exemple.

— Bushe ? prononça le directeur. Eh bien oui. Bushe, oui. Il a encore de ça dans le sang. Kendal Bushe c'est-à-dire Seymour Bushe.

— Il serait monté encore plus haut et depuis long-temps, dit le professeur, si ce n'était... Mais passons.

Tourné vers Stephen, J. J. O'Molloy lui dit posément :

— L'une des périodes les plus harmonieuses que j'aie jamais entendues de ma vie, je la dois aux lèvres de Seymour Bushe. C'était dans cette affaire de fratricide, l'affaire Childs. Bushe était au banc de la défense.

Et dans le porche de mon oreille versa.

A propos, comment a-t-il découvert ça ? Puisqu'il est mort en dormant. Et l'autre histoire, la bête à deux os.

— Citez-la ? demanda le professeur.

ITALIA, MAGISTRA ARTIUM.

— Il parlait de la procédure en matière de preuves, dit J. J. O'Molloy, de la loi romaine opposée à la loi mosaïque primitive, la *lex talionis*. Et il vint à parler du Moïse de Michel-Ange au Vatican.

— Ah !

— Des termes bien choisis et en petit nombre, annonça Lenehan. Silence !

Une pause. J. J. O'Molloy tira son étui à cigarettes. En suspens pour rien. Quelque banalité.

Le Messager sortit pensivement de sa boîte une allumette et alluma son cigare.

J'ai souvent pensé depuis en me remémorant cette époque singulière que ce fut ce petit acte si banal en soi, le frottement de cette allumette, qui décida du reste de nos deux vies.

UNE HARMONIEUSE PÉRIODE.

J. J. O'Molloy reprit, détachant chaque mot :

— Voici ce qu'il en disait : *une musique figée,*

marmoréenne figure, cornue et terrible, de la divine
forme humaine, symbole éternel de prophétique sagesse,
qui, si quelque chose de ce que l'imagination ou la main
d'un sculpteur inscrivit dans le marbre spirituellement
transfigurant et transfiguré a mérité de vivre, mérite de
vivre.

D'un geste onduleux sa main effilée souligna répétition et chute.

— De toute beauté! dit immédiatement Myles Crawford.

— Le souffle sacré, fit O'Madden Burke.

— Cela vous plaît? demanda J. J. O'Molloy à Stephen.

Insidieusement gagné par l'élégance de la phrase et du geste, Stephen se sentit rougir. Il prit une cigarette dans l'étui que J. J. O'Molloy tendit ensuite à Myles Crawford. Une fois de plus Lenehan leur donna du feu et prit sa part du butin en disant :

— Millibus mercibus.

UN HOMME
DE HAUTE VALEUR MORALE.

— Le professeur Magennis me parlait de vous l'autre jour, dit J. J. O'Molloy à Stephen. En somme que pensez-vous de ce ramassis d'hermétiques, les poètes de l'Opale et du Silence : A. E. le maître mystique? C'est la Blavatsky qui est à l'origine. Une qui la connaissait dans les coins. A. E. a confié à un journaliste yankee que vous étiez allé le trouver au point du jour pour le questionner sur les plans de la conscience. Magennis pense que vous vous êtes offert la bobine de A. E. C'est un homme de haute valeur morale, Magennis.

— Il parlait de moi. Qu'a-t-il dit ? Qu'est-ce qu'il a dit de moi ? Ne pas demander.

— Non, merci, dit le professeur MacHugh, écartant l'étui à cigarettes d'un geste. Dans un moment. Laissez-moi vous dire ceci. Le plus beau morceau d'éloquence qu'il me fut jamais donné d'entendre, c'est ce discours que prononça John F. Taylor à la Société Historique. Le juge Fitzgibbon, le président actuel de la Cour d'Appel, avait pris la parole, l'objet du débat était une publication (nouveauté pour l'époque) qui préconisait la renaissance de la langue irlandaise.

Il se tourna vers Myles Crawford :

— Vous connaissez Gerald Fitzgibbon. Vous pouvez donc vous représenter le style de son discours.

— Le bruit court, dit J. J. O'Molloy, qu'il siège aux côtés de Tim Healy à la Commission Administrative de Trinity College.

— Il siège aux côtés d'un charmant objet en jupes courtes, dit Myles Crawford. Eh bien, continuez.

— C'était, notez-le, dit le professeur, la harangue d'un orateur accompli, plein d'une courtoisie hautaine, et qui, avec une diction châtiée déversait, je ne dirai point le fleuve de sa colère, mais plutôt un orgueilleux mépris sur le mouvement nouveau. C'était alors un mouvement nouveau. Nous étions faibles, partant sans valeur.

Il avait un instant contracté sa grande bouche aux lèvres minces, puis, pressé de poursuivre, il porta une main grande ouverte à ses lunettes et d'un pouce et d'un index tremblants, adapta ses cercles noirs à un nouvel objectif.

IMPROMPTU.

De son ton le plus naturel il s'adressa à J. J. O'Molloy :

— Taylor, comme vous le savez, était sorti de son lit pour venir là. Qu'il eût préparé son discours, je ne le crois pas, car il n'y avait pas le moindre sténographe dans la salle. Son visage maigre et brun était envahi par un poil en broussaille. Il avait un cache-col lâche, et on aurait juré (à tort d'ailleurs) qu'il était mourant.

Soudain mais avec lenteur son regard alla du visage d'O'Molloy à celui de Stephen et il fixa le sol, cherchant ses mots. Son col terne apparaissait derrière sa tête penchée encrassé par ce qu'il lui restait de cheveux. Cherchant toujours ses mots il reprit :

— Quand Fitzgibbon se tut, John F. Taylor se leva pour répondre. Voici brièvement, autant que je puis m'en souvenir, quelles furent ses paroles.

Il releva la tête avec décision. Mais ses yeux semblaient regarder encore en eux-mêmes. Mollusques inintelligents ils flottaient de droite et de gauche dans l'épaisseur lenticulaire, cherchant une issue.

Il commença :

— *Monsieur le Président, Mesdames et Messieurs : c'est avec une profonde admiration que je viens d'entendre les observations adressées il y a un instant par mon savant ami à la jeunesse d'Irlande. Il me parut que j'étais transporté dans un pays bien éloigné de celui-ci, à une époque combien distante de la nôtre, que je me trouvais dans la vieille Égypte écoutant le discours que tenait un des grands prêtres de cette nation au juvénile Moïse.*

Ils écoutaient, cigarettes en suspens, fumées montant en frêles tiges qui s'épanouissaient avec son éloquence. *Qu'en spires notre encens.* Nobles phrases en perspective. Voyons. Serais-tu capable d'en faire autant ?

— *Et il me parut que j'entendais la voix de ce grand prêtre égyptien s'élever à des accents d'une égale arrogance et d'un égal orgueil. J'entendais ses paroles et leur signification me fut révélée.*

Il me fut révélé que sont bonnes ces choses qui cependant sont corrompues, qui fussent-elles suprêmement bonnes ou ne fussent-elles bonnes ne sauraient être corrompues. Malédiction ! Du Saint Augustin.

— Pourquoi ne voulez-vous pas, vous autres Juifs, accepter notre culture, notre religion et notre langage ? Vous êtes une tribu de pasteurs nomades ; nous sommes un peuple puissant. Vous n'avez ni villes ni richesses ; nos cités sont des ruches d'humanité, et nos galères, trirèmes et quadrirèmes, les flancs chargés de tous les trésors du négoce, labourent les mers du monde connu. Vous sortez à peine de l'état primitif ; nous avons une littérature, un sacerdoce, une histoire millénaire et une constitution.

Le Nil.

Enfant, homme, effigie.

Sur la rive du Nil les matrones s'agenouillent, berceau de roseaux ; un homme agile dans le combat : corne de pierre, barbe de pierre, de pierre son cœur.

— Vous invoquez une idole obscure connue de vous seuls ; nos temples dans leur majesté et leur mystère abritent Isis et Osiris, Horus et Ammon Râ. A vous la servitude, la crainte et l'humilité ; à nous la foudre et les mers. Débile est Israël et petit le nombre de ses enfants ; l'Égypte est une armée et redoutables sont ses armes. Vagabonds et mercenaires, c'est ainsi qu'on vous appelle ; notre nom fait trembler le monde.

Un rot muet venu de son estomac vide lui coupa la parole. Sur quoi, hardiment, il haussa le ton :

— Cependant, Mesdames et Messieurs, le juvénile Moïse eût-il prêté l'oreille et admis cette façon de voir, eût-il courbé la tête et soumis sa volonté et son esprit

même à cette insolente exhortation, qu'il n'aurait jamais
délivré le peuple élu de la maison de son esclavage ni
suivi de jour la colonne de nuées. Il n'aurait jamais
conversé avec l'Éternel parmi les éclairs sur le sommet
du Sinaï et n'en serait point redescendu le visage éclairé
par les feux de l'inspiration et portant entre ses bras les
tables de la Loi, gravées dans la langue des hors-la-loi.

Il avait fini et regardait les autres, satisfait de leur
silence.

DE MAUVAIS AUGURE — POUR LUI !

J. J. O'Molloy se prit à dire avec une nuance de
regret :

— Et cependant il mourut avant d'entrer dans la
terre promise.

— Un - de - ces - décès - subito - presto - encore - que
- d'une - longue - maladie - suite - et - fin, dit Lenehan.
Et avec un grand avenir derrière lui.

On entendit le troupeau des petits crieurs qui se
précipitait dans le corridor et piétinait dans l'escalier.

— Ça, c'est de l'art oratoire, dit le professeur sans
soulever de contradictions.

Autant en emporte le vent. Les armées de Mul-
laghmast et la Tara des rois. Des lieues et des lieues de
porches oreilles grandes ouvertes. Tous les mots que
la tribune vocifère et disperse aux quatre vents. Sa
voix refuge de tout un peuple. Rumeur morte. Vestiges
acasiens de tout ce qui fut en quelque lieu que ce soit.
Aimez et louez-le : non plus moi.

J'ai de l'argent.

— Messieurs, dit Stephen, je propose de mettre aux
voix l'ajournement immédiat de la Chambre.

— J'en reste bleu. Ne serait-ce pas, d'aventure,
quelque plaisanterie à la française ? demanda M.
O'Madden Burke. Je cuide qu'il est l'heure où, méta-

phoriquement parlant, le pot à vin possède le plus de vertu en l'Hostellerie du Bon Vieux Temps.

— Ce qui d'ores et déjà me paraît incontestablement incontestable. Que tous ceux qui sont pour lèvent la main, déclara Lenehan. Que les autres s'abstiennent. La motion est adoptée. Et maintenant chez quel bistro d'élection...? Ma voix prépondérante est pour Mooney.

Il ouvrit la marche en les chapitrant :

— Nous nous refuserons avec la dernière énergie à communier sous les espèces spiritueuses, c'est compris? Oui, nous nous comprenons. Pour rien au monde.

Par derrière, M. O'Madden Burke lui portait une botte amicale avec son parapluie :

— En garde, Macduff !

— Rejeton de la vieille souche ! s'écriait le directeur avec une claque à l'épaule de Stephen. Allons. Où sont donc ces satanées clefs ? Il farfouilla dans sa poche, et ramena la copie toute bouchonnée.

— Pied et museau. J'y suis. Ça ira. Ça paraîtra. Où sont-elles ? Ça va.

Il rempocha la copie et rentra dans son bureau.

NE DÉSESPÉRONS PAS.

Au moment de le suivre, J. J. O'Molloy dit tranquillement à Stephen :

— J'espère que vous vivrez assez longtemps pour le voir imprimer. Un instant, Myles.

Il entra dans le bureau et ferma la porte derrière lui.

— Venez, Stephen, dit le professeur. C'est beau, n'est-ce pas ? Vision digne d'un prophète. *Fuit Ilium !* Le sac de la tempétueuse Troie. Les royaumes de ce monde. Les maîtres de la Méditerranée sont aujourd'hui des fellahs.

Un premier petit crieur déboula l'escalier sur leurs talons et bondit dans la rue en braillant :

— Spéciale des Courses !

Dublin. J'ai beaucoup, beaucoup à apprendre.

Ils tournèrent à gauche et prirent Abbey Street.

— Moi aussi j'ai une vision, dit Stephen.

— Oui, dit le professeur, en faisant un doublé pour se mettre au pas. Crawford nous rejoindra.

Un autre petit crieur les dépassa en bombe, glapissant à leurs oreilles :

— Spéciale des Courses !

NOTRE DOUX, DÉGOÛTANT DUBLIN.

Gens de Dublin.

— Deux vestales de Dublin, pieuses et mûres, ont vécu dans Fumbally's Lane cinquante et cinquante-trois ans, commença Stephen.

— Où ça se trouve-t-il ? demanda le professeur.

— Au-delà de Blackpitts.

Une nuit moite aux relents de pâte à pain qui donnent faim. Contre le mur, une face de suif qui luit sous le châle de laine. Armes frénétiques. Vestiges acasiens. Plus vite, mon chéri !

Continuons. Osons. Que la vie soit.

— Elles désirent se payer la vue de Dublin du haut de la colonne Nelson. Elles ont économisé trois shillings dix pence dans une boîte à lettres tire-lire en fer-blanc rouge. A force de secouer elles ont fait sortir les piécettes de trois-pence et une de six-pence et ont extrait les pennies avec la lame d'un couteau. Deux shillings trois en argent et un shilling sept en billon. Elles ont arboré leurs capotes, leurs robes du dimanche et ont pris leurs parapluies de peur qu'il ne vienne à pleuvoir.

— Vierges sages, prononça le professeur MacHugh.

209

— Elles achètent pour un shilling quatre pence quatre tranches de gros pâté garni de fromage de tête dans le North City Restaurant de Marlborough Street à Miss Kate Collins propriétaire. Elles prennent vingt-quatre prunes bien mûres à une gamine au pied de la colonne de Nelson parce que le fromage de tête donne soif. Elles versent deux piécettes de trois-pence au monsieur qui est au tourniquet et avec lenteur elles se hissent en dandinant dans la spirale de l'escalier, grognardes, se donnant du cœur l'une à l'autre, pas tranquilles dans le noir, essoufflées, l'une qui demande à l'autre : Avez-vous le fromage ? invoquant Dieu et la Sainte Vierge, jurant qu'elles vont redescendre, l'œil collé à chaque meurtrière. Dieu vous bénisse ! elles n'auraient jamais cru que c'était si haut.

Elles s'appellent Anne Kearns et Florence MacCabe. Anne Kearns a un lumbago qu'elle frictionne avec de l'eau de Lourdes qu'elle tient d'une dame qui en a eu une pleine bouteille par un Père de la Passion. Florence MacCabe s'offre un pied de porc et une bouteille de bière double tous les samedis pour souper.

— Antithèse, dit le professeur, en saluant deux fois. Pures vestales. Je crois les voir. Qu'est-ce qui retient notre ami ?

Il se retourna.

Une trôlée de petits crieurs dévalaient les marches au galop, se dirigeaient dans toutes les directions en glapissant, leurs feuilles au vent. Derrière eux Myles Crawford, le chapeau en auréole autour de son visage cramoisi, parut sur les degrés, en conversation avec J. J. O'Molloy.

— Arrivez ! cria le professeur en agitant le bras.

Et il se reprit à marcher à côté de Stephen.

210

— Oui, dit-il. Je les vois.

M. Bloom, hors d'haleine, et pris dans un tourbillon sauvage de petits crieurs près du *Catholique Irlandais* et du *Journal de Dublin,* appelait :

— M. Crawford ! Une minute !

— *Télégramme !* Spéciale des Courses !

— Qu'y a-t-il ? dit Myles Crawford, se laissant gagner d'un pas.

Un petit crieur rugit dans la figure de M. Bloom :

— Épouvantable tragédie à Rathmines ! Un enfant mordu par des pincettes !

INTERVIEW DU DIRECTEUR.

— Simplement cette annonce, dit M. Bloom, qui se frayait un passage vers les marches en soufflant et prenait la coupure dans sa poche. Je viens de parler à M. Cleys. Il dit qu'il renouvellera pour deux mois. Après il verra. Mais il veut qu'il y ait aussi un entrefilet dans *Le Télégramme,* la feuille rose du samedi. Et il voudrait, si ce n'est pas trop tard, je l'avais dit au Conseiller Nannetti, que ce soit d'après *Le Progrès de Kilkenny.* Je peux le consulter à la Nationale. Maison des clés, voyez-vous. Il s'appelle Cleys. C'est un jeu de mots sur le nom. Mais en fait il a promis de renouveler. Seulement il lui faut un petit coup de tam-tam. Qu'est-ce qu'il faudra lui dire, M. Crawford ?

B. M. C.

— Il faudra lui dire qu'il peut baiser mon cul, voulez-vous ? dit M. Crawford avec une emphase que soulignait son bras étendu. Envoyez-lui ça tout frais pondu.

Un rien à cran. Ne demande qu'à faire explosion. Tous partis boire. Bras dessus bras dessous. La casquette de marine de Lenehan là-bas en train de chercher une poire. La pommade habituelle. Ce jeune Dedalus m'a tout l'air d'être l'inspirateur du mouvement. Il a une bonne paire de chaussures aujourd'hui. La dernière fois que je l'ai vu il montrait ses talons. Aura pataugé dans la boue quelque part. Jeune sans soin. Qu'est-ce qu'il allait faire à Irishtown ?

— Eh bien, dit M. Bloom, en regardant à nouveau le directeur, si je puis avoir le dessin, je suppose que ça vaut bien un petit filet. Sûrement il donnera l'annonce. Je lui dirai...

B. M. R. C. I.

— Qu'il peut baiser mon royal cul irlandais ! toni-trua Myles Crawford par-dessus son épaule. Quand ça lui chantera ; dites-le-lui.

Pendant que M. Bloom pesait le pour et le contre, à peu près décidé à sourire, le directeur s'éloigna d'un pas d'automate.

TROUVER PRÊTEUR.

— *Nulla bona*, Jack, dit-il en se prenant le menton. J'y suis jusqu'au cou. Moi-même j'ai passé par là. Pas plus tard que la semaine dernière je cherchais quelqu'un pour endosser une traite. Vous savez que s'il ne tenait qu'à moi. Navré, Jack. Ce serait des deux mains si je pouvais vous trouver du crédit quelque part.

J. J. O'Molloy, la mine longue, avançait silencieusement. Ils rattrapèrent les autres et tous se mirent à marcher de front.

— Après avoir mangé le fromage de tête et le pain et essuyé leurs vingt doigts au papier qui enveloppait le pain, elles se rapprochent de la balustrade.

— Quelque chose pour vous, expliqua le professeur à Myles Crawford. Deux vieilles femmes de Dublin au sommet de la colonne de Nelson.

ÇA C'EST UNE COLONNE !
A CE QUE DIT LA PINTADE NUMÉRO UN.

— Voilà qui est neuf, dit Myles Crawford. C'est de la copie. En route pour fêter la Saint-Crépin. Deux vieilles ficelles, et puis quoi ?

— Mais elles ont peur que la colonne ne tombe, continua Stephen. Elles regardent les toits et discutent la place des différentes églises : le dôme bleu de Rathmines, celui d'Adam et Ève, de Saint Laurence O'Toole. Mais ça leur tourne la tête de regarder, aussi elles troussent leurs jupes.

DES FEMELLES QUELQUE PEU DÉBRIDÉES.

— Halte-là, dit Myles Crawford, pas de licence poétique. Nous sommes ici dans le diocèse archiépiscopal.

— Et s'asseyant sur leurs jupons rayés, elles lèvent un œil vers la statue du manchot adultère.

— Manchot adultère ! s'exclama la professeur. Ça me botte. Je saisis. Je saisis l'intention.

LES DONS DE CES DAMES AUX CITOYENS DE DUBLIN FONT CROIRE A UNE VOLÉE DE VÉLOCES ET SPHÉRIQUES AÉROLITHES.

— Ça leur donne une crampe dans le cou, dit Stephen, et les voilà trop flapies pour regarder soit en haut soit en bas ou même pour parler. Elles mettent le sac de prunes entre elles, tirent et mangent les prunes une par une, essuient avec leur mouchoir le jus qui dégouline de leur bouche, et crachent froidement les noyaux entre les barreaux.

Il termina sur un gros éclat de rire jeune et spontané. Lenehan et M. O'Madden Burke s'étaient détournés au bruit et après leur avoir fait signe traversèrent dans la direction de Mooney.

— Fini ? demanda Myles Crawford. Tant qu'elles ne feront pas pire que ça.

UN SOPHISTE TAMPONNE D'UN DIRECT LA TROMPE DE LA HAUTAINE HÉLÈNE. LES SPARTIATES GRINCENT DES MOLAIRES. LES ITHAQUIENS DÉCLARENT PÉNÉLOPE CHAMPIONNE.

— Vous me rappelez Antisthène, dit le professeur, un disciple de Gorgias le Sophiste. On a dit de lui qu'il était impossible de savoir s'il était plus amer pour les autres que pour lui-même. C'était le fils d'un homme de haute condition et d'une esclave. Et il a écrit un livre où il enlève la palme de beauté à l'Argienne Hélène pour la décerner à la pauvre Pénélope.

Pauvre Pénélope. Pénélope Rich.

Ils s'apprêtaient à traverser O'Connell Street.

Irrégulièrement échelonnés le long des huit lignes, et trolleys inertes, les trams attendaient en direction ou retour de Rathmines, Rathfarnham, Kingstown, Blackrock et Dalkey, Sandymount Green, Ringsend et Sandymount Tower, Donnybrooke, Palmerston Park et Upper Rathmines, tous immobilisés dans le calme plat d'un court-circuit. Voitures de place, cabs, camions de livraison, fourgons postaux, voitures de maître, haquets d'eau minérale gazeuse avec leurs casiers de bouteilles résonnantes résonnaient, roulaient derrière leurs chevaux, rapides.

COMMENT ? — ET ENCORE ? — OÙ ?

— Mais comment appelez-vous ça ? demanda Myles Crawford. Où ont-elles eu les prunes ?

VIRGILIEN, DIT LE PÉDAGOGUE.
SOPHOMORE VOTE POUR LE VIEUX MOÏSE.

— Appelez ça..., attendez, dit le professeur qui pour réfléchir ouvrait sa grande bouche aux lèvres minces. Appelez ça, voyons. Appelez ça : *Deus nobis hæc otia fecit.*
— Non, dit Stephen, je l'appelle *Vue de la Palestine prise du Mont Pisgah* ou *La Parabole des Prunes.*
— J'y suis, dit le professeur.
Il rit abondamment.
— J'y suis, reprit-il avec un nouveau plaisir. Moïse et la terre promise. C'est nous qui lui avons suggéré son idée, ajouta-t-il pour J. J. O'Molloy.

J. J. O'Molloy envoya vers la statue un regard oblique et las, et ne dit mot.

— J'y suis, dit le professeur.

Il fit halte sur l'îlot pavé de sir John Gray et toisa Nelson d'en bas à travers la nasse de son sourire amer.

LES MENOTTES MUTILÉES CHATOUILLENT
TROP FORT LES FOLÂTRES VIEILLES FILLES.
ANNE TITUBE, FLO JUJUBE. —
MAIS QUI LEUR FERAIT LES GROS YEUX ?

— Le manchot-adultère, dit-il, l'air ténébreux. Ah vraiment, cela me chatouille au bon endroit.

— Ça a chatouillé aussi les vieilles demoiselles, dit Myles Crawford, mais qui nous dira le fin mot de l'histoire ?

Rochers à l'ananas, citrons confits, caramels mous. Jeune fille enduite de sucre qui verse de pleines pellées de chocolat pour un frère Quatre-bras. Quelque goûter scolaire. Mauvais pour leurs petits bedons. Pâtes et Fruits confits, fournisseur de Sa Majesté le Roi. Dieu. Protège. Le. Assis sur son trône, suçant à blanc de rouges jujubes.

Un sombre jeune Y. M. C. A., en faction parmi les chaudes odeurs sucrées de Graham Lemon, mit un prospectus dans la main de M. Bloom.

Un mot cœur à cœur.

Bloo... Moi ? Non. Blood, sang.

Sang de l'Agneau.

Insensiblement pendant qu'il lisait ses pieds le portaient vers la rivière. Êtes-vous sauvé? Tous lavés par le sang de l'Agneau. Dieu veut des victimes sanglantes. Naissance, hymen, martyre, guerre, fondation d'un monument, les sacrifices, holocauste de rognon brûlé, autel des druides. Élie arrive. Dr John Alexander Dowie, restaurateur de l'église de Sion, arrive.

> *Il arrive! Il arrive!! Il arrive!!!*
> *Soyez les bienvenus.*

Ça rapporte. L'année dernière c'était Torry et Alexander. Polygamie. Sa femme y mettra bon ordre. Où c'était-il cette réclame pour un crucifix lumineux d'une maison de Birmingham? Notre Sauveur. Se réveiller au milieu de la nuit et le voir au mur, suspendu. Idée à la Robert Houdin. Il nous refait innocents.

Ça doit être fait avec du phosphore. Comme quand vous laissez un morceau de morue de côté, par exemple. Je pouvais voir du bleu argent dessus. La nuit où je suis allé au garde-manger dans la cuisine. C'est désagréable toutes ces odeurs qui attendent pour vous sauter au nez. Qu'est-ce que c'était qu'il lui fallait? Des raisins de Malaga. Elle pensait à l'Espagne. Avant la naissance de Rudy. Ce bleuâtre verdâtre, la phosphorescence. Très bon pour le cerveau.

Du coin de chez Butler en face du monument il jeta un coup d'œil dans Bachelor's Walk. La fille de Dedalus encore là devant la salle des ventes Dillon. Doit avoir besoin de bazarder une vieillerie quelconque. L'ai reconnue tout de suite, les yeux de son père. Elle fait les cent pas en l'attendant. Quand la mère s'en va, plus de foyer. Quinze enfants il a eus. Un chaque année ou presque. C'est dans leur théologie, ou le prêtre ne donnerait pas la confession, l'absolution à la pauvre femme. Croissez et multipliez. A-t-on idée de ça ? Vous ruinent et vous mettent sur le pavé. Eux n'ont pas de famille à nourrir. Raflent le dessus du panier. Leurs caves et leurs dépenses. J'aimerais leur voir faire ce sacré jeûne du Yom Kippur. Brioche de Pâques. Un seul repas et une collation pour qu'ils ne tournent pas de l'œil à l'autel. La cuisinière d'un de ces bonshommes-là, si on pouvait lui délier la langue. Impossible de lui tirer les vers du nez. Comme de lui faire abouler ses picaillons à lui. Il se dorlote. Pas d'invités. Tout pour bibi. Et il veille à ses urines. On est prié d'apporter son couvert, son boire et son manger. Le Révérend Motus.

Seigneur Dieu ! la robe de la pauvre enfant est en guenilles. N'a pas l'air non plus de manger à sa faim. Pommes de terre et bouillie, bouillie et pommes de terre. C'est plus tard qu'on s'en ressent. L'expérience du pudding. Mine l'organisme.

Comme il mettait le pied sur le pont O'Connell, une bouffée de fumée sortit du parapet comme un champignon. Péniche de brasserie avec son chargement de stout pour l'Angleterre. Ça s'aigrit par le salin, il paraît. Serait intéressant un jour d'obtenir par Hancock un permis de visite pour voir la brasserie. C'est tout un monde organisé. Extraordinaire, ces réservoirs de porter. Jusqu'aux rats qui s'en mêlent. Ils se flanquent des cuites à se ballonner comme des chiens noyés. Ivres-morts de porter. Ingurgitent jusqu'à ce qu'ils dégobillent comme de simples chrétiens. Penser qu'on boit ça ! Ces rats qui cuvent dans les cuves. Ah, si on voyait toujours comment ça se passe !

Il aperçut sous lui des mouettes qui battaient des ailes véhémentement, et tournoyaient entre les parois de pierre. Mauvais temps au large. Si je piquais une tête. Le jeune Ruben J. a dû avaler une fière tasse de ce

218

sirop d'égout. Un shilling huit pence de trop. Hum. C'est cette manière impayable qu'il a d'amener les choses. S'y entend pour raconter une histoire.

Elles tournoyaient plus bas. Guettent la becquetance. Attendez.

Il jeta au milieu d'elles une boule de papier froissé. Élie trente-deux pieds à la seconde arri. Ça ne prend pas. La boule méprisée ballotta dans les remous, flotta sous le pont le long des piles. Pas si bêtes. Et le jour où j'ai jeté du *Roi d'Érin* ce gâteau ranci l'ont cueilli dans le sillage cinquante mètres en arrière. Vivent au petit bonheur la chance. Elles tournoyaient, battant des ailes.

> *La famélique mouette*
> *Sur le flot morne plane en quête.*

Voilà comment écrivent les poètes, des rappels de sons. Mais pourtant Shakespeare n'a pas de rimes : vers blancs. C'est la façon dont ça coule. Les pensées. La majesté.

> *Hamlet, je suis le spectre de ton père*
> *Condamné pour un temps à parcourir le monde.*

Deux pommes pour un penny ! Deux pour un penny !

Son regard se promena sur les pommes lustrées, alignées à l'éventaire. Probablement d'Australie à cette époque-ci. Peau vernie : elle les fait reluire avec un chiffon ou un mouchoir.

Voyons. Ces pauvres oiseaux.

Il s'arrêta encore une fois, acheta à la vieille marchande de pommes deux Banbury cakes pour un penny, brisa la pâte friable et en jeta les morceaux dans la Liffey. Regardez-moi ça. Deux mouettes en silence décrivirent une courbe, puis toutes, et de leur haut foncèrent sur la proie. Escamoté. Plus une miette.

Les sachant aussi adroites que rapaces, il se frotta les mains pour en détacher les miettes. Elles ne s'attendaient pas à ça. Une manne. Obligés de vivre de chair de poisson tous les oiseaux de mer, mouettes, plongeons. Les cygnes d'Anna Liffey descendent quelquefois jusqu'ici pour lisser leurs plumes. Tous les goûts sont dans la nature. Me demande à quoi ça ressemble la viande de cygne. Robinson Crusoé a été forcé de se nourrir avec.

Elles tournoyaient, avec des coups d'ailes plus mols. Je ne vais pas leur en jeter plus. Un penny ça suffit comme ça. Pour ce qu'elles m'ont remercié ! Pas même un piaulement. Et elles propagent la maladie du pied et du museau. Si par exemple vous gavez un dindon avec des châtaignes, il en prend le goût. A manger du cochon on devient cochon. Mais alors pourquoi les poissons d'eau salée ne sont-ils pas salés ? Comment ça se fait-il ?

Ses yeux qui cherchaient une réponse dans la rivière aperçurent une barque mouillée dans la mélasse onduleuse, et qui balançait paresseusement son panneau-affiche.

Kino.
11 /—.
Ses Pantalons.

Fameuse idée. Me demande s'il paie une redevance à la municipalité. Comment peut-on être en réalité propriétaire de l'eau ? Ça coule en un torrent toujours changeant, que dans le torrent de la vie nous traçons. Car la vie est un torrent. Tout est bon pour mettre des affiches. Ce charlatan de la chaude-pisse qui était collé aux murs de tous les urinoirs. On n'en voit plus. Strictement confidentiel. D^r Hy Franks. Ça ne lui coûtait pas un radis, comme Maginni le professeur de danse son procédé de publicité. Il trouvait des individus pour coller ça ou collait lui-même en catimini quand il se précipitait là pour prendre une ardoise à l'eau. Oiseau de nuit. La place rêvée. CABINET DE CONSULT. TA BINETTE DE CON ! Quelque client à qui il en cuit.

Si lui...

O !

Eh !

Non... Non.

Non, non. Je ne crois pas. Lui sûrement pas.

Non, non.

M. Bloom avançait en levant des yeux inquiets. Ne pensons plus à ça. Une heure passée. La boule est abaissée sur le bureau de la Marine. Heure de Dunsink. Passionnant ce petit livre de Sir Robert Ball : *Parallaxes*. Je n'ai jamais tout à fait compris. Voici un prêtre. Je pourrais lui demander. Par, c'est du grec : parallèle, parallaxe. Mes tempes si choses elle appelait ça jusqu'à ce que je lui aie expliqué pour la transmigration. O Balançoires !

M. Bloom sourit aux balançoires en regardant deux des fenêtres de l'observatoire. Elle a raison après tout. Ce ne sont que de grands mots mis sur des choses ordinaires parce qu'ils sonnent bien. Elle n'est pas précisément spirituelle. Et il lui arrive d'être malpolie. Ce que je pense ça sort. Pourtant je ne sais pas. Elle disait toujours que Ben Dollard a une voix de basse bariltonnante. Il a des jambes comme des barils et vous croiriez qu'il chante dans le fond d'un tonneau. Eh bien, ça n'est-il pas spirituel ? On l'appelait Big Ben. Ça n'est pas moitié aussi bien trouvé que de l'appeler une basse bariltonnante. Un appétit d'ogre. Il vient à bout d'un baron de bœuf. Quel colosse quand il coltinait la bibine numéro un de Bass. Baril de Bass. Tiens, mais. Ça c'est trouvé.

Une file d'hommes blousés de blanc procession-
naient à pas comptés le long du ruisseau, venant à sa
rencontre, leurs placards ceinturés d'une bande rouge.
Soldes. Ils sont comme ce prêtre ce matin ; nous avons
péché : nous avons souffert. Il lut les cinq lettres
écarlates sur le tuyau de poêle blanc : H.E.L.Y.S.
Lesage Hely's. Y, passant en queue, tira un quignon de
pain de dessous sa devanture, le fourra dans sa bouche
et mâchonna en marchant. Notre ordinaire. Trois
shillings par jour pour marcher de rue en rue le long
du ruisseau. Juste pour garder la peau sur les os, pain
et soupe d'eau chaude. Ce ne sont pas ceux de Boyl ;
non, ceux de M'Glade. Ça ne fait pas mieux marcher
les affaires. Je lui avais donné l'idée d'un char-réclame
qui aurait montré en transparence deux jolies filles
assises en train d'écrire des lettres, cahiers, enveloppes, papier buvard. Je parie que ça aurait rendu.
Des jolies filles en train d'écrire ça, amorce tout de
suite. Tout le monde mourant d'envie de savoir ce
qu'elle peut bien écrire. Il suffit de regarder fixement
en l'air pour avoir vingt personnes autour de soi. Il
faut qu'ils s'en mêlent. Les femmes donc. Curiosité.
Statue de sel. Naturellement n'en a pas voulu parce
que l'idée ne venait pas de lui. Et l'encrier que j'avais
proposé avec une fausse tache en cellulo noir. Ses
idées pour les annonces pas mieux que les conserves
Prunier sous la nécrologie, rayon des viandes froides.
Impossible de les dégommer. Quoi ? Nos enveloppes.
Ohé Jones, où allez-vous ? Peux pas m'arrêter, Robinson, je cours acheter la seule gomme qui efface bien
l'encre, la gomme *Héphas*, chez Hely et C^{le}, 85 Dame
Street. Bon d'avoir lâché cette turne. Sacrée besogne
d'aller faire l'encaisseur dans les couvents. Le couvent
Tranquilla. Quelle gentille petite religieuse là, vraiment agréable à regarder. Le voile et la guimpe
faisaient bien autour de sa petite tête. Sœur ? Sœur ?
D'après ses yeux je suis sûr qu'elle avait eu des peines

de cœur. Très gênant de marchander avec ce genre de femmes. Ce matin-là je l'ai dérangée pendant ses dévotions. Mais ravie de communiquer avec le monde extérieur. Notre grand jour, disait-elle. Fête de Notre-Dame du Carmel. Un nom sucré lui aussi : caramel. Elle savait, je pense qu'elle savait d'après la façon dont elle. Si elle s'était mariée elle aurait été une autre. Je suppose qu'elles étaient réellement à court d'argent. Faisaient toutes leurs fritures avec du très bon beurre tout de même. Pas de saindoux dans l'établissement. Mon cœur se soulève quand j'avale de la graisse. Onctueuses au-dedans et au-dehors. Molly y a goûté avec sa voilette relevée. Sœur ? La fille de Pat Claffey le prêteur sur gages. On dit que c'est une religieuse qui a inventé le fil de fer barbelé.

Il traversa Westmoreland Street au moment où apostrophe S passait lourdement près de lui. Les cycles Rover. Ces courses ont lieu aujourd'hui. Depuis combien de temps c'est-il ? L'année de la mort de Phil Gilligan. Nous étions dans Lombart Street West. Voyons, j'étais chez Thom. Eu la place chez Lesage Hely l'année de notre mariage. Six ans. Il y a dix ans : il est mort en quatre-vingt-quatorze, oui c'est juste, le grand incendie chez Arnott. Val Dillon était Lord Maire. Le dîner Glencree. Le conseiller municipal Robert O'Reilly versant le porto dans son potage avant le signal de l'assaut, Bobbob se l'envoyant pour le plus grand bien de son intérieur municipal. Impossible d'entendre ce que l'orchestre jouait. Pour tout ce que nous avons déjà reçu puisse le Seigneur nous faire. Milly était encore toute gosse. Molly avait sa robe gris-taupe avec de la passementerie. Genre tailleur avec boutons en pareil. Elle ne l'aimait pas parce que je m'étais foulé la cheville la première fois qu'elle l'avait pique-nique de la chorale au Pain de Sucre. Comme si ça. Le tube du vieux Goodwin perdu par quelque chose de collant. Également un pique-nique de mouches. N'a jamais eu une robe si bien que celle-là sur le dos. La moulait comme un gant, épaules et hanches. Commençait tout juste à se capitonner. Nous apportions un pâté de lapin cette fois-là. Les gens la suivaient du regard.

Les beaux jours. Les plus beaux. La bonne petite chambre avec le papier rouge de chez Dockrell, un shilling neuf pence le rouleau. Tub de Milly le soir. J'achetais du savon américain : à la fleur de sureau. L'odeur douillette de son bain. Ce qu'elle était drôlette toute mousseuse. Et bien modelée. Dans la photo maintenant. L'atelier de daguerréotypie dont me parlait le pauvre papa. Goût héréditaire.

Il marchait au bord du trottoir.

Le torrent de la vie. Comment s'appelait ce type avec un faux air calotin qui louchait toujours de notre côté en passant ? Vue basse, une femme. Logeait dans la maison de Citron, Saint Kevin's Parade. Pen quelque chose. Pendennis ? Ma mémoire commence à. Pen... ? Il faut dire qu'il y a des années. Probablement le bruit des trams. Bon, s'il n'a pas pu se rappeler le nom du Père-Actualités qu'il voit tous les jours.

Bartell d'Arcy le ténor d'alors, qui commençait tout juste à percer. La reconduisait après les répétitions. Type assez puant avec sa moustache relevée au cosmétique. Lui avait donné cette romance : *Le Vent qui souffle du Sud.*

Quelle nuit de bourrasque quand je suis venu la chercher ! il y avait cette réunion de la loge au sujet de ces billets de loterie après le concert de Goodwin dans la salle des banquets ou salle des fêtes de l'Hôtel de Ville. Lui et moi en arrière. Une feuille de sa musique s'envolant de ma main et se plaquant contre la grille de l'École Supérieure. Heureusement que. Une chose comme ça peut lui gâter le plaisir d'une soirée. Le Professeur Goodwin par devant s'accrochant à elle. Bien flageolant sur ses flûtes, le pauvre vieux poivrot.

224

Ses concerts d'adieux. La toute dernière apparition sur les planches. Pt'êt' bien pour un jour pt'êt' bien pour toujours. La revoir rire dans le vent, avec son col lapon relevé. Au coin d'Harcourt Road, non mais quel coup de chien ! Brrff ! Ça a empoigné ses jupes et son boa a presque étouffé le vieux Goodwin. Elle était toute rosie par le vent. Me souviens qu'en rentrant nous avons gratté le feu et ces tranches de selle de mouton que nous avons frites pour son souper avec la sauce Chutney qu'elle aimait. Et le grog brûlant. Pouvais la voir de la cheminée dans la chambre dégrafant le busc de son corset. Blanc.

Ce sifflement et ce léger plouf quand elle lançait son corset sur le lit. Gardant toujours sa chaleur. Toujours ça lui faisait plaisir de s'en débarrasser. Assise là jusqu'à des deux heures, à ôter ses épingles à cheveux. Milly bien enfouie dans sa chapelle blanche. Les beaux jours. Les beaux jours. C'est la nuit que...

— Oh, M. Bloom, comment allez-vous ?

— Oh, comment allez-vous, Mme Breen ?

— Quand je me plaindrais... Comment va Molly ces temps-ci ? Pas vue depuis des siècles.

— Nage dans le bleu, dit gaiement M. Bloom ; savez-vous que Milly a une situation à Mullingar ?

— Tiens, tiens ! La voilà lancée.

— Oui, chez un photographe de là-bas. Ça va comme sur des roulettes. Comment va toute votre nichée ?

— Elle fait travailler le boulanger, dit Mme Breen... Combien en a-t-elle ? Il n'y en a pas qui s'annonce.

— Je vois que vous êtes en noir. Vous n'avez pas...

— Non, dit M. Bloom. J'arrive d'un enterrement. Je sens que ça va revenir sur le tapis toute la journée. Qui est mort et quand et de quoi est-il mort ? Ça revient comme une pièce fausse.

— Mon Dieu, dit Mme Breen, j'espère que ce n'est pas quelqu'un de proche.

Après tout profitons de sa sympathie.

— Dignam, dit M. Bloom. Un vieil ami à moi. Mort tout à fait subitement, pauvre garçon. Quelque chose au cœur, je crois. L'enterrement était ce matin.

> *C'est votre enterrement demain*
> *Et vous battez la campagne.*
> *Drelindrelin drelindindin*
> *Drelindrelin...*

Triste de perdre ses vieux amis, disaient les prunelles pathético-féminines de Mme Breen. Assez là-dessus maintenant. Son mari ; prudemment.

— Et votre seigneur et maître ?

Mme Breen leva deux grands yeux. Toujours aussi beaux.

— Oh, n'en parlons pas, dit-elle. C'est un phénomène. Il est là-dedans avec son code en train de chercher la loi sur la diffamation. Il m'empoisonne la vie. Attendez que je vous montre.

Un arôme de consommé à la tête de veau s'échappait de chez Harrison avec une vapeur de beignets à la confiture et de roulé à la mélasse, sortant du four. Un lourd relent de midi chatouillait les papilles gustatives de M. Bloom. Il faut pour faire de la bonne pâtisserie du beurre, de la fleur de farine, du sucre de canne, ou bien on s'en apercevrait avec le thé bouillant. Ou ça vient-il d'elle ? Un titi miséreux, près du soupirail, humait ce bouquet d'odeurs. Endort comme ça la faim qui le tenaille. Est-ce du plaisir ou de la douleur ? Repas à un penny. Couteau et fourchette rivés à la table.

Elle ouvre son réticule, cuir éraillé, son épingle à chapeau ; faudrait des protège-pointe à ces choses-là. On plante ça dans l'œil d'un pauvre diable dans le tram. Elle fourgonne. Ouvert. Argent. Prenez je vous en prie. Déchaînées quand elles perdent une petite pièce. Quel raffut. Le mari lui fait une vie. Qu'avez-vous fait des dix shillings que je vous avais donnés lundi ? Est-ce que votre famille ne mangerait pas à mon râtelier ? Mouchoir sale ; fiole de pharmacie. Quelque chose qui tombe, une pastille. Qu'est-ce qu'elle ?...

— Ça doit être la nouvelle lune, dit-elle. Il va toujours plus mal à ce moment-là. Savez-vous ce qu'il a fait cette nuit ?

Sa main cessa de farfouiller. Ses yeux le fixaient, dilatés par l'inquiétude, et pourtant souriants.

— Quoi ? demanda M. Bloom.

Laissons-la parler. Regardons-la bien dans les yeux. Je vous crois. Fiez-vous à moi.

— M'a réveillée au milieu de la nuit, dit-elle. Il avait un rêve, un cauchemar.

— Indiges.

— Prétendait que l'as de pique était en train de monter l'escalier.

— L'as de pique ! dit M. Bloom.

Elle prit dans son sac une carte postale pliée en deux.

— Lisez ça, dit-elle. Il l'a reçue ce matin.

— Qu'est-ce que c'est ? demanda M. Bloom en prenant la carte. Fou. Tu.

— Fou. Tu. : foutu, dit-elle. Quelqu'un qui se paie sa tête. C'est vraiment honteux celui qui l'a fait.

— Certes oui, dit M. Bloom.

Elle reprit la carte en soupirant.

— Le voilà parti à l'étude de Me Menton. Il dit qu'il veut intenter une action en dix mille livres de dommages et intérêts.

Elle replia la carte dans son petit sac malpropre et fit claquer le ressort.

La même robe de serge bleue qu'elle portait il y a deux ans, montre la corde. Les beaux jours en sont passés. Petits balais de cheveux au-dessus des oreilles.

227

Et ce rossignol de toque, trois vieilles grappes de raisin pour la rafraîchir. Misère décente. Elle qui s'habillait avec goût. Rides autour de la bouche. Un an seulement de plus que Molly.

Il faut voir l'œil que cette femme lui a jeté en passant. Sans pitié. Ce sexe est sans pitié.

Il la regardait toujours, sans laisser paraître son ennui. Pénétrant potage tortue, queue de bœuf, soupe au cari, j'ai faim moi aussi. Miettes de gâteau, sur son plastron ; plaque de farine sucrée à sa joue. Tarte à la rhubarbe richement garnie. Elle était Josie Powell. Chez Luke Doyle il y a belle lurette, Dolphin's Barn, les charades. Fou. Tu. : foutu.

Parlons d'autre chose.

— Voyez-vous quelquefois Mme Beaufoy ? demanda M. Bloom.

— Mina Purefoy ?

C'est à Philip Beaufoy que je pensais. Du Cercle des Théâtromanes. Matcham pense fréquemment au coup de maître. Ai-je tiré la chaîne ? Oui. Le dernier acte.

— Oui.

— Je viens de demander de ses nouvelles en chemin pour savoir si c'est arrivé. Elle est à la Maternité d'Holles Street. Le docteur Horne l'a fait entrer. Trois jours maintenant qu'elle est dans les douleurs.

— Oh, dit M. Bloom. Je suis peiné d'apprendre cela.

— Oui, dit Mme Breen. Et toute une smala de gosses à la maison. C'est un accouchement très laborieux, m'a dit la garde.

— Oh ! dit M. Bloom.

Son regard appuyé buvait ses paroles. Il eut des clappements de langue apitoyés. Tht ! Tht !

— Je suis peiné d'apprendre ça, dit-il. Pauvre créature ! Trois jours ! Quelle chose terrible !

Mme Breen opinait.

— Elle a été prise des douleurs mardi...

M. Bloom lui toucha légèrement le petit juif.

— Prenez garde ! Laissez passer celui-là.

Tournant le dos à la rivière, un personnage osseux arpentait le trottoir, regard extatique dans la lumière à travers un lorgnon attaché par un large ruban. Un chapeau minuscule épousait sa tête comme un second crâne. A son bras un cache-poussière plié, une canne et un parapluie suivaient la cadence de ses enjambées.

— Regardez-le, dit M. Bloom. Il passe toujours au large des becs de gaz.

— Qui est-ce, si ce n'est pas indiscret ? demanda Mme Breen. A-t-il un grain ?

— Il s'appelle Cashel Boyle O'Connor Fitzmaurice Tisdall Farrell, dit le souriant M. Bloom. Regardez !

— Il s'est bien servi, dit-elle. Denis sera comme ça un de ces jours.

Elle s'interrompit brusquement.

— Le voici, dit-elle. Il faut que j'aille le rejoindre. Au revoir. Mes souvenirs à Molly, voulez-vous ?

— Je n'y manquerai pas, dit M. Bloom.

Il la suivit des yeux louvoyant parmi les passants vers la rangée des devantures. Denis Breen en veston pauvre et souliers de toile bleue se faufilait hors de chez Harrison, serrant contre son cœur deux gros bouquins. Tombé de la lune. Du genre fossile. Il se laissa rejoindre sans manifester de surprise, et se mit à discourir en pointant vers elle sa barbe d'un gris sale et sa mâchoire tremblotante.

Meshuggah. Araignée dans le plafond.

M. Bloom poursuivait son chemin avec désinvolture ; devant lui sous le soleil la calotte stricte, et la canne, le parapluie, le cache-poussière ballants. Sur son trente et un. Pigez-le ! Le revoilà en bas du trottoir. Une façon de faire son chemin en ce monde. Et l'autre, ce vieux ratier foutu comme l'as de pique. Ça ne doit pas être drôle tous les jours pour elle.

Fou. Tu. : foutu. Je donnerais ma tête à couper que c'est Alf Bergan ou Richie Goulding. Ont manigancé cette sale blague à la brasserie écossaise, je parierais n'importe quoi. En avant pour l'étude Menton. Ses gros yeux de mollusque écarquillés sur la carte. A payer sa place.

Il arrivait au *Temps*. Peut-être d'autres réponses qui attendent là. Aimerais répondre à toutes. Bon système pour les criminels. Chiffre. Sont en train de déjeuner. L'employé aux lunettes qui ne me reconnaît jamais. Oh, laissons-les mitonner dans leur jus. Assez barbant d'en avoir dépouillé quarante-quatre. On demande habile dactylo pour aider gentleman dans travaux littéraires. Je vous ai appelé méchant chéri parce que je n'aime pas cet autre monde-là. S'il vous plaît dites-moi la signification. S'il vous plaît dites-moi quel parfum votre femme. Dites-moi qui a créé le monde. Leur façon de vous bombarder de questions. Et cette autre, Lizzie Twigg. Mes essais littéraires ont eu la bonne fortune de gagner l'approbation de l'illustre poète A. E. (M. Geo Russell). Pas le temps de se coiffer et boit du thé lavasse en lisant un volume de vers.

Le meilleur journal, de beaucoup, pour les petites annonces. Prend en province maintenant. Cuisinière bonne à tout faire, exc. cuisine, avec femme de chambre. On demande un homme très actif pour débit de boissons. Jeune fille hon. (Catho.) désire situation dans fruiterie ou charcuterie. C'est James Carlisle qui l'a lancé. Six et demi pour cent de dividende. A fait la grosse affaire avec les actions Coates. Sans se fouler. Vieux grippe-sous écossais plein d'astuce. Échos flagorneurs. Notre gracieuse et populaire vice-reine. A maintenant annexé *Le Chasseur Irlandais*. Lady Mountcashel tout à fait remise de ses couches a chassé à courre avec l'équipage du Ward Union hier à Rathoath. Renard immangeable. Ils chassent pour le pot aussi. La peur injecte au lièvre des jus, ça le rend assez tendre pour eux. Monte à califourchon. Autant d'assiette qu'un homme. Chasseresse émérite. Pas de selle de dame ni de coussinet pour elle, vous voulez rire. Première au rendez-vous de chasse, idem à l'hallali. Solides comme des juments poulinières certaines de ces femmes à cheval. Elles plastronnent dans les manèges. Vous sifflent un verre de brandy qu'on n'a pas le temps de dire ouf. Celle du Grosvenor ce matin. Hop ! dans le cab : vli, vlan. Enlève son cheval par-dessus le mur et la barrière de cinq. Je crois que ce conducteur camard l'a fait exprès. De qui donc est-ce qu'elle avait un air ? Ah oui ! Mme Miriam Dandrade qui m'a vendu ses vieux vêtements et ses dessous de soie noire à l'Hôtel Shelbourne. Une divorcée de l'Amérique Latine. Me voyait les manipuler sans sourciller. Comme si je n'étais qu'un portemanteau. L'ai revu à la fête du vice-roi quand Stubbs le garde forestier m'y a fait entrer avec Whelan de *L'Express*. Pour liquider les restes du beau monde. Thé-repas. La mayonnaise que j'ai mélangée à de la compote de prunes, croyant que c'était de la crème cuite. Ses oreilles ont dû en tinter pendant des semaines. C'est un taureau qu'il lui faudrait. Née folle de son corps. Pas d'enfants à torcher, merci bien.

Pauvre Mme Purefoy ! Mari méthodiste. Méthode dans son insanité. Déjeuner avec bun au safran et lait à l'eau de Seltz dans la laiterie familiale. Mangent avec un chronomètre, trente-deux masticationsà la minute. Pourtant ses favoris en côtelettes se portent bien. On le croyait bien apparenté. Le cousin de Théodore au Dublin Castle. Un membre décoratif dans chaque famille. Chaque année il lui en donne de sa graine sélectionnée. L'ai vu devant les Trois Joyeux Pochards aller nu-tête et son fils aîné portant un petit frère dans un filet à provisions. Les braillards. Pauvre créature ! Et d'avoir à donner le sein à toute heure de la nuit une année après l'autre. Égoïstes tous ces abstinents. Le chien du jardinier. Un seul morceau de sucre dans mon thé, je vous prie.

Il fit halte au croisement de Fleet Street. L'heure du déjeuner à prix fixe à six-pence chez Rowe ? Faut que je cherche pour cette annonce à la Bibliothèque chemin. Il dépassa Bolton's Westmoreland House. Du thé. Du thé. Du thé. J'ai oublié de taper Tom Kernan. Du thé. Du thé. J'ai oublié de taper Tom Kernan.

Sss. Tth, Tth, Tth ! Se l'imaginer trois jours à gémir dans son lit avec un mouchoir trempé dans du vinaigre sur le front, et un ballon de ventre prêt à crever ! Pouah ! A donner la chair de poule ! Tête de l'enfant trop grosse ; forceps. Recroquevillé au-dedans d'elle, cognant de la tête en aveugle pour sortir, tâtonnant pour trouver la sortie. Ça me tuerait, moi. Heureusement Molly s'en est tirée facilement. On devrait inventer quelque chose pour empêcher ça. La vie par les travaux forcés. Il y a bien la demi-anesthésie ; c'est ce qu'on faisait pour la Reine Victoria. Elle en a eu neuf. Une bonne pondeuse. C'était la mère Lescarbot qui logeait dans un vieux sabot et elle avait tant de marmots. On a dit qu'il était tuberculeux. Plus que temps que quelqu'un s'occupe de ces choses-là au lieu de nous en raconter sur le sein pensif des effluves d'argent. De la viande creuse pour les imbéciles. On pourrait facilement avoir de grands établissements. Toute l'opération sans douleur. Sur tous les impôts donner à chaque enfant qui naît cinq souverains portant intérêts composés jusqu'à sa majorité, cinq pour cent font cent shillings plus ces fameuses cinq livres, multiplier par vingt, système décimal, ça encouragerait les gens à mettre de côté, cent dix et un peu plus vingt et un ans, besoin de calculer ça avec crayon et papier, monte à une somme coquette, bien plus qu'on ne croirait. Pas les avortés bien sûr. On ne les inscrit même pas. Peine perdue.

Drôle de tableau quand on en voit deux ensemble, avec leurs gros ventres. Molly et Mme Moisel. L'Œuvre des Mères. La phtisie s'interrompt pendant ce temps et puis repart. Comme elles paraissent plates après ça tout d'un coup! Leurs yeux paisibles. Un poids de moins sur la conscience. La vieille Mme Thornton était une bien bonne âme. Tous mes nourrissons, comme elle disait. La cuiller de bouillie dans sa bouche avant de les nourrir. Oh, c'est niamniam. A eu sa main écrasée par le fils du vieux Tom Wall. La première politesse en arrivant. Tête comme un potiron primé. Ce bougon de Dr Murren. Gens carillonnant à toutes les heures. Pour l'amour de Dieu, docteur. Femme dans les douleurs. Après le faisant attendre des mois ses honoraires. Pour soins donnés à votre femme. Pas de gratitude chez les gens. Humains, ces médecins, pour la plupart.

Devant la porte monumentale du Parlement une bande de pigeons prit son vol. Leurs petites parties de plaisir d'après les repas. Sur qui allons-nous laisser tomber? Je choisis le type en noir. Attrape ça. A ta santé. Doit être excitant à faire en l'air. Apjohn, moi et Owen Goldberg perchés dans les arbres près de Goose Green jouant aux singes. Ils m'appelaient maquereau.

Un peloton d'agents débouchait de College Street, à la file indienne. Pas de l'oie. Faces congestionnées par la boustifaille, casques suants, ils tapotent leurs bâtons. Ils sortent de prendre une bonne charge de soupe grasse à plein ceinturon. Les agents sont de braves gens qui ne s' baladent pas tout le temps. Ils se partagèrent en petits paquets et après saluts s'éparpillèrent vers leurs postes. A chacun son pâturage. Meilleur moment pour en attaquer un, tout de suite après le pudding. Un direct dans son dîner. Un nouveau détachement, en ordre dispersé, au pas de route, tourna les grilles de Trinity College, allant relayer. Le cap sur la mangeoire. Prêts à soutenir le choc. Prêts à s'envoyer le rata.

Il traversa sous le doigt fripon de Tommy Moore. Ils ont bien fait de lui faire dominer un urinoir : Conjonction des Eaux. Il devrait y avoir des endroits pour les femmes. Elles se précipitent dans les pâtisseries. Remettre mon chapeau droit. *Pas une vallée en ce vaste monde.* Grand air de Julia Morkan. A conservé toute sa voix jusqu'au dernier moment. Élève de Michael Balfe, il me semble ?

Il suivait des yeux la tunique bien rembourrée qui fermait la marche. Clients pas commodes, faut pas s'y frotter. Jack Power pourrait en dire long là-dessus : son père un cogne. Si un type qu'ils viennent de pincer fait de la rouspétance, quel passage à tabac une fois au violon. On ne peut guère les chicaner après tout, leur besogne n'est pas drôle surtout avec les jeunes énergumènes. Ce policeman à cheval le jour que Joe Chamberlain a reçu son titre au Trinity College, nous l'avons fait marcher. Pas du chiqué pour sûr ! Le piaffement des sabots sur nos talons dans Abbey Street. Veine que j'aie eu assez de présence d'esprit pour faire un plongeon chez Manning, sans quoi j'étais frit. Sapristi, il a ramassé une de ces bûches. A dû se fendre le crâne sur les pavés. J'aurais mieux fait de ne pas me laisser envelopper avec ces carabins. Et les binettes de Trinity College sous leurs bonnets carrés. Cherchant le boucan. Pourtant c'est comme ça que j'ai connu le jeune Dixon qui a pansé ma piqûre à la Mater et maintenant il est à Holles Street où Mme Purefoy. L'engrenage. Encore le sifflet des policiers dans l'oreille. Tous se tirant des pattes. C'est pourquoi il en avait après moi. Me mettre au bloc. Juste ici que ça avait commencé.

— Vivent les Boers !

— Un ban pour De Wet !

— Joe Chamberlain à la lanterne !

Des gribouilles, une bande de jeunes clebs qui gueulent à s'étriper. Le Mont Vinaigre. La Fanfare des Crémiers. Quelques années passent et la moitié d'entre eux sont magistrats et fonctionnaires. La guerre vient : tous pêle-mêle à l'armée, les mêmes qui juraient qu'au pied de l'échafaud...

On ne sait jamais à qui on parle. Corny Kelleher il a du mouchard dans l'œil. Comme ce Peter ou Denis ou James Carey qui a vendu la mèche pour les Invincibles. Membre de l'association lui-même. Cuisinant la candide jeunesse pour savoir les dessous. Faisant tout le temps son service secret payé par la police. Après l'a laissé tomber comme une crêpe. C'est pour ça que ces agents en bourgeois font toujours la cour aux bonnes. Facile de repérer un homme qui a l'habitude de l'uniforme. La serrer de près contre une porte de derrière. La tripatouiller un peu dur. Alors le plat suivant. Et qui c'est le monsieur qui ne débouge pas d'ici ? Et qu'est-ce qu'il disait le jeune maître ? L'œil dans le trou de la serrure. Miroir à alouettes. Grand potache en chaleur qui bêtifie autour de ses bras dodus en train de repasser.

— Sont-ils à vous, Mary ?

— Je n' me mets pas de ces trucs-là... Finissez, sinon je m' plaindrai à madame. Dehors la moitié de la nuit.

— Il y a de grandes choses en train, Mary. Attendez et vous verrez.

— Ah, laissez-moi tranquille avec vos grandes choses en train.

Les filles de bar aussi. Celles des bureaux de tabac. L'idée de James Stephens était la meilleure. Il connaissait son monde. Des cercles de dix, ainsi chacun ne pouvait voir plus loin que son propre cercle. Sinn Fein. Reculer c'est le couteau. La main noire. Rester, le peloton d'exécution. La fille du geôlier l'a fait évader de Richmond, et en route pour Lusk ! Est descendu au Buckingham Palace hotel juste sous leur nez. Garibaldi.

Il faut posséder un certain don de séduction : Parnell. Arthur Griffith c'est une tête mais il n'a pas ce

235

quelque chose qui emballe la foule. Faut pérorer sur notre belle patrie. Calembredaines. Salon de thé de la Panification Irlandaise. Sociétés de controverses. Que la république est la meilleure forme de gouvernement. Que la question de la langue devrait avoir le pas sur le problème économique. Dressez vos filles à les attirer chez vous. Entonnez-leur viandes et vins. L'oie de Noël. Voilà un bon morceau de farce qui mijotait pour vous dans le croupion. Reprenez un bon peu de sauce grasse avant qu'elle ne fige. Enthousiastes aux trois-quarts faméliques. Petit pain d'un sou et en avant derrière la musique. Pas de quartier pour le découpeur. La pensée, c'est que l'hôte qui paie est la meilleure sauce du monde. Ils mettent leurs coudes sur la table. Voyons un peu ces abricots, c'est-à-dire ces pêches. Un jour viendra. Le soleil du Home Rule se levant au nord-ouest.

Cessant de sourire il avançait, et un nuage lourd envahissait le soleil avec lenteur, assombrissant encore la façade morose de Trinity College. Les trams se croisaient, montaient, descendaient, sonnaient. Inutiles, les mots. Les choses vont de même, jour après jour : escouades d'agents qui sortent et rentrent ; trams aller et retour. Ces deux braques qui se baguenaudent. Dignam expédié. Mina Purefoy ventre qui geint sur un lit pour qu'on lui arrache le fruit de ses entrailles. Quelqu'un naît quelque part à chaque seconde. Quelqu'un meurt à chaque seconde. Cinq minutes depuis que j'ai donné à manger aux oiseaux. Trois cents ont cassé leur pipe. Trois cents autres sont nés dont on lave le sang, tous lavés dans le sang de l'agneau, bêlant méééééé.

Toute la population d'une ville disparaît, une autre la remplace, qui passe aussi ; une autre viendra qui passera. Maisons, files de maisons, rues, kilomètres, de trottoirs, piles de briques, pierres. Ça change de mains. Ce propriétaire-ci, celui-là. On dit que le mort saisit le vif. Un autre se glisse dans ses souliers quand il reçoit sa feuille de route. Ils achètent ça à prix d'or, et après ils ont encore tout l'or. De la filouterie quelque part là-dedans. Amoncelé dans les villes, miné par les siècles. Pyramides dans le sable. Bâties avec le pain et les oignons. Esclaves de la muraille de Chine. Babylone. Les grosses pierres restent. Tours rondes. Le reste, débris, banlieues envahissantes, bâclées en série, maisons poussées comme des champignons, bâties de vent. Asiles de nuit.

Personne n'est quelque chose.

C'est la plus mauvaise heure de la journée. Vitalité. Terne, déprimante ; déteste cette heure. Me sens comme si j'avais été mâché et vomi.

Maison du Prévôt. Le révérend Dr Saumon : saumon en boîte. Bien en boîte, là. Voudrais pas y vivre même si on me payait pour. Espère qu'ils ont du foie et du lard aujourd'hui. La nature a horreur du vide.

Le soleil peu à peu se dégageait, posant en face des taches de lumière sur l'étalage d'argenterie de Walter Sexton, devant lequel John Howard Parnell passait, sans rien voir.

Le voilà : le frère. Son portrait. Une face qui vous poursuit. C'est bien une coïncidence. Évidemment des centaines de fois vous pensez à quelqu'un et vous ne le rencontrez pas. Il est comme un somnambule. Personne ne le connaît. Il doit y avoir réunion du Conseil Municipal aujourd'hui. On dit qu'il n'a jamais mis son uniforme de grand écuyer de la ville depuis qu'il a l'emploi. Charley Boulger, lui, sortait sur son grand cheval, son tricorne sur la tête, épanoui, poudré, rasé. Non mais regardez-moi son air de porter le diable en terre. A dû manger des œufs gâtés. Yeux pochés à la blême. Je porte une douleur. Frère d'un grand homme : frère de son frère. Il serait joli sur le canasson des grands jours. Va échouer probablement à la P.I. pour son café, joue aux échecs là. Son frère se servait des hommes comme pions. Les a laissés tous se couler. Ont peur de dire quoi que ce soit de lui. Glace tout le monde avec les yeux qu'il a. Ce qui fascine c'est le nom qu'il porte. Tous un peu fêlés. Cette folle de Fanny et l'autre sœur Mme Dickinson avec son équipage harnaché de cuir rouge vif. Aussi roide que le chirurgien M'Ardle. Pourtant il a été battu à South Meath par David Sheehy. Abandonné son siège aux Communes pour une sinécure communale. Le banquet d'un patriote. Mangeant des peaux d'oranges dans le parc. Simon Dedalus disait quand on l'a envoyé au parlement que Parnell sortirait de sa tombe et le prendrait par le bras pour le mettre à la porte des Communes.

— De la pieuvre à deux chefs, l'un de ces chefs est celui où les deux bouts du monde ont oublié de se joindre tandis que l'autre parle avec un accent écossais. Les tentacules...

Ils dépassèrent M. Bloom sur le trottoir. Barbe et bicyclette. Jeune femme.

Et celui-ci aussi. En voilà une coïncidence! La deuxième. Les événements futurs projettent leur ombre devant eux. Gagner l'approbation de l'illustre poète M. Geo Russell. Ça pourrait être Lizzie Twigg qui est avec lui. A. E., qu'est-ce que ça veut dire? Peut-être des initiales. Albert Édouard, Arthur-Edmond, Alphonsus Ab, Ed, El, Esquire. Qu'est-ce qu'il disait? Les deux bouts du monde avec un accent écossais. Tentacules; pieuvre. Quelque chose d'occulte: symbolisme. Il lui fait une conférence. Elle avale tout. Sans souffler mot. Pour aider gentleman dans travaux littéraires.

Il suivait des yeux le grand corps vêtu d'homespun, la barbe et la bicyclette, et la femme attentive à son côté. Sortent du restaurant végétarien. Rien que du légumage et des fruits. Ne mangez pas de bifteck. Si vous en mangez les yeux de la vache vous poursuivront pendant toute l'éternité. Ils disent que c'est plus sain. Ça n'est que du vent et de l'eau. J'en ai essayé. Ça vous fait aller toute la journée. Aussi mauvais qu'un hareng saur. Des rêves toute la nuit. Pourquoi appelaient-ils cette chose qu'ils m'ont servie un bifteck de noix ? Noitariens. Fruitariens. Pour vous donner l'illusion que vous mangez un vrai bifteck. Absurde. Trop salé aussi. Cuisine à la soude. On passe sa nuit au robinet.

Ses bas tire-bouchonnent aux chevilles. Je déteste ça ; quel manque de goût. Ces gens de lettres, éthérés, sont tous. Rêveurs, nébuleux, symbolistes. Esthètes. Ça ne m'étonnerait pas que ce soit cette espèce de nourriture-là qui produit le comme un vent d'inspiration le poétique. C'est sûr qu'un de ces sergots qui suent le ragoût de mouton dans leur chemise, vous ne pourriez pas en extraire un grain de poésie. Ne se doutent même pas de ce que c'est, la poésie. Il faut une certaine disposition.

> *Nébuleuse et rêveuse mouette*
> *Sur le flot morne plane en quête.*

Il traversa au coin de Nassau Street et s'arrêta à la devanture de Yeates et Fils, évaluant les lorgnettes. Si je faisais une apparition chez le vieux Harris pour tailler une bavette avec le jeune Sinclair ? Garçon bien élevé. Probablement encore à table. Il faut que je fasse réparer mes vieilles jumelles. Les lentilles Goerz, six guinées. Les Allemands se poussent partout. Vendent à bas prix pour s'emparer du marché. Travaillent pour rien. Pourrais par hasard tomber sur une paire au bureau des objets perdus du chemin de fer. Stupéfiant tout ce que les gens peuvent oublier dans les trains et les consignes. Qu'est-ce qu'ils ont dans la tête ? Et les femmes donc ! Inimaginable. L'année dernière en allant à Ennis j'ai dû ramasser le sac de

cette fille de fermier et le lui tendre à l'embranche-
ment de Limerick. Et tout l'argent non réclamé. Il y a
un petit cadran placé là-haut sur le toit de la banque
pour faire l'essai de ces lorgnettes.

Ses paupières s'abaissèrent jusqu'à presque cacher
ses prunelles. Peux pas voir. Il suffit de penser qu'il est
là pour le voir presque. Peux pas le voir.

Il se retourna, restant entre les stores, et tendit sa
main droite à longueur de bras vers le soleil. J'ai voulu
souvent faire l'expérience. C'est vrai, complètement.
Le bout de son petit doigt cachait le disque du soleil.
Ça doit être le foyer là où les rayons se croisent. Si
j'avais des verres fumés. Intéressant. Il était beaucoup
question de ces taches du soleil quand nous étions à
Lombard Street West. Ce sont de formidables explo-
sions. Il doit y avoir une éclipse totale cette année,
vers l'automne.

Maintenant que j'y pense, cette boule descend à
l'heure de Greenwich. C'est l'horloge qui est réglée par
un fil électrique qui vient de Dunsink. Je veux aller
visiter ça un premier samedi du mois. Si je pouvais
me faire recommander au professeur Joly ou me
renseigner sur sa famille. Ça fait bon effet : toujours
l'homme est flatté. Vanité où on l'attendrait le moins.
Noble qui est fier de descendre d'une maîtresse de roi.
Son illustre aïeule. Jetez-en à la pelle. Bouche aimable
partout s'attable. Ne pas entrer et lâcher tout de go ce
qu'on sait qu'on ne devrait pas ; parallaxe, qu'est-ce
que c'est ? Reconduisez monsieur.

Ah.

Il laissa de nouveau pendre sa main.

Ne saurons jamais rien là-dessus. Inutile de chercher. Des boules de gaz qui tournent, qui se croisent,
qui passent. Toujours la même ritournelle. Gaz, puis
solide, puis monde, puis refroidi, puis coquille vide à
la dérive, roc glacé comme ce rocher à l'ananas. La

240

lune. Ça doit être la nouvelle lune à ce qu'elle disait. Je crois que oui.

Il passa près de la Maison Claire.

Voyons. La pleine lune c'était la nuit que nous étions, exactement dimanche quinze jours, c'est nouvelle lune. Nous marchions près de la Tolka. Bien réussie cette lune de Bellevue. Elle fredonnait : *Jeune lune de Mai, mon amour nous éclaire.* Lui de l'autre côté d'elle. Coude, bras. Lui. *Le ve-e-er luisant s'allume, mon amour.* Frôlement. Doigts. Demande. Réponse. Oui.

Assez. Assez. Si ça y est ça y est. C'était fatal.

M. Bloom, le souffle précipité et le pas plus lent, dépassa Adam Court.

Calmé par son soyons sage, il se mit à observer : voici la rue en plein midi, les épaules en portemanteau de Bob Doran. Sa bombe annuelle, dit M'Coy. Ils boivent histoire de dire ou faire quelque chose ou *chercher la femme.* Montent la Coombe avec des copains et des pierreuses. Et le reste de l'année sérieux comme des papes.

Oui. C'est ce que je pensais. Il se faufile dans l'Empire. Passez muscade. Une cure d'eau de Seltz lui ferait tous les biens. Là Pat Kinsella avait son théâtre de la Harpe avant que Whitbread ne lançât le Queen's. Une crème. Manières à la Dion Boucicault avec sa face de pleine lune sous son petit polo. Trois Demoiselles de Pensionnat. Comme le temps file, hein ? Ses longs pantalons garance sortant de ses basques. Des buveurs qui boivent, crachouillant de rire, avalant de travers. A la vôtre, Pat. Des trognes cardinalisées, de bonnes blagues pour poivrots, rigolade et fumée. Ote ce blanc chapeau. Ses yeux de poisson brouilli. Où est-il maintenant ? Un mendigo quelque part. La harpe qui jadis a fait de nous des gueux.

J'étais plus heureux dans ce temps-là. Mais était-ce moi ? Ou bien, est-ce maintenant que c'est moi ?

241

J'avais vingt-huit ans elle vingt-trois, quand nous avons quitté Lombard Street West, il y a eu quelque chose de changé. Elle ne s'y plaisait plus après Rudy. On ne peut rien ravoir du passé. Comme de tenir de l'eau dans sa main. Voudriez-vous ? revenir en arrière ? Recommencer tout. Voudriez-vous ? Vous n'êtes donc pas heureux chez vous, mon pauvre petit méchant garnement ? Désire me recoudre mes boutons. Il faut que je réponde. J'écrirai à la bibliothèque.

Grafton Street toute gaie avec ses stores déployés flatta ses sens. Mousseline imprimée, soies, dames et douairières, cliquetis de harnais, basse sourde de sabots sur la chaussée cuite de soleil. Quelle paire de ripatons cette femme en bas blancs. Je souhaite que la pluie les lui crotte jusqu'au mollet. Une betterave de la cambrousse. Toutes les élégances à pattes d'éléphant étaient là. Ça donne toujours à une femme une démarche pataude. Molly a l'air disproportionnée.

Il flânait devant l'étalage de Brown Thomas, soieries. Cascades de rubans. Soies d'Extrême-Orient vaporeuses. Le col d'une urne inclinée déversait un flot de popeline rouge-sang : sang lustré. Les Huguenots ont introduit ça ici. *La causa è santa !* Tara tara. Épatant ce chœur-là. Tara. Doit être lavée à l'eau de pluie. Meyerbeer. Tara ra boum boum boum.

Des pelotes. Il y a longtemps que je menace d'en acheter une. Piquées partout. Des aiguilles dans les rideaux de la fenêtre.

Il releva légèrement sa manche gauche. Éraflure : presque disparue. En tout cas pas aujourd'hui. Retourner pour cette lotion. Peut-être pour son anniversaire. Juinjuillet, aoûtseptembre, le huit. Presque encore trois mois. Et puis ça pourrait ne pas lui faire plaisir. Les femmes ne ramassent pas les épingles. Disent que ça pique l'am.

Soies brillantes, jupons sur de minces tringles de cuivre, bas de soie disposés en rayons.

Inutile de revenir en arrière. C'était fatal. Dis-moi tout.

Timbre élevé des voix. Soie chaude de soleil. Harnais qui cliquettent. Tout pour une femme, foyer et maisons, nids soyeux, argent, fruits savoureux, épices de Jaffa. Agendath Netaïm. Tous les trésors du monde.

Il avait l'impression d'une chair pleine et tiède pesant sur son cerveau. Son cerveau céda. Un parfum d'embrassements l'envahissait. De toute sa chair humble et affamée montait une muette imploration vers l'amour.

Duke Street, M'y voilà. Faut manger. Le Burton. Après ça ira mieux.

Encore hanté, il tourna le coin de Combridge. Basse sourde des sabots, cliquetis. Corps parfumés, tièdes, fermes. Tous baisés, donnés : dans les prés profonds de l'été, herbes couchées enchevêtrées, dans les couloirs suintants des maisons de pauvres, sur des divans, des lits qui craquent.

— Jack, mon amour !
— Chérie !
— Embrasse-moi, Reggy !
— Mon petit !
— Mon amour !

Le cœur en branle il poussa la porte du restaurant Burton. L'odeur le saisit à la gorge : sauces de viande pénétrantes, lavasses de légumes verts. Le repas des fauves.

Des hommes, des hommes, des hommes.

Juchés sur les hauts tabourets du bar, chapeau en arrière, autour des tables, redemandant un peu de ce pain à discrétion, sifflant leurs verres, loups gloutonnant leur nourriture fadasse, les yeux ressortis, torchant leur moustache mouillée. Un jeune homme au visage de saindoux faisait reluire ses verre couteau fourchette et cuiller avec sa serviette. Un nouveau contingent de microbes. Un homme avec sa serviette de bébé tachée de sauce sous le menton s'envoyait à grand bruit de la soupe dans le gosier. Un homme recrachait sur son assiette : cartilage à moitié masti-qué ; pas de dents pour le broybroybroyer. Os de côtelette grillée. S'empiffrant pour en avoir fini plus vite. Yeux tristes d'alcoolique. Avaler plus qu'il n'en peut mâcher. Est-ce que je suis comme ça ? Se voir comme les autres nous voient. Homme famélique homme maléfique. Travaillent de la mâchoire et de la dent. Attention ! Oh ! Un os ! Ce dernier roi payen d'Irlande Cormac dans le poème en classe celui qui s'est étranglé à Sletty au sud de la Boyne. Qu'est-ce qu'il pouvait bien manger ? Quelque chose de goulu-cieux. Saint Patrick l'avait converti au Christianisme. N'a tout de même pas pu tout avaler.

— Un rosbif aux choux.
— Un ragoût.

Odeurs d'hommes. Son cœur se soulevait. Sciure à crachats, fumée douceâtre et tiédarde des cigarettes, puanteur du perlot, flaques de bière, pisse bièreuse de la clientèle, évents de la fermentation.

Pourrai pas avaler une bouchée ici. Ce type qui aiguise son couteau avec sa fourchette, pour bouffer tout ce qu'il a devant lui, ce vieux qui récure ses chicots. Petit spasme, le plein des ruminants, remâ-chage de ce qui est remonté. Avant et après. Les grâces après le repas. Non, mais, regardez-moi ça et puis encore ça. Ils pompent la sauce du ragoût avec des mouillettes de pain. Lèche donc ton assiette, mon bonhomme ! Allons-nous-en.

Les narines pincées, il considéra les mangeurs attablés et ceux des tabourets.

— Deux stouts, deux.
— Un bœuf salé aux choux.

Cet individu s'ingurgitant un tas de chou avec son couteau comme si c'était pour lui une question de vie ou de mort. Bien envoyé. Ça donne des frissons. Moins

244

dangereux de manger avec la troisième main. Dépecez-le membre à membre. C'est sa seconde nature. Né avec un couteau d'argent dans la bouche. Ça c'est de l'esprit. Mais non. Argent signifie qu'on est riche. Né avec un couteau. Mais alors ça ne veut plus rien dire.

Un garçon mal sanglé récoltait avec fracas les assiettes collantes. Rock, l'huissier, debout près de l'appui du bar, soufflait sur la couronne d'écume de sa chope. Ça mousse bien. Elle gicla jaune près de sa bottine. Un dîneur, fourchette et couteau dressés, coudes sur la table, prêt pour le second service, était perdu dans la contemplation du monte-plats par-dessus son carré de journal plein de taches. Tandis qu'un autre lui raconte une histoire la bouche pleine. Oreille sympathique. Propos de table. Chlé henchonthré lunchdi tans l'Unchster Bunck. Ah? Pas possible?

M. Bloom hésitant porta deux doigts à ses lèvres. Ses yeux signifiaient :

— Pas ici. Ne le vois pas.

Sortons. Ça me dégoûte de voir manger salement.

Il battit en retraite vers la porte. Je mangerai un morceau chez Davy Byrne. Un trompe-la-faim. Ça me fera tenir. J'ai fait un bon petit déjeuner.

— Rôti pommes purée.

— Un demi brune.

Chacun pour soi, de l'ongle et de la dent. Engoule. Bouffe. Engoule. Legoulotlagueule.

Il se retrouva dans un air plus pur et s'en fut dans la direction de Grafton Street. Manger ou être mangé. Tue! Tue!

Figurons-nous cette cuisine en commun qui nous attend un jour peut-être. Tout le monde trottant avec des écuelles et des gamelles à remplir. On dévorerait le contenu dans la rue. John Howard Parnell par exemple, le Principal de Trinity College, du plus petit au plus grand sans parler des professeurs et Principal de Trinity, femmes et enfants, cochers de fiacres, prêtres, pasteurs, maréchaux, archevêques. D'Ailesbury Road, de Clyde Road, des cités ouvrières, de l'Asile de Dublin-Nord, le lord-maire dans son carrosse en pain d'épice, la vieille reine dans sa petite voiture. Mon assiette est vide. Après vous dans notre hanap municipal. Comme à la fontaine de Sir Philip Crampton. Essuyez les microbes avec votre mouchoir. Le type qui suit en refourre une fournée avec le sien. Le Père O'Flynn leur donnerait des ailes. Il y aurait tout de même du vilain. Tout pour bibi. Les enfants qui se battent pour gratter le fond de la marmite. Faudrait une marmite aussi grande que Phœnix Park. Là on harponnerait filets et gigots. On en arriverait à détester tous ses voisins. A l'hôtel des Armes de la Cité la *table d'hôte* comme elle appelait ça. Potage, viande, entremets. Savez jamais de qui les pensées vous êtes en train de mastiquer ? Et alors qui laverait toutes les assiettes et fourchettes ? Peut-être que tout le monde se nourrira avec des comprimés dans ce temps-là. Les dents seront de plus en plus mauvaises.

Après tout il y a beaucoup de vrai dans cette idée végétarienne sur le bon goût de ce qui pousse dans la terre, l'ail par exemple, il pue les joueurs d'orgue de Barbarie crissant des peaux d'oignons, champignons, truffes. La souffrance de l'animal aussi. Plumer et vider une volaille. Les malheureuses brutes au marché aux bestiaux qui attendent que la masse leur fende le crâne. Meuh. Pauvres veaux tout tremblants. Meh. Flanchet de meuglard. Rata aux choux. Chez les bouchers dans les seaux les boyaux qui bougent. Donnez-moi ce morceau de poitrine à ce crochet-là. Flop, voilà. Tête crue et os sanglants. Moutons écorchés les yeux vitreux accrochés par en bas, museaux de moutons entourés de papier rouge, narines qui laissent tomber leur gelée de groseille sur la sciure de bois. Déchets et rognures, voyez caisse! Massacre par les morceaux, eh jeune homme!

On recommande le sang encore chaud pour les phtisiques. Toujours besoin de sang. Insidieux. Le lécher, tout fumant, épais sirop. Vampires insatiables.

Ah, j'ai faim.

Il entra chez Davy Byrne. Zinc vertueux. Il n'est pas bavard. Offre une tournée de temps en temps. Mais une fois tous les quatre ans, à l'année bissextile. A payé un chèque pour moi une fois.

Que vais-je prendre à cette heure-ci? Il tira sa montre. Voyons. Bière-gingembre?

— Ohé Bloom? fit Blair Flynn de son coin.

— Ohé, Flynn.

— Comment va?

— Supérieurement... Voyons. Je prendrai un verre de bourgogne et... voyons.

Sardines sur les rayons. On en mange rien qu'à les regarder. Sandwich? Toute la famille Cochon emmoutardée chez Madame Tartine. Viandes de conserve. Qu'est la maison sans les pâtés Prunier? Incomplète. Quelle réclame idiote! Sous la nécrologie ils l'ont collée. Tous fichus sur le prunier. Dignam conserve en boîte. Bon pour les cannibales, au riz avec des tranches de citron. Missionnaire blanc trop salé. Comme le porc dans la saumure. Suppose chef consomme parties honorifiques. Sont sûrement coriaces à force de servir. Ses femmes à la file pour assister à l'effet produit. *Il y avait un bon vieux roi moricaud. Qui chosa ou mangea les choses du Père Caud.* Avec, c'est le paradis. Dieu sait quelle mixture. De la coiffe des tripes gâtées des trachées mises en tas et hachées. Devinette, cherchez la viande. Kosher. Pas de chair et de lait à la fois. C'était de l'hygiène comme ça s'appelle maintenant. Jeûne du Yom Kippur, grand nettoyage de printemps des intérieurs. Paix et guerre dépendent de la digestion d'un tel. Les religions. Oies et dindes de Noël. Massacre des innocents. Mangez, buvez et tenez-vous en joie. Après quoi beaucoup couchent au violon. Des fronts bandés. Le fromage fait tout digérer sauf lui-même. Puissant fromage.

— Avez-vous un sandwich au fromage ?

— Oui, monsieur.

Prendrais volontiers quelques olives s'il y en avait. Préfère celles d'Italie. Bon verre de bourgogne ; enlève ça. Lubréfie. Une brave salade fraîche comme l'innocence. Tom Kernan sait la faire. La relève comme il faut. Huile d'olive pure. Milly m'avait servi cette côtelette avec un brin de persil. Prendre un oignon d'Espagne. Dieu a fait l'aliment, le diable l'assaisonnement. Crabe à la diable.

— Femme va bien ?

— Très bien, merci... Alors un sandwich au fromage. En avez-vous au Gorgonzola ?

— Oui, monsieur.

Blair Flynn expédiait son grog à petits coups.

— Chante-t-elle ces temps-ci ?

Sa bouche est à voir. Pourrait arriver à siffler dans sa propre oreille. Oreilles décollées pour faire pendant. Musique. Aussi calé là-dessus que l'épicier du coin. Tout de même il vaut mieux lui dire. Pas d'inconvénient. Annonce gratuite.

— Elle est engagée pour une grande tournée à la fin de ce mois. Vous en avez peut-être entendu parler.

— Non. Oh, c'est un bon truc. Qui monte ça ?

Le serveur servait.

— Combien est-ce ?

— Sept pence, monsieur... Merci, monsieur.

M. Bloom découpa son sandwich en bandes minces. *Le Révérend Père Caud.* Moins compliqué que ces compositions crème de rêve. *Ses cinq cents épouses. Pouvaient pas être jalouses.*

— De la moutarde, monsieur ?

— Oui, merci.

Il insinua dans l'intérieur de chaque bande des petits tas jaunes. *Jalouses.* J'y suis. *Ça devenait plus gros, plus gros, toujours plus gros.*

— Monte ça ? dit M. Bloom. Eh bien, c'est le même principe qu'une société, voyez-vous. Participation aux frais et bénéfices.

— Oui, maintenant je me souviens, dit Blair Flynn, mettant la main dans sa poche pour se gratter le pli de l'aine. Qu'est-ce qui m'a parlé de ça ? Est-ce que Dache Boylan n'en fait pas partie ?

Un choc d'air chaud, une cuisson de moutarde frissela sur le cœur de M. Bloom. Il leva les yeux et rencontra le regard d'une horloge bilieuse. Deux heures. Horloge du bar cinq minutes en avance. Temps passe. Aiguilles tournent. Deux heures. Pas encore.

Mû par un désir intense son diaphragme se souleva, s'affaissa, se souleva encore.

Du vin.

Il humagoûta le jus généreux, et ayant contraint son gosier à l'expédier d'un trait, déposa délicatement son verre.

— Oui, dit-il. En fait c'est lui l'organisateur.

Rien à craindre. Un serin.

Blair Flynn reniflait et grattait. Puce qui fait un repas planctureux.

— Ça lui a rapporté pas mal, m'a raconté Jack Mooney, ce match de boxe que Myler Keogh a gagné contre ce soldat de la caserne Portobello. Vingt dieux, il a gardé à vue ce petit foutriquet dans le comté Carlow, à ce qu'il me disait...

Espérons que cette perle ne va pas tomber dans son verre. Non, elle est reniflée.

— Pendant près d'un mois, mon vieux, avant le grand jour. A gober des œufs de canards, vingt dieux, jusqu'à nouvel ordre. L'empêchait de se cuiter, vous y êtes ? Vingt dieux, Dache est un lascar.

Manches de chemise raccourcies par un pli, Davy Byrne sortit de son arrière-boutique en s'essuyant la bouche de long en large avec sa serviette. Rougeur de hareng. Dont le sourire en chaque trait joue avec tel et tel replet. Trop de lard dans les choux.

— Et voici notre homme et bien en forme, dit Blair Flynn. Pouvez-vous nous en donner un bon pour la coupe d'Or ?

— Ça n'est pas mon affaire, M. Flynn, répondit Davy Byrne. Je ne risque jamais rien sur un cheval.

— Pour ça vous avez raison, dit Blair Flynn.

M. Bloom mangeait son sandwich en rubans, bonne mie bien fraîche, avec un plaisir dégoûté, moutarde violente, fromage vert qui sent les pieds. Les gorgées de vin lui flattaient le palais. Pas de campêche ça. Davantage de bouquet par ce temps-ci, quand il est moins froid.

Agréable bar, tranquille. Joli morceau de bois à ce comptoir. Bien paré. J'aime cette ligne courbe là.

— Je n'aimerais pas du tout m'engager dans cette voie, disait Davy Byrne. Ça vous a décavé plus d'un particulier, ces chevaux-là.

Handicap des chands de vin. Débit autorisé pour la vente et la consommation de la bière, des vins et spiritueux. Pile ou face, c'est le client qui casque.

— Vous êtes dans le vrai, dit Blair Flynn. C'est autre chose si on est dans la combine. Il n'y a plus guère de courses sans chiqué. Lenehan en a quelquefois des bons. Il donne Sceptre aujourd'hui. Zinfandel est favori, à lord Howard de Walden, gagnant à Epsom. Monté par Morny Cannon. Les books m'auraient laissé miser à sept pour un contre Saint-Amant, il y a quinze jours.

— Vrai ? fit Davy Byrne...

Il alla vers la fenêtre et prenant son livre de recettes en compulsa les feuillets.

— Parbleu, j'aurais pu, dit Blair Flynn en reniflant.

C'était un fier canasson. Par Saint-Frusquin. Elle a gagné pendant un orage, la pouliche Rothschild, avec du coton dans les oreilles. Blouse bleue et casquette jaune. Le diable emporte le gros Ben Dollard et son John O'Gaunt. C'est lui qui m'a empêché de la jouer. Oui.

Il but avec résignation, faisant glisser ses doigts le long des tuyaux d'orgue du verre.

— Hé oui, dit-il avec un soupir.

Debout et broyant à belles dents, M. Bloom observa ce soupir. Blair de buse. Vais-je lui dire pour ce cheval que Lenehan ? Il sait déjà. Préférable qu'il oublie. Irait et perdrait davantage. Le serin et sa galette. Perle de rosée prête à tomber encore. Nez froid pour embrasser une femme. Peut-être qu'elles aimeraient ça. Aiment les barbes qui piquent. Le nez froid des chiens. La vieille Mme Riordan avec son Skye terrier au ventre à musique à l'hôtel des Armes de la Cité. Molly le câlinant sur ses genoux. O le gros toutouuouaouaoua !

Le vin détrempait et adoucissait la pâtée de pain moutarde un moment fromage écœurant. Vin qui se laisse boire. Le goûte mieux parce que je n'ai pas soif. A cause du bain naturellement. Plus qu'une bouchée ou deux. Et vers six heures je pourrai. Six, six. Alors tout sera dit. Elle...

La brûlure suave du vin chauffait ses veines. J'en avais rudement besoin. J'étais bien las. Ses yeux parcouraient inappétants les rayons de boîtes, sardines, pinces de homards brutalement coloriées. Toutes les drôles de choses que l'homme déniche pour se nourrir. Dans les coquilles, bigorneaux, avec une épingle ; sur les arbres ; les escargots par terre, les Français les mangent ; dans la mer avec un appât au bout d'un hameçon. Le poisson imbécile n'apprend rien en mille ans. Si on ne savait pas, ça serait risqué d'aller mettre n'importe quoi dans la bouche. Baies empoisonnées. Sorbier des oiseaux. La rondeur ça donne confiance. Une couleur voyante on se méfie. Un l'a dit à l'autre et ainsi de suite. Bon d'essayer d'abord sur le chien. Guidé par le nez ou par l'œil. Fruit tentant. Bombes glacées. Crème. Instinct. Plantations d'orangers entre autres. Nécessite l'irrigation artificielle. Bleibtreustrasse. Oui mais en revanche les huîtres. Payent pas plus de mine qu'un gros crachat. Coquilles sales. Et puis le diable à ouvrir. Qui les a découvertes ? Se nourrissent d'immondices et de jus d'égout. Champagne et huîtres Côtes Rouges. Influence sur les parties sex. Aphrodis. Il était au Côte Rouge ce matin. Était-il huître vieux poisson au repas. Peut-être il au lit jeunes appas. Non. Juin n'a ni r ni huîtres. Mais il y a des gens qui aiment le gibier avancé. Civet de lièvre. Mettez d'abord la main dessus. Les Chinois mangent des œufs de cinquante ans, bleus et de nouveau verts. Dîner de trente services. Chaque plat inoffensif le mélange pourrait. Idée pour un roman policier. Était-ce l'archiduc Léopold ? Non. Oui. Ou était-ce Otto, un de ces Habsbourg ? Ou qui était-ce qui avait l'habitude de manger les pellicules de son cuir chevelu ? Le déjeuner le moins cher de toute la ville. Naturellement des aristocrates. Après les autres les imitent pour être dans le mouvement. Milly aussi le pétrole et la farine. La pâtisserie pas cuite moi je l'aime. La moitié de la récolte des huîtres ils la rejettent à l'eau pour soutenir les prix. Bon marché, personne n'en achèterait. Du caviar. Faire son Grand Duc. Du vin du Rhin dans des verres verts. Ripailles du gratin. Lady une telle. Gorge poudrée perles. Le Highlife. Crème de la crème. Leur faut des plats spéciaux pour prouver qu'ils sont. Un ermite avec une poignée de pois secs refrène les aiguillons de la chair. On se connaît, mangeons ensemble. Esturgeon à la Royale. Le doyen des Magistrats Municipaux, Coffey, le boucher, a droit au gibier de la forêt de son Ex. Devrait lui renvoyer la moitié d'une vache.

Ce banquet que j'ai vu préparer dans les cuisines en sous-sol du Président de Cour. Chef en bonnet blanc comme un rabbi. Canard combustible. Chou frisé *à la Duchesse de Parme.* Assez nécessaire d'écrire tout ça sur le menu pour qu'on sache ce qu'on a mangé, trop de petits flacons gâtent le bouillon. J'en sais quelque chose ! Ce qu'on m'y fourre de cubes Edward. Des oies gavées à devenir idiotes pour eux. Homards bouillis tout vifs. Ptrenez un pteu de ptarmigan, croyez-moi. Refuserais pas d'être garçon dans un palace. Pour-boires, en habit, des dames à moitié nues. Me ferez-vous le plaisir de reprendre de ces filets de sole-limande, Mademoiselle de Saint-Prix ? Je vous en prie. Et elle en prit sapristi. Ça me paraît un nom huguenot. Une Mlle de Saint-Prix habitait Killiney je me rap-pelle. *De, du, la,* ça c'est français. Et peut-être que ce poisson-là aussi c'est le vieux Micky Hanlon de Moore Street qui lui a tiré les boyaux, faisant fortune à toute vapeur, les doigts plongés dans les ouïes, incapable d'écrire son nom sur un chèque, avait l'air de vouloir caricaturer les masques avec les contorsions de sa bouche. Mi-i-i-chel A. Hache. Han. Ignorant comme ses sabots, et un magot de cinquante mille livres.

Collées à la vitre deux mouches bourdonnèrent, collées.

Le vin bu s'attardait plein de soleil à son palais. Foulé dans les pressoirs des vignobles bourguignons. Toute la chaleur du soleil. C'est comme une caresse secrète qui me rappelle des choses. Au moelleux contact ses sens se souvenaient. Cachés sous les fougères de Howth. Sous nous la baie ciel dormant. Pas un bruit. Le ciel. La baie pourpre à la pointe du Lion. Verte à Drumleck. Vert-jaune vers Sutton. Prai-ries sous la mer, lignes d'un brun plus clair parmi les herbes, cités englouties. Mon veston faisait oreiller à ses cheveux, des perce-oreilles dans les touffes de bruyère, ma main sous sa nuque, vous allez toute me chiffonner. O mon Dieu! Sa main suavifiée d'aromates me touchait, me caressait; ses yeux ne se refusaient pas. Allongé au-dessus d'elle, ravi, bouche ouverte, à pleines lèvres, je baisai sa bouche. Iam. Douce elle fit passer dans ma bouche du gâteau chaud mâché. Pâte écœurante que sa bouche avait pétrie, sucrée et aigre de salive. Joie; je la mangeai; joie. Jeune vie, moue de ses lèvres tendues. Lèvres tendres, chaudes, collantes, gomme parfumée, loukoum. De vraies fleurs ses yeux, prends-moi, yeux qui veulent bien. Des cailloux dégringolaient. Elle restait immobile. Une chèvre. Personne. En haut dans les rhododendrons de Ben Howth une chèvre qui va d'un pas précis, semant ses raisins de Corinthe. Abritée sous les fougères elle riait dans la chaude étreinte. Follement mon corps pesait sur le sien, je l'embrassais; yeux, lèvres, son cou tendu, ses artères battantes, ses seins de femme faite bombant dans sa blouse en voile de laine, dressant leurs bouts épais. Je lui dardais ma langue brûlante. Elle me donnait ses baisers. Je recevais ses baisers. Toute consentante elle ébouriffait mes cheveux. Embrassée elle m'embrassait.

Moi. Et moi maintenant.

Collées, les mouches bourdonnaient.

Ses yeux baissés suivaient les veines figées du panneau de chêne. Beauté; courbure : les courbes sont de la beauté. Déesses aux beaux modelés, Vénus, Junon : lignes courbes que l'univers admire. Peux les voir musée de la bibliothèque, debout dans le hall circulaire, déesses nues. Ça aide à digérer. Peu leur importe quel homme les regarde. Tous peuvent voir et tout est à voir. Ne parlent jamais. Je veux dire à des bonshommes comme Flynn. Imaginer qu'elle ait fait comme Galathée avec Pygmalion : quel aurait été son premier mot? Mortel! Elle vous remettrait à votre place. Lampent le nectar au mess avec les dieux, plats en or, tout divinement exquis. Rien de ces lunchs à six pence que nous faisons, mouton bouilli, carottes et navets, bouteille de piquette Allsop. Nectar, c'est comme qui dirait boire de l'électricité : nourriture des dieux. Délicieuses formes de femmes sculpturées Junoniennes. Immortelles adorables. Et nous qui fourrons de la nourriture dans un trou avec un autre pour la sortie : nourriture, chyle, sang, excréments, terre, nourriture. Faut alimenter ça comme on chauffe une locomotive. Elles n'ont pas de. Jamais regardé. Regarderai aujourd'hui. Gardien ne verra pas. Se baisser, laisser quelque chose tomber, voir si elle...

En gouttes pressées un message silencieux lui venait de sa vessie pour l'envoyer faire ne pas faire là mais faire. En homme et toujours prêt, il vida son verre jusqu'au fond et sortit, aux hommes elles aussi se donnaient, virilement conscient, couchaient avec leurs amants hommes, un éphèbe a joui d'elle, dans la cour.

Quand le bruit de ses semelles eut cessé Davy Byrne dit de derrière son livre :

— Qu'est-ce que c'est qu'il est ? Dans les Assurances ?

— Il y a longtemps qu'il a quitté ça, dit Blair Flynn. Il racole des annonces pour *L'Homme Libre*.

— Je le remets bien, dit Davy Byrne. Arrivé un malheur ?

— Malheur ? dit Blair Flynn. Pas que je sache. Pourquoi ?

— J'ai remarqué qu'il était en deuil.

— En deuil ? dit Blair Flynn. C'était ma foi vrai. Je lui ai demandé comment ça allait chez lui. Vous avez raison, sacrebleu. Il était en deuil.

— Je n'aborde jamais le sujet, dit Davy Byrne bonnement, quand je vois quelqu'un qui est dans ce cas-là. Ça ne fait que leur raviver leur chagrin.

— En tout cas ce n'est pas sa femme, dit Blair Flynn. Je l'ai rencontré avant hier et il sortait de cette laiterie irlandaise que la femme de John Wyse Nolan tient dans Henry Street avec un pot de crème à la main qu'il rapportait à sa chère moitié. Elle est bien nourrie, j'en réponds. Pluviers sur canapé.

— Et il fait de l'argent à *L'Homme Libre* ? demanda Davy Byrne.

Blair Flynn pinça les lèvres.

— C'est pas avec les annonces qu'il attrape qu'il paie de la crème à sa femme. C'est un truc à se tirer tout juste d'affaire.

— Alors comment ? demanda Davy Byrne, laissant son livre.

Blair Flynn esquissa en l'air quelques passes rapides de prestidigitateur. Il cligna de l'œil.

— Il en est, dit-il.

— Qu'est-ce que vous me dites là ? dit Davy Byrne.

— C'est certain, dit Blair Flynn. Antique Ordre indépendant et reconnu. Lumière, vie et amour, sacrebleu. Ils lui donnent un coup d'épaule. J'ai appris ça par un... bon, je n'ai pas à dire qui.

— C'est certain ?

— Oh ! c'est une bonne société, dit Blair Flynn. Ils ne vous abandonnent pas quand vous êtes dans la débine. Je connais quelqu'un qui a essayé d'y entrer, mais va te faire fiche, n'y entre pas qui veut. Nom de dieu ! ils ont bien fait de ne pas laisser les femmes s'en mettre.

Davy Byrne opinasouritbâilla tout ensemble.

— Hâ — ââââââ — ââh !

— Il y avait une femme, dit Blair Flynn, qui s'était cachée dans un corps d'horloge pour voir ce qu'ils fabriquaient là. Mais du diable s'ils ne l'ont pas éventée et dare-dare ils lui ont fait prêter serment de maître-maçon. C'était un Saint-Léger de Doneraile.

Davy Byrne, sursaturé de son bâillement, dit avec des yeux pleurards :

— Et c'est certain ? C'est un monsieur tranquille et

256

qui se tient bien. Il est venu souvent ici et jamais, vous m'entendez, je ne l'ai vu même un peu parti.

— Le Tout-Puissant lui-même ne pourrait pas le saouler, affirma énergiquement Blair Flynn. Se défile quand ça commence à passer les bornes. Vous ne l'avez pas vu tirer sa montre ? Ah, vous n'étiez pas là. Si vous lui offrez de boire quelque chose, la première chose qu'il fait il sort sa montre pour savoir ce qu'il doit prendre. Parole d'honneur qu'il le fait.

— Il y en a quelques-uns comme ça, dit Davy Byrne. Pour moi c'est un homme à qui on peut se fier.

— C'est pas un mauvais bougre, dit Blair Flynn en reniflant. On l'a vu mettre la main à la poche pour obliger un copain. A chacun son dû. Oh, Bloom a ses bons côtés. Mais il y a une chose qu'il ne fera jamais.

Son doigt griffonna près de son grog un semblant de signature.

— Je sais, fit Davy Byrne.

— Rien en noir sur blanc, dit Blair Flynn.

Paddy Leonard et Bantam Lyons entraient. Étirant d'une main son gilet bordeau, Tom Rochford suivait.

— Salut, M. Byrne.

— Salut, messieurs.

Ils s'arrêtèrent au comptoir.

— Qui arrose ? demanda Paddy Leonard.

— En tout cas moi je suis à sec, répondit Blair Flynn.

— Eh bien, qu'est-ce qu'on prend ? demanda Paddy Leonard.

— Je prendrai une limonade gingembre, dit Bantam Lyons.

— De quoi ? Depuis quand, dieu de dieu ? Et quoi pour vous, Tom ?

— Comment va le corps de pompe ? demanda Blair Flynn qui sirotait.

En guise de réponse Tom Rochford appuya la main sur sa poitrine et hoqueta.

— Puis-je vous demander un verre d'eau pure, M. Byrne ? dit-il.

— Mais oui, monsieur.

Paddy Leonard regardait ses partenaires.

— Ah, zut alors, dit-il, voyez ce que je commande pour eux ! De l'eau claire et une limonade ! Deux gaillards qui tireraient du whisky d'une jambe de bois. Il a quelque nom de dieu de cheval dans sa manche pour la Coupe d'Or. Un placement de père de famille.

— Zinfandel, n'est-ce pas ? demanda Blair Flynn.

Tom Rochford versa dans son eau un petit paquet de poudre.

— Cette maudite dyspepsie, dit-il avant de boire.

— Le bicarbonate est très bon, dit Davy Byrne.

Tom Rochford acquiesça et but.

— Est-ce Zinfandel ?

— Dites rien, fit Bantam Lyons d'un air entendu. Je vais y aller de mes cinq shillings dessus.

— Dis-nous ça si tu es un homme et va-t'en au diable, dit Paddy Leonard. Qui te l'a passé ?

M. Bloom qui gagnait la porte leva trois doigts pour les saluer.

— Au revoir, dit Blair Flynn.

Les autres se retournèrent.

— Eh bien, voilà l'homme qui me l'a passé, chuchota Bantam Lyons.

— Putt ! fit Paddy Leonard, méprisant. M. Byrne, monsieur, après ça nous prendrons deux de vos petits whisky Jameson et...

— Une limonade en cruche, ajouta poliment Davy Byrne.

— Tiens, fit Paddy Leonard. Un biberon pour le nourrisson.

Tout en se dirigeant vers Dawson Street, M. Bloom se nettoyait les dents à petits coups de langue. Il faudrait quelque chose de vert : des épinards par exemple. Alors avec ces rayons Röntgen projecteurs on pourrait.

Dans Duke Lane un fox-terrier vorace vomissait à force sur la chaussée une bouillie d'os qu'il lapait avec un nouveau plaisir. Gloutonnerie. Avec tous mes remerciements et après en avoir bien assimilé la substance. D'abord le salmis, ensuite la crème renversée. M. Bloom fit un prudent détour. Ruminants. Son second service. Mettent en jeu leur mâchoire supérieure. Est-ce que Tom Rochford fera quelque chose de son invention ? Perdait son temps à l'expliquer à cette gueule de Flynn. Gens maigres ont de grandes bouches. Devrait y avoir un palais ou quelque endroit exprès pour que les inventeurs y aillent et y fassent leurs inventions sans frais. Bien sûr qu'on aurait une épidémie de maboulards.

Il fredonna en prolongeant d'un écho grave la dernière note de chaque mesure :

> *Don Giovanni, a cenar teco*
> *M'invitasti.*

Me sens mieux. Bourgogne. Ça vous retape. Qui le premier a distillé ? Un bougre qui avait le cafard. Courage du poivrot. Maintenant ce *Progrès de Kilkenny* à la Nationale il faut que je.

Des cuvettes de water-closet nettes et nues qui semblaient attendre à la devanture de William Miller, plombier, ramenèrent ses pensées en arrière. Ils pourraient ; et surveiller tout du long de la descente ; si on avale une épingle quelquefois ça ressort par les côtes des années plus tard, une tournée à travers tout le corps, change le conduit biliaire, vésicule qui gicle, foie, suc gastrique, enroulement des intestins comme des tuyaux de caoutchouc. Mais le pauvre vieux aurait à rester tout ce temps-là avec son intérieur en montre. La science.

— *A cenar teco.*
Qu'est-ce que *teco* veut dire ? Ce soir peut-être.

> *Don Juan, tu m'as invité*
> *A venir souper ce soir,*
> *La fari don daine.*

Non, ça ne va pas.

Cleys : deux mois si j'amène Nannetti à. Ça ferait deux livres dix, environ deux livres huit. Trois que me doit Hynes. Deux livres onze. L'annonce de Prescott. Deux livres quinze. Cinq guinées à peu près. Bonne affaire.

Pourrais acheter un de ces jupons de soie à Molly, même couleur que ses nouvelles jarretières.

Aujourd'hui. Aujourd'hui, N'y pensons pas.

Et puis une tournée dans le Sud. Pourquoi pas les plages anglaises ? Brighton, Margate. Jetées-promenades au clair de lune. Sa voix qui plane. Ces jeunes filles de la grève. Contre le débit de John Long était allongé un galvaudeux hagard et absorbé qui rongeait l'articulation croûteuse de ses doigts. Homme habile de ses mains demande travail. Petit salaire. Mangera n'importe quoi.

M. Bloom gratifia d'un regard les tartes invendues de la pâtisserie Gray et passa devant la librairie du Révérend Thomas Connellan. *Pourquoi j'ai quitté l'église de Rome. Le Nid d'Oiseau.* Les femmes sont enragées après. On dit qu'il donnait des soupes aux enfants pauvres pour les faire passer au protestantisme, quand il y a eu la pourriture sur les pommes de terre. Plus haut il y a la société où allait papa pour la conversion des Juifs pauvres. Même truc. Pourquoi nous avons quitté l'église de Rome ?

Un jeune aveugle se tenait au bord du trottoir qu'il tapait de sa canne grêle. Pas de tram en vue. Voudrait traverser.

— Vous voulez traverser ? demanda M. Bloom.

Pas de réponse. La face murée de l'adolescent eut une légère contraction. Il remuait la tête, hésitant.

— Vous êtes dans Dawson Street, dit M. Bloom. En face c'est Molesworth Street. Voulez-vous traverser ? La chaussée est libre.

La canne s'agita tremblante vers la gauche. M. Bloom la suivit des yeux et aperçut de nouveau la voiture de la Teinturerie arrêtée devant chez Drago. C'est là que j'ai vu sa tête cosmétiquée juste au moment où je. Cheval avachi. Conducteur chez John Long. En train de se rincer la dalle.

— Il y a un camion là, dit M. Bloom, mais il ne bouge pas. Je vais vous faire faire le chemin. Voulez-vous aller dans Molesworth Street ?

— Oui, répondit le jeune homme. South Frederick Street.

— Venez, dit M. Bloom.

Il effleura doucement le coude pointu et prit la main molle et clairvoyante pour le guider.

Lui dire quelque chose. Ne pas avoir l'air condescendant. Ils se méfient de ce qu'on leur dit. Lancer une banalité.

— La pluie ne s'est pas décidée.

Pas de réponse.

Des taches sur son veston. Laisse tomber de sa nourriture probablement. Le goût de tout est différent pour lui. On a dû le nourrir d'abord à la cuiller. Comme la main d'un enfant sa main. Comme était celle de Milly. Sensitive. En train de mesurer ma taille peut-être d'après ma main. A-t-il seulement un nom ? Le camion. Tenir sa canne à l'écart des jambes du cheval, bête fourbue qui pique un somme. Ça va. Voie libre. Un taureau par derrière, un cheval par devant.

— Merci, monsieur.

Sait que je suis un homme. A la voix.

— Ça va maintenant ? Premier tournant à gauche.

Le jeune aveugle poursuivit son chemin en tapant le trottoir, relevant sa canne, tâtant de nouveau le terrain.

M. Bloom allait derrière ce pas privé de lumière, ce complet de cheviote tissé en arêtes et de coupe flottante. Pauvre garçon ! Mais comment pouvait-il bien savoir que ce camion était là ? Il a fallu qu'il le sente. Peut-être qu'ils voient des choses dans leur front. Espèce de sens du volume. Sentirait-il un poids en moins si on enlevait quelque chose ? Sentirait un vide. Il doit avoir une drôle d'idée de Dublin, à tâtonner le long des trottoirs. Pourrait-il aller en droite ligne s'il n'avait pas sa canne ? figure exsangue et pieuse comme de quelqu'un qui se prépare pour la prêtrise.

Penrose ! Voilà le nom de mon bonhomme.

Combien de choses ils peuvent apprendre à faire. Lire avec leurs doigts. Accorder les pianos. Et nous sommes surpris qu'ils soient intelligents. C'est pour cela que nous trouvons qu'une personne difforme ou un bossu est malin quand il dit quelque chose que nous aurions pu dire. Il est sûr que les autres sens sont plus. Ils brodent. Tissent des paniers. On devrait les aider. Si j'achetais un panier à ouvrage en osier pour l'anniversaire de Molly. Déteste coudre. Pourrait trouver à y redire. Les Ténébreux, comme on les appelle. Sens de l'odorat doit être aussi plus développé. Odeurs de tous les côtés en bouquet. De chaque personne aussi. Et le printemps, l'été, des odeurs. Des goûts. On dit qu'on ne peut pas goûter le vin les yeux fermés ou avec un rhume de cerveau. Et aussi on dit que de fumer dans l'obscurité on n'a pas de plaisir.

Et avec une femme par exemple. Plus lubrique quand on ne voit pas. Cette jeune fille qui passe devant l'Institut Stewart, le cou tendu. Regardez-moi. J'ai mis le grand pavois. Ça doit être bizarre de ne pas la voir. Forme vague dans son œil intérieur. La voix, la chaleur, quand il la touche avec ses doigts il doit presque voir les lignes, les courbes. Ses mains sur ses cheveux par exemple. Supposons-les noirs par exemple. Bon. Mettons qu'ils soient noirs. Alors quand il passe sur sa peau blanche. Toucher différent peut-être. Sensation de blanc.

Bureau de poste. Dois répondre. Quelle corvée. Lui envoyer un mandat de deux shillings, une demi-couronne. Acceptez mon petit cadeau. Justement papeterie à côté. Non, attendons. Réfléchirai.

Très légèrement et très lentement il promena le doigt sur les cheveux lissés autour de son oreille. Encore. Brins de fine paille. Et légèrement encore il promena le doigt sur la peau de sa joue droite. Poils follets là aussi. Pas assez uni. Le ventre est ce qu'il y a de plus doux. Personne en vue. Là, il a pris Frederick Street. Va peut-être chez Levenston Cours de danses piano. Pourrais avoir l'air d'assujettir mes bretelles.

Près du café Doran il glissa la main entre son gilet et son pantalon et, écartant doucement sa chemise, palpa un pli lâche de son ventre. Mais je sais que c'est blanc-jaunâtre. Faut que j'essaie dans l'obscurité pour voir.

Il retira sa main et rajusta ses vêtements.

Pauvre garçon! Presque un enfant. Affreux. Vraiment affreux. Quels rêves peut-il avoir, puisqu'il ne voit rien? La vie est un rêve pour lui. Y a-t-il une justice qu'on puisse naître comme ça? Toutes ces femmes et enfants en partie de plaisir brûlés et noyés à New York. Holocauste. C'est Karma qu'on appelle la transmigration pour des péchés commis dans une vie antérieure, la réincarnation, mes tempes si choses. Mon dieu, mon dieu, mon dieu. Bien sûr que c'est dommage, mais on a beau dire, il y a quelque chose qui fait qu'on ne peut pas s'accorder avec eux.

Sir Frederick Falkiner qui entre dans le temple franc-maçon. Solennel comme un suisse. Après son déjeuner confortable à l'Earlsfort Terrace. Ces vieux compères de la magistrature en train de siffler leur fine bouteille. Histoire du barreau, des assises et annales des orphelinats. Je l'ai condamné à dix ans. Sans doute ce que je viens de boire lui ferait faire la grimace. Des grands crus pour eux, avec l'année sur la bouteille poudreuse. Il a ses idées à lui de la justice quand il est à la Correctionnelle. Vieillard plein de bonnes intentions. Les rapports de police bourrés de cas ; touchent leur tant pour cent en fabriquant des délits. Il les envoie promener. La terreur des usuriers. Il a bien serré la vis à Ruben J. D'ailleurs c'est ce qu'on peut appeler un sale youpin. Le pouvoir qu'ont ces juges. Vieux biberons bourrus sous leurs perruques. Ours grognons. Et puisse le Seigneur avoir pitié de votre âme.

Tiens, une affiche. Vente de charité Mirus. Son Excellence le Lieutenant-Général. Le seize, aujourd'hui. Au bénéfice de l'hôpital Mercer. *Le Messie* a d'abord été donné pour ça. Oui. Haendel. Pourquoi pas y aller voir ? Ballsbridge. Une apparition chez Cleys. Non, inutile de m'y accrocher comme une sangsue. User mon crédit. Sûr de rencontrer quelqu'un de connaissance à la porte.

M. Bloom arrivait à Kildare Street. D'abord je dois. Bibliothèque.

Chapeau de paille au soleil. Souliers jaunes. Bas de pantalon retroussés. C'est. C'est.

Son cœur tocqua mollement. A droite. Musée. Déesses. Il obliqua vers la droite.

Est-ce ? Presque certain. Ne voudrais pas regarder. Bouffée à la tête. Pourquoi ai-je ? Trop capiteux. Oui, c'est. La démarche. Ne pas voir. Pas voir. Continuer.

Gagnant à longues enjambées la porte du musée il leva les yeux. Belle bâtisse. Sur les plans de Sir Thomas Deane. Ne me suit pas ?

Ne m'a peut-être pas vu. Soleil dans les yeux.

Sa respiration se faisait courte et saccadée. Vite. Froides statues ; la paix là. En sûreté dans une minute.

Non, ne m'avait pas vu. Deux heures passées. Juste à la grille.

Mon cœur !

Ses prunelles battantes fixèrent fermement les courbes crémeuses de la pierre. Sir Thomas Deane c'était le style grec.

Chercher quelque chose que je.

Sa main fiévreuse plongea dans une poche, en retira lu déplié Agendath Netaïm. Où ai-je ?

Très occupé à chercher.

Brusquement il remit en place Agendath.

L'après-midi, a-t-elle dit.

Je cherche ça. Oui ça. Cherchons dans toutes les poches. Mouch. *Homme Libre*. Où ai-je ? Ah, oui. Pantalon. Porte-monnaie. Pomme de terre. Où ai-je ?

Pressons. Allons tranquillement. Un moment de plus. Mon cœur.

Sa main cherchant le où l'ai-je mis ? trouva dans sa poche de derrière le savon lotion je dois chercher collé dans son papier tiède. Ah, le savon là ! Oui. La porte.

Sauvé !

Pour leur être agréable, le bibliothécaire quaker ronronna, plein d'urbanité :

— Et nous avons, n'est-il pas vrai ? ces pages inestimables de Wilhelm Meister. D'un grand poète sur un grand frère en poésie. Une âme indécise qui pourtant affronte un océan d'épreuves et sert de champ de bataille à l'armée des doutes, comme cela se voit dans la vie réelle.

Il fit en avant un pas de cinque-passe-et-trois-visages, craquant le cuir de vache, et un pas en arrière de cinque-passe-et-trois-visages sur le parquet cérémonieux.

Un subalterne discret, entrebâillant la porte, lui fit discrètement signe.

— Tout de suite, dit-il, craquant pour s'ébranler, s'attardant néanmoins. Le beau rêveur velléitaire qui se brise au contact dur des faits. On sent toujours les jugements de Gœthe si justes. Justes d'un point de vue transcendantal.

Bicraquante transcendantale, un pas de courante l'emporta. Dans l'embrasure, chauve, le zèle en personne, il prêta l'oreille, sa vaste oreille, aux paroles du subalterne : les entendit : et s'éclipsa.

Deux me restent.

— Monsieur de la Palice, railla Stephen, un quart d'heure avant sa mort...

— Avez-vous déterré les six braves carabins qui doivent écrire le *Paradis Perdu* sous votre dictée ? demanda John Eglinton avec l'humeur bilieuse d'un aîné. Il appelle ça *Les Tristesses de Satan*.

Souris. Souris. Avec le sourire de Cranly.

Il la chatouilla primum
La tapota secondum
Et lui mit le speculum
Car c'était un carabin
Bibi carabi...

— Je sens qu'il vous en faudrait un de plus pour *Hamlet*. Sept est un nombre cher aux mystiques. Les sept scintillants, comme dit W. B.

Crâne à toison rougeâtre tout près de la lampe de travail coiffée de vert, œil qui pétille et cherche dans l'ombre d'un vert plus sombre une face barbue, un ollav au regard de sainteté. Il rit tout bas : rire de boursier de Trinity Collège : sans écho.

> *Satan-orchestre, vociférant ses pleurs*
> *Larmes comme en pleurent les anges.*
> *Ed egli avea del cul fatto trombetta.*

Il garde mes folies en otage.

Les onze preux de Cranly, les hommes de Wicklow pour affranchir la terre ancestrale. Kathleen brèche-dents, ses quatre belles prairies d'émeraude, l'étranger dans sa maison. Et un de plus pour l'accueillir : *ave, rabbi*. Tinahely les douze. Dans l'ombre de la vallée il leur lance un roucoulouhou d'appel. La jeunesse de mon âme je la lui donnais, soir après soir. Dieu vous conduise. Bonne chasse.

Mulligan a mon télégramme.

Folie. Persistons.

— Nos jeunes poètes irlandais, fit John Eglinton censeur, ont encore à créer un personnage que le monde puisse mettre à côté de l'Hamlet du Saxon Shakespeare, que j'admire pour ma part, comme le faisait le vieux Ben, presque à l'idolâtrie.

— Toutes ces questions sont purement académiques, vaticina Russel de son coin sombre. Par exemple de savoir si Hamlet est Shakespeare ou Jacques I ou Essex. Discussions de clergymen sur Jésus personnage historique. L'art ne doit nous révéler que des idées, des essences spirituelles dégagées de toute forme. Ce qui importe par-dessus tout dans une œuvre d'art c'est la profondeur vitale de laquelle elle a pu jaillir. La peinture de Gustave Moreau est une peinture d'idées. Ce qu'il y a de plus profond dans Shelley, et les paroles d'Hamlet, mettent notre esprit en contact avec la sagesse éternelle, le monde des idées de Platon. Tout le reste, spéculations d'écoliers pour écoliers.

A. E. a dit à un reporter yankee. Eh bian, Tieu me darne !

— Les professeurs ont commencé par être des écoliers, dit Stephen plus poli que de raison. Aristote fut l'écolier de Platon.

— Et il le reste, j'aime à le croire, dit John Eglinton d'un ton rassis. On se le représente bien, écolier modèle avec son diplôme sous le bras.

Il rit de nouveau, face au visage barbu qui maintenant souriait.

Esprit pur. Père, Verbe et Saint-Esprit. Le Père Universel. L'homme-dieu. Hiesos Kristos, magicien de beauté, le Logos qui souffre en nous à tout instant. En vérité ceci est cela. Je suis la flamme sur l'autel. Je suis le beurre du sacrifice.

Dunlop, Juge, le plus noble Romain parmi eux, A. E., Arval, le Nom Ineffable, dans les hauteurs du ciel, K. H., leur maître, dont l'identité n'est point un secret pour les adeptes. Les Frères de la grande loge blanche toujours prêts à donner leur aide. Le Christ avec l'épouse-sœur, sperme de lumière, né de l'âme d'une vierge, sagesse repentante, parti pour le plan bouddhique. La vie ésotérique dépasse l'être moyen. O. P. doit d'abord effacer par expiation son mauvais Karma. Mme Cooper Oakley eut une fois un aperçu de l'élémental de notre illustre sœur H. P. B.

O, fi ! Pas de ça ! *Pfuiteufel !* C'est pas des choses à regarder, mame, si vilain de regarder quand une dame a laissé voir son élémental.

M. Bon entra, grand, jeune, aimable, blond. Sa main tenait avec grâce un carnet de notes, neuf, grand, chic, brillant.

— Cet écolier modèle, dit Stephen, trouverait les rêvasseries d'Hamlet sur la vie future de son âme princière (monologue invraisemblable, inutile et anti-dramatique) aussi creuses que celles de Platon.

John Eglinton, qui se montait, dit en fronçant les sourcils :

— Ma parole, cela me fait bouillir quand j'entends comparer Aristote et Platon.

— Lequel des deux, demanda Stephen, m'eût banni de sa République ?

Sortez vos définitions à l'emporte-pièce. Le chevalisme est la quiddité de tout cheval. Ils adorent les éons et les ondes de tendances. Dieu : une rumeur dans la rue : très péripatéticien. L'espace : tout ce qu'il vous faut foutre bien voir. A travers des espaces plus petits que les globules rouges du sang de l'homme ils plat-ventrent derrière les fesses de Blake vers l'éternité dont ce monde végétatif n'est qu'une ombre. Raccrochez-vous à l'actuel, l'ici, par quoi tout avenir plonge dans le passé.

M. Bon s'avança, aimable, vers son collègue.

— Haines est parti, dit-il.

— Ah ?

— Je lui ai montré le livre de Jubainville. Figurez-vous qu'il s'est emballé sur les *Chants d'amour de Connacht* de Hyde. Je n'ai pas pu l'amener ici pour assister à la discussion. Il est allé l'acheter chez Gill.

> *Petit livre, va conquérir*
> *Le public, ce froid camarade*
> *Toi que j'écrivis sans plaisir*
> *Dans cet anglais sec et maussade.*

— Les fumées de nos tourbières lui montent à la tête, déclara John Eglinton.

Nous sentons, nous autres Anglais. Le Bon Larron. Parti. J'ai fumé son perlot. Pierre verte qui étincelle. Une émeraude enchâssée dans l'anneau de la mer.

— Les gens ne se doutent pas combien les chansons d'amour peuvent être dangereuses, avertit, occulte, l'œuf doré de Russell. Les troubles qui préparent le monde aux révolutions sont nés des rêves et des visions d'un paysan au flanc de la colline. Pour eux la terre n'est pas matière à exploiter mais une mère nourricière. L'atmosphère renfermée de l'École et la place publique donnent naissance au roman à six shillings et à la chanson de café-concert, la France produit la plus fine fleur de corruption avec Mallarmé, mais la seule vie enviable ne se révèle qu'aux seuls simples de cœur, la vie des Phéaciens d'Homère.

A ces mots M. Bon tourna vers Stephen un visage bonasse.

— Mallarmé, comme vous le savez, a écrit ces merveilleux poèmes en prose que Stephen MacKenna me lisait souvent à Paris. Celui sur *Hamlet*. Il dit : *il se promène, lisant au livre de lui-même,* vous comprenez, *reading the book of himself.* Il nous décrit une représentation d'*Hamlet* dans une ville française, vous savez, une ville de province. On a fait une annonce.

De sa main libre il traça gracieusement dans le vide de petits caractères :

Hamlet
ou
Le Distrait
Pièce de Shakespeare.

Il répéta pour John Eglinton dont le sourcil de nouveau s'assombrissait :

— *Pièce de Shakespeare,* vous savez. C'est si français, le point de vue français. *Hamlet ou...*

— *Le pioupiou distrait,* conclut Stephen.

John Eglinton partit à rire.

— Oui, c'est tout à fait ça, dit-il. Ce sont de braves gens, c'est certain, mais avec une vision bien superficielle de certaines choses.

Somptueuse et stagnante exagération dans le meurtre.

— Robert Greene, dit Stephen, l'a appelé un bourreau de l'âme. Ce n'est pas pour rien qu'il fut le fils d'un boucher maniant la masse de tueur et crachant dans ses paumes. Neuf vies sont sacrifiées pour une seule : celle de son père. Notre Père qui êtes au purgatoire. Les Hamlet en kaki n'hésitent pas à tirer. L'abattoir ruisselant de sang de l'acte cinq fait prévoir le camp de concentration chanté par M. Swinburne.

Cranly, et moi son muet aide de camp, suivant de loin les batailles.

Femelles et petits d'ennemis sanguinaires que nul
Hors nous n'eût épargnés...

Entre le sourire du Saxon et le ricanement yankee. Entre le feu et l'eau.

— Il veut qu'*Hamlet* soit une histoire de revenants, dit John Eglinton, à l'adresse de M. Bon. Comme le gros garçon dans *Pickwick* il veut nous donner la chair de poule.

Écoute ! Écoute ! Oh écoute !

Ma chair l'entend et à l'entendre se hérisse.

Si jamais tu as...

— Qu'est-ce qu'un spectre ? dit Stephen tout vibrant. Un être que condamnent à l'impalpabilité la mort, l'absence, ou le changement des mœurs. Le Londres d'Élizabeth est aussi loin de Stratford que le vicieux Paris du virginal Dublin. Quel est ce spectre qui, du *limbo patrum*, s'en revient dans ce monde où il était oublié ? Qui est le roi Hamlet.

John Eglinton remua sa mesquine personne, se calant le dos pour mieux apprécier.

Ça prend ?

— Cette heure est celle d'un jour de la mi-juin, dit Stephen, sollicitant du regard leur attention. Le pavillon est hissé sur le théâtre près du quai. L'ours Sackerson grommelle tout à côté dans sa fosse, jardin de Paris. De vieux loups de mer qui ont navigué avec Drake chiquent leur saucisson dans le parterre.

Couleur locale. Tirons partie de tout ce que nous savons. Faisons-les complices.

— Shakespeare a quitté la maison huguenote de Silver Street et marche au bord de la rivière le long des cages où muent les cygnes. Mais il ne s'arrête pas pour donner du pain à la femelle qui presse sa couvée de cygnelets vers les roseaux. Le cygne de l'Avon a d'autres pensées.

Le cadre est créé. Ignace de Loyola, vite à mon aide !

— La pièce commence. Accoutré d'une cotte de maille mise au rebut par quelque beau luron de la cour, un acteur avance dans l'ombre, un homme bien bâti avec une voix de basse. C'est le spectre, le roi, un roi qui n'est pas roi, et l'acteur est Shakespeare qui a étudié *Hamlet* pendant toutes les années de sa vie qui ne furent pas vanité dans le but de jouer le rôle du spectre. Il dit les phrases de ce rôle à Burbage, le jeune acteur qui lui fait face de l'autre côté du transparent, l'appelant par ce nom :

Hamlet, je suis l'esprit de ton père,

lui enjoignant de l'écouter. C'est à un fils qu'il parle, le fils de son âme, le prince, le jeune Hamlet, et au fils de sa chair, Hamnet Shakespeare, qui est mort à Stratford afin que vécût à jamais celui qui portait son nom.

Est-il possible que cet acteur, Shakespeare, spectre par l'absence, et sous la chemise de fer du Danois enterré, spectre par la mort, disant ses propres paroles au prénom de son propre fils (si Hamnet Shakespeare eût vécu il aurait été le jumeau du prince Hamlet), est-

272

ce possible, je voudrais le savoir, est-ce probable qu'il n'eût pas tiré ou tout au moins prévu la conclusion logique de ces prémisses : vous êtes le fils dépossédé, je suis le père assassiné ; votre mère est la reine coupable, Anne Shakespeare, née Hathaway ?

— Mais ces investigations dans la vie privée d'un grand homme, commença Russell avec impatience.

— Es-tu là, bonne pièce ?

— N'intéressent que le scribe de la paroisse. Je veux dire que nous avons les œuvres. Je veux dire que quand nous sommes pris par le lyrisme du *Roi Lear*, par exemple, peu nous importe comment le poète a vécu. Pour ce qui est de vivre, nos serviteurs peuvent faire cela pour nous, a dit Villiers de l'Isle Adam. La chasse au dernier potin de coulisse, l'intempérance du poète, les dettes du poète. Nous avons le *Roi Lear*, et il est immortel.

Pris à témoin, le visage de M. Bon approuvait.

Roule sur eux avec tes vagues et tes eaux, Mananaan, Mananaan MacLir...

Et maintenant, faquin, cette livre qu'il vous prêta quand vous creviez de faim ?

Oui-da, il me la fallait.

Prends ce noble à la rose.

Au diable ! Vous en avez dépensé la majeure partie dans le lit de Georgina Johnson, fille de clergyman. Morsure intime de l'ensoi.

Avez-vous l'intention de rendre ?

Oh, oui.

Quand ? Tout de suite ?

Eh bien... non.

Alors quand ?

J'ai payé mon dû. J'ai payé mon dû.

Du calme. Il est de l'autre côté de la Boyne. Le coin nord-est. Vous devez.

Attendez. Cinq mois. Toutes mes molécules ont changé. Je suis un autre moi maintenant. Un autre moi a empoché la livre.

Bzzz. Bzzz.

Mais moi, entéléchie, forme des formes, suis moi par la mémoire parce que sous les formes sans cesse changeantes.

Moi qui péchai, priai, jeûnai.

Enfant que Conmee sauva de la férule.

Je, Je et Moi moi.

A. E. Je vous Dois. I. O. U.

— Pensez-vous rompre en visière avec une tradition de trois siècles ? lança la voix sarcastique de John Eglinton. Son esprit à elle a été exorcisé une fois pour toutes. Elle est morte, au moins pour les lettres, avant d'être née.

— Elle est morte, protesta Stephen, soixante-sept ans après sa naissance. Elle l'a vu venir au monde et en sortir. Elle a eu sa première étreinte, elle a porté ses enfants et elle a posé des pennies sur ses yeux pour tenir les paupières fermées quand il gisait sur son lit de mort.

Lit de mort de ma mère. Bougie. Le miroir voilé. Celle qui m'a mis en ce monde est là, paupières de bronze, sous quelques fleurs à bon marché. *Liliata rutilantium.*

J'ai pleuré seul.

John Eglinton regardait le ver luisant compliqué de sa lampe.

— On estime généralement que Shakespeare commit une erreur, dit-il, et s'en tira du mieux qu'il put et au plus vite.

— Baliverne ! fit Stephen tranchant. Un homme de génie ne commet pas d'erreurs. Ses erreurs sont volontaires et sont les portails de la découverte.

Les portails de la découverte s'ouvrirent pour introduire le bibliothécaire quaker, ses pieds criquet craquants, sa calvitie, ses oreilles et son zèle.

Une mégère, dit malignement John Eglinton, n'est pas un fameux portail de la découverte, à ce qu'il semble. Quelle découverte utile Socrate dut-il à Xantippe ?

— La dialectique, répondit Stephen ; et à sa mère la façon d'accoucher les idées. Ce qu'il apprit de son autre femme Myrto (*absit nomen !*) l'Epipsychidion de Socratididion, homme ni femme ne le saura jamais. Mais ni le savoir traditionnel de la sage-femme ni les scènes conjugales à la camomille ne le sauvèrent des archontes du Sinn Fein et de leur fiole de ciguë.

— Mais Anne Hathaway ? fit la voix calme et sans rancune de M. Bon. Oui, il me semble que nous l'oublions comme Shakespeare lui-même l'a oubliée.

Son regard voyageait de la barbe du méditant au crâne du malveillant pour les rappeler à l'ordre, les reprendre sans aigreur, et passait à la boule nue et rose du Lollard, espèce inoffensive et persécutée.

— Il avait bien pour deux liards d'esprit, dit Stephen, et sa mémoire n'était pas une mémoire de lièvre. Et c'est un mémoire qu'il portait dans son bissac tandis qu'il peinait sur la route de la grand' ville en sifflant *La fillette que j'ai quittée*. Même si le tremblement de terre n'était pas là pour nous renseigner, nous saurions comment situer le pauvre Wat, lièvre en forme, les abois de la meute, les brides cloutées et les fenêtres bleues des yeux de la déesse. Ce fragment de ses mémoires, *Vénus et Adonis*, se trouvait à Londres dans la chambre à coucher de toutes les pèlerines de Vénus. Catherine la mégère est-elle disgracieuse ? Hortensio la dit jeune et belle. Croyez-vous que l'auteur d'*Antoine et Cléopâtre*, pèlerin passionné, avait ses yeux dans sa poche quand il a choisi pour partager sa couche la plus laide catau du Warwickshire ? Bon : il la quitte et conquiert le monde des hommes. Mais ses héroïnes jouées par des garçons sont les héroïnes d'un jeune garçon. Leurs vies, leurs pensées, leur langage, leur sont prêtés par des mâles. Il choisit mal ? Je m'imagine qu'il a été choisi. Si les autres ont leur Will, Anne a la manière. Morbleu, à elle le blâme. Elle a mis l'embargo dessus, la douce-de-vingt-six ans. La déesse aux yeux gris qui se penche sur l'éphèbe Adonis, s'abaissant pour conquérir, comme prologue de l'acte ballonnant, est une gaillarde impudente de Stratford qui bouscule dans un champ de blé un amoureux plus jeune qu'elle.

Et mon tour ? Quand ?

Vas-y !

— Champ de seigle, dit M. Bon, illuminé, joyeux, élevant son carnet neuf, illuminé joyeux.

Et avec une blonde joie il murmura pour le bénéfice de tous :

> *Dedans les sillons du seigle*
> *Ces gens villageois s'allongèrent.*

Paris : le charmeur charmé.

Un grand corps vêtu de homespun poilu se dressa dans l'ombre et exhiba sa montre coopérative.

— Je crois bien que je vais être obligé d'aller au *Foyer*.

Ores où va-t-il ? Terrain à exploiter.

— Partez-vous ? demanda John Eglinton aux sourcils mobiles. Vous verrons-nous chez Moore ce soir ? Piper vient.

— Piper ! pépia M. Bon. Piper de retour ?

Peter Piper picoti picota un pi po peu de poivre en poudre.

— Je ne sais pas si je pourrai. Jeudi. Nous avons notre réunion. Si je peux m'échapper à temps.

Boîteàyoghiblague dans l'immeuble Dawson. *Isis Dévoilée*. Leur manuscrit pâli que nous avions essayé de mettre au clou. Assis à l'orientale sous un arbre-parasol il trône, logos aztèque officiant sur le plan astral, leur sur-âme, mahamahatma. Les fidèles hermétistes attendent la lumière, mûrs pour le noviciat bouddhique, enrondàterreautour de lui. Louis H. Victory. T. Caulfield Irwin. Les dames du Lotus les contemplent, serves de leur regard, glandes pinéales qui ardent. Plein de son dieu il trône, Bouddha, sous son bananier. Gouinfreur d'âmes, engouffreur. Ames mâles, âmes femelles, amas d'âmes. Engouffrées avec des piaulements pleurards, tourbillonnant tourbillon, elles poussent leurs plaintes.

> *Dans une vulgarité quintessenciée*
> *Longtemps vécut en sac de chair âme femelle.*

— Le bruit court qu'on nous ménage une surprise littéraire, dit avec conviction, avec courtoisie, le bibliothécaire quaker. Je me suis laissé dire que M. Russell nous préparait une gerbe de vers de nos plus jeunes poètes. Notre impatience confine à l'anxiété.

Anxieux il regardait le cône de lumière où se détachaient trois visages éclairés.

Regarde ceci. Souviens-toi.

Stephen baissa les yeux sur un large tapabor acéphale, planté sur son bâton, entre ses genoux. Mon casque et mon épée. Les toucher légèrement avec les deux index. L'expérience d'Aristote. Un ou deux ? La nécessité est-ce en vertu de quoi une chose ne peut être autre. Ergo, un chapeau est un chapeau.

Écoutons.

Colum le jeune et Starkey. George Roberts s'occupe de la partie commerciale. Longworth donnera un bon coup de tam-tam dans *L'Express*. Oh, le fera-t-il ? J'ai aimé le *Toucheur de Bœufs* de Colum. Oui, je crois qu'il a cette chose bizarre, le génie. Crois-tu qu'il ait réellement du génie ? Yeats admirait son vers : *Ainsi que dans la terre inculte un vase grec.* Vraiment ? J'espère qu'il vous sera possible de venir ce soir. Malachie Mulligan doit venir aussi. Moore lui a demandé d'amener Haines. Connaissez-vous la plaisanterie de Miss Mitchell sur Moore et Martyn ? Que Moore est la gourme de Martyn. Très bien trouvé, n'est-ce pas ? C'est Don Quichotte et Sancho. Notre épopée nationale est encore à écrire, dit le Dr Sigerson. Moore est tout désigné pour cela. Un Chevalier de la Triste Figure ici, à Dublin. Avec un kilt safran ? O'Neill Russell ? Ah, oui, il doit parler la sublime vieille langue. Et sa Dulcinée ? James Stephens fait en ce moment des esquisses très intéressantes. Nous prenons de l'importance, ce me semble.

Cordelia. *Cordoglio.* La plus solitaire des filles de Lir.

Coincé. A présent votre meilleur vernis français.

— Je vous remercie infiniment, M. Russell, dit Stephen en se levant. Si vous vouliez bien avoir l'obligeance de remettre la lettre à M. Norman...

— Ah, oui. S'il lui trouve assez d'importance cela passera. Nous avons une telle correspondance.

— Je comprends, dit Stephen. Merci.

Dieu vous guerdonne. Journal des cochons. Bienfaiteur du bœuf.

— Synge aussi m'a promis un article pour *Dana.* Serons-nous lus ? Je le crois. La Ligue Gaélique réclame quelque chose en irlandais. J'espère qu'on vous reverra ce soir. Amenez Starkey.

Stephen se rassit.

Le bibliothécaire quaker revint du groupe de ceux qui prenaient congé. Masque rougissant, il déclara :

— M. Dedalus, vos vues sont des plus lumineuses.

Il craquait de-ci de-là sur la pointe des pieds, se rapprochant du ciel de toute l'altitude d'un socque, et, mettant à profit le bruit du départ, il dit tout bas :

— C'est votre opinion alors, qu'elle n'a pas été fidèle au poète ?

Figure alarmée qui m'interroge. Pourquoi vient-il à moi ? Courtoisie ou illumination.

— Où il y eut réconciliation, dit Stephen, il dut y avoir d'abord rupture.

— Oui.

Renard-messie en chausses de cuir, qui se cache, fugitif traqué dans les fourches des arbres morts par les cris de haro. Sans femelle aucune, seul gibier de cette chasse. Il gagna les femmes à sa cause, tendre race, une courtisane de Babylone, des femmes de magistrats, des épouses de cabaretiers brutaux. Le renard et les oies. Et dans New Place une chair flasque et déshonorée qui jadis fut avenante, jadis aussi douce, aussi fraîche que le cinnamome, maintenant toute défeuillée, dépouillée, vivant dans la terreur de l'étroite fosse et impardonnée.

— Oui. Ainsi vous pensez...

La porte se refermait derrière le partant.

Une quiétude reprit soudain possession de la discrète cellule voûtée, quiétude d'une atmosphère de couveuse.

Une lampe de vestale.

Ici il médite des choses qui ne furent pas : ce que César aurait pu accomplir encore s'il avait écouté l'augure ; ce qui aurait pu être ; possibilités du possible en tant que possible ; choses non connues : quel nom portait Achille quand il vivait parmi les femmes ?

Hypogée de pensées autour de moi, momies compartimentées, embaumées dans les aromates des mots. Thoth, dieu des bibliothèques, un dieu-oiseau, à couronne lunaire. Et j'entendais la voix de ce grand-prêtre égyptien. *Dans des chambres peintes aux murs de briques qui sont des livres.*

Immobiles à présent. Vivantes naguère dans les cerveaux des hommes. Immobiles : mais rongées d'une sépulcrale démangeaison de me larmoyer leurs confidences dans le tuyau de l'oreille, pour me pousser à accomplir leurs volontés.

— Certainement, rêvassait John Eglinton, il est de tous les grands hommes le plus énigmatique. Tout ce que nous savons c'est qu'il a vécu et souffert. Et pas même autant. D'autres ont répondu. Et sur tout le reste une grande ombre.

— Mais *Hamlet* est si personnel, ne trouvez-vous pas ? avança M. Bon. Je veux dire que c'est comme une sorte de journal intime, n'est-ce pas ? une relation de sa vie privée. Je veux dire que moi n'est-ce pas ? je me soucie comme d'une guigne de qui est tué ou de qui est coupable...

Il déposa lentement un carnet innocent sur le bord du bureau et sa bravade s'acheva par un sourire. Son journal intime manuscrit. *Ta an bad ar an tir. Taim imo shagart.* Fiche de l'angliche là-dessus, mon petit John Bull.

Et Johnbull Eglinton parla ainsi :

— Je m'attendais à des paradoxes après ce que nous a dit Malachie Mulligan, mais je dois vous avertir dès maintenant que si vous voulez ébranler ma conviction que Shakespeare est Hamlet vous avez une rude besogne devant vous.

Soyez-moi indulgents.

Stephen supportait le poison des yeux de mécréant qui étincelaient dur sous le sourcil froncé. Un basilic. *E quando vede l'uomo l'attosca.* Maître Brunetto, je te remercie pour cette parole.

— De même que nous ou Dana notre mère, dit Stephen, tissons et détissons au cours des jours la trame de nos corps, dont les molécules font ainsi la navette, de même l'artiste tisse et détisse son image. Et comme la tache de mon sein droit est encore où elle était quand je suis né bien que tout mon corps se soit tissé et retissé plusieurs fois d'une étoffe nouvelle, ainsi à travers le spectre du père sans repos l'image du fils sans existence regarde. Dans l'intense instant de la création, quand l'esprit, dit Shelley, est une braise près de s'éteindre, ce que j'étais est ce que je suis et ce qu'en puissance il peut m'advenir d'être. Ainsi dans l'avenir frère du passé, peut-être me verrai-je tel que je suis actuellement, assis là, mais par réflexion de ce qu'alors je serai.

C'est Drummond de Hawthornden qui t'a aidé à sauter ce pas de haie en grand style.

— Oui. Un oui juvénile de M. Bon. Je sens qu'Hamlet est tout à fait jeune. L'amertume pourrait venir du père, mais les passages avec Ophélie sont sûrement du fils.

Il prend martre pour renard. Il est dans mon père. Je suis dans son fils.

— Cette tache est la dernière à disparaître, dit Stephen avec un rire.

John Eglinton fit une grimace rien moins que plaisante.

— Si c'était la marque originelle du génie, dit-il, le génie courrait les foires. Les œuvres des dernières années de Shakespeare que Renan admirait si fort sont animées d'un tout autre esprit.

— L'esprit de réconciliation, souffla le bibliothécaire quaker.

— Il ne peut pas y avoir réconciliation, dit Stephen, sans qu'il y ait eu rupture.

Déjà dit.

— Si vous voulez connaître les événements qui jettent leur ombre sur la période tragique du *Roi Lear*, d'*Othello*, d'*Hamlet*, de *Troïlus et Cressida*, cherchez à voir quand et comment l'ombre se dissipe. Qu'est-ce qui met du baume au cœur de cet homme, naufragé dans les pires tempêtes, éprouvé comme un autre Ulysse, Périclès, prince de Tyr ?

Tête, sous le rouge bonnet pointu, souffletée, aveuglée d'embrun.

— Un enfant, une fille dans ses bras, Marina.

— La prédilection des sophistes pour les chemins de traverse de l'apocryphe est une quantité constante, fit observer John Eglinton. Les grandes routes sont monotones mais vous mènent à la ville.

Bon Bacon : devenu rance. Shakespeare la gourme de Bacon. Jongleurs d'énigmes courant les grand'routes. Sur la piste du grand problème. Quelle ville, mes bons maîtres ? Masqués de noms d'emprunt : A. E., eon ; Magee, John Eglinton. A l'est du soleil, à l'ouest de la lune : *Tir na n-og*. Bottés tous deux et le bourdon au poing.

> *D'ici Dublin, combien de milles ?*
> *Trois vingt et dix, monsieur, en tout.*
> *Aux chandelles y serons-nous ?*

— M. Brandès, dit Stephen, estime que c'est la première pièce de la dernière période.

— Vraiment ? Et qu'en dit M. Sidney Lee, alias M. Simon Lazarus, comme d'aucuns assurent qu'il se nomme ?

— Marina, dit Stephen, une enfant de la tempête, Miranda un miracle, Perdita, celle qui était perdue. Ce qui était perdu lui est rendu : l'enfant de sa fille. *Ma femme bien-aimée*, dit Périclès, *ressemblait à cette vierge*. Quel homme aimera la fille s'il n'a pas aimé la mère ?

— L'art d'être grand-père, se mit à marmotter M. Bon. *L'art d'être grand...*

— Pour un homme doué de cette chose bizarre, le génie, sa propre image est le parangon de toute expérience, matérielle ou morale. Une telle supplication l'attendrira. La ressemblance des autres mâles de son sang l'éloignera. Il ne verra en eux que les efforts grotesques de la nature pour l'annoncer ou le répéter.

Le front benoît du bibliothécaire quaker s'alluma d'une rose espérance.

— J'espère que M. Dedalus développera sa théorie pour le bénéfice du plus grand nombre. Et nous avons le devoir de mentionner un autre commentateur irlandais, M. George Bernard Shaw. Il ne nous faudrait pas non plus oublier M. Frank Harris. Ses articles sur Shakespeare dans la *Saturday Review* étaient sans aucun doute très brillants. Il est assez curieux que lui aussi nous fasse l'esquisse de cette liaison malheureuse avec la dame brune des sonnets. Le rival favorisé est William Herbert, comte de Pembroke. Je reconnais que si le poète doit être trahi, une telle trahison semblerait s'accorder mieux avec — comment dirai-je? — avec nos idées de ce qui n'aurait pas dû être.

Sur ce mot bien trouvé il se tut, portant au milieu d'eux sa tête sans malice, œuf d'alque, la récompense de l'escarmouche.

Quaker, il entremêle de paroles évangéliques sa conversation intime. Aimes-tu en Dieu? Miriam, aimes-tu l'époux que le Seigneur t'a donné?

— Ce peut être également vrai, dit Stephen. Il y a une phrase de Gœthe que M. Magee aime à citer. Prenez garde à ce que vous désirerez pendant votre jeunesse, parce que vous le recevrez dans votre maturité. Pourquoi envoie-t-il à celle qui n'est qu'une *buonaroba*, à cette jument montée par tous les hommes, cette fille d'honneur scandaleuse dès l'enfance, un petit seigneur pour la courtiser en son nom? N'était-il pas lui-même un seigneur du verbe, n'avait-il pas fait de lui-même un écuyer gentilhomme et n'avait-il pas écrit *Roméo et Juliette*? Alors pourquoi? C'est que sa foi en lui a été prématurément détruite. Pour commencer il fut culbuté dans un champ de blé (de seigle dirai-je) et dès lors il ne sera jamais à ses propres yeux un vainqueur ni ne jouera victorieusement le jeu des ris et du lit. Une affectation de donjuanisme ne le sauvera pas. A défaire à son tour il ne défera pas sa première défaite... La dent de la laie l'a blessé où l'amour saigne encore. Si la mégère est matée, il lui reste néanmoins son arme invisible de femme. Il y a, je le sens à travers les mots, comme un aiguillon de la chair qui le pousse à une nouvelle passion, ombre plus sombre de la première, assombrissant jusqu'à sa propre compréhension de lui-même. Un dénouement pareil l'attend et les deux exaspérations se fondent en un seul tourbillon.

Ils écoutent. Et dans le porche de leur oreille je verse.

— L'âme a été d'avance frappée mortellement, un poison versé dans le porche d'une oreille endormie. Mais ceux qui sont tués pendant leur sommeil ne peuvent savoir le comment de leur meurtre à moins que le Créateur ne gratifie leur âme de cette révélation dans l'autre monde. L'empoisonnement et la bête à deux dos qui en fut la cause, le spectre du roi Hamlet n'en pourrait rien savoir s'il n'eût été gratifié de cette révélation par son créateur. Voici pourquoi son discours (l'anglais sec et maussade) est toujours orienté vers ailleurs et en arrière. Ravisseur et proie, ce qu'il voulait mais ne voulait pas, c'est l'idée qui le hante depuis les globes d'ivoire cerclés de bleu de Lucrèce jusqu'au sein d'Imogène, nu, avec son auréole aux cinq taches. Il s'en retourne, las de la création qu'il a édifiée pour se dérober à soi-même, vieux chien léchant une vieille plaie. Mais, parce que la perte est son gain, il passe à l'immortalité tout d'une pièce, sans avoir profité de la sagesse qu'il a formulée, et des lois qu'il révéla. Sa visière est levée. Il est un spectre, une ombre à présent, le vent sur les rochers d'Elseneur ou tout ce qu'il vous plaira, la voix de la mer, une voix entendue seulement au cœur de celui qui est la substance de son ombre, le fils consubstantiel au père.

— Amen ! psalmodia, du seuil, une voix.

— M'as-tu découvert, ô mon ennemi ?

Entr'acte.

Face de ribaud morose comme celle d'un doyen, Buck Mulligan s'avança, bouffon bigarré, vers leurs sourires de bon accueil. Mon télégramme.

— Vous parliez du gazeux vertébré, si je ne me trompe ? demanda-t-il à Stephen.

Gileté de primevère, il agitait gaiement en leur honneur son panama comme une marotte.

Ils le reçoivent bien. *Was du verlaschst wirst Du noch dienen.*

Race de railleurs : Photius, pseudomalachi, Johann Most.

Celui Qui s'engendra Lui-même, médian à l'Esprit-Saint, et Soi-même s'envoya Soi-même, Racheteur, entre Soi-même et les autres, Qui, maltraité par ses ennemis, dépouillé de ses vêtements et flagellé, fut cloué comme chauve-souris sur porte de grange, souffrit la faim sur l'arbre de la croix, Qui se laissa ensevelir, se releva, dévasta les enfers, s'installa au ciel où Il est assis depuis dix-neuf cents ans à la droite de Son Propre Soi-même, mais reviendra au dernier jour pour passer sentence sur les vivants et les morts alors que tous les vivants seront déjà morts.

Glo — o — ri — a   in   ex — cel — sis   De — o.

Il dresse ses mains. Des voiles tombent. O, fleurs ? Des cloches et des cloches et des cloches en chœur.

— Oui vraiment, disait le bibliothécaire quaker.

Discussion des plus instructives. M. Mulligan, j'en jurerais, a lui aussi sa théorie sur le drame et sur Shakespeare. Il est bon que toutes les catégories d'opinions se fassent entendre.

Il sourit impartialement à chacun.

Buck Mulligan réfléchissait, intrigué :

— Shakespeare ? dit-il. Je crois que j'ai entendu ce nom-là.

Un fugace sourire ensoleilla sa face épaisse.

— Eh parbleu, dit-il triomphant, ça me revient. Le type qui écrit à la manière de Synge.

M. Bon se tourna vers lui :

— Haines vous a manqué, dit-il. L'avez-vous rencontré ? Il doit vous retrouver plus tard à la P.I. Il est allé chez Gill acheter les *Chants d'amour de Connacht*, de Hyde.

— Je suis venu par le musée, dit Buck Mulligan. Était-il ici ?

— Les compatriotes du poète, répondit John Eglinton, sont peut-être un peu fatigués de nos étincelantes théories. J'ai appris qu'une actrice jouait hier soir *Hamlet* pour la quatrecentethuitième fois à Dublin. Vining soutenait que le prince était une femme. Personne n'a-t-il pensé à faire de lui un Irlandais ? Le juge Barton est, je crois, à la recherche de quelques indices. Il jure (le Prince, non pas le Président), par Saint Patrick.

— La plus étincelante de toutes est encore cette histoire de Wilde, dit M. Bon, en brandissant son étincelant carnet de notes. Ce *Portrait de M. W. H.* où il prouve que les sonnets furent écrits par un certain Willie Hughes, un homme de toutes couleurs.

— Pour un certain Willie Hughes, n'est-ce pas ? demanda le bibliothécaire quaker.

Ou Hughie Wills. M. William Lui-même. W. H. ; qui suis-je ?

— C'est ce que je veux dire, pour Willie Hughes, dit

M. Bon en corrigeant avec aisance sa glose. Évidemment ce n'est qu'un paradoxe, vous comprenez, *hughes* et *hews*, il taille, et *hues*, la couleur, mais c'est si caractéristique la façon dont il agence la chose. C'est l'essence même de Wilde, vous comprenez. Sa légèreté de touche.

Son regard les effleurait léger, dans un sourire ; blond éphèbe. Essence lénifiée de Wilde.

Vous êtes bougrement en veine. Trois gouttes d'usquebac que vous dégustâtes avec les ducats de Dan Deasy.

Combien ai-je dépensé ? Oh, quelques shillings.

Pour un peloton de plumitifs. Esprit de vin et esprit de vinaigre.

De l'esprit. Tu donnerais tout ton bel esprit pour cette avantageuse livrée de jeunesse dans laquelle il se pavane. Linéaments du désir satisfait.

Il y en a grand planté. Prends-la pour moi. Au temps de s'apparier. Jupiter, baille-leur une fraîche saison de rut. Oui-da, baisotte-la.

Ève. Péché nu d'un ventre-monceau-de-forment. Un serpent l'entoure de ses replis, baiser-morsure.

— Croyez-vous que ce ne soit vraiment qu'un paradoxe ? demandait le bibliothécaire quaker. L'ironiste n'est jamais pris au sérieux quand il l'est le plus.

Ils discutaient sérieusement du sérieux de l'ironiste.

Le visage de nouveau figé, Buck Mulligan scruta un moment Stephen. Puis, hochant la tête, il s'approcha, tira de sa poche un télégramme plié. Ses lèvres mobiles lurent, sourire et gaieté revenus.

— Un télégramme ! dit-il. Merveilleuse inspiration ! Télégramme ! Bulle papale !

Il s'assit sur le coin de la table non éclairé et lut joyeusement à haute voix :

— *Le sentimental est celui qui voudrait le profit sans assumer la dette accablante de la reconnaissance.* Signé : Dedalus. D'où l'avez-vous lancé ? De la turne ?

Non. College Green ? Avez-vous bu les quatre louis ?
La tante va faire une démarche auprès de votre père
inconsubstantiel. Télégramme ! Malachie Mulligan, le
Ship, Lower Abbay Street. O, perle des pîtres ! O,
calotin de calotin !

Avec allégresse il enfouit message et enveloppe dans
une de ses poches et se lança dans une jérémiade
patoisante :

— C'est comme moi dire à toi, mossieu toutmignon,
et ça qu'on était tout chose et tout drôle, mé et Haines,
en c' temps-là que lui l'a envoyé. Ça qu'on a soupiré
après un de ces phlippes, mon fieu ; que ça li ferait
dresser à un frocard, même quand ça qu'il l'aurait à
bas de force de faire la chosette. Et nous autres une
heure, deux heures qu'on espérait amarrés lá, sages
comme une image à attendre chacun son chopine.

Il gémit :

— Et nous là à droguer, mavrone, et toi sans crier
gare que tu nous ruches tes comprimés comme ça que
nous tirer nos langues d'un pied de long comme ils
font les fraters asséchés quand ça qu'ils ont envie de
s'en envoyer une ventrée.

Stephen rit.

Vivement, Buck Mulligan se pencha pour lui glisser
un avertissement.

— Synge le chemineau, dit-il, vous cherche pour
vous occire. Il a su que vous aviez compissé sa porte
d'entrée à Glasthule. Il a chaussé ses savates de cuir
pour aller vous occire.

— Moi ! s'exclama Stephen. Ç'a été votre contribution à la littérature.

Content de lui, Buck Mulligan s'était renversé et
riait vers les obscurs tympans du plafond.

— Vous occire ! pouffait-il.

Face hargneuse de gargouille qui me provoquait
dans la rue Saint-André-des-Arts au-dessus de notre
gargotte et de ses hachis de boyaux. Des mots et des

mots pour des mots, *palabras*. Oisin avec Patrick. Le satyre qu'il avait rencontré dans les bois de Clamart, brandissant une bouteille de vin. *C'est vendredi saint !* Brigand d'Irlandais. Son double qu'il rencontra en rôdant. Moi le mien. J'ai rencontré un fou dans la forêt.

— M. Lyster, dit un employé ouvrant à demi la porte.

— ... où chacun peut trouver ce qui lui convient. Ainsi M. le Juge Madden dans son *Journal de Maître Silence* a relevé tous les termes de vénerie. Oui ? Qu'est-ce que c'est ?

— Monsieur, c'est un monsieur dit l'employé qui s'avançait en tendant une carte. De l'*Homme Libre*. Il désire voir la collection du *Progrès de Kilkenny* de l'année dernière.

— Certainement, certainement, certainement. Est-ce que ce monsieur ?

Il s'empara de la carte empressée, regarda, sans voir, déposa, sans un regard, y revint, demanda, craqua, demanda :

— Est-il ?... Ah, par ici !

Un pas de gaillarde, rapide, et il fut dehors. Dans le corridor, au jour, dépensant son zèle en efforts volubiles, plein de son rôle, plein de bonne volonté, plein d'amabilité, plein de quakérienne conscience.

— Ce monsieur ? *Homme Libre ? Progrès de Kilkenny ?* Parfaitement. Bonjour, monsieur. *Kilkenny*... Certainement nous avons cela...

Une silhouette patiente attendait, écoutait.

— Toute la grande presse provinciale... *Le Libéral du Nord. La Tribune de Cork, Le Phare d'Enniscorthy*, 1903... Voulez-vous s'il vous plaît ?... Evan, conduisez monsieur... Si vous voulez bien suivre l'emp... Ou s'il vous plaît permettez-moi de... Par ici... Pardon, monsieur...

Volubile, empressé, il montra la route à la sil-

289

houette sombre et courbée qui suivit ses talons agiles vers la presse provinciale au grand complet.

La porte se referma.

— Le youpin! cria Buck Mulligan.

Il bondit et saisit la carte.

— Comment s'appelle-t-il? Youdi Moïse? Bloom.

Il continua à toute vitesse.

— Jéhovah, collecteur de prépuces, n'est plus. Je suis tombé dessus au Museum où j'étais allé saluer Aphrodite née de l'écume des flots. Lèvres grecques que jamais ne déforma la prière. Tous les jours nous lui devons hommage. *Source de la vie, tes lèvres embrasent.*

Brusquement il se tourna vers Stephen:

— Il vous connaît. Il connaît votre vieux dab. Oh, j'en ai peur, il est plus Grec que les Grecs. Ses pâles yeux galiléens étaient posés sur son sillon médian. Vénus Callipyge. O, le tonnerre de ces lombes! *Le dieu poursuivant la vierge cachée.*

— Nous aimerions en savoir davantage, trancha John Eglinton avec l'approbation de M. Bon. Nous commençons à nous intéresser à Mme S. Jusqu'à présent s'il nous arrivait de penser à elle, c'était comme à une patiente Grisélidis, une Pénélope de coin de feu.

— Antisthène, disciple de Gorgias, dit Stephen, enleva la palme de beauté à la mère-poule épouse du Kyrios Ménélas, l'Argienne Hélène, la jument de Troie qui n'était pas de bois et qui hébergea tant de héros dans ses flancs, pour la tendre à la pauvre Pénélope. Vingt ans il vécut à Londres et, durant une partie de ce temps, gagna plus d'argent que le Lord-Chancelier d'Irlande. Sa vie fut opulente. Son art, bien plutôt qu'un art féodal comme l'appelait Walt Whitman, est un art outrancier. Tourtes de harengs, verts gobelets de Xérès, sauces au miel, confitures de roses, masse-pains, pigeons aux groseilles, friandises au gingembre.

Sir Walter Raleigh, quand on l'arrêta, avait sur le dos pour un demi-million de francs sans compter un corset à la dernière mode. Eliza Tudor prêteuse sur gages avait des dessous à rivaliser avec ceux de la reine de Saba. Pendant vingt ans il folâtra entre les plaisirs honnêtes de l'amour extraconjugal et les immondes satisfactions de la débauche la plus crapuleuse. Vous connaissez l'anecdote de Manningham sur la femme du prud'homme qui avait convié Burbage à sa couche après l'avoir vu dans *Richard III*, Shakespeare surprenant l'invite, et prenant, sans plus de bruit pour rien, la vache par les cornes, et quand Burbage vient heurter à l'huis, lui répondant de dessous les couvertures du capon : William le Conquérant est venu avant Richard III. Et la galante petite dame, mistress Fitton, en selle et hop-là, et ses délicates béatilles, la lady Pénélope Rich, une honnête femme de qualité est faite pour un acteur, et les ribaudes des quais à deux sous la séance.

Cours-la-Reine. *Encore vingt sous. Nous ferons des petites cochonneries. Minette ? Tu veux ?*

— L'élite de la haute société. Et la mère de sir William Davenant, d'Oxford, avec son gobelet de vin des Canaries pour le premier coq venu.

Les yeux au ciel, Buck Mulligan pria dévotement :

— Bienheureuse Marguerite-Marie Atouscoqs !

— Et la fille de l'Henry aux six femmes sans compter les belles amies du ban et de l'arrière-ban, ainsi que chante Lawn Tennyson, gentleman-poète. Mais durant ces vingt années quels étaient d'après vous les agissements de la pauvre Pénélope de Stratford derrière ses vitres taillées diamant ?

Agir, agir. L'acte. Dans la roseraie de Gérard, botaniste, à Fetter Lane, il se promène, grischâtain. Une campanule bleu d'azur comme ses veines à elle. Paupières de Junon, violettes. Il se promène. Une vie et c'est tout. Un corps. Agis. Mais agis donc. Au loin, dans une puanteur de crasse et de fornication, des mains s'abattent sur de la chair blanche.

Buck Mulligan frappa un coup sec sur le bureau de John Eglinton.

— Qui soupçonnez-vous ? dit-il avec défi.

— Disons qu'il est l'amant trompé des sonnets. Une fois bafoué, deux fois bafoué. Mais la coquette de cour le bafoua au bénéfice d'un grand seigneur, le moncheramour du poète.

Amour qui n'ose pas dire son nom.

— Vous voulez dire qu'en bon Anglais, lança brutal John Eglinton, il avait un faible pour un lord.

Vieux mur avec des lézards qui passent comme l'éclair. A Charenton je les guettais.

— C'est à croire, dit Stephen, puisqu'il va jusqu'à lui proposer de remplir pour lui, touchant les pucelages récalcitrants, le saint office que le palefrenier remplit pour l'étalon. Peut-être comme Socrate il eut une mère sage-femme avant d'avoir une mégère pour épouse. Toutefois celle qui fut l'infidèle coquette ne trahissait pas la foi conjugale. Deux obsessions fermentent dans l'esprit de ce spectre : un serment parjuré et le rustre imbécile sur lequel elle a rabattu ses faveurs, frère du mari défunt. La douce Anne, j'en réponds, avait le sang chaud. Femme qui prend les devants continue.

Stephen délibérément se retourna sur sa chaise.

— L'obligation de la preuve vous incombe, et non à moi, dit-il, le sourcil froncé. Si vous niez qu'au cinquième acte d'*Hamlet* il ait stigmatisé son infamie, dites-moi pourquoi il ne fait aucune mention d'elle pendant trente-quatre ans, depuis le jour où elle l'épousa jusqu'à celui où elle le mit en terre. Toutes ces femmes-là eurent le dessus et couchèrent leurs hommes les premiers : Mary, son bon John, Anne, son pauvre cher Willun, quand il la laissa veuve, furieux de partir avant elle, Joan, ses quatre frères, Judith, son mari et tous ses fils, Susan, son mari aussi, pendant que la fille de Susan, Élizabeth, pour parler comme le grand-papa, épousait son second, après avoir tué son premier.

Oh si, il en fait mention. Pendant qu'il vivait si fort à son aise dans ce Londres Royal, elle fut forcée pour payer une dette d'emprunter quarante shillings au berger de son père. Alors expliquez.

Expliquez aussi le chant du cygne par lequel il l'a signalée à la postérité.

Il attendit au milieu de leur silence.

A quoi Eglinton :
                    le testament sans doute.

Ceci fut expliqué, je crois, par les juristes.

Elle devait toucher son douaire de veuve

Aux termes de la loi, qu'il connaissait des mieux,

Disent nos magistrats.
                    Et Satan de gouailler,

Le railleur :
                    Et tandis qu'il omettait son nom

Lors du premier écrit il ne négligea point

Les présents pour ses filles et petite-fille,

Pour sa sœur, pour ses vieux compères de Stratford

Et de Londres. Alors tandis qu'on le pressait,

Comme je crois, de la nommer

Il lui légua son

Moins bon

Lit.

                    Punkt

        Luiléguason
        Numérodeux
        Luiléguason
        Presquaussibon
        Sonlitsecond
        Luilégualit.

Ho !

— Les beaux villageois du temps avaient peu de biens mobiliers, remarqua John Eglinton, et cela n'a pas changé s'il faut en croire la mise en scène de notre théâtre rustique.

— Il fut un gentilhomme campagnard fortuné, dit Stephen, avec des armoiries, possédant un domaine à Stratford et une maison dans Ireland Yard, un capitaliste, un actionnaire, un homme capable de faire passer une loi au Parlement, un affermeur de dîme. Pourquoi ne lui légua-t-il pas son meilleur lit s'il désirait qu'elle ronflât confortablement jusqu'à sa dernière nuit ?

— Il est clair qu'il y avait deux lits, son bon et un moins bon, dit M. Moinsbon Bon, subtil.

— *Separatio a mensa et a thalamo*, renchérit Buck Mulligan s'attirant des sourires.

— L'antiquité nous parle de lits célèbres, dit Eglinton Second qui se ridait d'un sourire en bois de lit. Que je réfléchisse.

— L'antiquité, dit Stephen, nous parle de ce malicieux écolier stagyrite, sage et chauve païen qui, mourant en exil, affranchit et enrichit ses esclaves, paie tribut à ses ascendants, désigne sa place près des os de sa défunte épouse, et demande à ses amis de prendre soin d'une vieille maîtresse (n'oublions pas Nell Gwynn Herpyllis) et de lui permettre de vivre dans sa villa.

— Pensez-vous qu'il soit mort ainsi ? demanda M. Bon avec une légère inquiétude. J'entends...

— Qu'il est mort ivre-mort, trancha Buck Mulligan. Qu'un pot de bière est un royal régal. Oh, il faut que vous sachiez ce que disait Dowden !

— Quoi ? demandèrent Boneglinton.

William Shakespeare and company, limited. Le William pour tous. Pour les conditions s'adresser à : E. Dowden, Highfield House...

— Exquis! soupira Buck Muligan amoureusement. Je lui demandais ce qu'il pensait de cette accusation de pédérastie portée contre le poète. Il leva les bras et répondit : *Tout ce que nous pouvons dire c'est qu'en ce temps-là on brûlait la chandelle par les deux bouts.* Exquis!

Giton.

— Le sentiment de la beauté nous égare, dit mélan-coliquélégant Bon à Laideglinton.

Mais l'inébranlable John fit cette réponse de roi :

— C'est au médecin à nous donner la définition de tout ça. On ne peut pas manger son gâteau et l'avoir encore.

Est-ce là ton propos? Nous arracheront-ils, m'arra-cheront-ils la palme de beauté?

— Et le sens de la propriété, dit Stephen. C'est de sa poche, de sa profonde qu'il a tiré Shylock. Fils d'un trafiquant en malt et d'un prêteur sur gages, il fut lui-même prêteur sur gages et cet agioteur en grains qui accaparait dix mesures de blé pendant les troubles de la famine. Ses emprunteurs sont sans doute ces personnages de toutes confessions énumérés par Chettle Falstaff et qui rendent hommage à sa stricte probité. Il poursuivit un acteur son camarade pour le prix de quelques sacs de malt et exigea sa livre de chair pour intérêt de toute somme prêtée. Comment sans cela le palefrenier d'Aubrey et l'apprenti souffleur eût-il pu si vite faire sa balle? Tous les événements apportent mouture à son moulin. Shylock fait chorus avec la persécution de juifs qui suivit la pendaison et l'écartèlement de Lopez, l'apothicaire de la reine, son cœur de juif arraché pendant que le youtre vivait encore; *Hamlet et Macbeth* coïncident avec l'accession au trône d'un philosophâtre écossais qui avait une prédilection pour les rôtis de sorcières. L'armada perdue est le sujet de ses brocards dans *Peines d'Amour perdues.* Ses spectacles historiques pleins de pompe s'avancent frégates ventrues sur un océan d'enthousiasme à la Mafeking. Les jésuites du Warwickshire sont traduits devant les tribunaux et voilà qu'un portier nous fait la théorie de la restriction mentale. La *Sea Venture* revient des Bermudes et la pièce qu'admirait Renan met en scène un Patsy Caliban, notre cousin d'Amérique. Les sonnets sucrés suivent ceux de Sydney. Quant à la fée Élizabeth, autrement dite Bess la rouquine, la virginale dondon qui inspira *Les Joyeuses Commères de Windsor*, laissons quelque meinherr d'Allémanie consacrer sa vie à la recherche d'un sens caché dans les profondeurs du panier à linge sale.

Il me semble que je m'en tire très bien. Et maintenant malaxons un petit mélange théolologicophilolologique. *Mingo, minxi, mictum, mingere.*

— Prouvez qu'il était juif, attaqua John Eglinton, l'attendant au détour. Votre doyen prétend qu'il fut catholique romain.

Suffaminandus sum.

— C'est un produit allemand, répondit Stephen, qui passe le tampon du vernis français sur les histoires scandaleuses italiennes.

— Un homme innombrable, rappela M. Bon. Coleridge l'a appelé homme innombrable.

Amplius. In societate humana hoc est maxime necessarium ut sit amicitia inter multos.

— Saint Thomas, commença Stephen...

— *Ora pro nobis*, gronda Moine Mulligan, s'affalant sur une chaise.

Puis il entonna une rune de lamentation.

— *Pogue mahone! Acushla machree!* C'est notre fin à tous à c't'heure! Pour sûr que c'est not'fin!

Chacun y alla de son sourire.

— Saint Thomas, dit en souriant Stephen, dont j'aime à lire dans l'original les œuvres pansues, traitant de l'inceste à un point de vue différent de celui de cette nouvelle école viennoise dont nous parle M. Magee, l'assimile avec sa savante et coutumière originalité à une thésaurisation de l'émotion. Il veut dire que l'amour donné à quelqu'un de si proche par le sang frustre avaricieusement quelque étranger qui, peut-être, en avait l'ardent besoin. Les juifs, que les chrétiens taxent d'avarice, sont, de toutes les races, la plus encline aux mariages consanguins. Qui veut noyer son chien l'accuse de la rage. Les lois chrétiennes qui facilitaient aux juifs l'accumulation de l'argent (eux qui, comme les Lollards, avaient pour abri la tempête) circonscrivaient aussi comme avec des cercles de fer le champ de leurs alliances. Que ce soit là vice ou vertu, le vieux Grandpapa-personne nous le dira à l'audience du dernier jour. Quant à Shakespeare, un homme si serré sur ce qu'il appelle ses droits à ce qu'il appelle son dû, sera aussi serré à l'égard de ce qu'il appelle ses droits sur celle qu'il appelle sa femme. Nul sir Smile du voisinage ne convoitera son bœuf ou sa femme ou son valet ou sa servante ou son bourriquet.

— Ou sa bourrique, dit Buck Mulligan donnant le répons.

— Le doux Will est bien mal traité, dit doucement le doux M. Bon.

— Quel Will ? souffla Buck Mulligan. Nous allons nous embrouiller.

— Pour la pauvre Anne, veuve de Will, ratiocina John Eglinton, la volonté de vivre est la volonté de mourir.

— *Requiescat !* pria Stephen.

> *Où donc a fui la volonté d'agir ?*
> *S'est envolée y a bel âge...*

— Quand vous prouveriez qu'un lit était alors une chose aussi précieuse qu'aujourd'hui une automobile, et que ses sculptures faisaient l'admiration des sept paroisses, elle n'en gît pas moins sur ce moins bon lit dans sa rigidité suprême, la reine embéguinée. Sur ses vieux jours elle donnait dans les prédicants (celui qui demeurait à New Place recevait de la municipalité un quartaut de vin d'Espagne, mais quant au lit dans lequel il dormait, mieux vaut ne pas le demander) et elle apprit ainsi qu'elle possédait une âme. Elle lut ou se fit lire cette pieuse littérature de colporteur, la préférant aux *Joyeuses Commères* et, tout en se soulageant nuitamment sur son pot de chambre, elle méditait *Portes et Crochets pour les Culottes des Vrais Croyants* et *La Tabatière selon l'Esprit pour Faire Éternuer les Ames les plus Dévotes*. Vénus a plissé ses lèvres pour la prière. Morsure de l'ensoi : remords de conscience. C'est l'âge où la prostitution rassasiée tâtonne vers son dieu.

— L'histoire prouve l'exactitude de ceci, *inquit Eglintonus Chronolologos*. Les périodes se succèdent. Mais nous savons de bonne source que les pires ennemis de l'homme sont dans sa famille et sous son propre toit. Je sens que Russell a raison. En quoi son épouse et son père peuvent-ils nous intéresser ? Je dirais volontiers que seuls les poètes pot-au-feu ont une vie familiale. Falstaff n'était pas un homme de foyer. Pour moi le chevalier obèse est sa suprême création.

Maigre, il se rejeta en arrière. Timoré, renie tes parents, les purs des purs. Timoré soupant avec les sans-dieu dérobe la coupe. Un père le lui enjoignit, un ulstérien d'Antrim. Lui rend visite ici les jours d'échéances trimestrielles. M. Magee, monsieur, il y a un monsieur qui vous demande. Moi ? Dit qu'il est votre père, monsieur. Donnez-moi mon Wordsworth. Entre Magee Mor Matthew, rustre rugueux, un hérisson en haut de chausses à braïette, ses bas de chausses boueux de l'humus de dix forêts, une baguette de noisetier à la main.

Et le mien ? Il connaît l'auteur de vos jours. Le veuf.

Accourant vers le galetas de mort, la Ville Lumière quittée, en débarquant j'ai touché sa main. Sa voix me parlait avec une tendresse inusitée. Le Dr Bob Kenny la soigne. Deux yeux qui me veulent du bien. Mais qui ne me connaissent pas.

— Un père, dit Stephen, luttant contre le découragement, est un mal nécessaire. Il écrivit la pièce pendant les mois qui suivirent la mort de son père. Si vous admettez que lui, l'homme grisonnant, père de deux filles à marier, avec trente-cinq ans d'âge, *nel mezzo del cammin di nostra vita*, et cinquante d'expérience, soit l'étudiant imberbe de Wittemberg, vous devez alors admettre que sa vieille mère de soixante-dix ans est la reine luxurieuse. Non. Le cadavre de John Shakespeare ne se promène pas dans la nuit. Il va pourrissant d'heure en heure. Il repose, déchargé de paternité, ayant transmis à son fils cet état mystique. Le Calandrino de Boccace est le premier et dernier homme qui conçut un enfant. La paternité, en tant qu'engendrement conscient, n'existe pas pour l'homme. C'est un état mystique, une transmission apostolique, du seul générateur au seul engendré. Sur ce mystère, et non sur la madone que l'astuce italienne jeta en pâture aux foules d'Occident, l'Église est fondée et fondée inébranlablement parce que fondée, comme le monde, macro et microcosme, sur le vide. Sur l'incertitude, sur l'improbabilité. *Amor matris*, génitif objectif et subjectif, peut être la seule chose vraie de cette vie. On peut envisager la paternité comme une fiction légale. Est-il père aimé comme tel par son fils, fils comme tel par son père ?

Où diable veux-tu en venir ?

Je sais. Tais-toi. Fiche-moi la paix ! J'ai mes raisons. *Amplius. Adhuc. Iterum. Postea.*

Suis-je condamné à faire ce métier-là?

— Ils sont séparés par une honte charnelle si catégorique que les annales criminelles du monde, souillées de toutes les autres catégories d'incestes et de bestialités, rapportent peu de manquements à cette répulsion de la chair. Fils avec leurs mères, pères avec leurs filles, sœurs lesbiennes, amours qui n'osent pas dire leurs noms, neveux et grands-mères, gibier de prison et trous de serrures, reines et taureaux primés. Le fils à naître gâte la ligne: né, il amène le chagrin, divise l'affection, accroît les soucis. C'est un mâle: sa croissance est le signal du déclin du père, sa jeunesse, son père la jalouse, son ami est l'ennemi de son père.

C'est dans la rue Monsieur-le-Prince que j'ai pensé cela.

— Dans la nature qu'est-ce qui les lie? Une minute d'aveugle rut.

Suis-je père? Si je l'étais?

Main hésitante, recroquevillée.

— Sabellius l'Africain, le plus subtil hérésiarque de toute la ménagerie, soutenait que le Père était Soi-même Son Propre Fils, le dogue d'Aquin, pour qui l'impossible n'existe pas, le réfute. Eh bien: si le père qui n'a pas de fils n'est pas un père le fils qui n'a pas de père peut-il être un fils? Quand Rutlandbacon-southamptonshakespeare ou un autre poète du même nom dans la comédie des méprises écrivit *Hamlet*, il n'était pas seulement le père de son propre fils, mais n'étant plus un fils il était et se savait être le père de toute sa race, le père de son propre grand-père, le père de son petit-fils à naître, qui, entre parenthèses, ne naquit jamais, car la nature, comme le comprend si bien M. Magee, a horreur de la perfection.

Eglintonœil, pétulant, lança une prudente étincelle. Regard charmé d'un allègre puritain, à travers la torse églantine.

Flatter. Ne pas en abuser. Mais flatter.

300

— Soi-même son propre père, soliloquait Mulligan-fils. Minute. Je me sens engrossé. J'ai un fœtus dans le cerveau. Pallas Athênê! Une pièce! L'essentiel c'est la pièce! Laissez-moi accoucher!

Il étreignit son front gravide avec deux mains forceps.

— Si nous nous attachons à sa famille, dit Stephen, nous voyons d'abord que le nom de sa mère survit dans la forêt d'Arden. Sa mort lui inspira la scène de Volumnia dans *Coriolan*. La mort de son jeune fils est devenue celle du jeune Arthur dans le *Roi Jean*. Hamlet, le prince noir, est Hamnet Shakespeare. Qui sont les jeunes filles de *La Tempête*, de *Périclès*, du *Conte d'Hiver*, nous le savons. Qui Cléopâtre, potée de chair d'Égypte, qui Cressida et qui Vénus, nous pouvons le deviner. Mais on pourrait encore identifier un autre membre de sa famille.

— L'intrigue se complique, dit John Eglinton.

Le bibliothécaire quaker reparut, frétillant, sur ses pointes, quakre son masque, sa hâte quakre, quakre quasi, queussi-queumi quakre, quak.

Porte refermée. Cellule. Jour.

Ils écoutent.

Moi vous lui eux.

Allons, messieurs.

STEPHEN : Il eut trois frères, Gilbert, Edmund, Richard. Gilbert sur ses vieux jours racontait à quelques cavaliers que Maistre Collecteur il lui avoit baillé eune foué un billet d'entrée gratis par la Messe! tanquia que j'avons veu not frare Maistre Wull le faiseux d' piaces là-bas dans son London dans eune piace où qu'i avoit des batteries aveuc eun homme sus son dos. Les saucisses de parterre comblaient l'âme de Gilbert. On ne le découvre nulle part; mais un Edmond et un Richard figurent dans les œuvres du doux Œillet-de-poète.

301

MAGEEGLINJOHN : Des noms ! Qu'y a-t-il dans un nom ?

BON : C'est mon nom, vous savez, Richard. J'espère bien que vous allez dire quelque chose de gentil sur Richard, vous savez, pour me faire plaisir.

Rires.

BUCK MULLIGAN (*piano, diminuendo*) :

> Or prêcha le carabin Dick
> Son compaing carabin Davy...

STEPHEN : Dans sa trinité de mauvais Wills, de scélérats branle-sac, Iago, Richard le Contrefait, Edmond du *Roi Lear*, il y en a deux qui portent le nom des méchants oncles. De plus il a écrit cette dernière œuvre ou était en train de l'écrire pendant que son frère Edmond se mourait à Southwark.

BON : J'espère que c'est Edmond qui va tout prendre. Je ne voudrais pas que Richard, mon nom...

Rires.

QUAKERLYSTER (*a tempo*) : Mais celui qui me filoute mon bon renom...

STEPHEN (*stringendo*) : Il a dissimulé son propre nom, un beau nom, William, dans ses pièces, ici c'est un figurant, là un rustre ; ainsi un vieux maître italien situait son propre visage dans un coin sombre de sa toile. Il l'a affiché dans les sonnets où il y a du Will en surabondance. A l'instar de John O'Gaunt son nom lui est cher, autant que les armoiries qu'il obtint à force de flatteries, sur bande de sable une lance d'or à pointe d'argent, honorificabilitudinitatibus, et plus cher que sa réputation du plus grand branle-scène du pays. Qu'y a-t-il dans un nom ? C'est ce que nous nous demandons quand nous sommes enfants en écrivant

302

ce nom qu'on nous dit être le nôtre. Une étoile, une étoile diurne, un astre-météore se montra à sa naissance. Il brillait seul en plein jour dans les cieux, plus que la nuit ne brille Vénus, et la nuit il brillait au-dessus du delta de Cassiopée, la constellation penchée qui signe son initiale sur la page des étoiles. Ses yeux le suivaient, bas sur l'horizon, à l'est de l'Ours, quand il marchait à travers champs dans le songe d'une nuit d'été, au sortir de Shottery et des bras de sa future.

Tous les deux satisfaits. Moi aussi.

Ne pas leur dire qu'il avait neuf ans quand le phénomène disparut.

Et des bras de sa future.

Attendras-tu qu'elles te courent après, hein, grand nigaud ? Laquelle va te courir après ?

Lisons dans les astres. *Heautontimoroumenos. Bous Stephanoumenos.* Où est ta constellation ? Stephen, Stephen, donne-toi donc de la peine. S. D. : sua donna. *Già : di lui. Gelindo risolve di non amar S. D.*

— Qu'était-ce, M. Dedalus ? demanda le bibliothécaire quaker. Était-ce un phénomène astronomique ?

— Une étoile la nuit, dit Stephen, et le jour une colonne de nuées.

Qu'ajouter ?

Stephen regardait son chapeau, sa canne, ses chaussures.

Stephanos, ma couronne. Mon épée. Ces bottines me déforment les pieds. En acheter une paire. Mes chaussettes trouées. Besoin aussi d'un mouchoir.

— Vous savez tirer parti du nom, reconnut John Eglinton. Votre propre nom est assez étrange. Ça explique peut-être votre imagination fantastique.

Moi, Magee et Mulligan.

Inventeur fabuleux, l'homme-faucon. Tu pris ton vol. Vers quoi ? Newhaven-Dieppe, passager de troisième classe. Paris et retour. Pluvier guignard. Icare.

303

Pater, ait. Ruisselant d'eau de mer, désemparé, à la dérive. Guignard vous êtes. Guignard comme lui.

M. Bon passionné à froid dit, le carnet haut :

— C'est très intéressant parce que le thème du frère, vous savez, nous le trouvons aussi dans les vieux mythes irlandais. Exactement ce que vous disiez. Les trois frères Shakespeare. Dans Grimm aussi, vous savez, les contes de fées. Le troisième frère qui épouse la belle au bois dormant et remporte le plus bon prix.

Bon frère entre les Bons. Bon, meilleur, mieux.

Le bibliothécaire quaker se rapprocha, clocheur.

— J'aimerais savoir, dit-il, lequel des frères vous... Si j'ai bien compris vous avez insinué qu'il avait eu des rapports avec un de ses frères... Mais peut-être que j'anticipe ?

Il se prenait sur le fait : les regardait tous : se retenait.

Un employé appelait de la porte :

— M. Lyster ! Le Père Dineen voudrait...

— Oh ! Le Père Dineen ! Tout de suite.

Vite, de suite, cricastic de suite, de suite, pfuit.

John Eglinton engagea le fer.

— Allons, dit-il. Faites-nous part de ce que vous avez à dire de Richard et d'Edmond. Vous les gardiez pour la fin, n'est-ce pas ?

— En vous demandant de vous souvenir de ces deux nobles parents tonton Richie et tonton Edmond, répondit Stephen, j'en demande peut-être trop. On oublie aussi facilement son frère que son parapluie.

Guignard.

Où est ton frère ? Chez l'apothicaire du coin. La pierre à m'aiguiser. Lui, puis Cranly, Mulligan ; ceux-ci maintenant. Parle, parle. Mais agis. Que ta parole soit acte. Ils se moquent pour te mettre à l'épreuve. Agis. Réagis.

Guignard.

Je suis fatigué de ma voix, la voix d'Esaü. Mon royaume pour un bock. En avant.

— Vous me direz que ces noms existaient déjà dans les chroniques où il a pris la substance de ses drames. Mais pourquoi les choisit-il plutôt que d'autres ? Richard, bossu sinistre, bâtard, courtise une veuve Anne (qu'y a-t-il dans un nom ?), la presse et la gagne, cette sinistre veuve joyeuse. Richard le conquérant, troisième frère, vient après William le conquis. Les quatre autres actes du drame pendent au premier plutôt qu'ils n'en dépendent. De tous ses rois, Richard est le seul que Shakespeare ne couvre point de la révérence, cet ange sauveur du monde. Pourquoi l'intrigue secondaire du *Roi Lear*, dans laquelle Edmond joue son rôle, est-elle empruntée à l'*Arcadia* de Sidney et plaquée à même une légende celtique plus ancienne que l'histoire ?

— C'était la manière de Will, plaida John Eglinton. Aujourd'hui nous ne mélangerions pas une saga avec un extrait d'un roman de George Meredith. *Que voulez-vous ?* dirait Moore. Il place la Bohême au bord de la mer et son Ulysse cite Aristote.

— Pourquoi ? dit Stephen répondant lui-même à sa question. Parce que le thème du frère perfide ou usurpateur ou adultère ou tout cela à la fois, est pour Shakespeare ce que le pauvre n'est pas pour lui : toujours avec lui. La note du bannissement, bannissement d'un cœur, bannissement du foyer, résonne sans discontinuer, depuis *Les Deux Gentilshommes de Vérone* jusqu'au moment où Prospero brise sa baguette, l'enfouit sous cinq brasses de terre, noie son livre. Elle se double cette note, au milieu de sa vie, se propage en une autre, se répète, protase, épitase, catastase, catastrophe. Elle se répète encore quand il approche de la tombe, quand sa fille mariée Susanne, bon chien chasse de race, est accusée d'adultère. Mais ce fut son péché originel qui assombrit sa compréhen-

305

sion des choses, affaiblit sa volonté, et lui laissa une forte propension au mal. Ce sont les termes mêmes de nos seigneurs les évêques de Maynooth, — un péché originel commis, comme le péché originel, par une autre dans le péché de laquelle il péchait lui-même. Cela se lit entre les lignes des derniers mots qu'il ait écrits, et s'est pétrifié sur son tombeau, sous lequel les ossements de sa femme ne devront pas être déposés. Le temps ne l'a flétri. La beauté et la paix n'en ont pas eu raison. C'est partout, avec une variété infinie, dans le monde qu'il a créé, dans *Beaucoup de Bruit pour Rien*, deux fois dans *Comme il vous Plaira*, dans *La Tempête*, dans *Hamlet*, dans *Mesure pour Mesure*, et dans toutes les autres pièces que je n'ai pas lues.

Il rit pour délivrer son esprit de la tyrannie de son esprit.

Le Juge Eglinton résuma.

— La vérité est à mi-chemin, dit-il avec assurance. Il est à la fois le spectre et le prince. Il est tout dans tout.

— Il l'est, dit Stephen. Le jeune garçon du premier acte est l'homme mûr du cinquième. Tout dans tout. Dans *Cymbeline*, dans *Othello* il est maquerelle et cocu. Il agit et il est agi. Amant d'un idéal ou d'une perversion, comme Don José il tue la Carmen réelle. Son esprit impitoyable est un Iago fou furieux qui s'acharne à faire souffrir le maure en lui.

— Coucou! Coucou! clossa Cucu Mulligan lubrique. O fascheux cri!

Le cintre obscur reçut et renvoya.

— Et quel caractère que ce Iago! s'écria l'intrépide Eglinton. Quand on a tout dit il faut en revenir au mot de Dumas fils (ou était-ce Dumas père?). Après Dieu, Shakespeare est le plus grand créateur.

— L'homme ne le délecte point ni non plus la femme, dit Stephen. Il revient après toute une vie d'absence à ce point du monde où il est né, où il fut toujours, jeune ou vieux, un témoin silencieux, et là, son voyage terminé, il plante son mûrier. Et meurt. La séance est levée. Des fossoyeurs enfouissent Hamlet père et Hamlet fils. Enfin roi et prince tout au moins dans la mort, avec musique à la cantonade. Et pleuré de toutes les âmes faibles et tendres qui, encore qu'elles l'aient tué et trahi, qu'elles soient danoises ou de Dublin, refusent de divorcer d'avec cet unique époux ; le regret du mort. Si vous aimez l'épilogue considérez bien celui-ci : Prospéro le prospère, le brave homme récompensé, Lizzie, petite pomme d'amour de grand-papa, et tonton Richie, le méchant homme envoyé par la justice poétique à l'endroit où vont les méchants nègres. Magistral rideau. Il découvrit comme actuel dans le monde extérieur ce qui dans un monde intérieur était virtuel. Maeterlinck a dit : *Si Socrate ouvre sa porte il trouvera le sage assis sur la marche de son seuil. Si Judas sort ce soir c'est vers Judas que ses pas le mèneront.* La vie c'est beaucoup de jours, jour après jour. Nous marchons à travers nous-mêmes, rencontrant des voleurs, des spectres, des géants, des vieillards, des jeunes gens, des épouses, des veuves, et de vilains-beaux-frères. Mais toujours nous rencontrant nous-mêmes. Le dramaturge qui écrivit le folio de ce monde et l'écrivit mal (Il nous donna la lumière d'abord et le soleil deux jours après), le seigneur des choses telles qu'elles sont, que les plus romains des Catholiques appellent *dio boia*, dieu bourreau, est sans doute tout dans tout en nous tous, palefrenier et boucher, et serait maquereau et cocu si ce n'était que dans l'économie du ciel, prédite par Hamlet, il n'y a plus de mariage, l'homme glorifié, ange androgyne, étant à lui-même une épouse.

— *Eureka !* cria Buck Mulligan. *Eureka !*

Joie faite homme il bondit et d'une enjambée fut au bureau de John Eglinton.

— Vous permettez? dit-il. Le Seigneur a parlé à Malachie.

Il se mit à griffonner sur une fiche.

Emporter quelques fiches en m'en allant.

— Ceux qui sont mariés, dit M. Bon, héraut de douceur, tous sauf un pourront vivre. Les autres resteront comme ils sont.

Il rit, bachelier ès célibat, à l'intention d'Eglinton Johannes, bachelier ès lettres.

Sans moitié, sans bonnes fortunes, cuirassés contre le sexe, ils feuillettent et méditent nuitamment chacun son édition variorum de *La Mégère Apprivoisée.*

— Vous êtes un trompe-l'œil, dit carrément John Eglinton à Stephen. Vous nous avez fait faire tout ce chemin pour nous montrer Monsieur, Madame et l'autre. Croyez-vous vous-même à votre théorie?

— Non, dit Stephen sans hésiter.

— N'allez-vous pas l'écrire? demanda M. Bon. Vous devriez en faire un dialogue, vous savez, comme les dialogues platoniciens qu'a écrits Wilde.

John Eclecticon eut un sourire qui en valait deux.

— Eh bien, dans ce cas, dit-il, je ne vois pas pourquoi vous voudriez être payé pour une chose à laquelle vous ne croyez pas. Dowden croit qu'il y a un certain mystère dans Hamlet mais n'en veut pas dire plus long. Herr Bleibtreu que Piper a rencontré à Berlin, et qui s'est fait le promoteur de l'hypothèse Rutland, croit que le secret est caché dans le monument de Stratford. Il a l'intention de se présenter au duc actuel, dit Piper, et de lui prouver que c'est son ancêtre qui a écrit les pièces. Sa grâce n'en sera pas peu surprise. Mais il croit à sa théorie.

Je crois, ô Seigneur, aide mon incroyance. Est-ce à dire aide-moi à croire, ou aide-moi à ne pas croire? Qui vous aide à croire? *Egomen.* Qui à ne pas croire? L'autre type.

— Vous êtes le seul collaborateur de *Dana* qui

308

réclamiez des deniers. Quant au prochain numéro je ne sais pas. Fred Ryan veut réserver de la place pour un article d'économie politique.

Fraiderianne. Les deux deniers qu'il m'a prêtés. Pour franchir la mauvaise passe. Économie politique.

— Vous pouvez publier cette causerie pour une guinée, dit Stephen.

Buck Mulligan se leva cessant de rire écrire et rire ; et grave, mettant du miel dans son verjus :

— Je suis allé rendre visite au barde Kinch dans sa résidence d'été d'Upper Mecklenburgh Street et l'ai trouvé enfoncé dans l'étude de la *Summa contra Gentiles* en compagnie de deux vénériennes beautés, Nini pomme d'api et Rosemonde la pouffiasse du port.

Et rompant les chiens :

— Venez, Kinch. Venez, nomade Ængus-des-Oiseaux.

Venez Kinch, vous avez mangé tous nos restes. Oui da. Je pourvoirai aux déchets et abats qui vous conviennent.

Stephen se leva.

La vie c'est beaucoup de jours. Mais tout a une fin.

— Nous nous verrons ce soir, dit John Eglinton. Notre ami Moore voudrait que Malachie en fût.

Buck Mulligan balaya l'air de son panama et de sa feuille volante.

— Monsieur Moore, dit-il, conférencier ès lettres françaises à l'usage de la jeunesse d'Irlande. J'y serai. Venez Kinch, les bardes doivent boire. Pouvez-vous marcher droit ?

Le luiquirit...

S'imbiber jusqu'à onze heures. Les Mille et Une Nuits irlandaises.

Paillasse...

Stephen suivait un paillasse...

Un jour à la bibliothèque nous avons eu une discus-

sion. Shakesp. Je marchais derrière son dos de paillasse. J'écrase ses cors.

Après avoir pris congé, Stephen subitement abattu
se mit à suivre un paillasse, un bouffon bien peigné,
rasé de frais, et sortant de la cellule voûtée, il
déboucha dans une clarté fracassante et sans pensées.

Qu'ai-je appris ? D'eux ? De moi ?

Marche comme Haines maintenant.

La salle des lecteurs assidus. Sur le registre d'entrée
Cashel Boyle O'Connor Fitzmaurice Tisdall Farell
parafe ses polysyllabes. Item : Hamlet était-il fou ? La
bonne balle du quaker qui parle livres dévotieusement
avec une soutane.

— Oh ! je vous en prie, monsieur... Cela me comble-
rait d'aise...

Buck Mulligan musard amusé murmurait d'aise,
s'approuvant soi-même :

— Un postérieur plein d'aise.

Le tourniquet.

Est-ce ?... Chapeau à ruban bleu... Écrit sans se
presser... Quoi ?... A levé le nez ?...

La courbe de la rampe ; le poliglissant Mincius.

Puck Mulligan, sous son panama-heaume, descendait l'escalier, tout en jambes et en ïambes.

John Eglinton, mon Jo, John,
Dis, que ne prends-tu femme ?

Puis il crachina en l'air :

— O, le Chinois Chin Chon Eg Lin Ton san men ton.
Nous sommes allés dans leur petit théâtre, Haines et
moi, le Studio des Plombiers. Nos auteurs dramati-
ques élaborent pour l'Europe un nouvel art comme
firent les Grecs ou M. Maeterlinck. Théâtre de l'Abbaye ! Je sens la sueur monacale.

Il cracha comme un chat.

J'ai oublié : pas plus qu'il n'a oublié que l'ignoble

310

Lucie la pouilleuse lui avait donné le fouet. Et il quitta *la femme de trente ans*. Et pourquoi n'eut-il pas d'autres enfants ? Pourquoi son premier né une fille ?

Esprit de l'escalier. Revenir sur mes pas.

Le reclus obtus est encore là (il a sa part de gâteau) et le suave jouvenceau, mignon de couchette, cheveux blonds de Phédon fait pour l'amusement des doigts.

Eh... C'est moi... qui voulais seulement... J'ai oublié... Il...

— Longworth et M'Curdy Atkinson y étaient...

Puck Mulligan faisait des pas étudiés en fredonnant :

> *Quand j'entends jurer dans l'impasse*
> *Ou jacter l'Alphonse qui passe,*
> *Ma pensée, elle, fait un bond*
> *Vers F. M'Curdy Atkison,*
> *Un qui de bois a son pilon,*
> *Et vers ce corsaire en jupon*
> *Dont la soif jamais ne s'étanche,*
> *Le Magee au museau de tanche.*
> *La frousse ayant du conjungo,*
> *Ils se masturbent à gogo.*

Blague toujours. Connais-toi toi-même.

Arrêté en dessous de moi, il me détaille avec insolence. Je m'arrête.

— Funèbre fantoche, gémit Buck Mulligan. Synge a répudié le noir pour se vêtir selon la nature. Seuls les corbeaux, les prêtres et le charbon anglais sont noirs.

Un rire en cascade.

— Longworth en est malade, dit-il, de ce que vous avez écrit sur cette vieille morue de Gregory. Espèce de juif paf de l'Inquisition ! Elle vous procure un journal pour refiler votre copie et voilà-t-il pas que vous lui chantez pouilles à propos de ses élucubrations. Ne pourriez-vous vous y prendre à la manière Yeats ?

Il continua à descendre en faisant des singeries, ses bras balançant gracieusement des encensoirs :

— Le plus beau livre qui ait été, de nos jours, inspiré par notre patrie. On pense à Homère.

Il s'arrêta au pied de l'escalier.

— J'ai eu l'idée d'une pièce pour baladins, dit-il d'un ton solennel.

La salle aux colonnes mauresques, ombres entre-croisées. Finie la danse moresque des neuf figures avec les bonnets de leurs exposants.

D'une voix moduleuse et mélodiée, Buck Mulligan lut sur ses tablettes :

L'École des Onanistes
ou
Une Lune de Miel dans la Main.
(Immoralité nationale en trois orgasmes)
par
Balochard Mulligan

Et tournant vers Stephen sa bouche en cœur d'his-trion :

— Mince, le déguisement, j'en ai peur. M. écoute.

Il lut, *marcato :*

— Personnages.

TOBIE SASTIKLEMANCHOFF   (un Polard au bout de son rouleau).

MORBACK (qui tient le maquis du pubis).

CARABIN DICK }
      et   } (un seul coup de mes deux).
CARABIN DAVY }

LA MÈRE GROGNAN   (porteuse d'eaux).

NINI POMME D'API
      et
ROSEMONDE   (la pouffiasse du port).

312

Suivi de Stephen, il allait et riait en remuant une tête de jouet articulé, et joyeusement il apostrophait les ombres, âmes des hommes :

— O nuit du Camden Hall où les filles d'Érin durent relever leurs jupes pour vous enjamber alors que vous gisiez vautré dans vos vomissures couleur de mûres plus que mûres...

— Le plus innocent fils d'Érin, dit Stephen, pour qui elles les aient jamais levées.

Au moment de passer la porte, sentant quelqu'un derrière lui, il s'effaça.

Partir. C'est le moment. Alors où ? Si Socrate ouvre sa porte, si Judas sort ce soir. Qu'importe ? Dans l'espace m'attend ce qui doit dans le temps m'échoir, inéluctablement.

Ma volonté : sa volonté en face de la mienne. Et entre, des océans.

Un homme passa entre eux, saluant poli.

— Re-bonjour, dit Buck Mulligan.

Le porche.

Ici j'ai guetté les oiseaux, cherchant l'augure. Ængus des oiseaux. Ils vont, ils viennent. Hier soir je me suis envolé. Aisément envolé. Les hommes s'étonnaient. Puis la rue des filles. Il me tendit un melon crémeux. Entrez. Vous verrez.

— Le Juif errant, chuchota Buck Mulligan avec un effarement de pître. Avez-vous remarqué ses yeux ? Il vous a regardé avec concupiscence. J'ai peur de toi, vieux marinier. O Kinch, tu es en péril. Munis-toi d'une baguette de sûreté.

Manière de Butordoxford.

Le jour. La brouette du soleil sur une arche de pont.

Un dos noir les précédait... Pas de léopard, qui descend, qui passe le portillon sous la herse barbelée.

Ils suivaient.

Offense-moi encore. Parle.

Les angles des maisons de Kildare Street se profilaient dans une sympathique atmosphère. Pas d'oiseaux. Du sommet des toits s'élevaient deux plumes de fumée duveteuse qui dans une molle bouffée de brise mollement s'évanouirent.

Cessons de combattre. Paix des druides de Cymbeline, hiérophantique ; de la vaste terre un autel.

Louons les dieux,
Qu'en spires notre encens monte vers leurs narines
De nos autels sacrés.

Le supérieur, le Très Révérend John Conmee S. J. replaça sa montre lisse dans sa poche intérieure tout en descendant les degrés du presbytère. Trois heures moins cinq. Juste le temps qu'il me faut pour aller à pied jusqu'à Artane. Comment donc est-ce qu'il s'appelle déjà, cet enfant ? Dignam, oui. *Vere dignum et justum est.* J'aurais dû voir le Père Swan. La lettre de M. Cunningham. Oui. L'obliger si la chose est possible. Bon catholique d'action : précieux au moment des missions.

Un marin unijambiste, qui avançait en chaloupant avec de lentes saccades de ses béquilles, grommelait des notes. Il s'arrêta court devant le couvent des Sœurs de la Charité et sollicita le bon cœur du Très Révérend John Conmee S. J. en tendant vers lui sa casquette. Le Père Conmee le gratifia de sa bénédiction, car sa bourse, il le savait, ne contenait en tout et pour tout qu'une pièce de cinq shillings.

Le Père Conmee traversa pour gagner Mountjoy

Square. Il donna une pensée, mais sans s'y attarder, aux soldats et aux marins qui ont eu les jambes emportées par les boulets et qui finissent leurs jours dans un hospice quelconque et se remémora les paroles du Cardinal Wolsey : *Si j'avais servi mon Dieu comme j'ai servi mon roi Il ne m'aurait pas abandonné dans mon vieil âge*. Il marchait à l'ombre sous le tremblotement ensoleillé des feuilles quand s'avança à sa rencontre l'épouse de M. David Sheehy, Membre du Parlement.

— Tout à fait bien, Père. Et vous, Père ?

Le Père Conmee allait vraiment extrêmement bien. Il irait selon toute probabilité faire sa cure à Buxton. Et ses fils, comment se trouvaient-ils au Belvédère ? En vérité ? Vraiment, le Père Conmee était bien heureux de l'apprendre. Et ce bon M. Sheehy ? Encore à Londres. La Chambre siégeait encore, mais oui, naturellement. Quel temps magnifique, vraiment délicieux. Oui, il était très probable que le Père Bernard Vaughan reviendrait prêcher. Oh, oui ; il est extrêmement apprécié. Un homme tout à fait remarquable.

Le Père Conmee était bien heureux de voir la femme de M. David Sheehy, M. P., en aussi bonne santé et il la priait de vouloir bien le rappeler au bon souvenir de M. David Sheehy M. P. Oui, il irait sûrement lui faire visite.

— Au revoir, Mme Sheehy.

Le Père Conmee souleva, pour prendre congé, son chapeau de soie dans la direction de la mantille aux perles de jais qui brillaient comme de l'encre. Et il souriait encore en s'en allant. Il s'était brossé les dents, il se le rappelait, avec de la pâte de noix d'arec.

Le Père Conmee marchait et souriait tout en marchant, car il pensait aux yeux farceurs et à l'accent cockney du Père Bernard Vaughan.

— Et pourquoi, Pilate ! n'point r'pousser cette urlante canaille ?

Mais un homme plein d'ardeur. Cela était certain. Et qui n'était pas sans faire à sa façon un bien énorme. Indubitable, cela. Il aimait l'Irlande, disait-il, et il aimait les Irlandais. Et de bonne famille avec ça, qui l'eût cru ? Famille galloise, il me semble.

Oh ! de peur d'oublier. Cette lettre pour le Père Provincial.

Le Père Conmee arrêta trois petits écoliers au coin de Mountjoy Square. Oui, ils sont du Belvédère. Du Petit Collège : Aha ! Et étaient-ils bons élèves, travaillaient-ils bien en classe ? Oh, ça c'était très très bien. Et comment s'appelait-il ? Jack Sohan. Et celui-ci ? Ger. Gallaher. Et l'autre petit homme ? Son nom était Brunny Lynam. Oh, c'est un très très joli nom.

Le Père Conmee tira de son sein une lettre qu'il donna au jeune Brunny Lynam et montra du doigt la boîte rouge au coin de Fitzgibbon Street.

— Mais fais attention de ne pas te mettre avec dans la boîte, mon petit homme, dit-il.

Six prunelles sur le Père Conmee, les enfants rirent.

— Oh, monsieur !

— Eh bien, fais-moi voir que tu sais t'y prendre, dit le Père Conmee.

Le jeune Brunny Lynam traversa la rue en courant et mit la lettre du Père Conmee au Père Provincial dans la fente de la boîte aux lettres rouge-vif. Le Père Conmee sourit, lui fit un signe de tête, sourit de nouveau et longea Mountjoy Square East.

M. Denis J. Maginni, professeur de danse, etc., en tube, jaquette ardoise à revers de soie, cravate blanche, pantalon lavande collant, gants beurre frais et souliers vernis pointus, avançait, maintien grave, et prenait avec un infini respect le bord du trottoir en dépassant Lady Maxwell au coin de Dignam's Court.

Ne serait-ce pas Mme M'Guinness ?

Mme M'Guinness, imposante sous ses cheveux d'argent, salua le Père Conmee du trottoir opposé sur lequel elle avançait avec la majesté d'une frégate. Et le Père Conmee sourit et salua. Comment allait-elle?

Quelle belle prestance. Quelque chose de Marie Stuart. Quand on pense que c'était une prêteuse sur gages. Et voilà! Une telle... comment dire?... une majesté quasi royale.

Le Père Conmee descendit Great Charles Street et jeta un coup d'œil sur sa gauche à l'église protestante close. Le Révérend T. R. Greene B. A. prendra (Deo Volente) la parole. On l'appelle le bénéficier. Il veut nous faire bénéficier de son éloquence. Mais il faut être charitable. Invincible ignorance. Ils ne peuvent se conduire que selon leurs lumières.

Le Père Conmee tourna le coin et suivit le boulevard Circulaire Nord. C'était surprenant qu'il n'y eût pas encore une ligne de trams dans une voie d'une telle importance. Elle devrait exister.

Une bande d'écoliers avec leurs cartables traversaient, venant de Richmond Street. Tous levèrent des casquettes malpropres. Le Père Conmee répondit à plusieurs reprises avec onction. Les enfants des Écoles Chrétiennes.

Le Père Conmee flairait une odeur d'encens, à main droite, tout en marchant. L'église de Saint-Joseph, Portland Row. Pour les vieilles dames respectables. Le Père Conmee souleva son chapeau en l'honneur du Saint Sacrement. Respectables, mais parfois également désagréables.

Près d'Aldborough House le Père Conmee eut une pensée pour ce gentilhomme panier percé. Et maintenant c'est occupé par des bureaux quelconques.

Le Père Conmee commença à suivre le Cours Maritime et fut salué par M. William Gallagher debout dans la porte de sa boutique, et sentit les odeurs dégagées par les quartiers de porc salé et les mottes de beurre conservé. Il passa devant le bureau de tabac Grogan où le tableau des dernières nouvelles relatait une affreuse catastrophe à New York. En Amérique ces choses-là arrivent continuellement. Les infortunés qui meurent ainsi sans préparation. Toutefois, un acte de contrition parfaite...

Le Père Conmee longea le débit de Daniel Bergin contre la devanture duquel s'accotaient deux désœuvriers. Ils le saluèrent et reçurent son salut.

Le Père Conmee dépassa l'entreprise de pompes funèbres H. J. O'Neil où Corny Kelleher alignait des chiffres sur le registre en mâchonnant un brin de paille. Un agent qui faisait les cent pas salua le Père Conmee et le Père Conmee salua l'agent. Chez Youkstetter le charcutier, le Père Conmee remarqua des boudins de porc, blancs, noirs et rouges soigneusement enroulés sur eux-mêmes.

Sous les arbres de la Promenade de Charleville, le Père Conmee aperçut une péniche de tourbe amarrée, un cheval de halage la tête pendante, un homme à bord avec un chapeau de paille sale, qui fumait, en fixant une branche de peuplier au-dessus de sa tête. Tout à fait pittoresque, et le Père Conmee songea à la bonté du Créateur qui avait placé la tourbe dans les marais pour que les hommes pussent l'extraire, la distribuer dans les villes et les villages et en alimenter le foyer des humbles.

Sur le pont de Newcomen le Très Révérend John Conmee S. J., de l'église Saint-François-Xavier, Upper Gardiner Street, monta dans un tram en partance.

D'un tram qui arrivait au pont de Newcomen descendit le révérend Nicholas Dudley C. C. de l'église Sainte-Agathe, North William Street.

Au pont de Newcomen le Père Conmee monta dans le tram en partance, car il lui était désagréable de faire à pied la morne route qui longe Mud Island.

Le Père Conmee, assis dans un coin du tram, un ticket bleu soigneusement inséré dans l'ouverture de son gant de chevreau bien rempli, fit glisser de son autre paume gantée et rebondie dans sa bourse quatre shillings, une pièce de six-pence et cinq pennies. A la hauteur de l'Église-au-Lierre il se fit la réflexion que le contrôleur passe presque toujours lorsqu'on a eu l'étourderie de jeter son ticket. L'air solennel des occupants du tram semblait excessif au Père Conmee pour un trajet si court et si bon marché. Le Père Conmee préférait un décorum mitigé de bonne humeur.

Il faisait bon. Le monsieur au pince-nez en face du Père Conmee avait fini ses explications et regardait à ses pieds. Sa femme, supposa le Père Conmee. Un imperceptible bâillement entr'ouvrit la bouche de la femme du monsieur au pince-nez. Elle leva son petit poing ganté, bâilla un tout petit peu, faisant tap-tap sur sa bouche ouverte, avec son petit poing ganté et eut un petit sourire de rien du tout, tout doux.

Le Père Conmee distingua son parfum dans la voiture. Il remarqua aussi que l'homme emprunté qui la flanquait de l'autre côté était assis sur le bord de la banquette.

Le Père Conmee à la balustrade du chœur éprouvait quelque difficulté à placer l'hostie entre les lèvres du vieil homme emprunté qui branlait la tête.

Au pont Annesley le tram stoppa, et, au moment où il allait repartir, une vieille femme quitta sa place précipitamment pour descendre. Le receveur tira le cordon pour faire arrêter le tram, par complaisance. Elle passa chargée d'un panier et d'un filet à provisions, et le Père Conmee vit l'employé aider à la descente de la bonne femme, du panier et du filet, et le Père Conmee réfléchit qu'elle avait presque dépassé sa section et que c'était sûrement une de ces bonnes âmes auxquelles il faut dire deux fois *allez en paix, mon enfant*, qu'elles ont déjà été absoutes, *priez pour moi*. Mais leurs vies sont si pleines de tracas et de préoccupations, les pauvres créatures.

Affiché sur une palissade, M. Eugène Stratton avec un sourire lippu de ses épaisses lèvres négroïdes grimaça un sourire pour le Père Conmee.

Le Père Conmee pensa aux âmes des noirs, des mulâtres et des jaunes et à son sermon sur Saint Pierre Claver S. J. et les Missions africaines et aussi à la propagation de la foi et aux millions d'âmes noires, mulâtres et jaunes qui n'ont pas reçu le baptême de l'eau quand leur dernière heure survient ainsi qu'un voleur dans la nuit. Ce livre, *Le Nombre des Élus*, par un jésuite belge, semblait selon le Père Conmee soutenir une thèse raisonnable. C'étaient des millions d'âmes créées par Dieu à Sa Propre ressemblance, et à qui la foi n'avait pas (Deo Volente) été révélée. Mais elles appartenaient à Dieu ces créatures de Dieu. Le Père Conmee trouvait que ce serait dommage qu'elles dussent toutes être perdues, un gaspillage, si l'on peut dire.

A l'arrêt de Howth Road le Père Conmee mit pied à terre, fut salué par le conducteur et salua à son tour.

La rue Malahide était calme. Cette voie et son nom étaient agréables au Père Conmee. Dans Malahide la gaye sonnaient les cloches nuptiales. Lord Talbot de Malahide, par droit héréditaire lord-amiral immédiat de Malahide et des mers voisines. Alors retentit l'appel aux armes et elle fut en un même jour vierge, épouse et veuve. C'était le bon vieux temps, la vie joyeuse et franche dans les bonnes villes, la baronnie au temps jadis.

Tout en marchant le Père Conmee pensait à son petit livre *La Baronnie au Temps jadis* et au livre qu'on pourrait écrire sur les maisons des Jésuites et sur Mary Rochford, fille de lord Molesworth, première comtesse de Belvédère.

Une femme apathique, sans plus de jeunesse, qui marche seule sur le bord du lough Ennel, Mary, première comtesse de Belvédère, qui marche, apathique, dans le soir sans tressaillir quand une loutre plonge. Qui pourrait savoir la vérité ? Ni le lord Belvédère, mari jaloux, ni non plus son confesseur si elle n'a pas pleinement consommé l'adultère, *eiaculatio seminis inter vas naturale mulieris*, avec le frère de son époux. Elle ne se confesserait qu'à demi si comme font les femmes elle n'avait pas commis le péché tout entier. Dieu seul savait et elle et lui, le frère de son mari.

Le Père Conmee pensait à cette tyrannique incontinence, nécessaire pourtant à la perpétuation de l'espèce, et aux voies de Dieu qui ne sont point les nôtres.

Don John Conmee marchait et évoluait dans le temps jadis. Il y était bienfaisant et honoré. Gardant en sa mémoire les secrets confessés il souriait à de souriantes et nobles faces dans un salon aux parquets miroitant de cire d'abeille, aux plafonds chargés de guirlandes de fruits mûrs. Et les mains d'un marié et d'une épousée, grand seigneur et grande dame, étaient jointes par Don John Conmee, paume à paume.

La délicieuse journée.

Le portillon à claire-voie d'un champ montra au Père Conmee des longées de choux qui lui faisaient la révérence dans leurs amples jupes. Le ciel lui montrait un troupeau de petits nuages blancs qui voyageaient lentement avec le vent. *Moutonner*, disent les Français. Expression juste et familière.

Le Père Conmee, tout en récitant son office, observait un troupeau de nuages qui faisaient les moutons au-dessus de Rathcoffey. Ses chevilles aux chaussettes minces étaient chatouillées par l'éteule du champ de Clongowes. Le soir il venait là réciter son bréviaire parmi les cris des enfants qui jouaient équipe contre équipe, jeunes cris dans la paix du soir. Il était leur recteur : son sceptre était léger.

Le Père Conmee ôta ses gants et prit son bréviaire

aux tranches rouges. Un signet d'ivoire lui indiquait la page.

Nones. Il aurait dû lire ceci avant déjeuner. Mais lady Maxwell était venue.

Le Père Conmee lut en secret le *Pater* et l'*Ave* et fit un signe de croix. *Deus in adiutorium.*

Il allait paisiblement, lisant les Nones en silence, allant et lisant jusqu'à ce qu'il en fût à *Res* dans *Beati immaculati : Principium verborum tuorum veritas : in æternum omnia iudicia iustitiae tuae.*

Un jeune homme congestionné surgit d'une brèche de la haie et après lui une jeune femme tenant des marguerites sauvages qui se balançaient au bout de leur tige. Le jeune homme retira brusquement sa casquette, la jeune femme se pencha brusquement et avec beaucoup d'attention détacha une brindille accrochée au tissu léger de sa jupe.

Le Père Conmee les bénit tous deux très gravement et tourna un mince feuillet de son bréviaire. *Schin : Principes persecuti sunt me gratis : et a verbis tuis formidavit cor meum.*

Corny Kelleher ferma son long agenda et par-dessous sa paupière affaissée avisa un couvercle de cercueil en bois blanc qui montait la garde dans un coin. Puis il se dressa, alla vers l'objet et le faisant pivoter sur son axe, passa l'inspection de sa ligne et de ses ferrures de cuivre. Mâchonnant son brin de paille il remit le couvercle du cercueil à sa place et vint sur le pas de la porte. Il tira sur le bord de son chapeau pour ombrager ses yeux et s'appuya au chambranle, l'œil vague vers le dehors.

Le Père John Conmee montait dans le tram de Dollymount au Pont de Newcomen.

Corny Kelleher joignit ses souliers de grande pointure et regarda dans le vague, le chapeau sur les yeux, mordillant son brin de paille.

L'agent 57 C, qui faisait les cent pas, s'arrêta pour faire la causette.

— C'est du beau temps, M. Kelleher.

— Dame oui, dit M. Corny Kelleher.

— Il fait très lourd, dit l'agent.

Corny Kelleher lança de son haut un jet de salive à la paille au moment où un bras généreux et blanc lançait un gros sou d'une fenêtre d'Eccles Street.

— Qu'est-ce qui se passe de neuf ? demanda-t-il.

— J' vu hier soir cette espèce de particulier, dit l'agent en baissant la voix.

Un marin unijambiste béquillait en tournant le coin MacConnell, frôlait la voiturette de Rabaiotti marchand de glaces, et se saccada d'un coup dans Eccles Street. A hauteur de Larry O'Rourke en manches de chemise sur le seuil de sa boutique, il grommela agressif :

— *Pour l'Angleterre...*

Il se lança en avant d'une brusque enjambée, dépassa Katey et Boody Dedalus, s'arrêta net et grommela :

— *le foyer et les belles.*

Au visage pâli et préoccupé de J. J. O'Molloy il fut répondu que M. Ned Lambert était dans les magasins avec un visiteur.

Une grosse dame s'arrêta pour prendre une piécette de cuivre dans sa bourse et la fit tomber dans la casquette qui lui était tendue. Le marin marmonna un merci, jeta un mauvais regard aux fenêtres sourdes, laissa retomber sa tête et fit encore en avant quatre sauts sur ses béquilles.

Il pausa et grommela en colère :

— *Pour l'Angleterre...*

Deux gosses pieds nus, qui suçaient des lacets de réglisse, s'arrêtèrent près de lui, et leurs bouches barbouillées de jaune béaient à son pilon.

Il reprit résolument ses saccades de béquillard, fit halte, leva la tête dans la direction d'une fenêtre et aboya sourdement :

— *le foyer et les belles.*

Le sifflotement gazouilleur et joyeux qui venait de l'intérieur continua le temps d'une mesure ou deux, puis cessa. Le store de la fenêtre s'écartait. Une pancarte, *Chambres non meublées à Louer*, glissa du châssis de la fenêtre et tomba. Un bras rebondi, nu et généreux, se montra, sortant de l'épaulette bien tendue d'une combinaison blanche. Une main de femme jeta une pièce par-dessus la grille d'entrée. La pièce tomba sur le trottoir.

Un des gosses courut la ramasser et la mit dans la casquette du ménestrel en disant :

— V'la, m'sieur.

Katey et Boody Dedalus poussaient la porte de la cuisine close et pleine de vapeur.

— As-tu pu avoir de l'argent sur les livres ? demanda Boody.

Maggy devant le fourneau renfonça deux fois une masse grisâtre sous une eau de savon en ébullition avec une baguette et s'épongea le front.

— On n'a rien voulu en donner, dit-elle.

Le Père Conmee traversait les champs de Clongowes, ses chevilles aux chaussettes minces chatouillées par l'éteule.

— Où as-tu essayé ? demanda Boody.

— Chez M'Guinness.

Boody frappa du pied et lança sur la table son sac d'écolière.

— Que sa graisse l'étouffe ! s'écria-t-elle.

Katey s'approcha du fourneau, cherchant à voir avec ses yeux de bigle.

— Qu'est-ce qu'il y a dans la marmite ? demanda-t-elle.

— Des chemises, dit Maggy.

Boody s'écria rageuse :

— Sac à papier, est-ce que nous n'aurons rien à manger ?

Katey soulevant le couvercle de la bouillotte avec un coin de sa jupe sale demanda :

— Et qu'est-ce qu'il y a là-dedans ?

Une épaisse exhalaison s'échappa pour lui répondre.

— Soupe aux pois cassés, dit Maggy.

— Où as-tu eu ça ? demanda Katey.

— Sœur Mary Patrick, dit Maggy.

Le crieur agitait sa clochette.

— Badang !

Boody s'attabla et avidement :

— Mets-nous ça ici !

Maggy versa l'épaisse soupe jaune de la bouillotte dans un bol. Katey assise en face de Boody dit tranquillement tout en pêchant du bout du doigt des miettes oubliées qu'elle portait à sa bouche :

— Bonne affaire d'avoir au moins ça. Où est Dilly ?

— Partie au-devant du père, dit Maggy.

Boody, cassant de gros morceaux de pain dans la soupe jaune, ajouta :

— Notre père qui n'êtes pas aux cieux.

Maggy qui versait la soupe jaune dans le bol de Katey s'écria :

— Boody ! Tu n'as pas honte !

Un léger esquif prospectus froissé, Élie arrive, descendait la Liffey, passait sous le pont de l'Embran-

chement, par-dessus les rapides, là où l'eau bouillonne
rageuse autour des piles, et voguait plein est, laissant
derrière lui les carènes et les chaînes des ancres, entre
le vieux bâtiment de la Douane et le quai George.

La blonde demoiselle de chez Thornton faisait un lit
de fibres bruissantes dans la corbeille d'osier. Dache
Boylan lui tendit la bouteille emmaillotée de papier
de soie rose et une petite cruche.

— Mettez cela au fond, s'il vous plaît, dit-il.

— Oui, monsieur, dit la blonde enfant, et les fruits
par-dessus.

— Ça suffit, domino ! dit Dache Boylan.

Elle disposa adroitement, tête à queue, les poires
obèses, et entre elles des pêches aux joues toutes
rougissantes.

Dache Boylan en chic souliers jaunes allait et venait
dans la boutique qui fleurait le fruit, palpant des
fruits, frais, juteux, ridés, des tomates tien en chair et
rouges, et reniflant des odeurs.

H. E. L. Y'S. défilèrent devant lui sous leurs hauts-
de-forme blancs, dépassant Tangier Lane et gagnant
leur objectif à pas pesants.

Il se détourna brusquement d'un petit panier de
fraises des bois, tira une montre d'or de son gousset et
la tint au bout de sa chaîne.

— Pouvez-vous envoyer cela par tram, tout de
suite ?

Un dos noir, sous la Porte des Marchands, bouquinait à l'étalage du revendeur.

— Certainement, monsieur. Est-ce dans le centre ?

— Oh oui, dit Dache Boylan. A dix minutes.

La blonde fille lui tendit crayon et bloc.

— Voulez-vous écrire l'adresse, monsieur ?

Dache Boylan écrivit sur le comptoir et poussa le bloc de son côté.

— Envoyez tout de suite, n'est-ce pas ? C'est pour une personne malade.

— Oui, monsieur. Comptez-y, monsieur.

La main à la poche de son pantalon, Dache Boylan sonnait un carillon de gaies piécettes.

— Et maintenant la douloureuse ? demanda-t-il.

Les doigts fins de la blonde demoiselle récapitulèrent les fruits.

Dache Boylan regardait dans l'échancrure de sa blouse. Une poulette de l'année. Il prit un œillet rouge dans le haut porte-bouquet en verre.

— Pour moi ? demanda-t-il avec intention.

La petite blonde regarda de côté, type habillé dernier cri, cravate un rien de travers, et dit en rougissant :

— Oui, monsieur.

Penchée et coquette elle comptait à nouveau poires obèses et pêches pudibondes.

Mordillant la tige de l'œillet rouge et souriant de toutes ses dents, le regard de Dache Boylan plongeait dans le corsage avec une complaisance accrue.

— Puis-je dire deux mots à votre appareil, mamzelle ? demanda-t-il, fripon.

— *Ma !* s'exclama Almidano Artifoni.

Par-dessus l'épaule de Stephen il contemplait le crâne accidenté de Goldsmith.

Deux charretées de touristes passaient avec lenteur, les femmes à l'avant et cramponnées sans fausse honte aux accoudoirs. Visages-pâles. Bras d'hommes passés sans fausse honte autour des tailles étriquées. Leurs yeux allaient du Trinity au portique orbe de la Banque d'Irlande où des pigeons roucoulouhoulaient.

— *Anch'io ho avuto di queste idee*, dit Almidano Artifoni, *quand' ero giovine come Lei. Eppoi mi sono convinto che il mondo è una bestia. E peccato. Perchè la sua voce... sarebbe un cespite di rendita, via. Invece, Lei si sacrifica.*

— *Sacrifizio incruento*, dit en souriant Stephen qui balançait moltolento son bâton tenu par le milieu, tout doux.

— *Speriamo*, prononça avec amabilité la figure ronde et moustachue. *Ma, dia retta a me. Ci refletta.*

Près de la main de pierre de Grattan qui commandait impérativement halte, un tram d'Inchicore déversa en vrac les Highlanders d'une musique militaire.

— *Ci rifletterò*, dit Stephen les yeux baissés vers les puissants pantalons de son interlocuteur.

— *Ma, sul serio, eh?* dit Almidano Artifoni.

Sa main massive serra celle de Stephen. Regard humain. Regard un instant arrêté et curieux, puis vite détourné vers le tram de Dalkey.

— *Eccolo*, dit Almidano Artifoni, amical et pressé. *Venga a trovarmi e ci pensi. Addio, caro.*

— *Arrivederla, maestro*, dit Stephen, soulevant son chapeau dès que sa main fut libre. *E grazie.*

— *Di che?* dit Almidano Artifoni. *Scusi, eh? Tante belle cose!*

Faisant un signal avec sa musique roulée en bâton, Almidano Artifoni se mit à la poursuite du tram de Dalkey en trottant de toute la puissance de ses pantalons. En vain il trottait, en vain il faisait des signaux dans la cohue des jupons courts aux genoux nus qui se faufilaient avec leurs instruments de musique par les portes du Trinity.

Miss Dunne cacha tout au fond de son tiroir *La Femme en Blanc* de son abonnement de lecture de

Capel Street et mit sur le rouleau de sa machine à écrire une feuille de papier à lettre voyant.

Trop de mystère là-dedans. Est-ce qu'il est amoureux d'elle, de Marion ? Le changer pour un autre de Mary Cecil Haye.

Le disque glissa le long de la cannelure, vibra un moment, s'immobilisa et leur fit de l'œil : six.

Miss Dunne tapa sur le clavier :

— 16 juin 1904.

Entre le coin de Monypeny et le refuge où la statue de Wolfe Tone ne s'élevait pas, cinq hommes-sandwiches aux tuyaux-de-poêle blancs firent demi-tour en serpentant H. E. L. Y.'S., et reprirent pesamment leur route en sens inverse.

Ensuite elle regarda la grande affiche de Marie Kendall, soubrette charmante, et distraite et abandonnée, elle griffonnait sur le bloc des seize et des esses majuscules. Cheveux moutarde et joues barbouillées de fard. Elle n'est pas jolie, vrai ! cette façon de pincer son petit pan de jupe. Je me demande si ce type sera ce soir à la musique. Si je pouvais avoir cette couturière pour me faire une jupe accordéon comme celle de Susy Nagle. Ça fait bien fromage. Shannon et tous les types chics du yacht-club ne pouvaient pas la lâcher des yeux. J'espère bien qu'il ne va pas me tenir ici jusqu'à sept heures, grand dieu.

Le téléphone lui sonna brutalement aux oreilles.

— Allô. Oui, monsieur. Non, monsieur. Oui, monsieur. Je les appellerai après cinq heures. Ces deux-là seulement, monsieur, pour Belfast et Liverpool. Parfaitement, monsieur. Alors je puis partir après six heures si vous n'êtes pas revenu. Au quart. Oui, monsieur. Vingt-sept et six. Je lui dirai. Oui, un, sept, six.

Elle crayonna trois chiffres sur une enveloppe.

— M. Boylan ! Allô ! Ce monsieur du *Sport* est venu pour vous voir. M. Lenehan, oui. Il a dit qu'il serait à l'Ormond à quatre heures. Non, monsieur. Oui, monsieur. Je les appellerai après cinq heures.

Deux faces rosées levées dans la flamme de la petite torche.

— Qui est-ce ? demanda Ned Lambert. Est-ce Crotty ?

— Ringabella et Crosshaven, répondit une voix, en même temps qu'un pied cherchait une marche.

— Haha, Jack, comment, c'est vous ? dit Ned Lambert, saluant avec sa latte flexible sous les arceaux dansants. Arrivez. Faites attention à vos pas par ici.

Dans la main levée de l'ecclésiastique une allumette-bougie finit de se consumer en une longue flamme douce et fut jetée. Sa rouge étincelle mourut à leurs pieds : un air moisi les cerna.

— Comme c'est intéressant ! prononça dans l'ombre une voix distinguée.

— Oui, monsieur, dit Ned Lambert avec chaleur. Nous voilà dans la fameuse Chambre du Conseil de l'Abbaye de Sainte-Marie où Thomas le Musqué proclama sa rébellion en 1534. C'est l'endroit le plus historique de Dublin. O'Madden Burke va écrire quelque chose là-dessus un de ces jours. La vieille banque d'Irlande était par ici jusqu'au temps de l'Union et le premier temple des Juifs était ici aussi jusqu'à ce qu'ils aient bâti leur synagogue dans Adelaïde Road. Vous n'étiez encore jamais venu ici, n'est-ce pas, Jack ?

— Non, Ned.

— Il descendit Dame Walk à cheval, si je ne me trompe, reprit la voix cultivée. La demeure des Kildares se trouvait dans Thomas Court.

— Exactement, dit Ned Lambert. Tout à fait exact, monsieur.

— Si vous aviez l'obligeance, la prochaine fois, dit l'ecclésiastique, de me donner la permission de...

— Mais comment donc ! dit Ned Lambert. Apportez l'appareil photographique quand vous voudrez. Je ferai enlever les sacs qui obstruent ces fenêtres. Vous pourrez prendre d'ici ou de là.

Il allait et venait dans la lumière encore indécise, frappant les sacs de graines avec sa latte et désignant sur le plancher les endroits propices.

Les yeux et la barbe d'une figure en longueur se penchaient sur un échiquier.

— Je vous suis extrêmement reconnaissant, M. Lambert, dit l'ecclésiastique. Je ne veux pas abuser plus longtemps...

— Vous serez toujours le bienvenu, monsieur, dit Ned Lambert. Revenez dès qu'il vous plaira. Voulez-vous que nous disions la semaine prochaine ? Y voyez-vous ?

— Oui, oui. Au revoir, M. Lambert. Enchanté d'avoir fait votre connaissance.

— Tout le plaisir est pour moi, monsieur, répondit Ned Lambert.

Il suivit son hôte jusqu'à l'issue et de là envoya valser sa latte entre les piliers. Puis en compagnie de J. J. O'Molloy il déboucha lentement dans l'Abbaye de Marie où des hommes de peine empilaient sur des camions des sacs de caroubes et de farine de palmes, O'Connor, Wexord.

Il s'arrêta pour lire la carte qu'il tenait.

— Le Révérend Hugues C. Amour, Rathcoffey. Adresse actuelle : Saint-Michaël's Sallins. Charmant garçon. Il m'a dit qu'il écrivait un livre sur les Fitzgerald. Calé en histoire, ma parole.

— J'ai pensé que vous étiez en train de préparer

une nouvelle conspiration des poudres, dit J. J. O-
'Molloy.

Ostensiblement Ned Lambert faisait craquer ses
phalanges.

— Bon dieu ! s'écria-t-il. J'ai oublié de lui raconter
l'histoire du comte de Kildare après avoir mis le feu à
la cathédrale de Cashel. Vous la connaissez ? *Je suis
bougrement fâché de ce que j'ai fait*, dit-il, *mais je
prends Dieu à témoin que je croyais que l'archevêque
était dedans*. Peut-être qu'il ne l'aurait pas appréciée,
hein ? Bon dieu, je la lui raconterai tout de même.
C'était le grand comte, Fitzgerald le Mor. Tous ces
Geraldines-là n'avaient pas froid aux yeux.

Les chevaux près desquels il passait tressaillaient
nerveusement sous leur harnais lâche. Il envoya une
claque sur la croupe alezane qui frémissait à portée de
sa main et cria :

— Hau, mon petiot !

Tourné vers J. J. O'Molloy il demanda :

— Eh bien, Jack, qu'y a-t-il ? Qu'est-ce qui ne va
pas ? Une minute. Arrête voir !

Bouche ouverte et tête en arrière, il resta un instant
en arrêt, et tout d'un coup éternua à grand fracas.

— Atchoum ! fit-il. Zut alors !

— C'est la poussière des sacs, dit poliment J. J. O-
'Molloy.

— Non, haleta Ned Lambert, j'ai attrapé... froid
hier soir... zut de zut !... avant-hier soir... il y avait un
sacré cochon de courant d'air...

Il tenait son mouchoir prêt pour le prochain...

J'étais... ce matin... pour le pauvre petit... comment
l'appelez-vous ?... Atchoum... Saperlipopette de
popette !

Tom Rochford prit le premier disque de la pile qu'il serrait contre son gilet bordeaux.

— Là, vous y êtes, dit-il. Supposons que c'est le nº six. Mettez-le de ce côté. Numéro En Cours.

Il inséra dans la fente à gauche le disque qui glissa dans la cannelure, vibra un moment et s'arrêta, leur faisant de l'œil : six.

Des magistrats de la vieille école, plaidant avec une hautaine dignité, virent passer du bureau des taxes à la cour d'assises Richie Goulding portant la sacoche de Goulding, Collis et Ward et entendirent froufrouter du tribunal maritime de la cour du banc du roi à la cour d'appel une dame âgée au sourire sceptique qui laissait voir son râtelier et dont la jupe de soie noire comptait d'innombrables lés.

— Vous y êtes ? dit-il. Vous voyez le dernier que j'ai mis est maintenant par ici : Numéros Parus. C'est la poussée. L'action du levier, vous y êtes ?

— Idée épatante, dit Blair Flynn en reniflant. Comme ça un type qui arrive en retard voit tout de suite ce qui est en train et ce qui a déjà passé.

— Y êtes-vous ? dit Tom Rochford.

Il inséra un disque pour son propre amusement et le regarda glisser, vibrer, faire de l'œil : quatre. Numéro en Cours.

— C'est bien, je vais le trouver tout de suite à l'Ormond, dit Lenehan, et le sonder. Un bon procédé en appelle un autre.

— Faites, dit Tom Rochford. Dites-lui que je suis Boylan d'impatience.

— Bonsoir, dit M'Coy brusquement. Vous deux quand vous commencez...

Blair Flynn se baissa sur le levier, le reniflant.

— Mais là comment ça fonctionne-t-il, Tommy ? demanda-t-il.

— Hé, les frères, dit Lenehan, à bientôt.

Il suivit M'Coy et ils traversèrent le tout petit square de Crampton Court.

— C'est un héros, dit-il simplement.

— Je sais, dit M'Coy, vous voulez parler de la conduite d'égout.

— La conduite ? dit Lenehan. C'était dans un trou d'homme.

Ils passèrent devant le Concert de Dan Lowry où Marie Kendall, soubrette charmante, leur adressa de son affiche un sourire barbouillé.

En quittant le trottoir de Sycamore Street à côté du Concert de l'Empire, Lenehan montra à M'Coy comment ça s'était passé. Un de ces trous d'homme pas plus large qu'un sacré tuyau de pipe et le pauvre diable coincé au fond et à moitié asphyxié par les émanations de l'égout. Le fait est que Tom Rochford est descendu comme il était, avec sa veste de *book*, une corde autour de lui. Et sacrebleu il est arrivé à mettre la corde autour du pauvre diable et on les a hissés tous les deux jusqu'à la surface.

— Une action héroïque, dit-il.

A hauteur du Dolphin ils s'arrêtèrent pour laisser la voiture d'ambulance les dépasser au galop dans la direction de Jervis Street.

— Par ici, dit Lenehan, prenant à droite. Je veux faire un saut chez Lynam pour voir la cote de Sceptre au départ. Qu'est-ce que dit votre tocante en or au bout de sa chaîne ?

M'Coy essaya de voir dans le sombre bureau de Marcus Tertius Moses, puis interrogea la pendule d'O'Neill.

— Trois heures passées, dit-il. Qui la monte ?

— O'Madden, dit Lenehan. Et c'est une fière pouliche.

Tout en attendant sur le trottoir de Temple Bar, M'Coy poussa tout doucement du bout du pied jusque dans le ruisseau une peau de banane. Un type peut

334

foutrement bien se casser la gueule avec ça en rentrant plein le soir.

Les grilles du parc s'ouvrirent toutes grandes pour laisser sortir le cortège du vice-roi.

— Au pair, dit Lenehan en revenant. Je me suis cogné à Bantam Lyons qui venait là pour parier sur un bougre de cheval que quelqu'un lui a indiqué et qui ne vaut pas un clou. Par ici.

Ils montèrent les degrés de la Porte des Marchands et passèrent dessous. Un dos noir bouquinait à l'étalage du revendeur ambulant.

— Le voici, dit Lenehan.

— Je me demande ce qu'il peut bien acheter, dit M'Coy en se retournant.

— Leopoldo ou *Bleuet Bloom est en Campagne*, dit Lenehan.

— Quand il s'agit de ventes il ne se possède plus, dit M'Coy. Un jour que j'étais avec lui il a acheté un livre à un vieux bonhomme de Liffey Street pour deux pièces de vingt ronds. Il y avait dedans des gravures qui valaient le double, les étoiles, la lune et les comètes avec des grandes queues. Un bouquin sur l'astronomie.

Lenehan riait.

— Je vous en raconterai une bien bonne sur la queue des comètes, dit-il. Traversons au soleil.

Ils prirent le pont métallique et suivirent le quai Wellington le long du parapet de la rivière.

Le petit Patrick Aloysius Dignam sortit de chez Mangan, successeur de Fehrenbach, avec une livre et demie de côtelettes de porc.

— C'était une grande fête à la maison de correction de Glencree, dit Lenehan très excité. Vous savez, le dîner annuel. Chemise empesée, habit, cravate blanche. Le Lord Maire était là, c'était Val Dillon, et Sir Charles Cameron et Dan Dawson firent des speechs et il y avait de la musique. Bartell d'Arcy chantait et Ben Dollard...

— Je sais, interrompit M'Coy. Ma moitié a chanté là une fois.

— Vraiment ? dit Lenehan.

Un écriteau *Chambres non meublées à Louer* réapparut au châssis de la fenêtre du 7 Eccles Street.

Il interrompit son histoire mais éclata d'un rire poussif.

— Attendez, vous allez voir, dit-il. Delahunt de Camden Street avait fourni le solide et c'est votre serviteur qui était grand échanson. Bloom et sa femme étaient là. Il y avait de tout à gogo, porto, cherry, curaçao auxquels nous fîmes honneur. On menait un train d'enfer. Après les liquides les solides. Des viandes froides à n'en plus finir et des pâtés...

— Je sais, dit M'Coy. L'année que ma moitié y était...

Lenehan lui prit le bras chaleureusement.

— Attendez, vous allez voir, dit-il. Après cette bombe nous avons encore fait un déjeuner de minuit et quand on s'est mis en route il était une heure abracadabrante de lendemain de noce. Retour par une somptueuse nuit d'hiver sur le Mont Édredon. Bloom et Chris Callinan étaient d'un côté de la voiture et j'étais de l'autre avec la femme. Nous avons commencé à chanter des duos et des chants à plusieurs voix : *Vois, le premier rayon de l'aube*. Qu'est-ce qu'elle avait dans la sous-ventrière comme porto ! Chaque cahot qui faisait sauter la sacrée bagnole me l'envoyait contre moi comme un ballon. Elle en a une belle paire, mes seigneurs ! Comme ça.

Il campa ses mains en conques à une coudée de lui, le front plissé :

— J'arrangeais la couverture sous elle et je lui remettais son boa tout le temps. Vous saisissez ?

Ses mains moulaient d'amples rondeurs d'air. De

délectation il serrait ses paupières fermées, tout ramassé, et sifflotait comme un oiseau.

— Et je vous prie de croire que le petit frère était plutôt au garde-à-vous, dit-il avec un soupir. Pas d'erreur, c'est une jument qui a de l'allant. Bloom, lui, désignait toutes les étoiles et comètes des cieux à Chris Callinan et au conducteur : la Grande-Ourse, Hercule et le Dragon et tout le bataclan. Mais moi, bon dieu, j'étais comme qui dirait égaré dans la voie lactée. Pour ça on peut dire qu'il les connaît toutes. A la fin elle tend le doigt vers un petit point de presque rien aux cinq cents diables. *Et quelle est cette étoile-là, Poldy ?* qu'elle lui demande. Du coup Bloom en est resté le bec dans l'eau. *Celle-là !* dit Chris Callinan, *ma parole, c'est ce qu'on peut appeler une pointe d'épine.* Ah le bougre, il ne croyait pas si bien dire !

Lenehan s'arrêta et s'appuya au parapet en riant d'un petit rire essoufflé.

— Je tombe en faiblesse, haleta-t-il.

La figure blafarde de M'Coy après plusieurs sourires se fit grave. Lenehan se remit à marcher. Il enleva sa casquette de marine et se gratta la nuque avec vivacité. Il regardait du coin de l'œil M'Coy en plein soleil.

— Bloom, c'est un touche-à-tout, qui sait bien des choses, dit-il sérieusement. C'est pas le premier imbécile venu... vous savez... Il a quelque chose de l'artiste, ce brave Bloom.

M. Bloom feuilletait distraitement les pages des *Terribles Révélations de Maria Monk*, puis le *Chef-d'Œuvre* d'Aristote. Une impression à la va-te-faire-fiche. Des planches : enfants ramassés en boule dans de sanglantes matrices, quelque chose comme du foie de bœuf frais détaché. Il y en a comme ça une quantité en ce moment dans le monde entier. Ils cognent tous de la tête pour se tirer de là. Un nouveau-né à toute minute quelque part. Mme Purefoy.

Il mit les deux livres de côté et regarda le troisième : *Les Contes du Ghetto* par Léopold von Sacher Masoch.

— Celui-là je l'ai lu, dit-il, en le poussant plus loin.

Le libraire laissa tomber deux volumes sur le comptoir.

— Ces deux-là i sont bons, dit-il.

Les oignons de son haleine à travers sa denture dévastée passaient par-dessus le comptoir. Il se baissa pour faire une pile des autres livres qu'il cala contre son gilet déboutonné et les emporta derrière un rideau miteux.

Sur le pont O'Connell de nombreux passants remarquaient le maintien solennel et l'accoutrement pittoresque de M. Denis J. Maginni, professeur de danse, etc.

M. Bloom resté seul regarda les titres. *Les Reines du Fouet* par M. de la Verge de Bouleau. Je vois ce que c'est. L'a-t-elle eu ? Oui.

Il l'ouvrit. C'est bien ça.

Une voix de femme derrière le rideau miteux. Écoutons : L'homme.

Non, elle n'aimerait pas beaucoup ça. L'a déjà eu.

Il lut l'autre titre : *Les Douceurs du Péché*. Voilà plutôt son affaire. Voyons.

Il ouvrit au hasard et lut.

— *Tous les gros billets que lui donnait son mari étaient dépensés dans les magasins en somptueuses toilettes, en coûteuses fanfreluches. Pour lui ! Pour Raoul !*

Oui. Ça va. Voyons plus loin.

— *Il colla sa bouche à la sienne en un lascif et voluptueux baiser tandis que sous le déshabillé ses mains cherchaient d'opulentes rondeurs.*

Oui. Prenons ça. Et la fin.

— *Vous rentrez bien tard*, dit-il, *la voix rauque, l'examinant d'un œil chargé de fureur et de soupçon.*

La splendide créature rejeta son manteau garni de zibeline, dévoilant ses épaules de reine et ses charmes houleux. Un imperceptible sourire se jouait sur ses lèvres au dessin irréprochable tandis qu'elle se tournait avec calme vers lui.

M. Bloom lut une seconde fois : *La splendide créature.*

Il se sentait pénétré d'une douce chaleur qui accouardissait sa chair. Une chair qui cède parmi des vêtements en désordre. Yeux qui chavirent. Les narines dilatées de M. Bloom flairaient la proie. Les fondantes onctuosités des seins (*Pour lui! pour Raoul!*). Sueur acide des aisselles. Glu colle de poisson (*ses charmes houleux*). Pelote-moi! Serre fort! Concrasée! Fiente des lions qui sent le soufre!

Être jeune! Jeune!

Une créature d'un certain âge, point jeune, quittait le bâtiment des cours de la chancellerie, du banc du roi, de l'échiquier et des débits de droit commun, ayant assisté au tribunal du lord chancelier à l'affaire Potterton, aliénation mentale, et au tribunal maritime à la citation, par instance unilatérale, des propriétaires de la *Lady Cairns* contre les propriétaires de la barque *Mona*, et à la cour d'appel au renvoi du jugement dans l'affaire Harvey contre la Compagnie d'Assurances Maritimes. *L'Océan-Accidents.*

Des quintes grasses ébranlaient l'atmosphère de la librairie, et faisaient bomber le rideau miteux. La tête grise, mèches en désordre, du libraire et sa face sanguine et non rasée reparurent avec accompagnement de toux. Il racla rudement sa gorge et lança un paquet de mucus sur le plancher. Il posa le pied sur son crachat, frottant de la semelle, et en se penchant montra une tonsure de chair vive entourée de cheveux rares.

M. Bloom la voyait.

Raffermissant sa voix troublée, il dit :

— Je prends celui-ci.

Le libraire leva ses yeux chassieux de vieux catar-rheux.

— *Les Douceurs du Péché*, dit-il, en donnant une petite tape dessus. Ça c'est un bon.

A la porte de la salle des ventes Dillon le crieur agita deux fois sa clochette et s'envisagea dans le miroir zébré de craie du cabinet Renaissance.

Sur le trottoir Dilly Dedalus écoutait les coups de la clochette et les cris du commissaire-priseur à l'intérieur. Quatre shillings neuf. De si jolis rideaux. Cinq shillings. Tout ce qu'il y a de cossu. On vend les neufs deux guinées. Personne ne dit mot ? Adjugé à cinq shillings.

Le crieur leva sa clochette et l'agita :

— Badang !

Le dang de la cloche du dernier tour éperonna l'ardeur des cyclistes qui couraient le demi-mille. J. A. Jackson. W. E. Wylie, A. Munze et H. T. Gahan, travaillant de leurs cous étirés, liquidaient la courbe le long de la Bibliothèque du Collège.

M. Dedalus arrivait de William's Row en tiraillant une longue moustache. Il s'arrêta près de sa fille.

— Il était temps, dit-elle.

— Pour l'amour de Notre Seigneur, tenez-vous un peu plus droite que ça, dit M. Dedalus. Est-ce que vous essayez de singer votre oncle John le cornet à piston, la tête dans les épaules ? Morfondieu !

Dilly haussa les épaules. M. Dedalus appuya dessus avec ses deux mains.

— Tenez-vous droite, la fille, dit-il. Vous allez vous

amener une déviation de l'épine dorsale. Savez-vous à quoi vous me faites penser ?

Il piqua brusquement du menton, laissant pendre sa mâchoire inférieure et levant les deux épaules.

— Finissez, père, dit Dilly. Tout le monde vous regarde.

M. Dedalus se redressa et tira de nouveau sur sa moustache.

— Avez-vous eu de l'argent ? demanda Dilly.

— Où aurais-je eu de l'argent ? dit M. Dedalus. Il n'y a pas une âme à Dublin qui me prêterait quatre sous.

— Vous en avez, dit Dilly, en le regardant dans les yeux.

— Comment le savez-vous ? dit M. Dedalus, en lui faisant une nique de chique en joue.

M. Kernan, satisfait de la commande qu'il venait de décrocher, parcourait James Street à fière allure.

— Je le sais, répondit Dilly. N'étiez-vous pas à la Scotch House tout de suite ?

— Non, je n'y étais pas, dit M. Dedalus souriant. Est-ce que ce sont les petites Sœurs qui vous ont appris à faire l'effrontée comme ça ? Tenez.

Il lui tendit un shilling.

— Voyez ce que vous pouvez faire avec ça, dit-il.

— Vous en avez bien eu cinq, dit Dilly. Donnez-moi plus que ça.

— Attendez un peu ! fit M. Dedalus menaçant. Vous êtes comme les autres, alors ? Depuis que votre pauvre mère n'est plus là, j'ai une bande de donzelles sans pudeur qui me manquent de respect. Mais attendez un peu. J'aurai bientôt débarrassé le plancher sans tambour ni trompette. C'est un infâme brigandage ! Mais bientôt je serai délivré. Ça vous serait bien égal que je sois allongé raide mort. Il est mort. Le corps du bonhomme est là-haut.

La laissant là il s'éloigna. Mais Dilly lui courut après et le tira par son veston.

— Eh bien, qu'est-ce qu'il y a ? fit-il, s'arrêtant.

Le crieur agitait derrière eux sa clochette.

— Badang !

— Sacré nom de dieu de braillard ! cria M. Dedalus en se retournant sur lui.

Le crieur, qui sentait quelque chose dans l'air, secoua, mais faiblement, le battant mol de sa cloche :

— Dang !

M. Dedalus braqua ses yeux sur lui.

— Regardez-moi ça, dit-il. C'est édifiant. Je me demande s'il va nous permettre de parler.

— Vous avez eu plus que ça, père, dit Dilly.

— Je vais vous apprendre un petit tour de ma façon, dit M. Dedalus. Je vais faire comme Jésus avec les Juifs, je vais vous laisser vous débrouiller. Tenez, voilà tout ce que je possède. J'ai eu deux shillings de Jack Power et j'ai dépensé deux pence pour me faire raser avant l'enterrement.

Il tira nerveusement de sa poche une poignée de petite monnaie.

— Est-ce que vous ne pourriez pas trouver de l'argent quelque part ? demanda Dilly.

M. Dedalus réfléchit et hocha la tête affirmativement.

— Certainement, dit-il avec gravité, j'ai cherché tout du long du ruisseau d'O'Connel Street. Maintenant je vais chercher dans celui-ci.

— Vous êtes très drôle, dit Dilly, en riant jaune.

— Là, dit M. Dedalus lui tendant deux pence. Payez-vous un verre de lait et une brioche ou ce que vous voudrez. Je serai rentré dans un instant.

Il remit les autres pièces dans sa poche et s'éloigna de quelques pas.

Le cortège du vice-roi, salué par des agents obséquieux, sortait de Parkgate.

— Je suis sûre que vous avez un autre shilling, dit Dilly.

Le crieur sonnait à toute volée.

M. Dedalus s'éloigna au milieu du carillon, murmurant la bouche en cœur :

— Les petites Sœurs ! Chères petites créatures ! Ah, pour sûr qu'elles ne voudraient pas ! Oh non, bien sûr, elles ne voudraient certainement pas ! Serait-ce la petite sœur Monique !

Satisfait de la commande qu'il avait décrochée pour Pulbrook Robertson, M. Kernan laissait derrière lui le cadran solaire, allait vers James Gate, parcourait James Street à fière allure, dépassait les bureaux Shackleton. J'ai mené ça tambour battant. Comment allez-vous, monsieur Crimmins ? A merveille, monsieur. J'avais peur que vous ne soyez à Pimlico dans votre autre établissement. Comment vont les affaires ? Tout doucement. Quel beau temps tout de même. Pour ça oui. Excellent pour la campagne. Mais les cultivateurs grognent toujours. Je prendrai une larme de votre bon vieux gin, monsieur Crimmins. Un petit verre ? S'il vous plaît, monsieur. Quelle effroyable chose cette explosion du *Général Slocum*. Vraiment effroyable ! Un millier de victimes. Et des scènes déchirantes. Les hommes piétinant les femmes et les enfants. La plus révoltante brutalité. Que dit-on qui a été la cause ? Inflammation instantanée : il y a de scandaleuses révélations. Pas une embarcation n'a pu prendre la mer et les tuyaux d'incendie tous crevés. Ce que je ne peux pas comprendre, c'est comment les autorités ont pu permettre qu'un bateau pareil... Là vous êtes dans le vrai, monsieur Crimmins. Et savez-vous le pourquoi ? Les pots-de-vin. Est-ce certain ? Pas l'ombre d'un doute. Hein, voyez-vous ça ! Et on dit que l'Amérique est le pays de la liberté. Et moi qui croyais que c'était pire chez nous.

Je lui ai souri. *L'Amérique*, ai-je dit, comme ça tout doucettement, *qu'est-ce que c'est ? Les balayures de tous les pays y compris le nôtre. N'est-il pas vrai ?* C'est un fait.

La corruption, mon cher monsieur. Eh, parbleu, partout où l'argent court les rues on trouve toujours quelqu'un pour le ratisser.

Je me suis aperçu qu'il regardait ma redingote. La toilette, voilà le secret. Rien de tel que d'avoir l'air chic. Ça leur en bouche une surface.

— Hé bien, Simon, dit le Père Cowley, comment ça va-t-il ?

— Tiens, ce vieux Bob, répondit M. Dedalus en s'arrêtant.

M. Kernan s'était arrêté et bombait le torse devant le miroir incliné de Peter Kennedy, coiffeur. Il n'y a pas à dire, c'est bien coupé. Vient de chez Scott de Dawson Street. Ça vaut bien le demi-souverain que je l'ai payé à Neary. N'a sûrement pas coûté moins de trois guinées. Me va comme un gant. C'est probablement un gandin du club de Kildare Street qui le portait. John Mulligan, le directeur de la Banque Hibernienne, m'a lancé un de ces coups d'œil hier sur le pont Carlisle comme s'il se souvenait de moi.

Ahem ! Avec ces lascars-là il faut que ça dégote. Chevalier de la table d'hôte. Gentleman. Voyons, monsieur Crimmins, est-ce que vous voudrez bien encore nous honorer de vos ordres ? Le breuvage qui donne du ton sans enlever la raison, comme dit le dicton.

North Wall et quai de Sir John Rogerson, carcasses de bateaux et chaînes d'ancres, voguant vers l'est voguait un esquif, un prospectus froissé, roulé dans le sillage du ferry-boat, Élie arrive.

M. Kernan envoya un regard d'adieu à son image.

Évidemment haut en couleur. Moustache poivre et sel. Ex-officier de l'armée des Indes. Il transportait crânement son torse trapu sur des pattes guêtrées, se carrant. Est-ce le frère de Lambert qui vient là, Sam ? Hein ? Oui. C'est lui tout craché. Non. Le pare-brise de cette auto en plein soleil. Quelle idée. Lui ressemblait bougrement.

Hahem ! Les vapeurs du jus de genièvre lui chauffaient l'intérieur et il soufflait du feu. Ah, la bonne goutte de gin ! Les basques de sa redingote, dans ce beau soleil, clignaient au rythme de son pas de pachyderme.

Par ici Emmet fut pendu, écartelé et mis en quartiers. La corde noire et graisseuse. Les chiens léchaient le sang sur le pavé quand la femme du Lord Lieutenant passa dans sa berline.

Voyons. Est-il enterré à Saint-Michan ? Mais non, il a été enterré de nuit à Glasnevin. Le corps a été introduit par une porte secrète dans le mur. Dignam y est maintenant. Parti sans crier gare. Allons, c'est comme ça. Devrais peut-être tourner ici. Faisons un détour.

M. Kernan tourna et se mit à descendre Watling Street au coin du salon d'attente de Guinness. Devant la Compagnie des Distillateurs de Dublin un tapecu sans client ni cocher stationnait avec les rênes nouées. Sacré truc bougrement dangereux. Quelque pedzouille de Tipperary qui se fiche bien de la sécurité de ses concitoyens. Un cheval emballé.

Denis Breen et ses bouquins, las d'avoir attendu une heure dans l'étude de John Henry Menton, emmenait son épouse par le pont O'Connell vers l'étude de MM. Collis et Ward.

M. Kernan approchait d'Island Street.

L'époque des troubles. Faut que je demande à Ned Lambert de me prêter ces souvenirs de sir Jonah Barrington. Quand on regarde si loin en arrière en une espèce d'arrangement rétrospectif. Le tripot de Daly. Pas bon de tricher alors. Un de ces individus eut la main clouée à la table avec un poignard. C'est par ici que lord Edward Fitzgerald échappa au major Sirr. Par les écuries derrière la Moira House.

Bougrement bon ce gin.

Un beau et jeune gentilhomme qui avait du cran. Le vieux sang, parbleu. Ce scélérat, ce faux hobereau, avec ses gants violets, qui l'a livré. Évidemment ils soutenaient la mauvaise cause. Mais ils ont vu le jour en des temps de ténèbres. Quel beau poème : Ingram. C'étaient de vrais gentilshommes. Ben Dollard chante cette ballade d'une façon émouvante. Belle musicalité.

Au siège de Ross mon père tomba.

Une cavalcade au petit trot passait sur le quai Pembroke, les piqueurs pilant, pilant du, pilant du poivre. Redingotes. Ombrelles crème.

M. Kernan allongea le pas, soufflant à bouche fermée.

Son Excellence ! Quelle déveine ! Manqué ça de bien peu. Sacrédié ! C'est bien dommage.

Stephen Dedalus observait à travers les toiles d'araignées de la fenêtre les doigts du lapidaire qui éprouvaient le métal d'une chaîne oxydée. Couche de poussière sur les vitres, sur les planches de la devanture. Doigts gris de poussière avec des ongles de rapace. Poussière somnolant sur les torsades de bronze et d'argent, les losanges de cinabre, les rubis, pierres lépreuses et rouge-vin.

Tout cela né dans la nuit grouillante de la terre, étincelles congelées, feux maléfiques des ténèbres. Là les archanges déchus jetèrent les étoiles de leurs fronts. Des mains, groins fangeux, qui fouissent et fouissent, les agrippent et les extirpent.

Elle danse dans un clair-obscur empesté où brûlent ensemble la résine et l'ail. Un matelot à barbe roussâtre sirote du tafia dans un gobelet à bec et la dévore des yeux. Muette concupiscence longuement nourrie entre le ciel et l'eau. Elle danse, bat des entrechats, fait ballotter ses jambons de truie et ses hanches, et son ventre obscène sur lequel se trémousse un rubis gros comme un œuf.

Le vieux Russell avec une peau de chamois crasseuse fourbissait encore son bijou, le retournait, l'examinait au bout de sa barbe pointue de vieux Moïse. Grand-père orang qui couve des yeux un trésor volé.

Et vous qui arrachez de la terre sépulcrale des images usées. Les mots insanes des sophistes : Antisthène. Une science des drogues. Froment qui lève immortel entre deux éternités.

Deux vieilles femmes qui venaient de prendre une bonne prise d'air au bord de la grande bleue traversaient Irishtown à pas lourds en suivant London Bridge Road, l'une avec du sable à son parapluie, l'autre avec un sac de sage-femme où brimbalaient onze coques.

Le ronron des courroies de transmission et le bourdonnement des dynamos de l'usine d'énergie engageaient Stephen à aller plus loin. Êtres privés de l'être. Halte ! Perpétuelle pulsation autour de vous, perpétuelle pulsation en vous. Votre cœur c'est le grand thème. Moi je suis entre. Où ? Entre deux mondes qui vrombissent et qui girent, moi. Les pulvériser, tous les deux. Mais en rester, moi, sur le carreau. Pulvérisez-moi, vous qui le pouvez. Maquereau et bourreau, c'étaient bien les mots. Non, mais ! Pas tout de suite. Le temps de faire un petit tour.

Oui, tout à fait juste. Colossal et merveilleux et

jamais en retard. Vous avez raison, monsieur. Un lundi matin, mais oui, parfaitement.

Stephen descendait Bedford Row, en se martelant l'omoplate avec la poignée de son frêne. A la vitre de Clohissey, son attention fut attirée par une gravure de 1860 quelque peu pâlie. Heenan boxant Sayers. Autour du champ clos encordé, des parieurs attentifs sous leurs chapeaux tromblons. Poids lourds en léger pagne, chacun offre tout gentiment à l'autre ses poings charnus. Et ils ont du pouls eux aussi : cœurs à la hauteur.

Il se détourna et s'arrêta près de la petite voiture inclinée du bouquiniste.

— Deux pence la pièce, dit le camelot. Quatre pour six-pence.

Livres en loques. *L'Aviculteur Irlandais. La Vie et les Miracles du Curé d'Ars. Guide de Poche de Killarney.*

Un de mes pauvres prix qu'on a mis au clou est peut-être bien venu échouer là. *Stephano Dedalo, alumno optimo palmam ferenti.*

Le Père Conmee, qui avait achevé ses petites heures, traversait le hameau de Donnycarney, en murmurant ses vêpres.

Trop bien reliés pour cela, je suppose. Qu'est-ce que ceci ? Huitième et neuvième livres de Moïse. Secret des secrets. Sceau du roi David. Marques de pouces partout : lu et relu. Qui est-ce qui est passé ici avant moi ? *Comment guérir les mains gercées. Recette du vinaigre de vin blanc. L'art d'être aimé des femmes.* Pas pour moi ça. Répétez trois fois de suite les mains jointes la formule magique suivante :

— *Se el yilo nebrakada femininum ! Amor me solo ! Sanktus ! Amen.*

Quel est l'auteur ? Invocations et talismans du très saint abbé Peter Salanka divulgués à tous les fidèles. Tout aussi efficaces que les trucs des autres abbés, les marmottages d'un Joachim par exemple. En bas, vieux dégazonné, ou nous te scalperons ta calvitie.

— Qu'est-ce que vous faites par ici, Stephen ?

Dilly, ses épaules trop hautes, sa robe miséreuse. Fermons vite le livre. Qu'elle ne voie pas.

— Et vous, qu'est-ce que vous faites ?

Une face Stuart, du sans-pareil Charles, encadrée de mèches plates. Une face rosée quand elle était accroupie devant le feu qu'elle faisait durer avec de vieilles savates. Je lui parlais de Paris. La dernière au lit, sous une courte-pointe de vieux pardessus, tripotant son bracelet de simili-or, un cadeau de Dan Kelly. *Nebrakada femininum.*

— Qu'est-ce que c'est que ça ? demanda Stephen.

— Je l'ai acheté deux sous dans l'autre voiture, fit Dilly avec un rire nerveux. Ça vaut-il quelque chose ?

On dit qu'elle a mes yeux. Est-ce ainsi que les autres me voient ? Vive, audacieuse et lointaine. Mon ombre intellectuelle.

Il lui prit dans la main le livre sans couverture. *Premiers éléments de français.*

— Pourquoi avez-vous acheté ça ? demanda-t-il. Pour apprendre le français ?

Elle fit oui en rougissant et serrant les lèvres.

N'ayons pas l'air étonné. Tout à fait naturel.

— Tiens, dit Stephen. Ce n'est pas mauvais. Faites attention que Maggy n'aille pas le bazarder. Il est probable que tous mes livres ont disparu comme ça.

— Quelques-uns, avoua Dilly. Il a fallu.

Elle se noie. Morsure intime. La sauver. Morsure intime. Tous contre nous. Elle me noiera avec elle, les yeux, les cheveux. Longues mèches plates, algues qui s'enroulent autour de moi, mon cœur, mon âme. Mort verte et amère.

Nous.

Morsure de l'ensoi. L'ensoi et sa morsure.

Misère de misère !

— Tiens! Simon, dit le Père Cowley. Comment ça va ?

— Tiens! ce vieux Bob, répondit M. Dedalus en s'arrêtant.

Ils se donnèrent une sonore poignée de mains devant chez Reddy et Fille. Le Père Cowley lissait fréquemment sa moustache d'une main en écope.

— Quelles nouvelles ? demanda M. Dedalus.

— Pas grand chose de neuf, dit le Père Cowley. Je vis derrière une barricade, Simon, avec deux hommes qui tournent autour de la maison pour essayer de s'introduire.

— Charmant, dit M. Dedalus. Qui est-ce qui les envoie ?

— Oh, dit le Père Cowley, un certain prêteur de notre connaissance.

— Avec l'échine de traviole, pas ? demanda M. Dedalus.

— Lui-même, Simon, répondit le Père Cowley. Ruben de la tribu dite. Justement j'attendais Ben Dollard. Il va dire un mot au Grand John pour qu'on me débarrasse de ces deux individus. Tout ce que je demande, c'est qu'on me laisse un peu de temps.

Il explorait le quai d'un bout à l'autre avec un vague espoir, cou bossué d'une belle pomme.

— Je sais, dit M. Dedalus avec un signe de tête. Ce cher vieux bancroche de Ben ! Toujours en train de rendre service à quelqu'un. Attendez voir !

Il mit son lorgnon et regarda un instant dans la direction du pont métallique.

— Dieu me pardonne, le voilà bien, couilles et cul compris.

La vaste jaquette bleue, le chapeau cronstadt et le large flottard de Ben Dollard, débouchant du pont

350

métallique, traversaient le quai dans toute leur importance. Il s'approchait à petite allure, très occupé à se gratter sous ses basques.

Quand il fut tout près M. Dedalus l'accueillit d'un :

— Empoignez-moi cet animal-là, lui et les pantalons de son grand-père.

— Oui, essayez voir, dit Ben Dollard.

Le regard supérieurement méprisant de M. Dedalus épluchait la personne de Ben Dollard. Puis avec un hochement de tête destiné au Père Cowley, il murmura gouailleur :

— Pour un vêtement d'été, n'est-ce pas que c'est réussi ?

— Nom de dieu de bon dieu ! gronda furioso Ben Dollard, il m'est arrivé de ficher au rancart plus de vêtements que vous n'en avez jamais vu.

Arrêté, rayonnant il leur sourit et sourit à son vêtement spacieux sur lequel M. Dedalus de-ci de-là enlevait un duvet d'une chiquenaude, en disant :

— Toujours est-il qu'ils ont été faits pour un homme qui se portait bien, Ben.

— La peste soit du youpin qui les a coupés, dit Ben Dollard. Dieu merci il n'est pas encore payé.

— Et comment va ce fameux *basso profondo*, Benjamin ? demanda le Père Cowley.

Cashel Boyle O'Connor Fitzmaurice Tisdall Farrell, l'œil vitreux, passait à grandes enjambées devant le club de Kildare Street, tout en monologuant.

Ben Dollard fronça le sourcil, et faisant tout à coup sa bouche de chanteur, donna une note de poitrine.

— Ooo ! fit-il.

— En plein dans le mille, dit M. Dedalus, la saluant au passage.

— Qu'est-ce que vous dites de ça ? dit Ben Dollard. C'est un peu là, hein ?

Il les prenait à témoins l'un et l'autre.

— Ça peut aller, dit le père Cowley, approuvant à son tour.

Le Révérend Hugues C. Amour sortit de l'antique salle du Chapitre de l'Abbaye de Sainte Marie, passa devant chez James et Charles Kennedy, raffineurs, la tête pleine de Geraldines plus beaux et plus grands les uns que les autres, et se dirigea vers le Tholsel au-delà du gué de Hurdles.

Ben Dollard qui donnait de la bande vers les devantures les conduisait en levant des doigts allègres.

— Venez avec moi au bureau du Sous-Shérif, dit-il. Je veux vous faire voir le chef-d'œuvre d'huissier que vient de se payer Rock. Une espèce de compromis entre Béhanzin et Lynchehaun. Il en vaut la peine, je vous assure. Venez. J'ai rencontré par hasard John Henry Menton à la Bodega il y a un instant et j'en serais renversé si je ne... patience... Croyez-moi, Bob, nous sommes dans le bon chemin.

— Dites-le-lui : rien que quelques jours, dit le Père Cowley d'une voix suppliante.

Ben Dollard s'arrêta court, l'œil fixe, son sonore orifice béant, et un bouton folâtre de son vêtement se dandinait envers brillant au bout de son fil, tandis que pour mieux entendre il détachait les croûtes qui bordaient ses yeux.

— Au diable vos quelques jours ! fit-il dans un tonnerre. Est-ce que votre proprio n'aurait pas mis saisie-arrêt pour le loyer ?

— Mais si, dit le Père Cowley.

— Alors la requête de notre excellent ami ne vaut pas le papier sur lequel elle a été faite. Le propriétaire a droit de priorité. Je lui avais donné toutes les précisions. 29 Windsor Avenue. C'est Amour son nom ?

— Parfaitement, dit le Père Cowley. Le Révérend Père Amour. Il est pasteur quelque part dans l'intérieur. Mais êtes-vous sûr de ça ?

— Vous pouvez le dire à Barabbas de ma part, fit Ben Dollard, qu'il peut mettre sa requête où le singe mit ses noix.

D'autorité il entraîna le Père Cowley à la remorque de sa masse.

— C'étaient des noisettes, je crois, dit M. Dedalus, qui les suivit en laissant choir son lorgnon sur le devant de son veston.

— Le petit bonhomme sera très bien casé, dit Martin Cunningham, au moment de passer la grille de Castleyard.

L'agent salua militairement.

— Bonne chance, dit gaiement Martin Cunningham.

Il fit un signe au cocher qui attendait et qui tira sur les guides en prenant la direction de Lord Edward Street.

Bronze près d'or, la tête de Miss Kennedy près de la tête de Miss Douce apparut au-dessus du brise-bise de l'Ormond Hotel.

— Oui, dit Martin Cunningham qui taquinait sa barbe. J'ai écrit au Père Conmee et lui ai expliqué toute la chose.

— Vous auriez pu essayer aussi près de notre ami, suggéra timidement M. Power.

— Boyd ? dit Martin Cunningham sèchement. Merci bien.

John Wyse Nolan qui s'était attardé à lire la liste de souscription sortit après eux et descendit rapidement Cork Hill.

Sur les marches de l'Hôtel de Ville, le Conseiller Nannetti qui descendait dit Bonjour à l'Alderman Cowley et au Conseiller Abraham Lyon qui montaient.

La voiture du Gouvernement tournait à vide dans Upper Exchange Street.

— Dites donc, Martin, fit John Wyse Nolan qui les rejoignait devant les bureaux du *Courrier*. Je vois que Bloom s'est inscrit pour cinq shillings.

— C'est vrai, dit Martin Cunningham prenant la liste. Et même il les a versés.

— Et sans commentaire, dit M. Power.

— Étrange mais vrai, ajouta Martin Cunningham. John Wyse Nolan ouvrit des yeux étonnés.

— J'ose dire qu'il y a une grande bonté en ce Juif, cita-t-il avec élégance.

Ils descendaient Parliament Street.

— Voici Jimmy Henry, dit M. Power, qui cingle sur Kavanagh's.

— Chouette alors ! dit Martin Cunningham. Allons-y.

A l'extérieur de la *Maison Claire* Dache Boylan accosta le beau-frère de Jack Mooney, bossu en bordée qui se dirigeait vers les Libertés.

John Wyse Nolan forma l'arrière-garde avec M. Power, tandis que Martin Cunningham prenait par le coude un petit homme propret dans son complet givré qui passait devant les monstres de Micky Anderson à pas pressés mais mal assurés.

— Les cors de l'Adjoint au Maire lui donnent du fil à retordre, confia John Wyse Nolan à M. Power.

Tournant le coin ils se dirigèrent vers la brasserie de James Kavanagh. La voiture vide du Gouvernement était arrêtée en face d'eux sous Essex Gate. Martin Cunningham parlant toujours désignait fréquemment la liste de souscriptions à Jimmy Henry qui ne regardait pas.

— Et le grand John Fanning est là aussi, dit John Wyse Nolan, et grandeur nature.

Le grand John Fanning bouchait de toute sa hauteur le cadre de la porte.

— Bonjour, Monsieur le Sous-Shérif, dit Martin Cunningham, et tous s'arrêtèrent pour un échange de politesses.

Le grand John Fanning ne leur livra point le passage. Résolument il avait retiré de sa bouche son énorme Henry Clay, et ses yeux énormes, intelligents et agressifs faisaient le tour de leurs visages.

— Est-ce que les pères conscrits poursuivent leurs pacifiques délibérations ? dit-il à l'Adjoint d'une voix pleine et mordante.

— Ils font tout le diable et son train, dit Jimmy Henry agacé, avec leur sacrée langue irlandaise. Mais enfin, je vous le demande, où est donc l'officier de ville pour maintenir l'ordre dans la salle du conseil ? Et le vieux Barlow, le massier, couché avec son asthme, pas de masse sur la table, tout à la débandade, pas même le nombre suffisant de présents, et Hutchinson, le Lord Maire, parti à Llandudno, et le petit Lorcan Sherlock jouant le rôle de *locum tenens*. Sacrée langue irlandaise, langue de nos aïeux.

Le grand John Fanning fit sortir de ses lèvres un panache de fumée.

Martin Cunningham, tortillant la pointe de sa barbe, parlait tantôt à l'Adjoint, tantôt au Sous-Shérif, et John Wyse Nolan gardait le silence.

— Quel Dignam était-ce ? demandait le grand John.

Jimmy Henry fit une grimace et mit son pied gauche en l'air.

— Oh, mes cors ! gémit-il. Montons, pour l'amour de Dieu, que je puisse m'asseoir quelque part. Aïe ! Oï ! Attention !

Bourru il se fraya un passage le long des côtes du grand John, entra et monta l'escalier.

— Allons, montons, dit Martin Cunningham au Sous-Shérif. Je ne pense pas que vous le connaissiez ou peut-être bien que si.

M. Power et John Wyse Nolan les suivirent à l'intérieur.

— C'était un honnête petit bonhomme, disait M. Power au dos imposant du grand John Fanning qui montait à la rencontre du grand John Fanning de la glace.

— Plutôt un diminutif d'homme, feu Dignam de l'étude Menton, dit Martin Cunningham.

Le grand John Fanning n'arrivait pas à se le rappeler.

Un bruit de sabots de chevaux retentissait.

— Qu'est-ce que c'est ? demanda Martin Cunningham.

Tous se retournèrent : John Wyse Nolan redescendit. De l'ombre fraîche du seuil il vit les chevaux passer dans Parliament Street, les harnais et les paturons où se jouait le soleil. Le cortège défila gaiement, à une allure modérée au petit trot, sous son regard glacial. Sur les chevaux de tête, les fringants chevaux de tête, cavalcadaient les piqueurs.

— Qu'est-ce que c'était ? demanda Martin Cunningham, comme ils recommençaient à monter.

— Le Lord Lieutenant-Général et Gouverneur Général de l'Irlande, répondit John Wyse Nolan du bas de l'escalier.

Pendant qu'ils avançaient sur l'épaisse moquette, Buck Mulligan, son panama devant la bouche, souffla à Haines :

— Le frère de Parnell. Là dans le coin.

Ils choisirent une petite table près de la fenêtre en face d'un homme au visage tout en longueur, dont la barbe et les yeux absorbés se penchaient très attentivement sur un échiquier.

— Est-ce lui ? demanda Haines, se contorsionnant sur sa chaise.

— Oui, dit Mulligan. C'est John Howard Parnell, son frère, notre officier de ville.

John Howard Parnell déplaça tranquillement un fou blanc et, portant de nouveau à son front une griffe grisâtre, l'y tint immobile.

Un instant plus tard, de dessous cet auvent, ses yeux jetèrent à son adversaire un regard rapide et brasillant comme celui d'un spectre, et se baissèrent de nouveau vers un coin de manœuvre.

— Je prendrai un café viennois, dit Haines à la serveuse.

— Deux viennois, dit Buck Mulligan. Et donnez-nous quelques scones, du beurre et aussi quelques gâteaux.

Elle partie, il dit en riant :

— La maison s'appelle la P. I. parce qu'elle a la spécialité des pâtisseries infectes. Oh, mais vous avez manqué Dedalus et son *Hamlet*.

Haines ouvrit le livre qu'il venait d'acheter.

— Tant pis pour moi, dit-il. Shakespeare est un terrain giboyeux pour les esprits qui ont perdu l'équilibre.

Le marin unijambiste grommelait à la grille du 14 de Nelson Street :

— Pour l'Angleterre...

Le rire de Buck Mulligan secouait son gilet primevère.

— Et si vous le voyiez, dit-il, quand son corps perd l'équilibre. Je l'appelle Ængus le Vagabond.

— Je parierais qu'il a une idée fixe, dit Haines, qui pinçait son menton entre le pouce et l'index, d'un air songeur. Et je me demande de quelle espèce. Les gens comme lui ont toujours une idée fixe.

Buck Mulligan se pencha au-dessus de la table, avec gravité.

— On lui a détraqué la cervelle, dit-il, avec des peintures de l'enfer. Il ne pourra jamais attraper la note hellénique. La note qui fut, entre tous les poètes, celle de Swinburne, la pâle mort et la rouge naissance. Voilà son drame intérieur. Il ne sera jamais un poète. La joie de créer...

— Éternel châtiment, dit Haines, avec un bref mouvement de tête. Je me rends compte. Je l'ai entrepris ce matin sur la foi. Je voyais bien que quelque chose lui pesait sur l'âme. C'est assez intéressant parce que le Professeur Pokorny de Vienne tire de cela d'intéressantes conclusions.

Les yeux vigilants de Buck Mulligan voyaient approcher la serveuse. Il l'aida à décharger son plateau.

— Il ne peut trouver aucune trace de l'enfer dans les vieux mythes irlandais, déclara Haines, au-dessus des tasses réconfortantes. L'idée morale en paraît absente, ainsi que le sens de la destinée et des sanctions. C'est assez bizarre qu'il soit justement tombé sur cette obsession-là. Collabore-t-il à votre mouvement littéraire ?

Adroitement il envoya par le fond, dans le sens de leur longueur, deux morceaux de sucre à travers la crème fouettée. Buck Mulligan fendit en deux un scone tout moite et beurra la pâte fumante. D'un coup de dent avide il en détacha un fin quartier.

— Dans dix ans, dit-il, tout en riant et en mâchant. Il écrira quelque chose dans dix ans.

— Ça me paraît un peu loin, dit Haines, méditatif et la cuiller en l'air. Mais ça ne m'étonnerait pas qu'il y arrive, après tout.

Il goûta une cuillerée prise au cône de crème de sa tasse.

— Voici, si je ne m'abuse, qui est de la crème irlandaise authentique, dit-il avec condescendance. Je n'aime pas qu'on essaie de m'en faire accroire.

Élie, esquif léger, prospectus froissé, voguait plein est au flanc des grands voiliers et des chalutiers, et dans un archipel de bouchons, au-delà de New Wapping Street, et du bac de Benson, et le long du trois-mâts schooner *Rosevean* venu de Bridgewater avec un chargement de briques.

Almidano Artifoni passait par Holles Street et Sewell's Yard. Derrière lui Cashel Boyle O'Connor Fitzmaurice Tisdall Farrell, balançant une canne-parapluie-cache-poussière, évita le bec de gaz devant chez M. Law Smith et, après avoir traversé, longea Merrion Square. Derrière lui, à une certaine distance, un jeune aveugle tâtait le terrain en avançant le long du mur de College Park.

Cashel Boyle O'Connor Fitzmaurice Tisdall Farrell alla jusqu'aux glaces riantes de M. Lewis Werner, puis fit demi-tour et arpenta de nouveau Merrion Square, en balançant sa canne-parapluie-cache-poussière.

Au coin de chez Wilde il s'arrêta, lança un mauvais regard au nom d'Élie affiché sur le Metropolitan Hall, un mauvais regard aux parterres lointains de Duke's Lawn. Son monocle irrité flamboyait en plein soleil. La lèvre retroussée sur des incisives de rongeur il marmonna :

— *Coactus volui.*

Il allait en arpentant vers Clare Street, remâchant son imprécation.

Comme il venait d'arpenter la devanture dentaire de M. Bloom, le va-et-vient de son cache-poussière chassa brutalement de côté une mince canne qui tâtait le sol et continua sa course après avoir flagellé un corps débile. Le jeune aveugle tourna son visage maladif vers l'arpenteur.

— Dieu te maudisse, dit-il d'un ton aigre, qui que tu

sois! T'y vois core moins clair que moi, espèce d'enfant de garce!

En face Ruggy O'Donohoe le jeune Patrick Aloysius Dignam, portant à pleine patte la livre et demie de côtelettes de porc qu'on l'avait envoyé chercher chez Mangan, successeur de Fehrenbach, descendait en flânant Wicklow Street où il faisait chaud. C'était par trop tannant de rester sur son derrière dans la salle avec Mme Stoer et Mme Quigley et Mme Mac Dowell avec les rideaux tirés pendant qu'elles étaient à renifler et à siroter le porto supérieur extra-rouge que l'oncle Barney avait rapporté de chez Tunney. Et qu'elles sont là à grignoter des miettes du gâteau de ménage et à jaspiner toute la sacrée sainte journée et à pousser des soupirs.

Après le passage Wicklow, ce fut la devanture de Mme Doyle, modiste de la Cour, qui le fit s'arrêter. Il restait là à regarder dans la devanture deux boxeurs à poil jusqu'à la ceinture et les poings en position. Dans les panneaux de glace de la devanture deux jeunes Dignam en deuil béaient silencieusement. Myler Keogh, le poulain favori de Dublin, rencontrera le sergent-major Bennett, le cogneur de Portobello, pour une bourse de cinquante souverains. Foutre! c'est un match que ça vaudrait le coup d'y aller. Myler Keogh, c'est le type qui attaque celui qui a la ceinture verte. Deux shillings le promenoir, demi-tarif pour les militaires. Maman ne s'apercevra pas que je me suis débiné. Le jeune Dignam de gauche tourna en même temps que lui. C'est moi en deuil. Quand c'est-il? Le vingt-deux mai. Ben, il y a une paye que ce sacré machin est fini. Il se tourna vers la droite et à sa droite tourna le jeune Dignam, sa casquette de travers, son col remonté. Levant le menton pour le reboutonner, il aperçut à côté des deux cogneurs l'image de Marie Kendall, soubrette charmante. Une de ces gonzesses comme y en a dans les paquets de sèches que Stoer fume et son paternel quand il l'a pincé une fois, il te lui a foutu une de ces tournées...

Le jeune Dignam rajusta son col et continua à flâner. Çui-là qui cognait le plus dur c'était Fitzsimons. Un coup de poing de ce type-là dans l'estomac ça t'enverrait à perpète, mon colon. Mais le plus fin c'était Jem Corbet jusqu'au jour où Fitzsimons l'a dégonflé et son sac à malice avec.

Dans Grafton Street le jeune Dignam aperçut un type chic avec une fleur rouge dans le coin de la gueule et qui avait aussi une paire de croquenots à l'as et qui était là à écouter ce que le poivrot lui dégoisait et qui tiquait tout le temps.

Le tram de Sandymount n'arrive pas.

Le jeune Dignam, tout en marchant dans Nassau Street, fit passer les côtelettes de porc dans son autre main. Son col était remonté encore une fois et il le renfonça. Le bon dieu de tibi était trop petit pour la boutonnière de la chemise, quelle barbe ! Il croisa des garçons qui revenaient de l'école avec leurs cartables. Je n'irai pas encore demain, sécherai la boîte jusqu'à lundi. Il croisa d'autres garçons de l'école. Est-ce qu'ils ont fait attention que je suis en deuil ? L'oncle Barney a dit qu'il le ferait mettre dans le journal ce soir. Comme ça ils le verront tous dans le journal et ils verront mon nom imprimé et celui de papa.

Sa figure était devenue toute grise au lieu de rouge qu'elle était avant, et il y avait une mouche qui se promenait dessus près de son œil. Ce que ça grinçait pendant qu'ils étaient en train de visser les vis du cercueil, et le boucan que ça faisait en descendant l'escalier.

Papa était dedans et maman qui pleurait dans la salle et l'oncle Barney qui disait aux hommes comment il fallait faire au tournant. C'était un grand cercueil, épais et qui avait l'air lourd. Comment ça se faisait ? Le dernier soir que papa avait bu il était là debout sur le palier à brailler pour avoir ses souliers et retourner chez Tunney boire encore un coup et il paraissait gros et court en chemise. Ne le verrai plus jamais. C'est la mort, ça. Papa est mort. Mon père est mort. Il m'a dit d'être un bon fils pour maman. Je n'ai pas pu entendre tout ce qu'il disait d'autre, mais je voyais sa langue et ses dents qui essayaient bien d'articuler. Pauvre papa. C'était mon père, M. Dignam. J'espère que maintenant il est en purgatoire parce qu'il est allé se confesser au Père Conroy samedi soir.

William Humble, comte de Dudley, et Lady Dudley, accompagnés du Lieutenant-Colonel Hesseltine, quittèrent en voiture après le lunch le Palais d'Été. Dans la seconde voiture avaient pris place l'Honorable Mme Paget, Mlle de Courcy et l'Honorable Gerald Ward, aide de camp de service.

Le cortège franchit le portail latéral de Phœnix Park, salué par d'obséquieux agents, et, dépassant le pont Royal, suivit les quais nord. Le Vice-Roi recueillait sur son parcours à travers la capitale de nombreuses marques de sympathie. Au pont Bloody, M. Thomas Kernan, qui se trouvait sur l'autre rive, le salua vainement de loin. A leur passage entre le pont de la Reine et le pont Whitworth, les voitures de Lord Dudley, Vice-Roi, ne reçurent aucun salut de M. Dudley White, *Licencié en Droit et Licencié ès Lettres*, qui se trouvait sur le quai Arran devant chez Mme M. E. White, la prêteuse sur gages, juste au coin d'Arran Street West, en train de se caresser le nez avec l'index, se demandant s'il arriverait à Phibsborough plus rapidement en changeant trois fois de tram, en hélant une voiture, ou à pied en prenant par Smithfield, Constitution Hill, et le terminus de Broadstone. Sous le porche du Palais de Justice, Richie Goulding avec sa sacoche de frais et dépens de Goulding, Collis et Ward, le regarda, étonné. Au-delà du pont de Richmond, sur le pas de la porte du cabinet de Ruben J. Dodd, avoué, agent de la Compagnie d'Assurances *Le Patriote*, une dame âgée au moment d'entrer se ravisa, et revenant sur ses pas jusqu'à la devanture de Roy, adressa un sourire convaincu au représentant de Sa Majesté. De son écluse qui s'ouvre dans le mur du quai Wood sous l'office de Tom Bevan, la rivière Poddle, en guise de féal hommage, tirait une langue d'eau d'égout. Au-dessus du brise-bise de l'Ormond Hotel, bronze près d'or, les têtes de Miss Kennedy et de Miss Douce, proches, guettaient et admiraient. Sur le quai Ormond, M. Simon Dedalus, qui allait de l'urinoir à la maison du Sous-Shérif, s'immobilisa au milieu de la chaussée et salua très bas. Son Excellence rendit gracieusement le salut de M. Dedalus. De Cahill's Corner le Révérend Hugues C. Amour, *Licencié ès Lettres*, l'esprit hanté par les députés de la noblesse dont les mains généreuses distribuaient au temps jadis les grasses prébendes, fit une révérence qui passa inaperçue. Sur le pont de Grattan, Lenehan et M'Coy, au moment de se quitter, regardèrent passer les voitures. A hauteur des bureaux de Roger Greene et de la grande imprimerie rouge de Dollard, Gertie Mac Dowell, qui portait le courrier du Lincrusta Catesby pour son père qui était alité, vit tout de suite à l'équipage que c'était le Lord Lieutenant et sa Lady, mais elle ne pouvait pas voir ce que la Vice-Reine portait comme toilette parce que le tram et la grande voiture jaune de Spring, déménageur, avaient dû s'arrêter devant elle justement parce que c'était le Lord Lieutenant. A côté de chez Lundy Foot,

John Wyse Nolan, sur le seuil obscur de la brasserie Kavanagh, adressa un sourire glacial et qui passa inaperçu, au Lord Lieutenant-Général et Gouverneur Général de l'Irlande. Le Très Honorable William Humble, comte de Dudley, Grand Croix de l'Ordre de Victoria, passa devant les montres toujours tictacantes de Micky Anderson et devant les mannequins de cire élégants et poupins d'Henry et James, le gentleman Henry, *very smart* James. Le dos tourné à Dame Gate, Tom Rochford et Blair Flynn regardèrent s'approcher le cortège. Tom Rochford, voyant les yeux de Lady Dudley fixés sur lui, ôta vivement ses pouces des poches de son gilet bordeaux et lui tira sa casquette. Une charmante soubrette, la grande Marie Kendall, les joues barbouillées et pinçant sa jupe, adressait de son affiche son sourire le plus barbouillé à William Humble, comte de Dudley, au Lieutenant-Colonel H. G. Hesseltine ainsi qu'à l'Honorable Gerald Ward, aide de camp. A travers la glace de la Panification Irlandaise, Buck Mulligan gaiement et Haines gravement regardèrent le cortège du Vice-Roi, pardessus les épaules des clients excités, dont le rassemblement mit dans l'ombre l'échiquier sur lequel se penchait très attentivement John Howard Parnell. Dans Fowne's Street, les yeux de Dilly Dedalus, quittant les *Premiers Éléments de français* de Chardenal, s'écarquillèrent pour n'apercevoir que des ombrelles planantes et des rayons de roues qui lançaient des éclairs. John Henry Menton qui tenait toute la porte de la Maison du Commerce regarda de ses yeux de marennes vertes noyés de vin, gardant sans la regarder dans sa grosse main gauche qui n'y prenait plus garde une grosse montre en or. A l'endroit où le cheval du Bon Roi William battait l'air de sa jambe dressée, Mme Breen arracha son conjoint trop pressé aux sabots des chevaux de tête. Elle lui hurla dans l'oreille de quoi il retournait. Il comprit, fit passer ses tomes sous son aisselle gauche et envoya un salut à la seconde voiture. L'Honorable Gerald Ward, aide de camp, agréablement surpris, s'empressa de répondre. Au coin de chez Ponsonby, flacon blanc harassé, H. fit halte et quatre autres flacons blancs coiffés de hauts-de-forme firent halte derrière lui, E. L. Y.'S, tandis que les chevaux des piqueurs passaient en fringuant, puis les voitures. En face de Pigott, éditeur de musique, M. Denis J. Maginni, professeur de danse, etc., pittoresquement accoutré et l'allure solennelle, fut distancé par un Vice-Roi et complètement éclipsé. Le long du Mur du Prévôt arrivait fort dégagé Dache Boylan, souliers jaunes et chaussettes à baguettes bleu ciel, rythmant le refrain de *Ma gosse elle est du Yorshire.*

Dache Boylan opposa aux frontails bleu ciel et à la piaffe des chevaux de tête une cravate bleu ciel, un canotier conquérant à larges bords campé sur l'oreille, et un complet de serge indigo. Ses mains dans les poches de sa jaquette oublièrent de saluer mais il offrit aux trois dames l'admiration insolente de ses yeux et la fleur rouge entre ses lèvres. En roulant dans Nassau Street, Son Excellence attira l'attention de sa saluante consort sur le programme musical qui était en cours d'exécution dans le parc du Collège. A leur passage, invisibles et d'airain, des gars des Highlands trompettaient et tambourinaient :

> *Bien qu'elle turbine dans une usine*
> *Et qu'elle porte pas de falbalas*
> *Tararaboum !*
> *Pourtant sûr que j' sens quéqu'chose*
> *Qu'a d'la saveur*
> *Pour ma p'tite rose,*
> *Ma p'tit rose du Yorkshire.*
> *Tararaboum !*

De l'autre côté du mur les coureurs du handicap du quart de mille en plat, M. C. Green, H. Thrift, T. M. Patey, C. Scaife, J. B. Jeffs, G. N. Morphy, F. Stevenson, C. Adderly et W. C. Huggard, prenaient le départ chacun à son tour. Arpentant devant Finn's Hotel, Cashel Boyle O'Connor Fitzmaurice Tisdall Farrell, dans l'intervalle des véhicules, lança le coup d'œil furibond de son monocle à la tête de M. M. E. Solomons qui se trouvait à la fenêtre du Vice-Consulat d'Autriche-Hongrie. Tout au fond de Leinster Street, près de la Porte Poterne de Trinity College, un loyal sujet de Sa Majesté, Corcorne, toucha sa casquette de piqueur. Alors que les coursiers luisants caracolaient près de Merrion Square, le jeune Patrick Aloysius Dignam qui stationnait vit les coups de chapeaux qu'on envoyait au Monsieur avec le tuyau-de-poêle et souleva lui aussi sa casquette noire toute neuve avec des doigts graissés par le papier des côtelettes de porc. Son col aussi s'était soulevé. Le Vice-Roi, en route pour inaugurer la kermesse Mirus au profit de l'hôpital Mercer, roulait avec sa suite vers Lower Mount Street. Il dépassa un jeune aveugle en face de chez Broadbent. Dans Lower Mount Street, un piéton à mackintosh brun, qui croquait du pain sec, traversa prestement et sans dommage la route du Vice-Roi. Du haut de sa palissade du Pont du Canal Royal, M. Eugène Stratton avec un rictus lippu souhaitait à tous venants la bienvenue dans le quartier de Pembroke. Au coin de Haddington Road, deux femmes saupoudrées de sable s'arrêtèrent, parapluie et sac dans lequel roulaient onze coques, pour contempler avec émerveillement le Lord Maire et la Lady Mairesse, mais lui n'avait pas sa chaîne d'or. Au passage des Avenues de Northumberland et de Landsdowne, Son Excellence rendit scrupuleusement les saluts de quelques rares passants du sexe mâle, le salut de deux petits élèves à la porte du jardin de la maison qu'on dit avoir été admirée par la feue reine quand elle visita la capitale irlandaise avec son mari le Prince Consort en 1849, et le salut du puissant pantalon d'Almidano Artifoni avalé par une porte qui se refermait.

Bronze et Or proches entendirent les sabots ferrés, cliquetantacier.

Impertnent, tnentnent.

Petites ripes, il picore les petites ripes d'un pouce rèche, petites ripes.

La sale ! Et Or rougit encore.

Une note enchifrenée de fifre florit.

Florit. Bleuet Bloom est aux

Cheveux d'or en pyramide.

Une rose qui se joue sur des seins de satin, rose de Castille.

Fredonne, fredonne : Adolores.

Coucou ! Ah la voi... coucoudor ?

Bing ! à Bronze qui compatit.

Et un appel, pur, long et vibrant. Un appel lent à mourir.

Séduction. Mot suave. Mais vois ! Pâlissent les claires étoiles. O rose ! Des notes jasent une réponse. Castille. Le jour se lève.

Un cab cliquetant au trot cliquette.

Une pièce tinte. Le cartel clappe.

Aveu. *Sonnez.* Comment pourrais-je. Détente de jarretière. Te quitter ? Clac. La cloche ! Cuisse à claques. Aveu. Chaude. Mon amour, adieu !

Cab. Bloo.

Batterie d'accords fracassants. Quand s'empare amour. La Guerre.

La Guerre ! Le tympan.

Une voile ! Un voile qui vague au vent sur les vagues.

Perdu. Un merle pipe. Tout est perdu.

La Canne. La Ca, Canne.

Lorsqu'à ses yeux. Hélas !

Tiens ! Tiens ! Coup de bélier !

Vocalises. Ah, leurre ! Alléchant leurre !

Martha ! Reviens !

Claccloc. Clicclac, Claqueclac.

Dieubon ilna vaitja maisen tendu detoute.

Pat sourd déplumé buvard apporte Couteau remporte.

Un appel nocturne dans bain de lune loin-loin.

Je me sens si triste. P. S. Si seul fleury.

Écoutez !

La conque froide et vultueuse et porte-épic. Avez-vous la ? Chacune et pour l'autre rumeur et tonnerre ouaté.

Perles : quand elle. Rhapsodies de Liszt. Szszszt.

Vous ne ?

N'y ; non, non ; croit pas ; Lidlyd. Avec un coqueri avec un carra.

Noires.

Sonoreux. Oui, Ben, Oui.

Pose pendant que vous pausez. Hi, Hi. Pose pendant que vous

Hi.

Mais pausons !

Profond dans le sein ténébreux de la terre. Métal dans sa gangue.

Nominedomine. Tous disparus. Tous tombés.

Frêles, ses frondes frissonnantes de capillaires.

Amen. Il grinçait, hors de lui, des dents.

En arrière, en avant, en arrière. Un bâton frais qui point.

Bronzelydia près de Minedor.

Près de Bronze, près d'Or, dans la pénombre verta-byssale, Bloom. Ce vieux Bloom.

Quelqu'un frappe, quelqu'un toque avec une canne ad hoc.

Priez pour lui ! Priez, braves gens !

Ses doigts goutteux claquent.

Boum Benaben. Boum Benben.

Dernière rose Castille de l'été laissa fleuri Bloom, je me sens si triste seul.

Pfuit ! petit zéphyr flûte fluet.

Hommes sans peur. Lid Ker Cow De et Doll. Oui, Oui. Comme vous. Lèveront leurs digues avec dingue.

Fff ! Oo !

Où Bronze de près ? Où Or de loin ! Où les sabots ?

Rrrpr. Kraa. Kraandl.

Alors, mais alors seulement. Mon eppripfftaphe. Soit épfrite.

Fini.

Commençons !

Bronze et or, la tête de Miss Douce et la tête de Miss Kennedy par-dessus le brise-bise de l'Ormond Bar écoutent passer les sabots du vice-roi, cliquetantacier.

— Est-ce elle ? demande Miss Kennedy.

— Oui, dit Miss Douce, assise à côté de son Excel, gris perle et eau de Nil.

— Contraste enchanteur, dit Miss Kennedy.

Mais Miss Douce très excitée :

— Regardez le type au grand tube.

— Qui ? Où ? demande Or plus excitée encore.

— Dans la seconde voiture, disent les lèvres humides de Miss Douce, qui rient dans un rayon de soleil. Il regarde. Guettez jusqu'à ce que j'y sois.

Elle s'élance, bronze, jusqu'à l'autre bout de la salle,

aplatissant son nez contre la vitre au centre d'un halo de haletante haleine.

Ses lèvres humides minaudent :

— Il se tord le cou à regarder.

Elle rit :

— Mon Dieu ! Faut-il que les hommes soient idiots tout de même !

Triste.

Triste, Miss Kennedy s'éloigne du grand jour, flâneuse, tortillant un cheveu fou derrière l'oreille. Flâneuse, triste, or éteint, elle tord, tortille, tirebouchonne un cheveu. Triste elle tirebouchonne en flânant un cheveu d'or derrière une ronde oreille.

— C'est bien eux qu'ont tout le bon temps, dit-elle alors, triste.

Un homme.

Blooqui passait devant les pipes de Moulang, portant contre son sein les douceurs du péché, devant les antiquités de Wine, en sa mémoire emportant de doux mots de péché, devant l'argenterie terne et cabossée de Carroll, pour Raoul.

Le chasseur vers elles, elles dans le bar, elles filles de bar, s'en venait. Pour elles qui le voulaient ignorer il fit tressauter sur le comptoir son plateau dont les tasses tintèrent. Et

— Voilà vos thés, dit-il.

Avec des grâces, Miss Kennedy transporte le plateau sur une caisse d'eau minérale retournée, à l'abri des regards, près du sol.

— Qu'est-ce qu'y a ? demande le chasseur, bruyante brute.

— Devinez, riposte Miss Douce, en quittant son poste de guet.

— Votre béguin, je parierais ?

Mais Bronze tout orgueil :

— Je me plaindrai de vous à Mme de Massey si j'ai encore à subir votre impertinente familiarité.

Impertnent, tnentnent, renifle le jeune groin rageur, tandis qu'il s'en retourne et qu'elle menace comme il est venu.

Bloom.

Fronçant le front vers sa fleur, Miss Douce :

— Ce petit morveux devient intolérable. S'il n'achète pas une conduite, je lui allongerai les oreilles d'importance.

Contraste enchanteur et aristocratique.

— Ne faites pas attention, réplique Miss Kennedy.

Elle verse du thé dans une tasse, puis dans la théière cette tasse de thé. Elles se tassent derrière le récif du comptoir, attendant sur leurs tabourets, caisses renversées, attendant qu'infuse leur thé. Elles tapotent leurs blouses, de satin noir toutes deux, deux shillings neuf le mètre, attendant que leur thé infuse, et deux shillings sept.

Oui, Bronze proche et Or lointaine entendaient l'acier proche, les sabots sonner loin, entendaient les sabots d'acier sondesabots sondacier.

— Est-ce que je ne suis pas terriblement tannée ? Miss Bronze déblouse son cou.

— Non, dit Miss Kennedy. C'est après que ça brunit. Avez-vous essayé du borax dans de l'eau de laurier-cerise ?

Miss Douce se lève à demi pour apercevoir de biais son épiderme dans la glace du bar barrée de caractères bronzor, de verres à bordeaux et à vin du Rhin qui étincellent et au beau milieu une conque.

— Et ce que j'en ai sur les mains ! dit-elle.

— Essayez de la glycérine, conseille Miss Kennedy. Disant aurevoir à son cou et à ses mains.

— Tout ça fait seulement venir des boutons, réplique Miss Douce, rassise. J'ai demandé l'autre jour chez Boyd à ce vieux babouin quelque chose pour ma peau.

Miss Kennedy qui verse un thé enfin à point fait la grimace et plaintive :

— Oh, ne me parlez pas de lui, de grâce !

— Mais attendez que je vous dise, objurgue Miss Douce.

Thé sucré, Miss Kennedy le baptise de lait, et se bouche les deux oreilles avec deux petits doigts.

— Non, non, pas ça ! crie-t-elle.

— Je n'écouterai pas ! crie-t-elle.

Mais Bloom ?

Miss Douce nasille comme un vieux babouin reni-fleur :

— Pour votre quoi ? dit-il.

Miss Kennedy se débouche les oreilles pour enten-dre, pour parler, mais dit, mais supplie encore :

— Ne me parlez pas de lui, j'en mourrais. Cette espèce de vieux dégoûtant ! Rappelez-vous le soir à la Salle des Concerts d'Antiennes.

Sans goût elle sirote son infusion, thé bouillant, à petits coups, sirote thé sucré.

— Comme ça, dit Miss Douce, tête de bronze en bataille, de trois-quarts, narines frétillantes. Heuf ! Heuf !

Un rire à percer le tympan jaillit de la gorge de Miss Kennedy. Aspirantes et foulantes, les narines de Miss Douce grognonnent impertnent comme un groin qui furette.

— Oh ! tordant, s'écrie Miss Kennedy. Je verrai toujours son gros œil de crapaud !

Miss Douce fait sa rentrée avec un rire de bronze profond :

— Et as-tu vu mon œil !

Bloodont l'œil noir était en train de lire le nom d'Aaron Gaudenois. Pourquoi est-ce que je pense toujours à Gaulenois ? A cause de gauler des noix probablement. Et le nom huguenot de Prosper Lore. L'œil sombre de Bloom passait à hauteur des bienheureuses madones de Bassi. Robes bleues, dessous blancs, venez à moi. Ils la croient dieu, ou déesse. Celles d'aujourd'hui. Je n'ai pas eu le temps de voir. Ce type qui parlait. Un étudiant. Après avec le fils Dedalus. Pouvait être Mulligan. Toutes appétissantes ces vierges. C'est ça qui attire ces cochons d'hommes, ce blanc.

Ils passèrent, ses yeux. Les douceurs du péché. Douces sont les douceurs.

Du péché.

En un gloussement éperdu les deux jeunes voix bronzor se fondirent, Douce et Kennedy, as-tu vu mon œil ? Elles renversaient leurs jeunes têtes, bronze gloussantor, pour laisser libre cours à leur rire, et se lançaient, as-tu vu mon nom, de l'une à l'autre, des notes en vrille

Ah, soufflons, soupirons. En soupirs, ah, épuisée, se mourut leur joie.

Miss Kennedy de nouveau à sa tasse met les lèvres, boit une gorgée et repart à glouglousser. Miss Douce, de nouveau penchée sur le plateau, enfle encore ses narines et roule des yeux malicieux gonflés de rire. De nouveau Kennyglousse penche la belle pyramide de ses cheveux, se baisse, montre le peigne d'écaille de sa nuque, fait pleuvoir le thé hors de sa bouche, s'étranglant de thé et de rire, toussant de s'étrangler, miaulant :

— O ces yeux de poisson mort ! Penser qu'on pourrait être mariée à un homme comme ça ! Avec ses deux poils de barbe.

Douce laisse échapper un splendide hurlement, le vrai hurlement d'une vraie femme, ravissement, joie, indignation.

— Mariée à ce nez huileux ! hurle-t-elle.

Gamme de rire, de l'aigu au grave, de bronze et d'or, elles se provoquent l'une l'une, carillon sur carillon, sonneries alternées orbronze bronzor, gravaigu, rire sur rire. Et pouffent de plus belle. Je l' connez ce nez huileux. Anéanties, suffoquées, elles appuient leurs têtes chancelantes, torsade-pyramide près de lustre-en-peigne, contre le récif du comptoir. Toutes rouges (oh !), digue-diguantes, en nage (oh !), à bout de souffle.

Mariée avec Bloom, avec huileuxleuxbloom.

— O grand saint Expédit ! soupire Miss Douce sur sa rose convulsive. Ce que c'est bête de rire comme ça ! Je me sens toute mouillée.

— O, Miss Douce ! fait Miss Kennedy choquée. La petite sale !

Et elle rougit encore (ô, la sale !), pourpror.

Devant les bureaux Cantwell flânait Huileuxbloom et devant les vierges de Ceppi, reluisantes de leurs huiles. Le père de Nannetti colportait ce bazar-là faisant le boniment comme moi à toutes les portes. La religion est d'un bon rapport. Il faut que je le voie pour l'entrefilet de Cleys. Becqueter d'abord. J'ai faim. Pas encore. Elle a dit à quatre heures. Temps coule toujours. Les aiguilles des pendules tournent. Allons. Où aller ? Au Clarence, Dolphin ? Allons. Pour Raoul. Becqueter. Si je ratissais cinq guinées avec ces annonces. Le jupon de soie violette. Pas encore. Les douceurs du péché.

Moins rouge, de moins en moins, enor pâlit.

En leur bar, voici, nonchalant, M. Dedalus. Petites ripes, il épluche les petites ripes d'un pouce rêche. Petites ripes. Nonchalant, le voici.

— Heureux de vous revoir, Miss Douce.

Il lui prend la main. Bonnes vacances ?

— Épatantes.

Il espère qu'elle a eu beau temps à Rostrevor.

— Splendide, dit-elle. Aussi voyez l'état du por-trait. Allongée dans le sable toute la journée.

Blancheur bronzée.

— C'était très méchant de votre part, dit M. Dedalus qui lui presse la main avec indulgence. Induire en tentation ces pauvres innocents d'hommes.

Miss Douce de satin en douceur dégage son bras.

— Ah, parlons-en, dit-elle. Pour un innocent vous en êtes un.

Il l'était.

— Bien sûr que je le suis, dit-il pensif. Dans mon berceau ça se voyait à tel point qu'on m'a baptisé Simon l'Innocent.

— Vous deviez être un petit namour, répond Miss Douce. Et quelle est l'ordonnance du docteur aujourd'hui ?

— Ma foi, ça sera ce que vous voudrez, dit-il rêveur. Je pense que je vous demanderai un peu d'eau fraîche et un demi-verre de whisky.

Cliquetis.

— Avec le plus grand empressement, acquiesce Miss Douce.

Tout empressement toute grâce vers la glace au cadre clinquant Cantrell et Cochrane elle se tourne. Avec grâce elle tire du barillet de cristal une mesure de whisky d'or. Du pan de sa jaquette il sort blague et pipe. Empressement elle sert. Il fait sortir du tuyau deux notes enchifrenées de fifre.

— Parbleu, dit-il rêveur. J'ai souvent désiré voir les Monts Mornes. L'air doit y être rudement tonifiant. Mais cœur qui soupire aura ce qu'il désire, à ce qu'on dit. Oui, oui.

Oui. Ses doigts bourraient de blonds capillaires, blond de Virginie, de sirène, dans le fourneau de sa pipe. Petites ripes. Capillaires. Rêveur. En silence.

Pas un mot, personne ne sonne. Oui.

Miss Douce astique une chope avec entrain, et fredonne :

— *O Adolores, reine des mers orientales !*

— M. Lidwell est-il venu aujourd'hui ?

C'est Lenehan qui entre. Autour de lui regarde

375

Lenehan. M. Bloom atteignait le pont Essex. Oui, M. Bloom traversait le pont de Ouissex. Il faut que j'écrive à Martha. Achetons du papier. Chez Daly. Jeune vendeuse là très polie. Bloom. Ce vieux Bloom. Bleuet Bloom est aux champs.

— Il est venu à l'heure du déjeuner, dit Miss Douce.

Lenehan s'approche :

— M. Boylan ne m'a pas demandé ?

Demande. Réponse :

— Miss Kennedy, M. Boylan est-il venu pendant que j'étais là-haut ?

Demande. Miss voix de Kennedy répond, une seconde tasse de thé en suspens, le regard sur son livre.

— Non. N'est pas venu.

Miss regard de Kennedy invisible mais entendue poursuit sa lecture. Lenehan rondelet tourne en rond autour de la cloche à sandwiches.

— Coucou ! Ah la voilà !

Nul regard de Kennedy ne le venant encourager, il fait de nouvelles ouvertures. Ne pas oublier les points surtout. Et lisez bien vos lettres : o fermé et s crochu.

Cliquetis d'un cab qui trotte.

Gossedor elle lit et ne regarde pas. Ignore-le. L'ignore tandis qu'il ânonne une fable express à son intention, d'une voix incolore.

— Hun renard rencontra hune cigogne. Li renard dit à li cigogne : Voulez-vous enfiler votre bec dans mon gosier et retirer hun nos ?

En vain ronronne-t-il sa rengaine. Miss Douce, elle, se tourne vers son thé, en aparté.

En aparté il soupire, triste sire :

— Ah mon vieux ! Mon pauvre vieux !

Il aborde M. Dedalus et en obtient un signe de tête.

— Bien des choses de la part d'un fils fameux à son fameux père.

— De qui s'agit-il ? s'enquiert M. Dedalus.

Lenehan ouvre des bras irrésistibles. Qui ?

— De qui s'agit-il ? Pouvez-vous le demander ? Stephen, le jeune aède.

Sec.

Sec comme rebec. M. Dedalus, fameux père, dépose sa pipe bourrée de tabac bien sec.

— J'y suis, dit-il. Pour commencer, je n'y étais pas. J'ai entendu dire qu'il fréquentait le grand monde. L'avez-vous vu dernièrement ?

Il l'avait vu.

— J'ai vidé la coupe d'ambroisie ce jour même avec lui, dit Lenehan. Chez Mooney *en ville* et chez Mooney *sur mer*. Il avait touché de la galette pour les labeurs de sa muse.

Il sourit aux lèvres de bronze qu'humecte le thé, aux lèvres en suspens, aux prunelles attentives.

L'élite d'Érin était suspendue à ses lèvres. Le pontifiant pandit Hugh MacHugh, le plus étincelant directeur et rédacteur en chef de Dublin, et ce jeune ménétrier de notre Far West humide qui répond au nom éminemment harmonieux d'O'Madden Burke.

Un silence. M. Dedalus lève son grog et :

— Ça a dû être extrêmement drôle, dit-il. Je vois ça d'ici.

Il voyait. Il buvait. Avec un œil mornabsent des monts. Il repose son verre.

Son regard va à la porte du salon.

— Je vois que vous avez changé le piano de place.

— L'accordeur est venu aujourd'hui, répond Miss Douce. Il l'a accordé pour le concert symphonique, et je n'ai jamais entendu de pianiste plus exquis.

— Vraiment ?

— N'est-ce pas, Miss Kennedy ? Du pur classique, ma parole. Et avec ça aveugle, le pauvre garçon. Je suis sûr qu'il n'a pas vingt ans.

— Vraiment ? dit M. Dedalus.

Il boit et s'écarte.

— Ça fait de la peine de regarder sa figure, dit la compatissante Miss Douce.

Dieu maudisse enfant de garce.

Bing! répond à sa compassion la sonnette d'un dîneur. A la porte du restaurant paraît Pat déplumé, paraît Pat qui se fait des cheveux, paraît Pat, garçon de l'Ormond. Une blonde pour un dîneur. Sans empressement elle sert la blonde.

Avec patience Lenehan attend Boylan d'impatience, attend le cascadeur, le clinquant, le fringant chouchou de ces dames.

Soulevant le couvercle il (qui?) regarde dans le cercueil (cercueil?) les cordes obliques, triples, (piano!) métalliques. Sa main à lui presse (la même main qui pressait sa main à elle avec indulgence) trois touches en mettant la pédale douce, pour voir s'avancer les épaisseurs du feutre, pour entendre la chute amortie des marteaux, petits petons à capiton.

Deux feuilles de vélin crème une en sus deux enveloppes quand j'étais chez Lesage Hély un sage Bloom Henry Fleury acheta chez Daly. Vous n'êtes donc pas heureux chez vous? Fleur pour me consoler plus une épingle qui pique l'am. Veut dire quelque chose. Langage des fle. Était-ce une marguerite? Ça veut dire innocence. Jeune fille irréprochable rencontrée après la messe. Marci mille et mille graisses. Le sage Bloom regardait une réclame sur la porte, une ondoyante sirène qui fumait au sein de vagues aimables. Fumez les Sirènes, reine des cigarettes. Ruisselante chevelure; désespoir d'amour. Pour un homme. Pour Raoul. Un coup d'œil au-dehors lui montra loin sur le pont Essex un gai chapeau de paille au train d'un cab de place. C'est lui. Troisième fois. Coïncidence.

Cascadant sur ses caoutchoucs, le cabriolet quitta le pont pour le quai Ormond. Suivre. Essayer. Se dépêcher. A quatre heures. Proche maintenant. Sortons.

— Deux pence, monsieur, hasarda la vendeuse.

— Ah... j'oubliais... Pardon.

— Et quatre.

A quatre heures elle. Engageante elle à Blooluiqui sourit. Bloo sour dép se. Bjour. Pas se croire un merle blanc. Elle fait ça à tous. Pour les hommes.

Muette et somnolente Or se penche sur sa page.

Du salon un appel lent à mourir. C'est le diapason. Celui de l'accordeur qui l'avait oublié que maintenant il fait vibrer. Un nouvel appel. Que maintenant il équilibre, qui maintenant vibre. Entendez-vous ? Il vibre de plus en plus pur, de plus suave en plus suave dans le bourdonnement de ses branches. Appel qui n'en finit pas de mourir.

Pat paye la canette du dîneur. Et par-dessus plateau, verre et canette, déplumé qui se fait des cheveux, il chuchote avec Miss Douce.

— *Pâlissent les claires étoiles*...

Dans le salon le clavier chantait :

— *... voici l'aurore.*

Sous des doigts d'artiste une douzaine de notes ailées jasent leur gaieté dans les hauteurs du clavier. Gaieté des notes toutes cristallines, égrenées en arpèges, appelant la voix qui chanterait la mélodie du matin dans la rosée, de la jeunesse, des adieux de l'amour, du matin de la vie, du matin de l'amour.

— *Perles, ô gouttes de rosée*...

Au-dessus du comptoir les lèvres de Lenehan esquissent un petit sifflement séducteur.

— Mais regardez donc par ici, dit-il, rose de Castille.

Cliquetis d'un cab qui se cale au ras du trottoir.

Toute rose elle se lève en fermant son livre, rose de Castille. Rose délaissée, émue, songeuse.

— Est-ce qu'elle s'est laissée tomber ou est-ce qu'on l'a tombée ? lui demanda-t-il.

Elle répond cavalièrement :

— Ne posez pas de questions, vous n'entendrez pas de mensonges.

Une dame ; une vraie dame.

Les impeccables souliers jaunes de Dache Boylan craquent sur le plancher du bar. Oui, Or proche et Bronze lointaine. Lenehan l'entend, le voit, l'accueille :

— Honneur à ce héros, à ce grand conquérant !

Entre la voiture et la fenêtre de l'Ormond, d'un pas prudent, progresse Bloom, héros pas conquis. Il pourrait me voir. Le siège qu'il occupait ; encore chaud. Prudent matou noir progresse vers la sacoche de Richie Goulding brandie en manière de bonjour.

— *Et moi de toi...*

— J'ai su que vous étiez par ici, dit Dache Boylan.

En l'honneur de Miss Kennedy la blonde, il touche le bord de son canotier sur l'oreille. Elle lui sourit. Mais sœur Bronze sursourit, et lisse pour lui une chevelure plus opulente, un sein et une rose.

Boylan ordonne des breuvages.

— Qu'est-ce que vous prenez ? Une brune ? Une brune s.v.p. et une prunelle pour moi. Pas encore de résultat ?

Pas encore. A quatre il. Tous à quatre.

Pomme d'Adam et rouges oreilles de Cowley à la porte du Shérif. A éviter. Goulding, une chance de salut. Qu'est-ce qu'il fait à l'Ormond ? Sa voiture attend. Attendons.

Tiens ! Où allez-vous ? Becqueter ? Moi aussi je. Entrons là. Quoi, l'Ormond ? Le plus avantageux de Dublin. Vraiment ? Salle de restaurant. En douce maintenant. Voir sans se faire voir. Oui, j'entre avec vous. Venez. Richie ouvrit la marche. Bloom suivit la sacoche. Un repas princier.

Miss Douce étire pour atteindre un flacon si haut perché, étire son bras de satin, son buste, tant qu'un peu plus il éclate, si haut.

— Oh ! Oh ! halète Lenehan à chaque cran. Oh !

Mais avec aisance elle saisit sa proie et triomphalement la descend.

— Dépêchez-vous de grandir, mademoiselle, dit Dache Boylan.

Bronzelle-au-cruchon épanche l'épaisse liqueur sirupeuse destinée à ses lèvres et le regarde pendant que le filet coule (fleur à sa boutonnière, de qui la fleur ?), et d'une voix au sirop :

— Dans les petits pots les bons onguents.

C'est-à-dire elle. Experte elle verse la lente et sirupeuse prunelle.

— A votre santé, dit Dache.

Il allonge une large pièce de monnaie. La pièce tinte.

— Arrêtez, dit Lenehan, que je...

— A la vôtre, fait-il, en levant sa bière pleine de bulles.

— Sceptre arrivera dans un fauteuil, dit-il.

— J'y ai été un peu fort, dit Dache Boylan entre un clin d'œil et une gorgée. Pas pour mon compte, hein. Une idée de quelqu'un que je connais.

Lenehan boit toujours et fait la grimace à sa chope de travers, aux lèvres de Miss Douce qui presque fredonnent, entr'ouvertes, la romance marine qu'elles avaient détaillée. *Adolores. Des mers orientales.*

Le cartel a un déclic. Miss Kennedy passe près d'eux (fleur me demande de qui), en portant le plateau du thé. Le cartel clappe.

Miss Douce prend la pièce de Boylan et frappe d'un doigt ferme la caisse enregistreuse. Cliquetis. Le cartel clappe. De l'Égypte belle enfant bouscule et fouille le tiroir, fredonne et rend la monnaie. Reviendra du couchant. Un clappement. Amant.

— Quelle heure est-ce ? demande Dache Boylan. Quatre ?

Heures.

Lenehan mange de ses petits yeux celle qui fredonne, la gorge qui fredonne et tire par le coude la manche de Dache Boylan.

— Écoutons la voix des heures, dit-il.

— La sacoche de Goulding, Collis et Ward guide Bloom dans le champ de bleuet des tables en fleur. Incertain il choisit avec une agitation certaine, tandis que Pat patiente, une table près de la porte. Être près. A quatre heures. Aurait-il oublié? Peut-être un truc. Ne pas y aller : aiguiser l'appétit. Moi je ne pourrais pas. Patience, patience. Pat, préposé, patientait.

Les azurs pétillants de Bronze œilladent Dachazur, sa cravate et ses yeux bleu-ciel.

— Allons-y, fait Lenehan, pressant. Il n'y a pas un chat. Il n'a jamais entendu.

— ... *vers les lèvres de Flore se hâte.*

Haute, dans le haut, une note retentit aiguë, limpide.

Bronzedouce, à l'unisson de sa rose qui se lève et repose, cherche la fleur et les yeux de Dache Boylan.

— Je vous en prie, je vous en prie!

Sa prière broche sur le mélodique aveu.

— *Comment pourrais-je te quitter?...*

— Dans un petit ninstant, promet pudiquement Miss Douce.

— Non, tout de suite! adjure Lenehan. *Sonnez la cloche!* Oh, vite! Il n'y a personne.

Elle jette un regard. Vite. Miss Kenn hors de portée. Prompte elle se courbe. Deux faces qui flambent guettent sa course.

En trémolo, les accords avaient quitté le thème, le retrouvaient, accord perdu, et le perdaient et le retrouvaient à son dernier souffle.

— Allez! Vite! *Sonnez!*

Courbée, elle saisit entre deux doigts un bout de jupe qu'elle retrousse sur le genou. Elle diffère. Les tient sur le gril, courbée, en suspens, avec des yeux pervers.

— *Sonnez!*

Clac. Elle laisse brusquement se détendre la jarretière élastique qu'elle pinçait, chaude claque contre sa cuisse de femme, contre sa cuisse à claques chaude en son bas.

— *La cloche!* crie Lenehan aux anges. Entraînée par son propriétaire. Ça n'est pas du bran de scie.

Elle sourit sûre supérieurement (Seigneur! faut-il que les hommes!) mais glissant vers la lumière, débonnaire, à Boylan elle sourit.

— Vous êtes une quintessence de vulgarité, dit-elle, glissant.

Boylan la fixe, fixe. A ses lèvres épaisses il applique son calice, vide d'un coup le coupe minuscule, et aspire les dernières gouttes épaisses, violettes, sirupeuses. Fascinés, ses yeux suivent la tête qui glisse au long du mur miroir, où sous un arche doré étincellent verres à bière, à bordeaux et à vin du Rhin, une conque épineuse, qui bronze reflet s'accorde à bronze plus soleilleux.

Oui, bronze de toutprèsproche.

— *... Mon amour, adieu!*

— Je file, dit Boylan, le bouillant Boylan.

Il repousse vivement le petit verre, rafle sa monnaie.

— Attendez un quart de soupir, prie Lenehan qui se dépêche de boire. Je voulais vous dire. Tom Rochford...

— Viens le dire à Dache, dit Dache Boylan qui s'en va.

Lenehan avale pour le suivre.

— Il a la canne ou quoi? fait-il. Minute. Je viens.

Il s'élance sur les talons des souliers pressés qui craquent, mais il s'efface près du seuil en saluant deux silhouettes, une massive et une mince.

— Comment allez-vous, M. Dollard?

— Tiens ? Comment va ? Comment va ? répond la basse distraite de Ben Dollard qui abandonne pour un instant les infortunes du Père Cowley. Il ne vous causera plus d'ennuis, Bob. Alf Bergan parlera au grand type. Nous allons lui mettre la puce à l'oreille, à ce sale youpin.

Dedalus traverse le salon et d'un doigt se frictionne la paupière en soupirant.

— Hoho, pour sûr, tyrolise le jovial Ben Dollard. Arrivez, Simon, allez-y de votre romance. Nous avons entendu le piano.

Pat le déplumé, Pat qui se fait des cheveux. Pat sur ses pattes, Pat de planton sur ses plantes, attend la commande des boissons, du Power pour Richie. Et Bloom ? Voyons. Ne pas l'y faire aller deux fois. Ses cors. Quatre heures maintenant. Comme ce noir tient chaud. Videmment les nerfs aussi. Réfracte (est-ce bien cela ?) la chaleur. Voyons. Du cidre. Oui, une bouteille de cidre.

— Quoi, quoi ? dit M. Dedalus. J'improvisais, mon bon.

— Allons, allons, reprend Ben Dollard. Fuyez sombres soucis. Venez, Bob.

Il va en se balançant, Dollard, bouffant flottard, devant eux (empoignez-moi cet animal-là, oui essayez voir) jusqu'au salon. Il se plaque, Dollard, sur le tabouret. Il plaque ses pattes goutteuses sur les touches. Brusque accord plaqué.

A la porte Pat déplumé croise Or sans thé qui fait sa rentrée. Il se fait des cheveux en attendant Power et cidre. Bronze à la vitre, aux aguets, Bronze lointaine.

Cliquetis tintinnabulant du cab.

Bloom entend un clic, un léger bruit, il part. Bloom adresse un petit soupir spasmodique aux impassibles fleurs bleues. Cliquetis. Il est parti. Cliquetis. Ça y est.

— L'amour et la guerre, Ben, dit M. Dedalus. Vive le bon vieux temps !

Ignorés, les yeux héroïques de Miss Douce se détournent du brise-bise, blessés par le soleil. Parti. Pensive (qui sait?) blessée (la blessante lumière) elle fait descendre le store sur ses lisses. Elle fait descendre pensive (pourquoi est-il parti si vite quand je?) autour de son bronze, sur l'endroit où Pat le déplumé voisine avec sa sœur Or, contraste non enchanteur, contraste non enchanteur désenchanteur, la pénombre abyssale fraîche et lisse, vert de mer, *eau de Nil*.

— Ce pauvre vieux Goodwin tenait le piano ce soir-là, dit le Père Cowley en veine de souvenirs. Il n'y avait pas un accord parfait entre lui et le piano à queue Collard.

En effet.

— Des arguments bien à lui, dit M. Dedalus. Le diable ne l'aurait pas fait taire. Quel vieux pas commode quand il était dans la première phase d'une cuite.

— Bon sang, vous vous souvenez? dit Ben bouffant Dollard, se détournant du clavier martyr. Et bougre, voilà que je n'avais pas la robe nuptiale.

Ils rirent tous les trois. Il n'avait pas la robe. Pas de robe nuptiale.

— Notre ami Bloom peut se vanter de nous avoir tiré d'affaire ce soir-là, dit M. Dedalus. A propos, où est ma pipe?

Il s'en retourne dans le bar cherchant sa pipe à corps perdu, accord perdu. Pat le déplumé transportait des boissons pour deux, Richie et Poldy. Et le Père Cowley repartait à rire.

— J'ai sauvé la situation, je crois, Ben.

— Ça c'est vrai, convient Ben Dollard. Je les vois toujours ces culottes collantes. Une brillante inspiration, Bob.

Le Père Cowley rougit jusqu'au lobe de ses oreilles sanguines et brillantes. Il a sauvé la sit. Culottes col. Brillante insp.

385

— Je savais qu'il était dans la purée, dit-il. Sa femme tenait le piano au Café Palace tous les samedis pour un morceau de pain, et qui donc m'a soufflé qu'elle faisait aussi l'autre métier ? Vous vous rappelez ? Nous avons fait tout Holles Street pour les trouver jusqu'à ce que l'employé du Keogh nous ait indiqué le numéro. Vous vous rappelez ?

Ben se rappelait, et sa large figure s'étonnait encore.

— Bon dieu, ce qu'elle en avait là de luxueux manteaux du soir et de frusques de toutes sortes !

M. Dedalus revenait pipe en main.

— Pur style de Merrion Square. Des robes de bal, nom d'un chien, des toilettes de grand tralala. Et il n'a rien voulu accepter, quoi ? Quel fabuleux fatras de tricornes, boléros et dessous. Quoi ?

— Mais oui, mais oui, appuyait M. Dedalus. Qui dit Mme Marion Bloom dit décrochez-moi ça.

Cliquetis du cab qui cascade le long des quais. Dache se berçait aux rebonds des pneumatiques.

Foie et jambon. Pâté de bœuf et rognons. Bien monsieur. Bien Pat.

Mme Marion mes tempes si chose. Ça sent le brûlé de Paul de Kock. Quel coquin de nom il.

— Qu'est-ce que c'était que son nom de jeune fille ? Une fringante jouvencelle. Marion...

— Tweedy.

— Oui. Encore de ce monde ?

— Et un peu là.

— C'était la fille de...

— La fille du régiment.

— Oui, parbleu. Je me rappelle le vieux tambour-major.

M. Dedalus craque une psch ! allumette et tire en les savourant bouffée sur bouffée.

— Irlandaise ? Ma foi, je n'en sais rien. L'est-elle, Simon ?

Bouffée, dure, une bouffée, forte, savoureuse, qui grésille.

— Mon buccinateur est... Quoi?... Un rien roidi... Oh oui, elle est... O ma Molly d'Irlan-an-de!

Il projette un panache de fumée âcre.

— Du rocher de Gibraltar, en ligne droite.

Elles se morfondaient dans la pénombre abyssale, Or près de la pompe à bière, Bronze près du marasquin, à l'unisson pensives, Mina Kennedy, nº 4 Lismore Terrace, Drumcondra avec Adolores, reine, Dolores, silicieuse.

Pat sert des plats découverts. Léopold coupe des tranches de foie. Comme il a été dit plus haut, il se nourrissait avec délectation des organes internes, gésiers au goût de noisette, œufs de morue rissolés tandis que Richie Goulding, Collis, Ward, mange bœuf et rognon, bœuf puis rognon, bouchée sur bouchée de son pâté il mange Bloom mange ils mangent.

Bloom et Goulding, mariés par le silence, mangent. Repas princier.

Sur le Bachelor's Walk, cahincahotait en cab Dache Boylan, célibataire, sous le soleil caniculaire, tal de la jument qui luit au trot, chatouilles du fouet, rebonds des pneumatiques : vautré, siège échauffé, Boylan d'impatience, tout feu tout flamme. La canne. Avez-vous la canne? Avez-vous la? La cacanne?

Couvrant les voix la basse-taille de Ben Dollard attaque et bataille par-dessus la batterie des accords :

— *Quand s'empare Amour de mon âme ardente*...

Le tonnerre de Benamourbenjamin roule jusqu'à la verrière tremblotante, trépidante d'amour.

— Non, non, la Guerre! la Guerre! crie le Père Cowley. Foudre de guerre que vous êtes.

— C'est vrai, sapristoche! s'esclaffe Ben Guerrier. J'étais en train de penser à votre proprio. Ni pour Amour ni pour argent.

Il s'arrête. Il balance sa large barbe, sa large face, il rit *largo* de sa large bévue.

— Mon vieux, vous devez lui crever le tympan à la malheureuse, dit M. Dedalus à travers son nuage d'aromates, avec un organe comme le vôtre.

Un rire énorme secoue la masse barbue de Dollard devant son clavier. Évidemment.

— Pour ne rien dire d'une autre membrane, ajoute le Père Cowley. Repos, Ben. *Amoroso ma non troppo.* Laissez-moi faire.

Miss Kennedy servait à deux messieurs des chopes de stout frais. Elle hasarde une remarque. Incontestablement, dit le premier monsieur, le temps est admirable. Ils buvaient le stout frais. Savait-elle où allait le Lieutenant-Gouverneur ? Et entendit-elle les sabots d'acier sonner sonores ? Non, elle ne savait pas. Mais ça devait être sur le journal. Oh, qu'elle ne prenne pas cette peine. Pas la moindre. Elle tournait et retournait son *Indépendant* houleux, cherchant le Lieutenant-Gouverneur, la pyramide de ses cheveux lentement balancée, Lieut.-Gouv. Oh, ne prenez pas cette, dit le premier monsieur. Mais ce n'est rien du tout. Façon dont il regardait ce. Lieutenant-Gouverneur. Or et Bronze proches entendirent le fer aciéré.

—..........*de mon âme ardente*
Je n'ai cu-ure du lendemain.

Dans la sauce du foie Bloom patouille sa purée de pommes. L'amour ou la guerre la guerre ou l'amour. Le triomphe de Ben Dollard. Le soir où il est venu en courant nous emprunter un habit pour ce concert. Pantalon tendu sur lui comme une peau de tambour. Jambons musicaux. Ce que Molly a pu rire quand il est parti. S'est jetée en travers du lit criant et gigotant. Ce qu'il avait sa boutique en montre ! Oh, grand dieu, je suis trempée ! Oh, les femmes du premier rang ! Oh, jamais je ne me suis tordue comme ça ! Mais j'y suis, c'est ce qui lui donne son creux de basse baril-tonnante. Par contre les eunuques. Je me demande qui joue. Toucher agréable. Doit être Cowley. Musicien. Reconnaît tout de suite la note qu'on frappe. Mau-vaise haleine. Le pauvre diable. C'est arrêté.

Miss Douce, engageante, Lydia Douce, accueillait un suave avoué, George Lidwell, gentleman, qui venait d'entrer. Bonjour. Elle cède sa main moite, de lady, à sa femme étreinte. Bonjour. Oui, elle était de retour. On a repris le collier.

— Vos amis sont au fond, M. Lidwell.

George Lidwell sollicitait suave et gardait une main lydilique.

Bloom mangeait du foie comme il a été dit. Au moins ici c'est propre. Ce type au Burton avec ses cartilages gluants. Personne ici : Goulding et moi. Tables nettes, fleurs, serviettes en bonnet d'évêque. Pat patonnant çà et là. Pat déplumé. Rien à faire. Le plus avantageux de Dub.

Encore le piano. C'est Cowley. Façon dont il s'assied devant, ne font qu'un tous les deux tant ils se comprennent bien. Ces rémouleurs de sons qui grat-tent leur crincrin, l'œil sur le bout de l'archet, scient leur violoncelle, vous donneraient une rage de dents. Son long ronflement sonore à elle. Le soir où nous étions dans la loge. Le trombone, en dessous qui soufflait comme un marsouin, pendant les entr'actes, un autre type, dévissait son cuivre pour faire couler la salive. Et les jambes du chef d'orchestre, dans leur pantalon bouffant dansant le cancan. Fait bien de les cacher.

Cliquetis du cancan des clochettes du cab.

La harpe, à la bonne heure ! Douce lumière dorée diffuse. Une jeune fille en jouait. Poupe d'un gracieux. Sauce vraiment bonne, digne d'un. Navire doré. Érin. La harpe qui jadis ou naguère. Des mains fraîches.

Ben Howth, les rhododendrons. Nous sommes leurs harpes. Moi. Lui. Vieux. Jeune.

— Ah ! Je ne pourrai pas, mon bon, dit M. Dedalus, gêné, sans entrain.

Énergiquement.

— Allez-y, nom d'une pipe ! gronde Ben Dollard. Sortez-nous ça comme vous pourrez.

— *M'appari*, Simon, dit le Père Cowley.

Il fait quelques pas vers la rampe, solennel, grand dans l'épreuve, ses longs bras étendus. Pomme d'Adam rauque et roucoulante. Il roucoule prenant à témoin une poussiéreuse marine pendue là : *Le Dernier Adieu*. Une pointe, un bateau, une voile sur les vagues. Adieu. Une ravissante jeune fille, son voile vaguant au vent, dans le vent, sur la pointe.

Cowley chantait :

— *M'appari tutt'amor :*
   Il mio sguardo l'incontr...

Elle agitait, sans écouter Cowley, son voile vers celui qui part, vers l'aimé, le vent, l'amour, la voile qui fuit, le retour.

— Allons, Simon.

— Ah, mes beaux jours sont bien finis, Ben... Eh bien...

M. Dedalus dépose sa pipe à côté du diapason, s'assied et caresse les touches dociles.

— Non, Simon, fait le Père Cowley en se retournant. Jouez-le dans le ton. Un bémol.

Les touches obtempérèrent, haussant le ton ; elles parlaient, hésitaient, se confessaient, confuses.

Le Père Cowley alla vers le fond de l'estrade.

— Là, Simon. Je vais vous accompagner, dit-il. Levez-vous.

Devant les rochers à l'ananas de Graham Lemon, devant l'éléphant d'Elvery cahin-caha cahote le cab.

Bœuf, rognon, foie, purée, devant cette chère princière étaient assis les princes Bloom et Goulding. A cette chère, princes, ils levaient leurs verres de whisky et de cidre.

L'air le plus merveilleux qu'on ait jamais écrit pour ténor, dit Richie : *Sonambula*. Il avait entendu Joe Cœur chanter ça un soir. Ah, oui, M'Guckin ! Oui. Dans sa manière. Style d'enfant de chœur. Mais Cœur c'était l'as. L'as de cœur. Un ténor lyrique si vous voulez. Je n'oublierai jamais ça. Jamais.

Par-dessus son jambon sans foie Bloom suivait avec sympathie l'altération des traits qui se contractaient. Affection du rein lui. Yeux brillants de Brightique. Maintenant, que la danse est finie, faut payer le violon. Pilules à la mie de pain, valeur réelle, une guinée la boîte. Reculer un peu l'échéance. Chante lui aussi : *Gisant parmi les morts*. De circonstance. Pâté de rognons. Des douceurs pour. N'en tire guère parti. Le plus avantageux de. Ça le peint. Du whisky Power. Difficile pour la boisson. Il tique, y aurait-il un défaut dans le verre, un autre verre d'eau s. v. p. Chipe par économie des allumettes au comptoir. A côté de ça, gaspille un souverain à des riens. Et quand il faut s'exécuter, pas un rotin. La fois qu'il avait son pompon refusant de payer le cocher. Drôles de gens.

Jamais Richie n'oublierait ce soir-là. Jusqu'à son dernier jour, jamais. Au paradis du vieux Théâtre Royal avec le petit Peake. Et quand la première note.

Les mots s'arrêtèrent sur les lèvres de Richie.

Il va maintenant sortir une de ces craques. Lyrique à propos de bottes. Croit ses propres mensonges. Dur comme fer. Un menteur prodigieux. Oui, mais il faut une bonne mémoire.

— Qu'est-ce que c'est que cet air ? demanda Leopold Bloom.

— *Tout est perdu maintenant.*

Richie mettait sa bouche en cul de poule. Une note

391

en sourdine qui s'élève, la douce banshee qui murmure : Tout. Un merle. Merle blanc. Son souffle suave d'oiseau chanteur, belles dents dont il est fier, gémit, flûte plaintive. Est perdu. Richissime son. Voici deux notes en une. Ce sansonnet que j'entendais dans la vallée des aubépines. M'empruntant mes thèmes qu'il mariait et tournait à sa façon. Tout appel rappelle un nouvel appel perdu dans tout. Écho. Quelle douce réponse. Comment ça se fait-il ? Tout est perdu. Il siffle d'un air funèbre. Il défaille, il se rend, perdu.

Bloom prêtait une oreille léopoldine tout en rectifiant une frange du napperon sous le porte-bouquet. Un ordre. Oui, je me souviens. Mélodie délicieuse. Endormie elle va vers lui. Innocence sous la lune. Pourtant la retenir. Braves, ils ne connaissent pas le danger. L'appeler par son nom ? Toucher de l'eau. Cliquetis du cab. Trop tard. Elle brûlait d'y aller. Voilà pourquoi. La femme. Autant vouloir arrêter la mer. Oui : tout est perdu.

— Un air magnifique, dit Léoperdu Bloom. Je le connais bien.

De toute sa vie Richie Goulding jamais.

Il le connaît bien aussi. Ou, il le sent. Constamment obsédé par sa tite fille. Malin fan-fan qui connaît son propre père, dit Dedalus. Moi ?

Bloom le voyait de biais au-dessus de son sans foie. Figure de tout est perdu. Le roulant Richie de jadis. Blagues qui commencent à sentir le moisi. Faisant remuer son oreille. Rond de serviette en guise de monocle. A présent ce sont des demandes d'argent qu'il fait porter par son fils. Walter le bigle, monsieur c'est fait monsieur. Je ne voudrais pas être importun, mais je comptais sur une rentrée. Mille excuses.

Encore le piano. Le son est meilleur que la dernière fois. Accordé sans doute. Encore arrêté.

Dollard et Cowley pressaient toujours le chanteur peu pressé de s'exécuter.

— Allez-y, Simon.

— Allez, Simon.

— Mesdames et Messieurs, je suis très touché de votre aimable insistance.

— Allons, Simon.

— Mes moyens ne sont pas grands, mais si vous voulez bien me prêter votre attention je vais m'efforcer de vous chanter la romance d'une âme en peine.

Près de la cloche à sandwiches, à la faveur de la pénombre, avec une grâce de grande dame, Lydia offrait et refusait son bronze et sa rose comme dans la fraîche et glauque *eau de Nil*, Mina aux deux chopes, deux, ses torsades d'or.

Le prélude en arpèges prenait fin. Un accord soutenu, suspendu, entraîna la voix :

— *Lorsqu'à mes yeux parut sa chère image...*

Richie se détourna.

— La voix de Si Dedalus, dit-il.

Le cerveau titillé, la joue en feu, tout oreilles, ils avaient la sensation d'un flot de chères images qui fluait sur peau membres cœur âme moelle. Bloom fit signe à Pat, Pat le déplumé est un garçon dur d'oreille, d'entre-bâiller la porte du bar. La porte de bar. Comme ça. Ça ira. Pat passif sur ses pattes, Pat patient, tout tympan près de la porte.

— *De moi le chagrin sembla s'envoler.*

Dans l'atmosphère ouatée une voix chantait pour eux, contenue, qui n'était ni le chant de la pluie, ni le murmure des feuilles, ni d'aucun instrument à cordes ou à vent, ni de ces trucsmachinschoses de tympanons, trouvant avec des mots le chemin de leurs oreilles attentives, les cœurs attentifs de leurs, chacun la sienne, existences passées. Bienfaisant, bienfaisant à entendre : le chagrin de chacun leur sembla à tous deux s'envoler lorsqu'ils commencèrent d'entendre. Lorsqu'à leurs yeux, Richie perdu, Poldy, parut la beauté-miséricorde, joie d'entendre, de quelqu'un dont on ne l'attendait pas, le premier aveu de l'adorée, si miséricordieux, si doux-aimant, si fol-aimé.

L'amour qui chante : *Pour un peu d'amour*. Bloom retire lentement le catgut de son paquet. Pour un peu d'am *sonnez-la* or. Bloom le croise autour de ses quatre doigts en fourche, le tend, le détend, et le passe autour, en double, quadruple, en octuple et les ligote serré.

— *Plein d'espoir et d'ivresse.*

Les ténors ont des femmes à la douzaine. Ça les met en voix. Jette à ses pieds ta fleur, le revoir oh bonheur ! Tournent nos pauvres têtes. Cliquetis plein d'espoir. Lui il chante comme un cochon. Elles tournent nos pauvres têtes. Parfumée pour lui. Quel parfum votre femme ? Je veux le savoir. Clic. Halte. Toc toc. Toujours un dernier coup d'œil à la glace avant d'aller ouvrir. L'antichambre. Vous voilà. Comment va ? Très en forme. Là ? Quoi ? Vous dites ? Un étui de cachous, parfumez-vos-baisers, dans son sac à main. Oui ? Mains cherchaient d'opulentes.

Hélas ! la voix montait, pleine de soupirs, nuancée ; stentorienne, nourrie, éclatante, glorieuse.

— *Mais hélas, mon doux rêve...*

Son timbre est encore superbe. L'air de Cork plus doux, leur accent aussi. Quel animal ! Il aurait pu faire de l'or. Il se trompe de mots. Il a crevé sa femme ; maintenant il chante. Mais après tout qui sait ? Eux seuls pourraient. S'il ne s'effondre pas. Au petit trot vers le champ de navets. Trémolo des pieds et des mains aussi. La boisson. Nerfs tendus à se rompre. On doit être sobre pour chanter. Soupe de régime à la Jenny Lind : bouillon, sauge, œufs crus, une demi-pinte de crème. Crème de rêve.

Toute tendre, elle jaillissait, s'enflait lentement. Vibrait à plein. C'est comme ça. Ah, donne ! Prends ! Battement, un battement, pulsation droite et fière.

Les mots ? La musique ? Non : ce qui est derrière.

Bloom bouclait, débouchait, nouait et dénouait.

Bloom. Un flot de chaud lolo lichelape-le secret s'épanchait pour s'épandre en musique, en désir, sombre à déguster, insinuant. La tâter, la tapoter, la tripoter, la tenir sous. Tiens! Pores dilatateurs qui se dilatent. Tiens! Le jouir, le sentir, la tiédeur, le. Tiens! Faire par-dessus les écluses gicler les jets Flot, jet, flux, jet de joie, coup de bélier. Ça y est! Langue de l'amour.

— ... *rayon d'espoir*...

Qui luit. Caque discret de grande dame, Lydiamuse pour Lidwell décaquette un rayon d'espoir.

C'est *Martha*. Coïncidence. Juste au moment d'écrire. L'air de Lionel. Beau nom que vous avez. Peux pas écrire. Acceptez mon petit cad. Jouer de la corde sensible et des cordons de sa bourse. C'est une. Je vous ai appelé méchant garnement. Le nom encore : Martha. Comme c'est bizarre! Aujourd'hui.

La voix de Lionel revenait plus faible, mais non faiblissante. Elle chantait encore pour Richie Poldy Lydia Lidwell chantait aussi pour Pat bouche oreille bée qui passif patiente. Comment lorsqu'à ses yeux parut cette chère image, comment le chagrin de lui sembla s'envoler, comment regard, forme, aveu, l'enchantèrent lui Gould, Lidwell, au cœur Pat Bloom touchèrent.

N'empêche que j'aimerais mieux voir sa figure. On comprend mieux. C'est pour ça que le garçon coiffeur chez Drago regardait toujours ma figure quand je parlais à la sienne dans la glace. Pourtant on entend mieux dans ce coin que dans le bar, bien que plus loin.

— *Ses traits charmants*...

Le soir où je l'ai vue pour la première fois chez Mat Dillon à Terenure. En jaune, avec de la dentelle noire. Jeu de chaises. Nous deux les derniers. Le destin. La suivre. Le destin. Tours lents. Puis vite. Nous deux. Tous regardaient. Halte. Hop, elle s'assied. Les perdants regardaient. Sa bouche riante. Ses genoux jaunes.

— *Charmaient mes yeux...*

Quand elle a chanté. C'est *L'attente* qu'elle chantait. Je lui tournais les pages. Voix pleine de parfums quel parfum votre lilas. Les seins je les voyais, tous les deux fermes, le gosier qui vocalisait. Lorsqu'à mes yeux. Elle m'a remercié. Pourquoi m'a-t-elle? Le destin. Yeux andalous. Sous un poirier solitaire patio cette heure dans le vieux Madrid un côté dans l'ombre Dolores Doloroselle. Vers moi. Ah, leurre. Alléchant leurre.

— *Martha! Ah, Martha!*

Laissant toute langueur Lionel crie sa souffrance, son cri de passion dominante à l'aimée qu'elle revienne avec des profondeurs et des hauteurs d'accords en résolution. Un cri de Lionel solitude afin qu'elle sût, Martha, et qu'elle sentît. Il n'existe que par elle. Où? Ici, là, cherchez ci et cherchez là tous cherchent où. Quelque part.

— *Re-viens m'of-frir ta foi!*
Re-viens près de moi!

Seul. Un seul amour. Un seul espoir. Un terme à mes alarmes. Martha, note de poitrine, reviens.

— *Re-viens!*

Cela s'essorait, oiseau, vol planant, célère, cri pur, essor d'orbe d'argent qui bondit serein, s'accélère, se soutient, près de moi, ne le filez pas trop longtemps, du souffle, il a du souffle à vivre, vieux, s'essorant haut, resplendissant dans le haut, enflammé couronné, haut dans la symbolique fulgurance, haut, de l'étreinte éthérée, haut, de la vaste et haute irradiation où partout tout s'essore toutautour dutour du tout sansfinnicessecessecesse.

— *Près de moi!*

Siopold!
Volatilisé.

396

Viens. Bien chanté. Tous battaient des mains. Elle devrait. Revenir. Près de moi, de lui, d'elle, de vous, de moi, de nous.

— Bravo! Clacclac. Soua-soua, Simon! Claque-clacclac. Bis! Clacclicclac. Quel coffre! Bravo, Simon! Clacclocclac. Bis! un ban! disent, crient, claquent tous, Ben Dollard, Lydia Douce, George Lidwell, Pat, Mina, les deux messieurs aux chopes, Cowley, le premier M. avec sa chope, Bronze Miss Douce et Miss Mina d'Or.

Les impeccables souliers jaunes de Dache Boylan craquaient sur le plancher du bar, comme dit plus haut. Cab cliquetant le long des monuments de Sir John Gray, d'Horatiomanchot Nelson, du Révérend Père Théobald Matthew, comme dit plus haut cahotait présentement. Au trot, au chaud, siège en chaleur. *Cloche. Sonnez-la. Cloche. Sonnez-la.* Plus lente la jument grimpe le long de la Rotunda, Rutland Square. Trop lente au gré de Boylan, de Dache Boylan, Boylan, d'impatience, allait la jument cahin caha.

Une sur-résonance des accords de Cowley se dissipa, rendit l'âme dans l'air enrichi.

Et Richie Goulding buvait son Power et Léopold Bloom son cidre buvait, Lidwell sa Guinness, deuxième monsieur déclara qu'ils consommaient deux chopes de plus si elle n'y voyait pas d'inconvénient. Miss Kennedy minaudait desservant, lèvres de corail, au premier, au second. Elle n'y voyait pas d'inconvénient.

— Sept jours en prison au pain et à l'eau, dit Ben Dollard, et vous chanteriez comme un pinson, Simon.

Lionel Simon, chanteur, se mit à rire. Le Père Bob Cowley se mit à jouer. Mina Kennedy servait. Le second monsieur payait. Tom Kernan entrait se pavanant. Lydia, admirée, admirait. Mais Bloom chantait à la muette.

Admirant.

Richie, admiratif, discourait sur cette magnifique voix d'homme. Il se rappelait un soir d'il y avait longtemps. N'oublierait jamais ce soir-là. Si chantait : *C'était ton rang et ta gloire;* c'était chez Ned Lambert. Dieubon ! il n'avait jamais entendu un accent pareil de toute sa vie non jamais, *alors infidèle il vaut mieux nous séparer,* si pur si... Dieu ! il n'avait jamais entendu *dès lors qu'amour est mort,* d'une voix si épatante. Demandez à Lambert : il peut vous le dire lui aussi.

Goulding, fard fugitif maquillant son pâle, parla à M. Bloom, visage, du soir où chez Ned Lambert Si Dedalus chanta : *C'était ton rang et ta gloire.*

Lui, M. Bloom, écoutait pendant que lui, Richie Goulding, lui parlait à lui, M. Bloom, de ce soir où lui, Richie, l'entendit lui, Si Dedalus, chanter *C'était ton rang et ta gloire* chez lui, chez Ned Lambert.

Beaux-frères : proches parents. Nous ne nous parlons jamais quand nous nous rencontrons. La fêlure fine et profonde. Le traite par le mépris. Et voyez. Il l'admire d'autant plus. Le soir où Si chanta. La voix humaine, deux fils de soie impalpables. Merveilleux, plus que tout le reste.

Cette voix était une lamentation. Plus calme maintenant. C'est dans le silence que vous sentez que vous entendez. Vibrations. Maintenant l'air est silencieux.

Bloom désentravait ses mains entre-croisées et ses doigts distraits tiraillaient le frêle cordon de catgut. Bloom tire et pince. Le cordon ronfle, stride. Tandis que Goulding parle de l'émission de voix de Barra-clough, tandis que Tom Kernan en une sorte d'arrangement rétrospectif parle au Père Cowley, attentif, qui improvise et qui tout en improvisant opine. Tandis que le gros lard de Dollard parle avec Simon Dedalus qui allume sa pipe, qui opine en fumant, qui fume.

Reviens m'offrir ta foi. Toutes les romances sur ce thème. Cependant que de plus en plus Bloom tire sur sa corde. Ça paraît cruel. Laisser les gens s'éprendre l'un de l'autre, les encourager. Et puis les arracher l'un à l'autre. Mort. Explos. Coup du lapin. Ficheton-camp et plusvitequeça. C'est la vie. Dignam. Pouah, cette queue de rat qui se tortillait ! C'est cinq balles que j'ai données. *Corpus paradisum.* Couar qui croasse ; bedaine de chiot empoisonné. Parti. Ils chantent. Oublié. Moi aussi. Et un jour ça lui arrivera à elle avec ; la quittera, en aura assez. Du coup elle souffrira. Pleurnichera. Ses grands yeux andalous tout chavirés. Sa toisonisonoisonfoisonoisontoison de cheveux em mélimélot tés.

D'un autre côté trop heureux assommant. Il étirait de plus en plus le catgut, ut, ut. Vous n'êtes donc pas heureux chez ? CII. Claqué.

Cliquetis dans Dorset Street. Miss Douce retira son bras satiné avec un air de reproche et de satisfaction.

— Pas tant de familiarité, dit-elle, jusqu'à ce qu'on se connaisse mieux.

George Lidwell lui assure que vraiment, que réellement il... mais elle n'en veut rien croire.

Le premier monsieur assure à Mina que c'est vrai. Elle lui demande si c'est bien vrai. Et la seconde chope lui affirme que c'est vrai. Que quant à ça, c'est vrai.

Miss Douce, Miss Lydia, n'y croit pas ; Miss Kennedy, Mina, n'y croit pas ; George Lidwell, non : Miss Dou, n'y : le premier, le premier M. à la chope : y croire, non, non : n'y Miss Kenn : Lidlydiawell : la chope.

Plus commode d'écrire ici. Les plumes d'oie du bureau de poste toutes mâchées et tordues.

Pat déplumé s'en vient à l'appel. Une plume et de l'encre. Il y va. Un buvard. Il y va. Un buvard pour éponger. Il entend. Pat sourd.

— Oui, dit M. Bloom, qui taquine son bout de catgut entortillé. Oui, certainement. Quelques lignes suffiront. Mon cadeau. Toute cette musique italienne à fioritures est. Me demande qui a composé ce. Quand on sait le nom on comprend mieux. Prendre une feuille de papier à lettres, une enveloppe ; sans avoir l'air d'y toucher. C'est si caractéristique.

— Il n'y a pas dans tout l'opéra de plus beau mouvement, de plus beau nombre. Goulding le déclare.

— Certainement, dit Bloom.

Rien que des nombres par le fait. Voilà toute la musique quand on y réfléchit bien. Deux multiplié par deux divisé par la moitié égalent deux fois un. Des vibrations, les accords ne sont pas autre chose. Un plus deux plus six font sept. On fait tout ce qu'on veut en jonglant avec les chiffres. On découvre que toujours ceci égale cela, symétrie sous un mur de cimetière. Il ne remarque pas que je suis en deuil. Coriace, tout pour ses boyaux. Musemathématiques. Et vous croyez que vous avez affaire à quelque chose d'éthéré. Mais supposons que vous disiez quelque chose comme : Martha, sept fois neuf moins x égale trente-cinq mille. Tomberait à plat. C'est donc le son qui fait tout.

Exemple : il est en train de jouer, il improvise. Ça peut être tout ce qu'on veut jusqu'à ce qu'on entende les paroles. Il faut écouter avec une grande attention. Dur. Pour commencer ça va bien : puis on dirait que ça se brouille : on commence à perdre pied. Passe par des sacs par-dessus des tonneaux à travers des barbe-lés, course d'obstacles. C'est l'occasion qui fait la chanson. Dépend comme on est disposé. Quoique ça soit toujours agréable à entendre. Excepté les gammes montantes et descendantes, jeunes filles qui appren-nent. Deux à la fois chez les voisins la porte à côté. On devrait inventer des pianos muets pour ça. *Blumen-lied*, ce morceau que je lui ai acheté. Le nom. Une jeune fille le jouait lentement la nuit que je rentrais, la jeune fille. Porte des écuries près de Cécilia Street.

Milly aucune disposition. Curieux puisque nous deux, c'est-à-dire.

Pat sourd déplumé apporte buvard raplaplat plume et encre. Pat dépose avec encre et plume le buvard raplaplat. Pat remporte assiette plat couteau four-chette. Pat s'en va.

C'est le langage idéal, disait M. Dedalus à Ben. Petit garçon il les avait entendus à Ringabella, Verport, Ringabella, chanter leurs barcarolles. Le port de Queenstown plein de bateaux italiens. Ils se prome-naient, vous voyez ça Ben, au clair de lune avec ces espèces de chapeaux de matamores. Confondant leurs voix. Dieu, quelle musique, Ben ! J'ai entendu ça étant enfant. Ver Ringabella port lunacaroles.

Enlevant sa pipe âcre il met une main en auvent autour de ses lèvres qui caracoulent un nocturne appel dans bain de lune, clair et proche, un lointain appel lui faisant écho. Au bout de son bâton d'*Homme Libre* rôdait l'as-tu-vu mon œil de Bloom cherchant avec soin où ai-je vu ça. Callan, Coleman, Dignam Patrick. Aïho ! aïho ! Fawcett. Aha ! Justement j'étais en train de regarder...

J'espère qu'il ne me surveille pas, rusé comme un rat. Il déplia son *Homme Libre*. Comme ça il ne peut pas voir. Se rappeler d'écrire des e grecs. Bloom trempe sa plume, Bloo murm : cher monsieur. Cher Henry écrit : chère Mady. Reçu votre lett et fleu. Zut où ai-je ? Une poch ou l'aut. Il est complètem imposs. Soulignons *imposs*. D'écrire aujourd'hui.

Mon dieu, quelle barbe. Bloom barbé, avec ses doigts, voyons réfléchissons, tambourine doucement sur le plat buvard qu'apporta Pat.

Continuons. Savez ce que je veux dire. Non, chan-geons cet e. Acceptez mon pauvre petit cad ci-inclus. Ne pas lui demander de rép. Voyons un peu. Dig. cinq. Deux environ ici. Deux sous pour les mouettes. Élie arri. Sept chez Davy Byrne. Ça fait à peu près huit.

Disons une demi-couronne. Mon pauvre petit cad : mandat deux shillings six. Écrivez-moi une longue. Méprisez-vous ? Cliquette, avez-vous la ? Si excité. Pourquoi m'appelez-vous méch ? Vous méchante aussi ? C'est Maria qui a perdu l'épingle de sa. Au revoir pour aujourd'hui. Oui, oui, vous dirai. Désire aussi. Pour que ça ne tombe pas. Appelez-moi cet autre. Autre monde elle a écrit. Ma patience sont ép. Pour que ça ne tombe pas. Vous pouvez me croire. Croyez-moi. L'Homme à la chope. Que. C'est. Vrai.

Est-ce que ce n'est pas bête à moi d'écrire ? Les maris n'écrivent pas comme ça. C'est le mariage qui veut ça. Parce que je suis loin de. Supposons que. Mais comment ? Elle doit. Ça vous garde jeune. Si elle découvrait. Carte dans mon chap de luxe. Non, ne pas tout dire. Chagrin inutile. Si elles ne voient pas. La femme. Ce qui est bon pour l'une est bon pour l'autre.

Un cab de place, numéro trois cent vingt-quatre, conducteur Barton James du numéro un de Harmony Avenue, Donnybrook, dans lequel un client, un jeune homme très bien, élégamment vêtu d'un complet de serge bleu indigo sortant des ateliers de George Robert Mesias, tailleur et coupeur, numéro cinq Eden Quay, et portant un chapeau de paille dernier cri acheté chez John Plasto numéro un Great Brunswick Street, chapelier. Hein ? Ceci est le cab qui cahin caha cliquette. Devant la charcuterie Dlugacz, chapelets luisants d'Agendath passaient au trot les belles fesses d'une jument.

— Vous répondez à une annonce ? demandaient à Bloom les yeux investigateurs de Richie.

— Oui, dit M. Bloom. Un voyageur de commerce pour la ville. Je crois qu'il n'y a pas grand espoir.

Bloom murm : Meilleures références. Mais Henry écrit : cela me donnera des émotions. Vous savez maintenant. En hâte : Henry. E grec. Mieux d'ajouter post scriptum. Qu'est-ce qu'il joue maintenant ?

Improvise un intermezzo. P. S. Le pom pom pom. Comment voulez-vous me pun ? Me punir, vous ? Jupe tordue qui se balance, vlan et. Dites-moi je désire le. Savoir. Oh. Bien sûr si je ne, je ne demanderais pas. La la la ré. Fin de phrase triste en mineur. Pourquoi est-ce que le mineur est triste ? Signer H. Elles en tiennent pour les fins de lettres un peu tristes. P. P. S. La la la ré. Je me sens si triste aujourd'hui. Si la. Si seul. Si sol.

Il éponge vite sur le buvard plat de Pat. Envel. Adresse. Juste copier cela dans le journal. Il murmure : Messieurs Callan, Coleman and Co, limited. Henry écrit :

Miss Martha Clifford
Poste Restante
Dolphin's Barn Lane
Dublin.

Éponger au même endroit pour qu'il ne puisse pas lire. Parfait. Idée de la nouvelle primée du *Pêle-Mêle*. Quelque chose que le détective lit sur un sous-main. Payée à raison d'une guinée la colonne. Matcham pense fréquemment à la rieuse magicienne. Pauvre Mme Purefoy. Fou-tu.

Trop poétique ça sur la trist. C'est la faute à la musique. Il y a une magie dans la musique, dit Shakespeare. Citations pour tous les jours de l'année. Être ou ne pas être. Je sais tout.

Dans la roseraie de Gérard, Fetter Lane, il se promène, gris-châtain. Une vie et c'est tout. Un corps. Agis. Mais agis donc.

En tout cas c'est fait. Mandat-poste, timbre. Bureau de poste un peu plus bas. Marcher maintenant. Assez. J'ai promis de les retrouver chez Barney Kiernan. N'aime pas ce trafic-là. Un assommoir. Marcher. Pat ! N'entend rien. Sourd comme un pot.

Cab doit arriver maintenant. Parlons. Parlons. Pat ! N'entend pas. Arrange ses serviettes. Il doit en faire un chemin sur place dans une journée. Lui peindre une figure par derrière ça en ferait deux. Voudrais qu'ils chantent encore. M'empêcher de penser à.

Pat déplumé qui se fait des cheveux. Cette patate de Pat dispose ses serviettes en bonnet d'évêque. Pat est un garçon dur d'oreille. Pat est un préposé qui dispose pendant que vous pausez. Hi hi hi hi. Il dispose pendant que vous pausez. Hi hi. C'est un préposé hi hi hi hi hi. Il pose pendant que vous pausez. Pendant que vous pausez si vous pausez il posera pendant que vous pausez. Hi hi hi hi. Ho. Posera pendant que vous pausez.

Douce maintenant. Douce Lydia. Bronze et rose.

Elle a eu des vacances épatantes, mais épatantes. Et regardez l'adorable coquillage qu'elle a rapporté.

Vers lui à l'autre bout du bar elle apportait aérienne la conque vultueuse et porte-épic afin que lui, George Lidwell, avoué, avouât son désir.

— Écoutez ! lui enjoint-elle.

L'accompagnateur tramait un lent tissu musical sous les mots brûlants de gin que lui soufflait Tom Kernan. Tout ce qu'il y a de plus authentique. Comment Walter Bapty a perdu la voix. Parfaitement, monsieur le mari lui a serré le kiki. Salopiau, dit-il. *Tu ne roucouleras plus.* Parole d'honneur, monsieur Tom. Bob Cowley tramait toujours. Les ténors ont des fem. Cowley se rejeta en arrière.

Ah maintenant il entend, elle la lui applique à l'oreille. Écoutez bien. Il écoute. Prodigieux. Elle la colle à sa propre oreille, et dans le clair-obscur filtré or pâle contraste s'approche glissante. Pour entendre.

Toc.

Par la porte du bar Bloom vit une conque collée à leurs oreilles. Il entendait plus faiblement cela qu'elles entendaient, chacune pour soi seule, puis chacune pour l'autre, écoutant la rumeur des vagues, sonore, tonnerre ouaté.

Bronze près d'Or, éteint, proche, lointaine, elles écoutaient.

Son oreille aussi est une conque, le lobe qui pointe là. Été au bord de la mer. Les jeunes filles de la grève. Peau cuite de hâle. Aurait dû mettre du coldcream d'abord pour brunir. Beurre sur toast. Oh et cette lotion ! ne pas l'oublier. Bouton de fièvre au coin de sa lèvre. Elles tournent nos. Chevelures toute entrelacées : algues et coquillages. Pourquoi cachent-elles leurs oreilles avec des algues ? Et les Turques leur bouche, pourquoi ? Ses yeux au ras du drap, un yashmak. Trouvez la porte d'entrée. Un antre. Entrée interdite en dehors du service.

C'est la mer qu'elles croient qu'elles entendent. Qui chante. Un tonnerre. C'est le sang. Afflue dans l'oreille quelquefois. D'ailleurs, c'est une mer. Les îles Corpuscules.

Prodigieux vraiment. Si distinct. Encore. George Lidwell garde encore ce murmure contre son oreille ; puis le dépose avec précaution.

— Comprenez-vous le chant des vagues ? demande-t-il, au sourire qu'on lui fait.

Suave, d'un sourire muet d'océanide Lydia à Lidwell sourit.

Toc.

Devant chez Larry O'Rourke, devant chez Larry, ce brave Larry O'Boylan cahote et Boylan tourne.

De la conque abandonnée Miss Mina glisse vers la chope en attente. La mine malicieuse de Miss Douce laisse entendre à M. Lidwell que non non elle n'était pas si seule que ça. Promenades au clair de lune le long de la mer. Non, pas seule. Avec qui ? Elle répond noblement : Avec un monsieur très bien.

Les doigts de Bob Cowley voltigeaient de nouveau dans le haut du clavier. Le propriétaire a la priorité.

Le grand John. Le gros Ben. Sous ses doigts légers naît un rythme allègre et sautillant qui fait entrer en danse de nobles dames aux mines malicieuses et leurs messieurs très bien. Un ; un, un, un ; deux, un, trois, quatre.

La mer, le vent, les feuillages, le tonnerre, les eaux, les vaches qui beuglent, le marché aux bestiaux, les coqs, les poules qui ne font pas coquerico, les serpents qui szszszent. Il y a de la musique partout. La porte de Ruttledge qui crie ii. Non, c'est du bruit. C'est le menuet de *Don Juan* qu'il joue maintenant. Les robes de cour, les toilettes de grand tralala dans les salles du château se mettent à danser. Misère noire. Paysans au dehors. Faces faméliques et tournant au vert qui mâchent de la fausse oseille. C'est charmant. Reluquez : reluque, reluque, reluque, reluque, reluque : reluquez-nous.

C'est vraiment plein de gaieté, je m'en rends compte. Mais n'aurais jamais pu l'écrire. Pourquoi ? Parce que ma gaieté n'est pas de la même espèce. Mais c'est de la gaieté aussi. Oui c'est sûrement gai. Rien que de faire de la musique prouve que vous l'êtes. Souvent je croyais qu'elle broyait du noir et puis elle commençait à fredonner. Alors je savais que non.

La valise de M'Coy. Ma femme et votre femme. Une chatte miaularde. Comme de la soie qu'on déchire. Et quand elle parle un clapet de moulin. Elles n'arrivent pas à faire des intervalles aussi grands que les hommes. Un trou aussi dans leur voix. Emplissez-moi. Je suis chaude, sombre, ouverte. Molly dans le *quis est homo :* Mercadante. Mon oreille collée au mur pour entendre. Demande une femme capable de remplir ses engagements.

Cahin-caha le cab stoppa. Le rupin soulier jaune du rupin Boylan chaussettes à baguettes bleu-ciel posa légèrement à terre.

Oh, voyez nous sommes si ! Musique de chambre.

Pot de. On pourrait faire un jeu de mots là-dessus. J'ai souvent pensé que c'était une espèce de musique pendant qu'elle. C'est l'acoustique que ça s'appelle. Tintement. Ce sont les vases vides qui font le plus de bruit. Parce que l'acoustique, la résonance change selon que le poids de l'eau est égal à la loi de chute des liquides. Comme ces rhapsodies de Liszt, hongroises, œil-de-gitane. Perles. Gouttes. Pluie. Gliglegloglou gliglegloù gluiglui. Pszss. En ce moment peut-être. Avant de.

Quelqu'un frappe à une porte, quelqu'un toque un toc toc, toqua-t-il Paul de Kock, avec une canne ad hoc, avec un bec de caracara. Coqcoq.

Toc.

— *Qui sdegno*, Ben, dit le Père Cowley.

— Non, Ben, intervient Tom Kernan, *le Jeune Rebelle*. Notre vieux parler natal.

— Oui chantez-nous ça, Ben, dit M. Dedalus. Homme sans peur et sans reproche.

— Chantez, chantez, priaient-ils tous en chœur.

Il faut que je m'en aille. Ici, Pat, demi-tour. Venez. Il va, il vient, il ne s'arrête pas. A moi. Combien ?

— Quel ton ? Six dièses ?

— Fa dièse majeur, dit Ben Dollard.

Les serres de Bob Cowley agrippèrent les accords noirs et sonoreux. Dois m'en aller, annonce le prince Bloom à Richie bon prince. Non, dit Richie. Si, il le faut. Il a eu de l'argent quelque part. Le voilà parti pour bambocher jusqu'à la gauche avec son mal de reins. Combien ? Il oitvoit le parlerlèvre. Un shilling et neuf. Deux sous pour vous. Là. Non, lui donner quatre sous de pourboire. Sourd, se fait des cheveux. Peut-être qu'il a femme et enfants qui pausent, pausent, papa Patty reviens au logis. Hi Hi Hi Hi ! Sourd il pose pendant qu'ils pausent.

Mais pausons. Mais écoutons. Sombres accords. Lugugugubres. Profonds. Dans un antre au sein téné-

407

breux de la terre. Métal dans sa gangue. Musique brute.

La voix d'un âge sombre, de l'inimitié, de la fatigue de la terre arrivait grave et douloureuse venue de loin, des monts chenus, elle appelait les hommes sans peur et sans reproche. C'est le prêtre qu'il cherchait, avec lui désire échanger quelques mots.

Toc.

La voix de basse bariltonnante de Ben Dollard. Faisant de son mieux pour l'exprimer. Coassement d'un immense marécage sans hommes sans lune sans femellunes. Encore une dégringolade. Il a été fournis-seur de la marine autrefois. Je me rappelle ; les cordages goudronnés, les lanternes pour feux de posi-tion. Une faillite de dix mille livres. Maintenant il est à la fondation Iveagh. Case numéro tant. C'est Bass numéro un qui a fait ça pour lui.

Le prêtre est chez lui. Le serviteur d'un faux prêtre l'accueille. Entrez. Le vénérable père. Queues cro-chues des accords.

On les ruine. On leur rend la vie impossible. Puis on leur bâtit des cases pour y finir leurs jours. Berceuse. Chant de la nounou. Dodo chien-chien do ; petit chien mourra tantôt.

La voix de l'avertissement, du solennel avertisse-ment, leur apprend que le jeune homme a pénétré dans un corridor désert, leur dit quel bruit solennel y font ses pas, leur décrit la sombre chambre, le prêtre en surplis assis pour recevoir la confession.

Un bon type. Un peu ramolli à l'heure qu'il est. Croit qu'il gagnera le concours des titres de poèmes dans *Quand-Comment-Pourquoi ?* Premier prix : un billet de cinq livres tout flambant neuf. Oiseau qui couve dans un nid. Il croyait que c'était le Lai du Dernier Ménestrel : Cé, deux astérisques, té, quel animal domestique ? Enne, quatre tirets, enne, marin héroïque. Il a encore une voix qui se pose là. Pas encore eunuque avec une pareille boutique.

Écoutez. Bloom écoutait. Richie Goulding écoutait. Et près de la porte Pat sourd, Pat déplumé, Pat-au-pourboire écoutait.

Les arpèges se faisaient plus lents.

La voix de la douleur et du repentir arrivait lente, tremblante, embellie. La barbe contrite de Ben confessait : *in nomine Domini*, au nom de Dieu. Il s'agenouillait. Il se frappait la poitrine, confessant : *mea culpa*.

Encore du latin. Façon de les engluer. Le prêtre avec les hosties pour ces femmes. Le type de la chapelle funéraire, cercueil ou serqueux, *corpusnomine*. Me demande où est ce rat en ce moment. Gratte.

Toc.

Ils écoutaient : les chopes et Miss Kennedy, George Lidwell paupière des plus éloquentes, corsage de satin bien plein, Kernan, Si.

La voix de l'affliction haletait dans les affres. Ses péchés. Depuis Pâques il avait juré trois fois. Espèce d'enfant de garce. Et une fois à l'heure de la messe il était parti jouer. Une fois il était passé près du cimetière et il n'avait pas prié pour le repos de l'âme de sa mère. Un jeune, un jeune rebelle.

Bronze écoutant près de la pompe à bière, regardait au loin. De toute son âme. Sait fichtrement bien que je la regarde. Molly aussi sait très bien deviner quand on la regarde.

Bronze de biais regardait au loin.

Glace par là. Est-ce le plus joli côté de sa figure ? Elles le savent toujours. Coup à la porte. Dernier petit coup de fion.

Toc caracaratoc.

A quoi pensent-elles quand elles écoutent de la musique ? Moyen d'attraper les serpents à sonnettes. Le soir où Michael Gunn nous a donné la loge. A l'orchestre ils accordaient leurs instruments. C'est ça que le Shah de Perse aimait le mieux. Ça lui rappelait les douceurs du pays natal, *home sweet home!* Et avec ça il se mouchait dans les tentures. Coutume de son pays peut-être. C'est de la musique aussi. Pas si mauvaise que ça en a l'air. Tuuui. Les cuivres, des ânes avec un braire de trompe en l'air. Contrebasses désarmées, des plaies au flanc. Les bois, des vaches qui meuglent. Piano à queue bâillant crocodile la musique a des charmâchoires. Les bois comme Dubois.

Elle était belle à voir. Elle avait sa robe bouton d'or, grand décolleté avec tous ses avantages en montre. Son haleine toujours parfumée au girofle quand elle se penchait au théâtre pour poser une question. Je lui racontais ce que dit Spinoza dans le livre du pauvre papa. Hypnotisée, écoutant. Avec des yeux grands comme ça. Elle se penchait. Un particulier au balcon, qui lorgnait son corsage tant qu'il pouvait. La beauté de la musique il faut deux fois pour la comprendre, la femme et la nature c'est en un clin d'œil. Dieu a fait l'air l'homme la chanson. Mes tempes si choses. Philosophie. Balançoires!

Tous disparus. Tous tombés. Au siège de Ross son père, à Gorey tous ses frères tombèrent. A Wexford, nous sommes les gars de Wexford, il pourrait bien. Dernier du nom, dernier de sa race.

Moi aussi, dernier de ma race. Milly, le jeune étudiant. Qui sait, peut-être ma faute. Pas de fils. Rudy. Trop tard maintenant. Et qui sait, qui sait? Si tout de même.

Il était sans haine.

La haine. L'amour. Des mots. Rudy. Bientôt je serai vieux.

Le gros bourdon de Ben donnait toute sa voix. Grande voix, disait Richie Goulding, fard fugitif maquillant son pâle, à Bloom, bientôt vieux, mais quand j'étais jeune.

Voilà l'Irlande qui entre en jeu. Ma patrie au-dessus du roi. Elle écoute. Qui craint de parler de dix-neuf cent quatre ? Temps de me défiler. Assez vu.

Père, bénissez-moi, clamait Dollard le Rebelle. *Bénissez-moi et laissez-moi partir.*

Toc.

Bloom cherchait, sans bénédiction, à partir. Trop de chichis dans sa toilette ; avec dix-huit balles par semaine. Il se trouve toujours des gens pour casquer. Nécessaire de veiller au grain. Ces jeunes filles, jeunes filles de la. Le long du flot triste et songeur. Le roman d'une jeune choriste. Lettres lues à l'audience prouvant la promesse de mariage. Du bon Loulou de sa cocotte en sucre. Rires dans l'auditoire. Henry. Ce n'est pas moi qui ai signé ça. Le beau nom que vous.

La musique se réduisait à un murmure air et paroles. Puis se précipitait. Le faux prêtre surgissait soldat de sa soutane bruissante. Un capitaine de la garde. Ils savent tous ça par cœur. Ça les chatouille au bon endroit. De la garde un cap.

Toc. Toc.

Elle écoutait, émue, se penchant pour entendre.

Figure sans intérêt. L'a-t-elle encore ? Avec du pelotage à la clef sans doute. Page blanche : écrire quelque chose dessus. Qu'est-ce qu'elles deviennent sans ça ? Se dessèchent, tournent à l'aigre. Ça les garde jeunes. Tellement qu'elles-mêmes n'en reviennent pas. Voyons. Jouons-en. La lèvre à l'instrument. Corps blanc de la femme, une flûte vivante. Soufflez doucement. Puis fort. Trois trous toutes les femmes. Déesse je n'ai pas pu voir. Elles en ont besoin ; ne faut pas faire trop de discrétion. C'est pourquoi il les a. Or en poche, front d'airain. Les yeux dans les yeux : romance sans paroles. Molly et ce petit joueur d'orgue de Barbarie. Elle a deviné qu'il disait que le singe était malade. Ou parce que ça se rapproche tant de l'espagnol. Elles comprennent aussi les animaux comme ça. Salomon aussi. Don de nature.

Sorte de ventriloquie. Mes lèvres fermées. Je pense dans mon estom. Hein ?

Voulez ? Vous ? Je. Veux. Que. Vous.

Le capitaine hors de lui poussait des imprécations. Crevant d'apoplexie enfant de garce. Bonne idée, mon garçon, d'être venu. Une heure de temps, voilà ce qui te reste à vivre, ta dernière.

Toc. Toc.

Vibrent maintenant. C'est la pitié qui les tient. Donner une larme aux martyrs. Pour tout ce qui meurt, qui veut, meurt d'envie de, mourir. Pour tout ce qui naît. Pauvre Mme Purefoy. J'espère que c'est fini pour elle. Parce que leurs matrices.

Une prunelle humide matricielle regardait derrière sa haie de cils, calme, attentive. Voyez combien la vraie beauté de l'œil, quand elle ne, parle. Là-bas sur la rivière. A chaque ondulation du sein houleux et satiné (ses charmes houleux) la rose rouge lentement s'élève, et sombre, rouge rose. Son souffle rythme son cœur : souffle qui est la vie. Et les frêles frêles frondes frissonnent de capillaires.

Mais vois. Pâlissent les claires étoiles. O rose ! Castille. Le jour. Ha. Lidwell. Pour lui alors, pas pour. Épris. Suis-je comme ça ? En tout cas on la voit bien d'ici. Bouchons sautés, flaques de mousse de bière, collection de bouteilles vides.

Sur le manche lisse de la pompe à bière posait légère la main de Lydia, potelée, laissez-moi faire. Toute perdue de pitié pour le jeune Rebelle. En avant, en arrière · en arrière, en avant ; sur le manche poli (elle sent que ses yeux à lui, mes yeux à moi, ses yeux à elle) son pouce et son index passaient pleins de pitié ; passaient et repassaient, doux contact, puis glissaient en coulant, tout doucement, jusqu'en bas, et de leur

412

anneau plein d'onction, un bâton émaillé, frais, ferme et blanc qui point.

Avec un coqueri avec un cara.

Toc. Toc. Toc.

Je suis le maître ici. Amen. Il grinçait hors de lui des dents. Au traître la corde.

Les accords s'y résignaient. Sale histoire. Mais c'était fatal.

Filer avant la fin. Merci, c'était divin. Où est mon chapeau ? Passer près d'elle. Je peux lâcher cet *Homme Libre*. La lettre je l'ai. Si c'était elle la ? Non. Allons, allons, allons. Comme Cashel Boylo Connoro Coylo Tisdall Maurice Cépatou Farrel. Allllllllons.

Allons il faut que je. Vraiment ? Omftdirvoir. Blmslva. Au-dessus des hauts bloobleuets. Bloom se leva. Euh. Sens ce savon à moitié collé derrière. Transpiration : la musique. Me rappeler cette lotion. Allons, b'soir. De luxe. Carte en dedans, oui.

Devant Pat le sourd sur le pas de la porte, prêtant l'oreille, Bloom passa.

A la caserne Geneva mourut cet adolescent. A Passage fut enseveli son corps. Dolor ! O lui dolores ! La voix lamentante du chantre invitait aux dolentes prières.

Devant la rose, le sein de satin, la petite main qui dorlote, devant les rinçures, les bouteilles vides, les bouchons sautés, passa Bloom, bonjour au passage et laissant derrière yeux et capillaires, Bronze et Or terni en la pénombre abyssale, s'en fut Bloom, le mol Bloom, je me sens si seul Bloom.

Toc. Toc. Toc.

Priez pour lui, priait la basse de Dollard. Vous les heureux qui m'écoutez. Murmurez une prière, versez une larme, hommes sans peur, braves gens. C'était *le jeune Rebelle*.

Faisant sursauter le jeune Rebelle de chasseur qui écoute aux portes, Bloom du seuil de l'Ormond enten-

413

dit gronder et rugir les bravos, battoirs battant rataplan en dos noirs, trépignements de chaussures, leurs
vieilles chaussures non le jeune chasseur. Chœur
final : et en avant pour une tournée d'arrosage.
Content d'avoir esquivé.

— Allons, Ben, dit Simon Dedalus. Ma parole, vous
n'avez jamais été meilleur.

— Supérieur, dit Tomgin Kernan. La plus incisive
interprétation de cette ballade, en mon âme et
conscience.

— Lablache, dit le Père Cowley.

Rose et gavé de gloire, le bouffant Dollard gras à
lard esquisse une cachucha anda ! vers le bar, ses
doigts goutteux en l'air, cla-claquantes castagnettes.

Boum Benaben Dollard. Boum Benben. Boum
Benben.

Rrr.

Et tous remués jusqu'aux entrailles, Simon trompe-
tant son attendrissement à travers sa sirène de nez,
tous riant aux éclats, ils l'entraînèrent, Ben Dollard,
en lui faisant le gros succès.

— Vous êtes resplendissant, dit George Lidwell.

Miss Douce arrange sa rose avant de servir.

— Ben *machree*, dit M. Dedalus, avec une claque
sur la grasse omoplate de Ben. Tout à fait en forme
malgré cette couche de graisse qu'il passe en fraude
sur toute sa personne.

Rrrrrrsss.

— De la graisse qui sent le sapin, Simon, grogne
Ben Dollard.

Richie, fêlure fine et profonde, est là seul :

Goulding, Collis, Ward. Perplexe il attend. Pat aussi,
l'argent.

Toc. Toc. Toc. Toc.

Miss Mina Kennedy approche ses lèvres de l'oreille
de première chope.

— M. Dollard, murmurent-elles très bas.

— Dollard, murmure la chope.

Première chope croyait : Miss Ken quand elle ; qu'il était doll : elle, doll ; la chope.

Il murmura qu'il connaissait le nom. Le nom lui était pour ainsi dire familier. C'est-à-dire que n'est-ce pas il avait entendu le nom de Dollard, bien ça ? Dollard, oui.

Oui, dirent ses lèvres à elle, plus haut, M. Dollard. Il a chanté cela délicieusement, murmure Mina. Et quelle romance délicieuse que *La dernière rose de l'été*. Mina aimait cette romance. La Chope aimait la romance que Mina.

C'est la dernière rose de l'été, Dollard quitté Bloom sentit un vent tournoyer dans son intérieur.

D'un gazeux ce cidre ; et constipant. Voyons. Bureau de poste près de Ruben J., un shilling huit pence de trop. En finir avec ça. S'esquiver par Greek Street. Aimerais mieux n'avoir pas donné rendez-vous. Plus libre en plein air. La musique. Vous tape sur les nerfs. La pompe à bière. Sa main qui balance le berceau gouverne le. Ben Howth. Qui gouverne le monde.

Loin. Loin. Loin. Loin.

Toc. Toc. Toc. Toc.

Maintenant il remontait le quai, Lionelléopold, ce garnement d'Henry avec sa lettre pour Mady, avec les douceurs du péché, avec des franfreluches pour Raoul, avec mes tempes si chose s'en allait Poldy.

Toc, l'aveugle s'en venait toquant toc à toc, toquant le trottoir, toc, toc.

Cowley, il s'abrutit avec ça : sorte d'ébriété. Mieux vaut n'y aller que jusqu'à moitié chemin comme avec une vierge. Par exemple les mélomanes. Tout oreilles. N'en perdent pas même un quart de soupir. Yeux clos. Tête qui dodeline en mesure. Dingos. N'osez pas remuer. Défense de penser. Parlent toujours de leur dada. Tant de sornettes à propos de notes.

Une façon comme ça d'essayer de parler. Ennuyeux

quand ça s'arrête parce qu'on ne sait jamais exac. L'orgue de Gardiner Street. Cinquante louis par an le vieux Glynn. Bizarre là-haut tout seul dans son grenier avec toute cette tuyauterie et robinetterie à musique. Devant l'orgue assis tout un jour. Grognonne des heures durant, se parlant à soi-même ou au bonhomme qui actionne ses soufflets. Grondement de colère, puis des cris de putois (il faudrait de l'ouate ou autre chose dans son je ne veux pas cria-t-elle nom de nom d'organon), puis un fluet subito petit fluet petit flonflon de zéphyr.

Pfuit ! Un petit zéphir fluet flageole ui ui ui. Dans le petit troufioui de Bloomie.

— Lui vraiment ? dit M. Dedalus, de retour avec sa pipe. J'étais avec lui ce matin à l'enterrement de ce pauvre petit Paddy Dignam...

— Ah oui, Dieu l'ait en sa miséricorde.

— Au fait il y a un diapason là sur le...

Toc. Toc. Toc. Toc.

— Je crois que la femme avait une belle voix. L'a-t-elle toujours ? demanda Lidwell.

— Oh, ça doit être l'accordeur, dit Lydia à Simonlionel lorsqu'à mes yeux il l'a oublié quand il est venu.

Il est aveugle, disait-elle à George Lidwell lorsqu'à mes yeux bis. Et jouant d'une façon si exquise, un régal de l'entendre. Contraste enchanteur : bronzelid minedor.

— Est-ce assez ? gueulait Ben Dollard qui versait. Est-ce assez ?

— Ça va ! cria le Père Cowley.

Rrrrrr.

Je sens que j'ai besoin de...

Toc. Toc. Toc. Toc. Toc.

— Très belle, dit M. Dedalus, qui regardait fixement une sardine sans tête.

Sous la cloche à sandwiches et sur son catafalque de

mie de pain gisait, dernière, solitaire, la dernière sardine de l'été. Bloom si seul.

— Très, fit-il, fixant toujours. Surtout dans le bas. Toc. Toc. Toc. Toc. Toc. Toc. Toc. Toc.

Bloom passait devant Barry. Voudrais bien pouvoir. Voyons. Si j'avais ce thaumaturge. Vingt-quatre hommes de loi dans cette maison-ci. Chicanes. Aimez-vous les uns les autres. Montagnes de papier timbré. Messieurs Pick et Pocket vivent de procurations. Goulding, Collis, Ward.

Mais par exemple le type qui tamponne la grosse caisse. Sa vocation : l'orchestre de Micky Rooney. Me demande comment ça lui a pris. Assis chez lui après le petit salé aux choux il la dorlote dans le fauteuil. Et répétant sa partie. Bom Badabom. Charmant pour son épouse. Peaux d'ânes. On tape dessus quand ils sont en vie, après la mort on les bat de plus belle. Bom. De plus belle. C'est peut-être ce qu'on appelle yashmak c'est-à-dire kismet. Le destin.

Toc. Toc. Un jeune homme, un aveugle, avec une canne qui tapait, passait en toctoquant devant la devanture de Daly où une sirène à la chevelure ondoyante (mais il ne pouvait la voir) tirait des bouffées d'une sirène (aveugle il ne pouvait), la Sirène, reine des cigarettes.

Les instruments. Un brin d'herbe, ses mains en conque, puis souffler. Même un peigne et du papier de soie, vous pouvez jouer un air avec. Molly en chemise à Lombard Street West, les cheveux sur le dos. Je pense que chaque métier a créé sa musique, hein ? Chasseur avec son cor. Cann. Avez-vous la ? *Cloche. Sonnez-la !* Berger son chalumeau. Agent un sifflet. Voilà le rétameur ! Ramonez vos cheminées ! Quatre heures du matin tout va bien ! Dormez ! Tout est perdu. Tambour ? Badaboum. Attendez, je sais. Crieur de ville. Macaron. Le grand John. A réveiller les morts. Bom, Dignam. Pauvre petit *nominedomine*. Bom. C'est de la musique, c'est-à-dire, je veux dire que c'est bom bom bom ce qu'on appelle *da capo*. Pourtant on peut saisir. Allons camarade au pas au pas au pas. Bom.

Tout de bon il faut que je. Eff. Et si je faisais ça à un banquet. Simple affaire de coutumes. Le Shah de Perse. Murmurez une prière, versez une larme. Tout de même fallait qu'il soit un peu con pour ne pas voir que c'était de la garde un cap. Emmitouflé de pied en cap. Me demande qui ça pouvait être le mironton du cimetière avec le machin toc brun. Aïe, la putain de la ruelle !

Une putain malpropre avec un canotier de paille noire sur l'oreille se coulait nyctalope dans le jour cru le long du quai vers M. Bloom. Lorsqu'à mes yeux parut sa chère image. Oui c'est. Je me sens si seul. Soir de pluie dans la ruelle. La canne. Qui avait la. Ill'avait. Ellelevit. Loin de son champ de manœuvre ici. Qu'est-ce qu'elle ? Espère qu'elle. Hé, m'sieur, est-ce que vous me donneriez votre linge à blanchir ? Avait vu Molly. M'avait repéré. Une dame forte avec toi en robe brune. Ça vous déconcerte. Ce rendez-vous que nous avions pris. Sachant bien que jamais ou presque jamais nous. Trop cher, trop près du cher home sweet home. Me voit, me voit-elle ? Un épouvantail, en plein jour. Figure comme de la chandelle. Le diable l'emporte ! Oh, après tout il faut bien qu'elle vive elle aussi. Regardons là-dedans.

Dans la vitrine du magasin d'antiquités de Lionel Marks, le hautain Henry Lionel Léopold cher Henry Fleury, le très attentif M. Léopold Bloom contemplait bougeoir, accordéon délabré qui perdait ses soufflets mangés des vers. Une occasion : six balles. Pourrais apprendre à jouer. Bon marché. Laissons-la passer. Parbleu tout est trop cher quand on n'en a pas besoin. Voilà ce qui fait le bon commerçant. Il vous fait acheter ce qu'il a besoin de vendre. Type qui m'a vendu le rasoir suédois avec lequel il me rasait.

Voulait me faire payer en plus pour l'avoir repassé. La voilà qui passe. Six balles.

Doit être le cidre ou peut-être le bourgogne.

Près de Bronze de près proche Or proche de loin ils entre-choquent leurs verres, ces gaillards dont l'œil pétille, devant Lydia de bronze à la tentatrice et dernière rose d'été, rose de Castille. Premier Lid, De, Cow, Ker, Doll, une quinte : Lidwell, Si Dedalus, Bob Cowley, Kernan et le gros lard de Dollard.

Toc. Un jeune homme a pénétré dans un corridor d'Ormond désert.

Bloom considérait le portrait d'un brillant héros dans la devanture de Lionel Marks. Les dernières paroles de Robert Emmet. Sept dernières paroles. De Meyerbeer celles-là.

— Des hommes sans peur comme vous.

— Oui, oui, Ben.

— Lèveront leurs verres avec nous.

Ils le lèvent.

Digue. Dingue.

Toc. Sur le pas de la porte se tenait un être jeune et sans regard. Il ne voyait pas Bronze. Il ne voyait pas Or. Ni Ben ni Bob ni Tom ni Si ni George ni les chopes ni Richie ni Pat. Lui lui lui lui. Pour lui rien ne luit.

Leux Bloom, huileuxbloom lisait ces dernières paroles. En sourdine. *Quand mon pays prendra sa place parmi.*

Prrprr.

Doit être le bour.

Fff. Oo. Rrpr.

Les nations de la terre. Personne derrière. Elle est passée. *Alors mais alors seulement.* Un tram. Kran, kran, kran. Bonne occas. Attention. Krandlkrankran. Je suis sûr que c'est le bourgogne. Oui. Un, deux. *Que mon épitaphe soit.* Kraaaaaaaa. *Écrite. J'ai.*

Pprrpffrrppff.

Fini.

J'étais en train de jaspiner avec le vieux Troy de la D.M.P. au coin d'Arbour Hill quand voilà-t-il pas qu'un sacré con de ramoneur arrive et qu'il me fout presque son pinceau dans l'œil. Je me détourne pour lui faire voir de quel bois je me chauffe et qui c'est que j'aperçois bayant aux corneilles du côté de Stony Batter, si c'est pas Joe Hynes en personne.

— Hé, Joe, que j' dis. Comment que ça biche ? Avez-vous vu ce nom de dieu de ramoneur qui m'a presque décroché l'œil avec son sacré balai ?

— La suie, ça porte bonheur, que dit Joe. Qui c'était le vieux couillon avec qui vous parliez ?

— Le vieux Troy, que j' dis, qu'était dans la police. Je suis pas bien sûr si je porterai pas plainte contre cette espèce d'emmanché pour obstruer la voie publique avec ses ramons et ses échelles.

— Et qu'est-ce que vous faites dans le quartier ? que dit Joe.

— Pas des tas, que j' dis. Y a un sacré vieux scélérat à la redresse là-bas près de la Chapelle de la Caserne au coin de Chicken Lane — le père Troy était tout juste à me tuyauter sur le bougre — qui en a flibusté gros comme lui de thé et de sucre qu'i devait payer trois balles par semaine, qui disait qu'il avait une ferme dans le comté Down, à un petit bout d'homme qui s'appelle Moïse Herzog par là dans les environs de Heytesbury Street.

— Un circoncis ! que dit Joe.

— Tu l'as dit, que j' dis. Un cinglé. Un vieux plombier qui s'appelle Geraghty. Y a bien une quin-

420

zaine que je suis à ses trousses et que j'ai pas pu lui faire cracher un rotin.

— C'est ça votre boulot, ces temps-ci ?

— Hé oui, que j' dis. Comment ces vaillants sont-ils tombés ? Ramasseur de créances douteuses. Enfin c'est une sacrée fripouille comme y a pas son pareil sur la place avec sa gueule en moule à gaufres. *Dites-lui*, qu'il dit, *que je le défie*, qu'il dit, *que je le redéfie de vous renvoyer encore ici, car s'il le fait*, qu'il dit, *je le ferai citer devant le tribunal, c'est comme je le dis, pour faire du commerce sans patente*. Et lui qui s'en est fourré de quoi se faire péter la panse ! Bon Dieu, je pouvais pas me tenir de rigoler à voir le youpinos qui se faisait de la mousse. *Il me boit mes thés. Il me mange mes sucres. Pourquoi il me paie pas mes argents ?*

Pour des denrées non périssables achetées à Moïse Herzog, domicilié 13 Saint Kevin's Parade, quartier de Wood Quay, négociant, subséquemment dénommé le vendeur, cédées et livrées à Michael E. Geraghty, Esquire, domicilié 29 Arbour Hill Dublin, quartier d'Arran Quay, gentleman, subséquemment dénommé l'acquéreur, à savoir, cinq livres avoirdupoids de thé de qualité supérieure à trois shillings la livre avoirdupoids et quarantedeux livres avoirdupoids de sucre cristallisé à trois pence la livre avoirdupoids, le dit acquéreur étant débiteur au dit vendeur d'une livre cinq shillings et six-pence sterling pour valeur reçue en marchandises dont le montant sera acquitté par le dit acquéreur au dit vendeur par versements hebdomadaires chaque septième jour de trois shillings et zéro pence sterling ; et les dites denrées non périssables ne seront ni gagées ni données en caution ni vendues ni aliénées d'aucune manière par le dit acquéreur mais devront être et rester et être tenues pour la seule et exclusive propriété du dit vendeur pour qu'il en dispose à son gré et selon son bon plaisir jusqu'à ce que la dite somme ait été dûment acquittée par le dit acheteur au dit vendeur ainsi qu'il a été expressément spécifié par ces présentes à dater de ce jour par accord entre le dit vendeur ses hoirs et successeurs, représentants et ayants droit, d'une part, et le dit acquéreur ses hoirs et successeurs, représentants et ayants droit, d'autre part.

— Êtes-vous anti-alcoolique ? que dit Joe.

— Prends jamais rien entre mes consommations, que j' dis.

— Si on allait rendre ses devoirs à notre ami ? que dit Joe.

— Qui ? que j' dis. Pour sûr qu'il est à l'asile des fous, complètement dingo, pauvre type.

— En buvant son fonds ? que dit Joe.

— Tu parles, que j' dis. Ça lui tape sur la coloquinte.

— Allons donc chez Barney Kiernan, que dit Joe. J'ai besoin de voir le Citoyen.

— Va pour c'te vieille branche de Barney, que j' dis. Rien de sensationnel, Joe ?

— Rien de rien, que dit Joe. J'ai été à cette réunion aux Armes de la Cité.

— Qu'est-ce que c'était que ça, Joe ? que j' dis.

— Des marchands de bestiaux, que dit Joe, rapport à la maladie du pied et du museau. Il faut que je lui passe quelque chose au Citoyen là-dessus.

Donc nous avons pris par les casernes Linenhall et par derrière le palais de justice en causant de choses et d'autres. C'est un garçon bien convenable Joe quand il est aux as mais on peut dire que c'est tous les trente-six du mois. Bon dieu ! je pouvais pas digérer ce sacré fripouillard de Geraghty de la foire d'empoigne. Pour faire du commerce sans patente, qu'il dit.

Dans Inisfail la Belle il y a une terre, la terre de Michan le Vénéré. Là s'élève une tour de guet que les hommes découvrent de vingt lieues à la ronde. Là dorment les Puissants tels qu'en leur vie ils dormirent,

422

guerriers et princes de haut renom. En vérité c'est une douce terre aux eaux murmurantes, aux cours d'eau poissonneux où s'ébattent le grondin, la plie, le gardon, le hellebut, l'aiglefin bossu, le saumon remontant, le carrelet, la barbue, la limande, le ramassis des poissons vulgaires et autres citoyens de l'aquatique empire trop nombreux pour être énumérés. Aux molles brises de l'ouest et de l'est les arbres altiers balancent vers les quatre points cardinaux leurs frondaisons émérites, le sycomore encensant, le cèdre libanien, le platane élancé, l'eugénique eucalyptus et autres ornements du monde végétal qui foisonnent en cette contrée.

D'aimables vierges assises tout contre les racines des arbres aimables chantent les plus aimables romances tout en jouant avec toutes sortes d'aimables objets comme par exemple des lingots d'or, des poissons d'argent, des barils de harengs, des haveneaux d'anguilles, des moruettes, des paniers de menises, de pourpres gemmes de mer et de folâtres insectes. Et les héros viennent des confins du monde solliciter leurs faveurs, d'Eblana à Slievermargy, les princes sans égaux de la libre Munster et de Connacht la juste et du Leinster de velours et de la terre de Cruachan et d'Armagh la splendide et du noble district de Boyle, princes, fils de rois.

Et là se dresse un splendide palais dont le toit de cristal qui jette mille feux est vu des mariniers qui sillonnent l'océan sans limites en des esquifs spécialement construits pour cet usage et léans affluent tous les troupeaux, bêtes d'engrais et primeurs de cette terre pour que O'Connell Fitzsimon en perçoive la dîme, lui chevétaine issu des chevétaines. Léans les gigantesques chariots apportent les fruits de la terre, pannerées de choux-fleurs, tombereaux d'épinards, ananas en conserve, haricots de Rangoon, boisseaux de tomates, tonnelets de figues, planches de navets de

Suède, pommes de terre qui ont la rondeur du globe, assortiments de choux panachés, d'York et de Savoie, barquettes d'oignons, joyaux de la terre, mannes de champignons, de citrouilles, de vesces, et l'orge et le colza, et sous ses couleurs rouges, vertes, jaunes, brunes, roussâtres, douce, amère, plantureuse, pommelée, la pomme. Et des paniers de fraises des bois et des couffins de grosses groseilles pulpeuses et transparentes, et des grosses fraises dignes des princes, et des framboises en branches.

Je le défie, qu'il dit, et je le redéfie. Viens-t'en un peu ici pour voir, Gerghty, sacré voleur de grand chemin !

Et par le même chemin s'écoulent d'innombrables troupeaux de sonnaillers et de massives mères brebis, de béliers à leur première tonte, d'agneaux, d'oies d'automne, de jeunes bœufs, de juments renâclantes, de veaux étêtés, de moutons angoras et de moutons de parcs, de bouvarts de chez Cuffe et de bêtes impropres à la reproduction, de truies et de cochons bien doublés, et les variétés les plus diversement variées des pourceaux les plus distingués, des génisses du comté d'Angus, des bouvillards au pedigree sans tache avec les jeunes laitières primé·s du herdbook et les bœufs : et là se fait entendre un perpétuel piétinement, caquettement, mugissement, beuglement, bêlement, meuglement, grondement, rognonnement, mâchonnement, broutement des moutons et des porcs et des vaches à la démarche pesante venus des pâturages de Lush et de Rūsh et de Carrickmines et des vallées baignées d'eaux courantes de Thomond, des marécages de l'inaccessible M'Gillieuddy et du seigneurial et insondable Shannon, et des pentes douces du berceau de la rade de Kiar, leurs mamelles distendues par la surabondance du lait, et enfin défilent des barriques de beurre et de petit-lait et des tonnelets et des poitrines d'agneaux et des mesures de froment et des œufs oblongs par mille et mille, de toutes grosseurs, d'agate et d'ambre.

Donc nous voilà chez Barney Kiernan et sans faute qu'il était là le citoyen dans son coin au fond à se monter le cou tout seul avec son bougre de chien galeux, Guaryogrin, à attendre ce qui lui tomberait du ciel dans la goule en fait de liquide.

— Pige-le, que j' dis, dans sa boîte à confesse, avec sa petite cruche de fine et son paquet de paperasses, qui travaille pour la cause.

Le sacré cabot lâcha une grogne que c'en était à vous donner la chair de poule. Ça serait bien ce qui s'appelle une œuvre pie si quelqu'un lui faisait passer le goût du pain à ce bougre de clebs. Je me suis laissé dire comme quoi il a bouffé le fond de culotte à un type de la rousse à Santry qui s'amenait avec un papier bleu pour une licence.

— Qui va là ? qu'il dit.

— Ça va bien, citoyen, que dit Joe. Ronde de copains.

— Avance au ralliement, qu'il dit.

Après il se frotte l'œil avec la main et il dit :

— Quelle est votre idée de la situation ?

Il faisait son pirate et son roi des montagnes. Mais gast de gast, Joe il se laissa pas démonter.

— Je pense que le marché est à la hausse, qu'il dit, coulant sa main dans son entre-jambe.

Et gast de gast, le citoyen qui fait claquer sa patte sur sa cuisse et qui dit :

— C'est les guerres étrangères qu'est cause de ça.

Et qu'il dit Joe, fourrant son pouce dans sa poche :

— C'est un besoin qu'ils ont les Russes de tyranniser le monde.

— Corc'h, finissez avec vos sacrées foutaises, Joe, que j' dis, je tiens une soif que je céderais pas pour une demi-couronne.

— Alors quoi que vous dites, citoyen ? que dit Joe.

— Notre vin national, qu'il dit.

— Et quoi pour vous ? dit Joe.

— Idem dito Mac Anaspey, que j'dis.

— Trois pintes, Terry, que dit Joe. Et comment va cette vieille santé, citoyen ? qu'il dit.

— Ça colle, compère, qu'il dit. Hein, Guary ? Allons-nous avoir le dessus ? Eh ?

Et là-dessus il attrape son sacré vieux médor par la peau du cou et, sacrédié, s'il l'a pas étranglé c'était moins cinq.

Le personnage assis sur un énorme bloc au pied de la tour ronde était un héros aux larges épaules, à la vaste poitrine, aux membres robustes, aux yeux francs, aux cheveux roux, aux abondantes taches de son, à la barbe touffue, à la bouche énorme, au large nez, à la longue tête, à la voix profonde, aux genoux nus, à la poigne d'acier, aux jambes poilues, à la face colorée, aux bras musclés. D'une épaule à l'autre il mesurait plusieurs aunes et ses genoux pareils à des montagnes rocheuses se couvraient ainsi que toutes les parties visibles de son corps d'une dense végétation de poils piquants et fauves semblables en leur couleur et raideur aux ajoncs de montagne (*Ulex Europeus*). Les narines énormes projetaient des dards de la même coloration fauve et leur capacité était telle que dans leurs ténébreuses cavernes l'alouette agreste eût aisément logé son nid. Les yeux dans lesquels une larme et un sourire se disputaient sans cesse la victoire avaient la dimension d'un chou-fleur de bonne taille. Un jet puissant de chaude vapeur sortait à intervalles réguliers du gouffre de sa bouche tandis que sur un rythme retentissant le martèlement vigoureux de son formidable cœur grondait comme un tonnerre sous les coups duquel le sol, le sommet de la tour altière et les parois plus altières encore de la caverne s'ébranlaient et vibraient.

Il portait une longue tunique sans manches faite de

la peau d'un bœuf fraîchement écorché, qui s'arrêtait aux genoux comme un kilt flottant et serrée en son milieu par une ceinture de roseaux et de paille tressés. Par-dessous il avait des chausses en peau de daim cousues à grands points de cordes à boyaux. Ses extrémités inférieures étaient enfermées en de hauts houseaux de Balbriggan teints avec le lichen pourpré, ses pieds étant protégés par des brogues de cuir de veau séché dans le sel et lacées avec la trachée-artère du même animal. De sa ceinture pendait un rang de galets qui dansaient à chaque mouvement de sa prodigieuse charpente et sur lesquels étaient gravées avec un art barbare mais saisissant les images protectrices de son clan, héros irlandais, héroïnes antiques, Cuchulin, Conn des cent batailles, Niall des neuf otages, Brian de Kincora, les Ardri Malachi, Art Mac Murragh, Shane O'Neill, le Père John Murphy, Owen Roe, Patrick Sarsfield, Red Hugh O'Donnell, Red Jim MacDermott, Soggarth Eoghan O'Growney, Michael Dwyer, Francy Higgins, Henry Joy M'Cracken, Goliath, Horace Wheatley, Thomas Conneff, Peg Woffington, le Forgeron du Village, le Capitaine Clair de Lune, le Capitaine Boycott, Dante Alighieri, Christophe Colomb, S. Fursa, S. Brendan, Le Maréchal Mac Mahon, Charlemagne, Theobald Wolfe Tone, la Mère des Macchabées, le Dernier des Mohicans, la Rose de Castille, le Candidat de Galway, l'Homme qui a fait sauter la Banque à Monte Carlo, l'Homme sur la Brèche, la Femme qui n'osa point, Benjamin Franklin, Napoléon Bonaparte, John L. Sullivan, Cléopâtre, Savourneen Deelish, Jules César, Paracelse, sir Thomas Lipton, Guillaume Tell, Michel-Ange, Hayes, Mahomet, la Fiancée de Lammermoor, Pierre Lhermitte, Pierre le Prévaricateur, la Brune Rosalinde, Patrick W. Shakespeare, Brian Confucius, Murtagh Gutenberg, Patrice Velasquez, Capitaine Nemo, Tristan et Ysolde, le premier Prince de Galles, Thomas

Cook and Son, le Hardi Petit Soldat, Arrah na Pogue, Dick Turpin, Ludwig Beethoven, la Fille aux Cheveux de lin, Waddler Healy, Angus le Culdee, Dolly Mount, Sidney Parade, Ben Howth, Valentine Greatrakes, Adam et Ève, Arthur Wellesley, Boss Croker, Hérodote, Le Petit Poucet, Gautama Bouddha, Lady Godiva, Le Lis de Killarney, Balor Mauvais-Œil, la Reine de Saba, Acky Nagle, Joe Nagle, Alessandro Volta, Jérémie O. Donovan Rossa, Don Philip O'Sullivan Beare. Une lance couchée de granit à pointe acérée était à son côté tandis que reposait à ses pieds un sauvage spécimen de la race canine dont les ronflements entrecoupés révélaient qu'il était enfoncé dans un sommeil agité, supposition confirmée par des grognements rauques et des sursauts spasmodiques que son maître de temps à autre réprimait par les coups les plus amadouants de son maître gourdin fait d'une pierre paléolithique mal dégrossie.

Toujours est-il que Terry apporta les trois pintes de la tournée à Joe et gachte de gachte, j'ai cru que j'avais de la fiente dans les yeux quand je l'ai vu qui aboulait un sigue. Aussi vrai que me voilà. Un souverain tout ce qu'il y a de plus reluisant.

— Et y en a encore d'où que ça vient, qu'il dit.

— Avez-vous fait le tronc des pauvres, Joe ? que j' dis.

— A la sueur de mon front, que dit Joe. C'est le prudent particulier qui m'a indiqué le filon.

— Je l'ai vu avant que je vous aie rencontré, que j' dis, badaudant dans Pill Lane et Greek Street avec son œil de congre mort en train de passer la revue de détail.

Qui traverse la terre de Michan, adorné d'une armure couleur de nuit ? O'Bloom, le fils de Rory : c'est lui. Inaccessible à la crainte est le fils de Rory : lui dont l'âme est prudente.

— Pour cette vieille commère de Prince's Street, dit

le citoyen, l'organe subventionné. Le groupe irlandais de la Chambre. Et regarde-moi cette feuille de chou, qu'il dit. Regarde-la, qu'il dit *L'Indépendant Irlandais*, s'il vous plaît, fondé par Parnell pour être l'organe des travailleurs. Écoutez-moi les naissances et les morts dans *L'Irlandais tout pour l'Irlande Indépendante* et avec tous nos remerciements et les mariages.

Et il se met à lire tout haut :

— Gordon, Barnfield Crescent, Exeter ; Redmayne à Iffley, Sainte-Anne-sur-Mer, M. et Mme William T. Redmayne, naissance d'un fils. Qu'en pensez-vous, eh ? Wright et Flint, Vincent et Gillett avec Rotha Marion, fille de Rosa et de George Alfred Gillett, décédé, 179 Clapham road, Stockwell, Playwood et Ridsdale à Saint-Jude, Kensington, par le Très-Révérend Dr Forrest, doyen de Worcester, hein ? Les morts. Bristow à Whitehall Lane, Londres ; Carr, Stoke Newington, à la suite d'une maladie d'estomac et d'une maladie de cœur : Chaudelance, à la Maison Solitaire, Chepstow...

— J'ai connu ce type-là, que dit Joe, et il m'en a cuit.

— Chaudelance. Mme Dimsey, épouse de David Dimsey, ayant appartenu à l'Amirauté. Miller, Tottenham, à l'âge de quatre-vingt-cinq ans. Welsh, le 1er juin, 35 Canning Street, Liverpool, Isabella Helen. Comment trouves-tu ça pour une feuille nationaliste, hein mon colon ! Et avec ça s'il n'est pas content notre Martin Murphy, le bosseur de Bantry !

— Dame oui, que dit Joe, qui faisait circuler le nectar. Dieu soit loué, c'est eux qui nous ont brûlé la politesse. Buvez ça, citoyen.

— De bon cœur, qu'il dit, illustrissime.

— A la vôtre, Joe, que j' dis. Et à toute la compagnie.

Ah ! Ouf ! Dites plus rien ! J'en étais tout je sais pas

quoi tant ça me faisait défaut, c'te pinte. Dieu du ciel ! ça fait du bien par où ça passe.

Mais oh voyez ! cependant qu'ils s'abreuvaient à la coupe de joie, un messager de l'Olympe apparut rapide, et comme l'œil du ciel, radieux, un bel adolescent, et derrière lui passa lors un ancien de fière mine et de noble allure qui portait les textes sacrés de la loi, et le suivait dame son épouse, fleur illustre de sa lignée et parangon de sa race.

Le petit Alf Bergan le voilà qui rapplique autour de la porte et qui s'embusque dans l'arrière-boutanche à Barney, en se gondolant fallait voir, et qui qu'était affalé là-bas dans un coin que je n'avais pas vu ronflant comme un orgue et complètement asphyxié, ni plus ni moins que mon Bob Doran. Je savais pas de quoi il retournait et Alf il ne décessait pas de montrer dehors. Et gachte de gachte voilà que c'était ni plus ni moins que ce sacré vieux guignol de Denis Breen dans ses espadrilles avec deux sacrés gros bouquins sous son aileron et sa femme sur ses talons, pauvre infortunée créature qui trottait comme un caniche. Je pensais qu'Alfred allait crever.

— Regardez-le, qu'il dit. Breen. Il se balade dans tout Dublin avec une carte qu'on lui a envoyée avec Fou. Tu. : foutu, écrit dessus, et le voilà parti pour inten...

Et il se tord de plus belle.

— Inten quoi ? que j' dis.

— Intenter une action en diffamation, qu'il dit, il demande dix mille livres.

— Foutre ! que j' dis.

Et le sacré enfant de garce de clebs qui commençait à groumer à vous donner le frisson, il voyait qu'il se passait du nouveau, et le citoyen de lui allonger un coup de pied dans les côtes.

— *Bi i dho husht*, qu'il dit.

— Qui ? que dit Joe.

— Breen, que dit Alf. Il était chez Henry Menton et de là il a fait un tour chez Collis et Ward et alors Tom Rochford l'a rencontré et l'a envoyé chez le sous-shérif pour faire une bonne blague. Oh ma mère, ça me donne un point de côté de rire comme ça. Fou. Tu. : foutu. Le grand zigue lui a décoché un œil aussi aimable qu'une porte de prison et maintenant le sacré vieux dingo qu'est parti pour Green Street querir un type de la police.

— Et quand c'est que le grand zigue va lui faire faire l'évêque de campagne au client de Montjoie ? que dit Joe.

— Bergan, que dit Bob Doran, qui se réveillait. Est-il là, Alfred Bergan ?

— En personne, que dit Alf. L'évêque de campagne ? Attendez que je vous montre. Par ici, Terry, donnez-nous une chope. Cette sacrée vieille tourte ! Dix mille livres. Vous auriez payé votre place pour voir l'œil du grand zigue, Foutu...

Et le voilà qui se gondole.

— De qui que vous riez ? que dit Bob Doran. C'est-il de Bergan ?

— Faites vite, mon vieux Terry, que dit Alf.

Terence O'Ryan l'ouït parler et lui apporta incontinent une coupe de cristal pleine de l'ale écumeuse et sombre que les illustres jumeaux Brassiniveagh et Brassinardilaun brassent perpétuellement dans leurs augustes cuves, astucieux à l'égal des fils de l'immortelle Léda. Car ils engrangent les baies succulentes du houblon et empilent et tamisent et broient et brassent et mélangeant ensuite les aigres jus, ils apportent le moût au feu sacré et n'interrompent leur labeur ni le jour ni la nuit, ces frères astucieux, seigneurs de la cuve guilloire.

Alors, chevaleresque Térence, tendîtes-vous, comme icelui qui le fit dès le berceau, l'ambroisien breuvage et vous l'offrîtes, la coupe de cristal, à celui qui avait soif, fleur de la chevalerie, pareil en beauté aux immortels.

Mais lui, le jeune chef des O'Bergan, put malaisément souffrir qu'on l'outrepassât en faits généreux, tant il y a qu'avec un geste plein d'élégance il vous fit don d'un teston de bronze précieux. Et sur ce métal ouvré dans la perfection se voyait en relief l'image d'une reine au port souverain, rejeton de la maison de Brunswick, Victoria était son nom, Sa Très Gracieuse Majesté, par la grâce de Dieu, du Royaume Uni de Grande-Bretagne et d'Irlande et des Dominions de l'Empire par delà les mers, reine, défenseur de la foi, impératrice des Indes, celle-là même qui portait le sceptre, victorieuse de maints peuples, la bien-aimée, car ils la connaissaient et l'aimaient du lever du soleil au coucher de l'astre, le blanc, le noir, le rouge et l'éthiopien.

— Qu'est-ce qu'il fabrique ce sacré franc-maçon, dit le citoyen, à rôdailler comme ça de long en large sur le bitume ?

— Qui donc ça ? que dit Joe.

— Y sommes-nous ? que dit Alf, faisant dinguer son pèze. A propos de pendu. Je vais vous montrer quelque chose que vous n'avez jamais vu. Des lettres de bourreaux. Regardez-moi ça siou-plaît.

Et il tire un paquet de sa poche, des lettres en tas et des enveloppes.

— Vous nous montez un bateau ? que j' dis.

— Foi d'animal, que dit Alf. Lisez ça.

Alors Joe qui prend les lettres.

— De qui vous riez ? que dit Bob Doran.

Alors j'ai cru qu'allait y avoir un coup de tampon. Bob n'est pas commode quand le porter lui monte au nez, alors que j' dis, histoire d'alimenter la conversation :

— Comment qu'il va tout de suite Willy Murray, Alf ?

— Sais pas, que dit Alf. Je viens juste de l'apercevoir dans Capel Street avec Paddy Dignam. Mais je courais après ce...

— De quoi ? que dit Joe, lâchant les lettres. Avec qui ?

— Avec Dignam, que dit Alf.

— C'est-il Paddy ? que dit Joe.

— Oui, qu'il dit Alf. Pourquoi donc ?

— Vous ne savez donc pas qu'il est mort ? que dit Joe.

— Paddy Dignam est mort ? que dit Alf.

— Pardi, que fait Joe.

— J' veux bien être pendu si c'est pas lui que je viens de voir y a cinq minutes, dit Alf, aussi sûr que deux et deux font quatre.

— Qui est mort ? que dit Bob Doran.

— Vous avez vu son fantôme alors, que dit Joe, Dieu nous en garde.

— Comment ? que dit Alf. Bon dieu ! pas cinq... Quoi ?... et Willy Murray avec lui, tous les deux là près de machinchose... Comment ? Dignam est mort ?

— Qu'est-ce qu'il dit de Dignam ? que dit Bob Doran. Qu'est-ce qu'on dit de... ?

— Mort ! que dit Alf. Il n'est pas plus mort que vous ou que moi.

— Possible, que dit Joe. Mais ils ont eu le toupet de l'enterrer ce matin tout de même.

— Paddy ? que fait Alf.

— Que oui, il fait Joe. Il a payé son tribut, Dieu ait pitié de lui.

— Doux Seigneur ! que fait Alf.

Gachte de gachte, il en était ce qui s'appelle abalobé.

Dans l'obscurité on sentit voltiger une main fluidique et quand la prière selon les tantras eut été dirigée dans le sens voulu la luminosité vague mais croissante d'une lumière rouge devint graduellement visible, l'apparition du double éthérique rappelant plus particulièrement l'apparence de la vie à cause des rayons jiviques que déchargeaient le sommet de la tête et la face. La communication fut établie à travers le corps pituitaire et aussi par le moyen de rayons écarlates et violemment orangés qui émanaient de la région sacrée et du plexus solaire. Interrogé par son nom terrestre au sujet de son séjour dans le monde céleste il déclara qu'il se trouvait en ce moment sur le prālāyā ou chemin du retour mais qu'il était encore soumis à des épreuves entre les mains d'entités sanguinaires sur le plan astral inférieur. Questionné sur ses premières sensations en franchissant la ligne de partage de l'au-delà, il déclara que jusqu'alors il avait perçu les choses obscurément comme dans un miroir mais que ceux qui ont trépassé ont devant eux des possibilités extra de développement atmique. Quand il lui fut demandé si là l'existence ressemblait à nos expériences corporelles il déclara avoir appris d'êtres actuellement plus favorisés promus au rang d'esprits purs que leur résidence comportait tout le confort moderne, soit tālāfānā, āscensorā, chodāfrādā, wātālkāsā, et que les adeptes les plus évolués étaient plongés dans des vagues de volupté de la nature la plus sublimée. Ayant réclamé un verre de lait de beurre qui lui fut apporté il s'ensuivit un soulagement manifeste. Comme on lui demandait s'il désirait adresser aux vivants quelque message il exhorta tous ceux qui sont encore sur le mauvais côté de Māyā à confesser le vrai chemin car il était rapporté dans les cercles dévaniques que Mars et Jupiter menaçaient à l'angle oriental où le Bélier est maître. On s'inquiéta enfin de savoir si le défunt n'aurait pas à exprimer de vœux particuliers et voici quelle fut sa réponse : *Nous vous saluons, amis de la terre, qui habitez encore vos corps. Faites attention que C. K. n'y aille pas trop fort.* Il fut reconnu que ces initiales désignaient M. Cornelius

Kelleher, directeur de l'entreprise bien connue des pompes funèbres H. J. O'Neill, ami personnel du défunt, qui avait pris toutes les dispositions relatives aux obsèques. Avant de disparaître il demanda qu'on dît de sa part à son cher fils Patsy que l'autre bottine qu'il avait tant cherchée était présentement sous la commode de la pièce située à mi-étage et qu'il fallait envoyer la paire chez Cullen mais seulement pour refaire les semelles car les talons étaient encore bons. Il déclara que cette préoccupation avait beaucoup nui à sa paix d'esprit dans l'autre monde et insista vivement pour que son désir fût transmis à l'intéressé.

On l'assura qu'on s'emploierait à cet effet et il donna à entendre que cette assurance lui apportait toute satisfaction.

Il a quitté nos chemins familiers : O'Dignam, soleil de notre matin. Léger était son pied sur la bruyère : Patrick au front rayonnant. Gémissez, Banba, toi et tes brises : et gémis, ô Océan, avec tes tempêtes.

— Le revoilà encore, que dit le citoyen, qui regardait dehors.

— Qui ? que j' dis.

— Bloom, qu'il dit. Il monte la faction là de long en large depuis dix minutes.

Et, gachte de gachte, je vis sa trombine qui jetait un œil à l'intérieur et après ça qui se débinait.

Le petit Alf en restait comme deux ronds de flan. Tu parles !

— Bon dieu ! qu'il dit. J'aurais bien juré que c'était notre homme.

Et que dit Bob Doran avec son chapeau à la renverse, avec ça qu'il dégotte comme la pire gouape de Dublin quand il est dans les brindezingues :

— Qui c'est qui a dit que Dieu était bon ?

— Pardon excuse ? que dit Alf.

— C'est-il un bon Dieu, que dit Bob Doran, de nous enlever comme ça le pauvre petit Willy Dignam ?

— Bah, qui sait? que dit Alf, qui essayait de lui couper la chique. Il en a fini avec tous ses embêtements.

Mais voilà Bob Doran qui part à gueuler :

— C'est un sacré salaud, c'est moi qui le dis, d'enlever comme ça le pauvre petit Willy Dignam.

Terry qui s'amène et qui lui fait du coin de l'œil qu'il faut qu'il se tienne tranquille, qu'on ne veut pas de ce boucan-là dans un établissement qui se respecte. Alors crac voilà mon Bob Doran qui fait jouer les grandes eaux à la mémoire de Paddy Dignam vrai comme j' vous le dis.

— Le meilleur des hommes, qu'il dit, en reniflant, la meilleure, la plus belle âme qui soit.

Autant dire qu'il pisse de l'œil. Il dévide il dévide son sacré rouleau. Il ferait mieux d'aller retrouver la petite fleur de macadam qu'il s'est embellemerdé avec, la Mooney, la fille à l'huissier. La mère tenait un garno dans Hardwicke Street et qu'elle se baladait sur le palier, c'est Bantam Lyons qui y a été un temps qui me l'a dit, à des deux heures du matin avec pas un fil sur elle et montrant son anatomie à qui voulait, entrée libre et pas de tour de faveur.

— La plus noble, la plus sincère, qu'il disait. Et il est parti, pauvre petit Willy, pauvre petit Paddy Dignam !

Et d'un cœur qui débordait d'affliction il pleura la disparition de ce rayon céleste.

Le vieux Guaryogrin le voilà parti à grogner de retour après Bloom qui tournicotait autour de la porte.

— Entrez, entrez donc, il n' vous mangera pas, qu'il dit le citoyen.

Et voilà Bloom qui se faufile en vitesse à l'intérieur avec son œil de congre mort sur le chien et il demande à Terry si Martin Cunningham était là.

— Oh, Christ M'Keown ! que dit Joe, qui lisait une des lettres. Écoutez ça, mes amis.

Et il se met à en lire une tout haut.

7, *Hunter Street*,
Liverpool.

AU HAUT SHÉRIF DE DUBLIN,

Dublin,

Honoré monsieur je vous pri d'agréer mes services dans la pénible affaire en suspens gé pendu Joe Gann dans la prison de Bootle le 12 Février 1900 et gé pendu...

— Montrez voir, Joe, que j' dis.

— *... le soldat Arthur Chace pour le meurtre céléra de Jessie Tilsit dans la prison de Pentonville et gé été aide quand...*

— Seigneur ! que j' dis.

— *... Billington a exécuté Toad Smith le célèbre assassin...*

Le citoyen qui veut sauter sur la feuille.

— Tenez-vous bien, que dit Joe, *gé un truc à moi pour passer le nœud coulant qu'une foi dedans il ne peut plus en sortir dans l'espoir d'être favorizé ge sui, honoré monsieur, mes condicions c'est cinq guinées.*

H. Rumbold,
Maître Barbier.

— Et c'est bien un bougre de barbarisant barbare ! que fait le citoyen.

— Et le sale gribouillage de ce bandit, dit Joe. Tiens, Alf, qu'il dit, envoie-moi tout ça au diable que je n'en voye plus la couleur. Hé bien, Bloom, qu'il dit, qu'est-ce qu'on prend ?

Là-dessus ils ont commencé à faire des manières, Bloom disant qu'il ne voulait pas et qu'il ne pouvait pas et de l'excuser qu'il y avait pas d'offense et ainsi de suite et puis alors il dit qu'eh bien il accepterait bien un cigare. Gachte, c'est un prudent particulier, pas d'erreur.

— Donnez-nous un de vos crapulos de choix, Terry, dit Joe.

Et Alf nous raconte qu'il y en avait un qui avait envoyé une carte de faire-part avec une grande bordure noire autour.

— Tous ces types-là c'est des barbiers qui viennent du pays noir, qu'il dit, et ça pendrait son propre père pour cinq louis comptant et les frais de voyage.

Et il nous raconte qu'il y a deux types qui sont en dessous à attendre pour lui tirer sur les pieds au bon moment qu'il soit bien étranglé et après ils débitent la corde en petits morceaux et ils vendent chaque bout pour trois ou quatre balles.

Dans la sombre région ils florissent, les vindicatifs chevaliers du rasoir. Ils saisissent leur nœud fatal, et voici qu'ils précipitent dans l'Érèbe quiconque il soit qui a répandu le sang humain car je ne veux en aucune façon le souffrir, dit le Seigneur.

Pour lors ils se mettent à parler de la peine capitale et ça va sans dire que Bloom sort tous ses pourquoi et parce que et toute la congrologie sur le sujet et le vieux chien qui le flairait tout le temps, je m' suis laissé dire que ces Israëls ils ont une drôle d'odeur de leur naturel que les chiens ils vous reniflent ça de première, à propos de je ne sais plus quoi action préventive et ainsi de suite hecétéra.

— Y a quelque chose sur quoi ça n'a pas une action préventive, que dit Alf.

— Qu'est-ce que c'est ? que dit Joe.

— L'outil du pauvre bougre qui vient d'être pendu, que dit Alf.

— Pas possible ? que dit Joe.

— La sainte vérité, que dit Alf. Je le tiens du gardien-chef qui était à Kilmainham quand ils ont pendu Joe Brady, l'invincible. Il m'a dit que quand ils

438

ont coupé la corde après la culbute ça se tenait debout sous leur nez comme une chandelle.

— La passion maîtresse forte encore dans la mort, que dit Joe, comme a dit quelqu'un.

— On peut expliquer cela scientifiquement, qu'il dit Bloom. C'est tout simplement un phénomène naturel, voyez-vous, parce que à cause de...

Et le voilà reparti avec tous ses noms à coucher dehors de phénomènes et la science et ce phénomène-ci et c't autre phénomène-là.

Le distingué physiologiste Herr Professor Luitpold Blumenduft fit une déposition sous serment démontrant que la fracture brusque de la vertèbre cervicale et la scission résultante de la moelle épinière devaient, selon les principes scientifiques les mieux contrôlés, être considérées comme entraînant dans l'être humain un violent stimulus ganglionnaire du système nerveux, incitant les pores des corpora cavernosa à se dilater de façon à permettre automatiquement l'afflux immédiat du sang dans cette partie de l'anatomie humaine connue sous le nom de pénis ou organe mâle et produisant le phénomène que la faculté a défini érection morbide et philoprogénérative verticale-horizontale, *in articulo mortis per diminutionem capitis*. Comme de juste le citoyen qui n'attendait que l'occasion saute dessus et le voilà qui part à fond de train sur les Invincibles et la Vieille Garde et les hommes de Soixante-sept et celui qui a peur de causer de Quatre-vingt-dix-huit et Joe qui fait chorus avec lui rapport à tous les pauvres diables qu'ont été pendus, arrachés de chez eux et déportés pour la cause en cinq sec par la cour martiale et de la nouvelle Irlande et tout le bastringue. D'abord à propos de nouvelle Irlande devrait-il pas commencer par s'acheter un nouveau chien ? Un galeux d'avale-tout-cru qui renifle et qu'éternue partout dans toute la place et qui gratte ses croûtes et voilà qu'il s'en va faire un tour du côté de Bob Doran qui régalait ce petit bout d'Alf d'un demi et qui se met à lui faire de la lèche tant et plus. Alors comme de juste Bob Doran il commence à faire le couillon avec :

— Donnez la patte ! Donnez la patte, chienchien ! Bon vieux chienchien ! Donne la patte là ! Donne-moi la papatte !

Corc'h ! La barbe avec cette putain de patte qu'il voulait patocher et Alf qu'essayait de l'empêcher de dégringoler de son sacré tabouret sur le sacré vieux cabot et l'autre là, qui ne tarissait pas avec ses conneries, le dressage par la douceur et le chien de race et l'intelligence du chien, à vous en donner un sacré cafard. Puis le voilà qui se met à gratter des vieilles miettes de biscuit dans le fond d'une boîte de chez Jacob qu'il avait dit à Terry d'apporter. Gast, il te gobe ça comme une vieille paire de savates et qu'il tirait un morceau de langue longue comme mon bras pour dire encore. Tout juste s'il a pas bouffé la boîte et le couvercle, ce sacré salopiau de bâtard de goulupiat.

Et le citoyen et Bloom après ça qui disputent sur la question et puis sur les frères Sheares et Wolfe Tone là-bas sur Arbour Hill et Robert Emmet et mourir pour la patrie et la note larmoyante de Thomas Moore sur Sarah Curran et elle est loin du pays. Et Bloom, fallait le voir, qui faisait son gros monsieur avec son cigare à vous foutre par terre et sa tête de saindoux. Phénomène, va ! Le gros tas qu'il a épousé est un beau phénomène itou avec son fessier en rainure de jeu de boules. Quand c'est qu'ils perchaient aux Armes de la Cité, Pisser Burke m'a raconté qu'y avait là une vieille bonne femme avec un hurluberlu de neveu à moitié louf et Bloom qu'essayait de lui mettre le grappin dessus il la dorlotait il lui faisait son bezigue tout ça pour se faire coucher sur le testament et il n'aurait pas mangé de la viande le vendredi parce que la vieille elle était toujours à se taper sur le gésier et il menait le nigaud à la promenade. Et un beau jour est-ce qu'il l'a pas mené à la traîne faire une tournée pastorale dans tous les caboulots de Dublin, cré garce, et il a pas pris le temps de faire ouf jusqu'à ce qu'il a rentré le copain à la maison saoul perdu et disant comme ça que c'était pour lui apprendre les dangers de l'alcool et nom de nom les trois femmes elles l'auraient presque taillé en biftecks, c'est une histoire assez farce, la vieille, la femme de Bloom et Mme O'Dowd la patronne de l'hôtel. Crédié, je m'en suis fait une bosse avec Pisser Burke qui les singeait en train de s'aboyer dessus et mon Bloom avec son *mais ne comprenez-vous pas ?* et son *mais d'un autre côté*. Pour sûr et certain qu'on m'a dit que le grand dadais il allait depuis chez Power le marchand de vins et spiritueux là-bas dans Cope Street, qu'il revenait dans un fiacre avec des jambes en flanelle cinq fois la semaine après avoir pompé à toutes les bouteilles d'échantillons de la sacrée boîte. Phénomène !

— A la mémoire des morts, que dit le citoyen qui roulait des yeux furibards à Bloom en prenant sa pinte.

— Chipe et chope, que dit Joe.

— Vous me comprenez mal, que dit Bloom. Ce que je veux dire c'est que...

— *Sinn Fein !* que dit le citoyen. *Sinn Fein amhain !* Nos vrais amis sont à côté de nous et nos ennemis mortels sont en face.

L'adieu suprême fut émouvant au-delà de toute expression. De tous les beffrois de près ou de loin s'épandait sans cesse le funèbre glas cependant que tout autour de la morne place cent tambours voilés faisaient rouler l'avertissement sinistre de leurs bans ponctués par le sourd grondement de cent gueules de bronze. Les roulements d'un tonnerre abasourdissant et les fulgurances des éclairs qui illuminaient cette scène macabre disaient assez que l'artillerie des cieux

441

avait prêté sa divine majesté à ce spectacle déjà si riche d'horreur. Le ciel irrité déversait par ses écluses des torrents d'eau sur les têtes nues d'une multitude qui se montait d'après les approximations les plus modestes à cinq cent mille personnes. Les forces de la police métropolitaine de Dublin commandées par le Haut Commissaire en personne assuraient l'ordre parmi cet immense concours de peuple auquel, pour lui faire prendre patience, la Musique de York Street cuivres et bois voilés de crêpe offrit une admirable audition de cette mélodie que la muse plaintive de Speranza nous rendit chère dès le berceau. Des trains de plaisir extra-rapides avaient été prévus et des services de chars rustiques aménagés pour la commodité de nos cousins de province qui étaient venus en grand nombre. Les célèbres chanteurs des rues de Dublin L-n-h-n et M-ll-g-n soulevèrent l'hilarité générale dans *Le Soir que Larry sauta le pas* rendu avec leur irrésistible brio. Nos deux inimitables fantaisistes firent d'excellentes affaires parmi les amateurs de drôlerie en vendant leurs paroles-et-musique et nul ne leur reprochera ces sous si laborieusement gagnés s'il a gardé un faible pour la vraie gaieté irlandaise sans vulgarité. Les petits garçons et les petites filles de l'Hospice Mixte des Enfants Trouvés qui se pressaient aux fenêtres les mieux situées furent ravis de ce supplément inattendu à la fête et il faut complimenter les Petites Sœurs des Pauvres pour l'excellente idée qu'elles eurent d'offrir aux malheureux petits orphelins de père et de mère une aussi instructive récréation. Les invités du Vice-Roi parmi lesquels on remarquait un certain nombre de dames en vue furent conduits par Leurs Excellences elles-mêmes jusqu'aux meilleures places de la grande tribune tandis que la pittoresque délégation étrangère connue sous le nom des Amis de l'Île d'Émeraude occupait une autre tribune située exactement en face. La délégation, au grand complet, comprenait le Commandeur Bacibaci Beninobenone (le doyen de la société, à demi paralysé, qu'il fallut hisser sur son siège à l'aide d'une puissante grue à vapeur), Monsieur Pierre-Paul Petit épatant, le Grandtruc Vlalekroumir Tiremolardoff, l'Architruc Léopold Rudolph von Schwanzenbad-Hodenthaler, la Comtesse Marha Virága Kisászony Putrápesthi, Hiram. Y. Bomboost, Comte Athanatos Karamélopoulos, Ali Baba Backschich Rahat Loukoum Effendi, Señor Hidalgo Caballero Don Peccadillo y Palabras y Paternoster de la Malora de la Malaria, Hokopoko Harakiri, Hi Hung Chang, Olaf Kobberkeddelsen, Mynherr As van Roidam, Tignasse Pan Pasderiski, Patapon Prhklstr Kratchinabritchisitch, Herr Hurhausdirektorpresident Hans Chuechli-Speuerli, Nationalgymnasiummuseumsanatoriumundsuspensoriumordinareprivadocentgeneralhistorispecialprofessordoctor Kriegfried Ueberallgemein. Tous les délégués sans exception usèrent des vocables les plus énergiques et les plus hétérogènes pour qualifier l'innommable sauvagerie dont on leur avait demandé d'être témoins. Une très vive altercation (à laquelle tous prirent part) se produisit dans les rangs des A. D. L. I. D. E. sur la question de savoir si le huit ou le neuf mars était la date authentique de la naissance du saint patron de l'Irlande. Au cours de la discussion, des boulets ramés, des cimeterres, des boomerangs, des tromblons, des grenades asphyxiantes, des hachoirs, des parapluies, des catapultes, des coups-de-poing américains, des matraques, des saumons de fer brut furent mis à contribution et des horions furent échangés en abondance. Mac Fadden, le Tom Pouce de la police, qu'on fit venir de Booterstown par courrier spécial, rétablit l'ordre avec célérité et dans un éclair d'inspiration proposa le dix-septième jour du mois comme transaction également honorable pour chacune des deux parties contendantes. La suggestion de ce nabot de neuf pieds lui gagna tous les suffrages et fut acceptée à l'unanimité. L'agent MacFadden reçut les cordiales félicitations de tous les A. D. L. I. D. E. dont certains perdaient le sang en abondance. Le Commandeur Beninobenone ayant été extrait de dessous le fauteuil présidentiel, son conseil légal Avvocato Pagamimi déclara que les divers objets dissimulés dans ses trente-deux poches avaient été soustraits par lui pendant la bagarre à ses collègues plus jeunes dans l'espoir de les ramener à la raison. Ces objets (qui comprenaient plusieurs centaines de montres d'hommes et de dames or et argent) furent restitués sur-le-champ à leurs légitimes propriétaires et la concorde ne cessa plus de régner universelle.

Avec calme et simplicité Rumbold monta les degrés de l'échafaud en jaquette et pantalon de fantaisie, la boutonnière ornée de sa fleur favorite le *Gladiolus Cruentus*. Il annonça sa présence par cette légère toux rumboldienne qui lui valut tant d'imitateurs (d'imitateurs malheureux) — brève, méticuleuse et qui n'appartenait vraiment qu'à lui. L'apparition de cet exécuteur connu-du-monde-entier fut saluée d'une tempête d'acclamations par cet immense concours de peuple, les belles dames de l'entourage vice-royal agitaient des mouchoirs enthousiastes tandis que les délégués étrangers plus excitables encore y allaient d'un frénétique pot-pourri, *hoch, banzai, eljen, zivio, chinchin, polla kronia, hiphip, vive, Allah*, au milieu duquel les sonores *evviva* du représentant de la patrie du bel canto (un double fa dans l'aigu rappelant ses notes délicieusement perçantes avec lesquelles l'eunuque Catalani ensorcelait nos arrière-arrière-grand'mères) se distinguaient facilement. Il était exactement dix-sept heures. Le signal de la prière fut aussitôt donné par mégaphone et d'un seul coup toutes les têtes se découvrirent, le sombrero patriarcal du Commendatore, qui était resté dans la famille depuis la révolution de Rienzi, lui étant enlevé par son médecin particulier, le Dr Pippi. Le savant prélat qui apportait les dernières consolations de notre sainte religion au héros martyr prêt à payer sa dette s'agenouilla avec une toute chrétienne humilité dans une flaque d'eau, sa soutane par-dessus sa tête grise, et se répandit en prières et supplications devant le trône de miséricorde. Flanquant le billot se dressait la sinistre silhouette du bourreau, le visage dissimulé sous une marmite de la contenance de dix gallons percée de deux ouvertures rondes par lesquelles flamboyaient ses yeux furieux. En attendant le fatal signal il éprouvait le fil de son arme effroyable en le repassant sur son avant-bras musclé ou pour se faire la main faisait prestigieusement voler les têtes de tout un troupeau de moutons qui lui avait été offert par les admirateurs de son cruel mais indispensable ministère. A côté de lui sur une belle table d'acajou s'alignaient avec ordre le couteau à découper, un jeu d'instruments en fin acier trempé pour l'étripage (fournis spécialement par la célèbre maison de coutellerie, MM. John Round et Fils, Sheffield), un poêlon de terre cuite pour recevoir au fur et à mesure de l'opération le duodénum, le côlon, le cæcum, l'appendice, etc. et deux pots à lait d'un modèle pratique pour recueillir le très précieux sang de la très précieuse victime. L'économe du refuge mixte pour chiens et chats avait mission de transporter ces récipients une fois garnis à cette philanthropique institution. Un bon petit repas composé de jambon et d'œufs frits, d'un bifteck sauté aux oignons, à s'en lécher les doigts, avec de petits pains exquis tout chauds, et arrosé de thé tonifiant, avait été fourni par une municipalité pleine d'égards au personnage principal de cette tragédie qui, pendant les derniers préparatifs, déployait un entrain merveilleux, s'intéressant de la façon la plus vive au moindre détail, mais qui, avec une abnégation bien rare de nos jours, s'élevant à la hauteur de ce moment solennel, exprima le vœu suprême, immédiatement accueilli, que ce repas fût divisé en parts aliquotes entre les membres de l'Œuvre des Infirmes et Indigents à Domicile, comme témoignage de sa parfaite considération. Le *nec* et *non plus ultra* de l'émotion fut atteint quand sa fiancée, celle qu'il avait entre toutes choisie, se fraya, en rougissant, un passage à travers les rangs pressés des spectateurs et se jeta sur la mâle poitrine de celui qui pour elle allait être balancé dans l'éternité. Le héros étreignait ce saule frêle dans un amoureux embrassement et murmurait avec tendresse *Sheila, ma Sheila*. Cet emploi de son prénom redoublant son ardeur, elle baisait passionnément toutes les parties sortables de son individu que la tenue réglementaire du prisonnier permettait à son délire d'atteindre. Elle lui jura, cependant qu'ils mêlaient le flot salé de leurs larmes, qu'elle chérirait sa mémoire, qu'elle n'oublierait jamais son héros chéri marchant à la mort un chant aux lèvres tout comme s'il allait à Clonturk Park pour un match de lancer. Elle évoquait à son souvenir les jours sans nuages de leur heureuse enfance, tous deux sur les bords d'Anna Liffey alors qu'ils se livraient aux récréations innocentes du jeune âge, et voilà qu'oublieux de l'heure impitoyable, ils se mirent à rire de tout cœur, et que tous les spectateurs, y compris le pasteur vénérable, firent chorus. Cette assemblée monstre se convulsait tout simplement de joie. Mais bientôt ils se sentirent écrasés de douleur et ils entrelacèrent leurs doigts pour la dernière fois. Un nouveau torrent de larmes fraîches jaillit de leurs conduits lacrymaux et ce vaste concours de peuple, touché jusqu'au tréfonds de l'âme, éclata en sanglots déchirants ; le plus bouleversé était peut-être le vénérable prébendier lui-même. Des hommes de fer et d'acier, des officiers de paix et de joviaux géants de la

Police Royale irlandaise avaient sorti leurs mouchoirs sans plus de respect humain, et il est permis de dire que cette multitude sans précédent ne comptait pas un œil sec. Un coup de théâtre des plus romantiques se produisit lorsqu'un jeune et beau gradué d'Oxford, connu pour ses sentiments chevaleresques envers le beau sexe, s'avança en présentant sa carte de visite, son compte en banque et son arbre généalogique, et qu'il sollicita la main de l'infortunée jeune personne, la priant de fixer elle-même la date du mariage, et qu'il fut sur-le-champ agréé. Chacune des dames de l'assistance reçut à cette occasion un souvenir de bon goût, une broche en forme de crâne et tibias croisés, attention si délicate et si généreuse qu'elle provoqua une émotion nouvelle ; et quand le galant Oxonien (porteur, soit dit en passant, d'un des plus illustres noms de l'histoire d'Angleterre) mit au doigt de sa rougissante fiancée une bague dernier genre avec des émeraudes disposées en trèfle à quatre feuilles, l'enthousiasme ne connut plus de bornes. Oui, il n'est pas jusqu'au commandant de gendarmerie, l'implacable lieutenant-colonel Tomkin-Maxwell Frenchmullan Tomlinson, présidant à cette douloureuse cérémonie, et connu pour avoir sans aucun remords attaché à la gueule des canons une multitude de Cipayes, qui ne pût alors contenir ses sentiments. De son gantelet de fer il essuya furtivement une larme et les citoyens privilégiés qui se trouvaient dans son entourage immédiat l'entendirent murmurer d'une voix entre-coupée :

— Le diable m'emporte si elle n'est pas épatante cette sacrée poulette-là. Du diable si ça ne me donne pas comme qui dirait envie de chialer, ma parole, quand c'est que j' la reluquons rapport que j'ons souvenance... à ma vieille Méliemêlemoût qui m'attend du côté de Limehouse.

Pour lors le citoyen il commence à parler de la

langue irlandaise et de la réunion corporative et de tout ça et des angliches qui ne savent pas parler leur propre langue et Joe disant son mot parce qu'il avait fait casquer un sigue à quelqu'un et Bloom par là-dessus avançant sa vieille gueule où qu'y avait le mégot de quatre sous qu'il avait soutiré à Joe et qu'il parlait de la ligue gaélique et de la ligue pour ne pas payer à boire aux autres et de l'ivrognerie fléau de l'Irlande. La ligue à garde-ta-braise c'est ça qui le botte. Gachte, il vous laisserait bien lui rincer la dalle jusqu'à ce qu'il dévisse son billard mais vous verriez toujours pas venir sa tournée. Et un soir que je suis été avec un copain dans une de leurs soirées chant et danse c'était sur une botte une belle botte de foin qu'elle pouvait ma Maureen y rêver sans témoin et il y avait un individu avec un insigne de Tempérance ruban bleu qui se gargarisait avec de l'irlandais et une bande de filles aux cheveux de lin qui circulaient avec des boissons hygiéniques et qui vendaient des médailles, des oranges, de la limonade et quelques vieux gâteaux moisis, gast tu parles d'une rigolade. L'Irlande sobre c'est l'Irlande libre. Et pour lors un vieux bonze se met à souffler dans sa cornemuse et tous ces feignasses à trépigner sur l'air de c'est de ça qu'elle a crevé not'vache. Et un ou deux enseignes de cimetière qui zieutaient pour voir qu'il se passe rien avec le sexe, ben ça c'était vraiment pas de jeu.

Alors pour lors, comme je disais, le vieux chien qui voyait que la boîte elle était vide il commence à fureter du côté à Joe et à moi. Ben oui pour sûr que je te le dresserais par la douceur si il était à moi. Un de ces coups de pied pépères de temps en temps là où que ça lui crèverait pas l'œil.

— Vous avez-t-il frousse qu'il vous morde? que blague le citoyen.

— Non, que je dis. Mais il pourrait prendre ma jambe pour un réverbère.

Là-dessus il rappelle le vieux cabot.

— Qu'est-ce qu'y a donc, Guary ? qu'il dit.

Alors le voilà qui se met à tirer et à taper dessus et à lui dégoiser de l'irlandais et le vieux médor à groumer et à faire sa partie comme dans un duo d'opéra. Une grognasserie comme ça j'ai jamais entendu la pareille qu'ils faisaient à eux deux. Quelqu'un qui n'aurait pas mieux à faire il devrait écrire aux journaux une de ces lettres signées *Un Altruiste* pour qu'on te muselle un cabot de cette espèce. Grognant et groumant et ses yeux pleins de sang, tellement il crevait de soif et la rage elle lui dégoulinait de chaque côté de la gueule.

Tous ceux qu'intéresse la transmission de notre culture à nos frères inférieurs (et ils sont légion) se doivent de ne point ignorer les manifestations de cynanthropie vraiment extraordinaires du célèbre setter-chien-loup irlandais à poil rouge connu primitivement sous le sobriquet de Guaryogrin et récemment rebaptisé par le cercle immense de ses amis et connaissances sous le nom Ogrin Guary. Ces manifestations, résultat de plusieurs années de dressage par la douceur et d'un régime alimentaire scientifiquement étudié, comprennent, entre autres arts d'agrément, la déclamation. Notre plus grand expert en phonétique actuellement vivant (aucune torture ne pourrait m'arracher son nom) n'a reculé devant aucun procédé d'investigation pour délucider et comparer les poèmes déclamés et leur a découvert une ressemblance *frappante* (c'est nous qui soulignons ce mot) avec les runes de nos vieux bardes celtiques. Nous ne parlons pas tant ici de ces délicieux chants d'amour qu'un auteur qui cache sa personnalité sous le gracieux pseudonyme de Frêle Ramille a rendus familiers à tous les lettrés mais bien plutôt (ainsi qu'un collaborateur d'occasion D.O.C. le signale dans une intéressante communication publiée par une de nos feuilles du soir) de la note plus âpre et personnelle que font entendre les effusions satyriques d'un Raftery et d'un Donald MacConsidine pour ne rien dire d'un lyrique autrement moderne qui retient en ce moment l'attention du public. Nous donnons ci-après un spécimen traduit en anglais par un professeur éminent que pour le moment nous ne sommes pas autorisés à nommer, et pourtant nous croyons que certaines précisions topographiques contenues dans le texte donneraient à nos lecteurs plus qu'une simple indication. La métrique de l'original canin qui rappelle les règles compliquées de l'allitération et de l'isopsèphe de l'englyn gallois présente une complexité infiniment plus grande, mais nous croyons que nos lecteurs s'accorderont à trouver que l'esprit du poème a été bien rendu. Peut-être devrions-nous ajouter que l'effet se trouve notablement accru si les vers d'Ogrin sont récités lentement et quelque peu indistinctement d'une voix où l'on devine une rancune contenue.

> *Sois maudit nom d'un chien*
> *Vingt fois chaque matin*
> *Et qu'il soit, ton bousin,*
> *A jamais sec de gin !*
> *Sacré Barney Kiernin*
> *Qui ne me donne rien*
> *Qu' peau d'balle et balai de crin*
> *Pour me remettre en train.*
> *Nom d'un sacré mâtin*
> *Mes boyaux ont grand faim*
> *Lowry, d'ton intestin.*

Pour lors il dit à Terry d'apporter de l'eau pour le chien, et gachte vous auriez pu l'entendre laper ça d'une lieue. Et Joe qui demande au citoyen s'il prendrait bien encore quelque chose.

— C'est pas de refus, qu'il dit, compère, pour vous montrer qu'on est des frères.

Le bougre, il n'est pas si cornichon qu'il a l'air

courge. Il use ses fonds de culotte chez tous les bistrots l'un après l'autre avec le cabot du vieux Giltrap; à vous l'honneur, et il envoie dedans aux frais du contribuable. L'homme et la bête toujours de noce. Et que me dit Joe :

— Alors on remet ça ?

— Est-ce qu'un nager sait canard? que je dis.

— Du pareil au même, Terry, dit Joe. Êtes-vous sûr que ça vous dit rien quelque chose de rafraîchissant? qu'il dit.

— Non merci, dit Bloom. En réalité je suis juste entré pour tâcher de voir Martin Cunningham, vous savez, à propos de cette assurance du pauvre Dignam. Martin m'avait demandé d'aller à la maison mortuaire. Voilà, lui, je veux dire Dignam, a omis d'aviser la compagnie de l'hypothèque de sa police et aux termes de la loi le créancier hypothécaire n'a pas de recours sur la police.

— Tonnerre de dieu, que dit Joe qui se marrait, ça c'est fameux que le vieux Shylock il se trouve refait. Alors c'est la femme qui arrive bon premier, hein ?

— Ça, dit Bloom, c'est un point qui regarde les courtiseurs de la femme.

— Les quoi? que dit Joe.

— Je veux dire les conseillers, dit Bloom.

Pour lors le voilà qui repart à bafouiller avec sa créance hypothécaire aux termes de la loi comme un président de la cour qui rend jugement au tribunal et le bénéfice de la veuve et le fidéi-commis ainsi constitué mais que d'autre part Dignam devait l'argent à Bridgeman et que si maintenant la femme ou la veuve contestait le droit du créancier hypothécaire tant que ma pauvre cervelle s'en allait en chandelle avec son hypothécairerie de malheur. Il en doit lui une sacrée chandelle pour y avoir pas été lui sous arrêt dans le temps comme un escroc sans domicile fixe seulement il se trouvait qu'il avait un ami au Palais. Il vendait des billets pour un drôle de bazar ou comment c'est déjà? loterie royale et autorisée de Hongrie. Aussi vrai comme je m'appelle. Fiez-vous donc à un fils d'Abraham! Filouterie royale et autorisée de Hongrie.

Et voilà que Bob Doran s'amène en zigzaguant et il demande à Bloom de dire à Mᵐᵉ Dignam qu'il prenait bien part à sa douleur et qu'il regrettait bien pour l'enterrement et de lui dire ce qu'il disait et que tout le monde qui le connaissait disait que jamais il n'y avait eu meilleur, plus brave que le pauvre petit Willy qu'était mort de le lui dire. Étouffant des sacrées bêtises qu'il débitait. Et secouant la patte à Bloom avec l'air tragique qu'il fallait lui dire ça. Serrons-nous la main, mon frère. T'es une fripouille et j'vaux pas mieux.

— Laissez-moi, dit-il, user et peut-être abuser de nos relations qui, si superficielles qu'elles semblent à en juger par la seule mesure du temps, sont fondées, je l'espère et le crois, sur une base de mutuelle estime, pour vous demander cette faveur. Mais, si j'ai passé les bornes de la discrétion, qu'au moins la sincérité de mes sentiments serve d'excuse à mon audace.

— Non, dit l'autre, je puis parfaitement apprécier les mobiles qui vous font agir et je remplirai la mission que vous voulez bien me confier, me consolant à l'idée que, pour douloureuse que soit cette mission, la preuve de confiance que vous me donnez adoucit dans une certaine mesure cette coupe d'amertume.

— Alors laissez-moi vous prendre la main, dit-il. La bonté de votre cœur, j'en suis sûr, vous dictera mieux que mes phrases maladroites les termes les plus propres à faire part d'une émotion si poignante que si je voulais livrer passage à mes sentiments j'en pourrais peut-être perdre l'usage de la parole.

Et il te le plaque et il décarre en essayant de marcher droit. Rond à cinq heures. La nuit qu'il était moins une qu'il aille au violon si Paddy Léonard avait pas connu le flic, le n° 14 A. Quelle sacrée mufée il tenait, dans cette boîte à double fond de Bride Street après l'extinction des feux où qu'il était en train de jouer au doigt puant avec deux bougresses et le mac qui montait la garde et eux à boire du porter dans des tasses à thé. Et il faisait croire aux deux bougresses qu'il était un Frenchy de Paris, Joseph Manuo, et il parlait contre la religion catholique lui qu'a servi la messe à Adam et Ève quand il était gosse avec les yeux baissés, et qui c'est qu'a écrit le nouveau testament et l'ancien testament, et je t'embrasse et je te détrousse ! Et les deux bougresses qui crevaient de rire et lui faisaient les poches à ce trou du cul pendant qu'il renversait le porter tout partout dans le lit et les deux bougresses qui rigolaient plein leur ventre en se regardant. *Comment qu'il est ton testament ? Est-ce que t'as un vieux testament ?* Des fois que Paddy aurait passé par là, je ne vous dis que ça. Mais faut le voir le dimanche avec sa petite traînée de femme, elle qui relève la queue en remontant la grande allée de l'église, des souliers vernis, pas moins, et des voilettes, ma chère, toute frétillante, faisant sa petite madame. La sœur de Jack Mooney. Et la vieille maquerelle de mère qui loue des chambres à l'heure. Gachte, Jack l'a obligé à marcher droit. Lui a dit que si il réparait pas, bondieu, il lui défoncerait le tabernacle.

Pour lors Terry apporte les trois chopes.

— A la vôtre, que dit Joe, qui fait les honneurs. A la vôtre, citoyen.

— *Slan leat*, qu'il dit.

— A la vôtre, Joe, que je dis. A votre bonne santé, citoyen.

Gachte, il s'en était déjà envoyé les trois-quarts. Faudrait être millionnaire rien que pour lui payer à boire.

— Qui c'est le grand type qu'est candidat maire, Alf? dit Joe.

— Un de vos amis, dit Alf.

— Nannan? dit Joe. Le dépité?

— Je ne nommerai personne, dit Alf.

— C'est bien ce que je pensais, dit Joe. Je l'ai vu tantôt à la réunion avec William Field, le dépité, la réunion des marchands de bestiaux.

— Iopas le Poilu, que dit le citoyen, ce volcan en éruption, le chouchou de tous les pays et l'idole du sien.

Alors Joe qui se met à parler au citoyen sur la maladie du pied et du museau et les éleveurs et qu'il fallait aussi s'en mêler et le citoyen qui les envoie tous au bain et Bloom qui nous sort son bain pour la gale du mouton et sa potion pour les veaux qui toussent et le remède infaillible pour la glossite bovine. Et tout ça parce qu'il a été un moment chez un équarrisseur. Et il se baladait penché sur son carnet et son crayon, tête en avant, talons en retard, si bien que Joe Cuffe l'a décoré de l'ordre du pied quelque part pour avoir été insolent avec un éleveur. Monsieur Je-sais-tout. Apprends donc à dire la messe à ton curé. Pisser Burke me racontait qu'à l'hôtel la femme ça lui arrivait de chialer comme une fontaine des fois avec Mme O'Dowd et pleurant toutes les larmes de son corps et étouffant dans sa graisse. Même quand elle voulait lâcher ses lacets de corset péteurs, le vieux congre était là à valser autour pour lui montrer comment faire. Qu'est-ce que tu vas nous sortir aujourd'hui? Ah, oui. De l'humanité dans le traitement. Parce que le pauvre animal souffre et que les experts disent et le meilleur remède connu qui ne fait pas souffrir l'animal et en frotter très doucement l'endroit malade. Gachte de gachte, il doit y aller tout doux quand il passe sous une poule.

Cot cot cot cot codèk. Klouc klouc klouc. C'est notre

poule la Noire. Pour nous elle pond des œufs. Elle est si gaie quand elle a pondu. Cot cot. Klouc klouc klouc. Voici le bon oncle Léo. Il glisse sa main dessous elle et lui prend son œuf frais pondu. Cot cot cot cot codèk. Klouc klouc klouc.

— Ça ne fait rien, que dit Joe. Field et Nannetti s'embarquent ce soir et vont tout droit à Londres poser la question à la Chambre des Communes.

— Êtes-vous sûr, dit Bloom, que le conseiller part ? C'est que j'avais besoin de le voir.

— Eh bien il prend le bateau, que dit Joe, ce soir.

— Ça c'est de la déveine, que dit Bloom. J'avais absolument besoin. Peut-être n'y a-t-il que M. Field qui parte. Je n'ai pas pu téléphoner. Non. Vous êtes sûr ?

— Nannan part aussi, que dit Joe. La ligue lui a demandé d'interpeller demain au sujet du commissaire de police qui défend les jeux irlandais dans le parc. Qu'est-ce que vous pensez de ça, citoyen ? Le *Stuagh na h-Eireann.*

M. Vachier Conare (Multifarnham Nationaliste) : A la suite de la question posée par mon honorable ami, le député de Shillelagh, puis-je demander à mon honorable collègue si le Gouvernement a donné l'ordre que ces animaux fussent abattus sans qu'aucun témoignage médical ait été fourni sur leur état pathologique ?

M. Quatrepattes (Tamoshant. Conservateur) : Les honorables députés sont déjà en possession de la preuve fournie à la commission nommée par l'assemblée. Je sens que je ne puis rien ajouter utilement sur ce sujet. Ma réponse à la question de l'honorable député sera donc affirmative.

M. Oreli (Montenotte. Nat.) : Des ordres semblables ont-ils été donnés pour l'abattage des animaux humains qui osent se livrer à des jeux irlandais dans Phœnix Park ?

M. Quatrepattes : Ma réponse sera négative.

M. Vachier Conare : Le fameux télégramme de Michelstown du très honorable M. Quatrepattes n'aurait-il pas inspiré la décision des membres du Gouvernement ? (Murmures.)

M. Quatrepattes : Cette interpellation n'a pas été déposée.

M. Cocalane (Buncombe. Indépendant) : N'hésitez pas à faire feu.

(Applaudissements ironiques de l'opposition.)

Le président : Silence ! Silence !

(La séance est levée. Applaudissements.)

— Voici l'homme, dit Joe, qui a fait revivre les sports nationaux. Le voilà ici présent. L'homme qui a fait échapper James Stephens. Le champion de l'Irlande pour le lancer du poids de seize livres. Quel fut votre meilleur coup, citoyen ?

— *Na bacleis*, que dit le citoyen, faisant son modeste. Il y a eu un temps où j'en valais un autre.

— La main, citoyen, que dit Joe. Vous étiez bougrement meilleur.

— Pas possible ? dit Alf.

— Mais oui, dit Bloom. C'est bien connu. Vous ne le saviez pas ?

Et les voilà partis sur le sport national et les jeux irlandais qui rappellent le lawn-tennis et le lancer et placer la pierre et le pur terroir et reconstituer une nation et tout ce qui s'ensuit. Et naturellement que Bloom avait son mot à dire que si un sportif a le cœur surmené il doit éviter tout exercice violent. Je parie le pucelage de ma grand-mère que si vous ramassez une paille sur ce foutu plancher et que vous dites à Bloom : *Regardez ça, Bloom. Vous voyez ce machin-là ? C'est une paille*, je veux bien qu'on me les coupe s'il se met pas à parler là-dessus une heure de rang c'est comme je vous le dis et qu'il n'aurait pas encore vidé son sac.

Une discussion des plus intéressantes eut lieu dans l'antique salle de *Brian O'Ciarnain à Sraid na Bretaine Bheag*, sous les auspices de *Sluagh na h-Eireann*, au sujet de la renaissance des anciens sports gaéliques et l'importance de la culture physique, comme elle était comprise dans l'ancienne Grèce, l'ancienne Rome et l'ancienne Irlande, pour l'amélioration de la race. Le vénérable président de cette noble association occupait le fauteuil présidentiel et l'assistance était nombreuse. Après un substantiel discours du président, magnifique manifestation oratoire pleine de force et d'éloquence, commença un débat aussi instructif que passionnant et qui pas un instant ne se départit de la dignité qui est d'usage dans cette compagnie sur l'opportunité de voir restaurer les anciens jeux et sports de nos premiers ancêtres panceltiques. Le défenseur bien connu et universellement respecté de la cause de notre vieux langage, M. Joseph M'Carthy Hynes, fit un pressant appel pour la résurrection des anciens sports et récréations gaéliques, pratiqués matin et soir par Finn MacCool, dans le but de raviver les meilleures traditions de force et d'aptitudes viriles que nous aient léguées les anciens âges. L. Bloom qui soutenait la thèse contraire fut accueilli par un mélange de bravos et de sifflets et le président ténor mit fin à la discussion, cédant aux requêtes réitérées et aux affectueux applaudissements venus de tous les bancs d'une salle comble, en attaquant d'une façon remarquable et mémorable les strophes toujours jeunes de l'immortel Thomas Osborne Davis (fort heureusement trop familières à tous pour qu'il soit besoin de les rappeler ici) : *Rentrant au nombre des nations*, et dans l'interprétation desquelles le vétéran patriote champion, on peut le dire sans crainte d'être démenti, alla jusqu'à se surpasser lui-même. Le Caruso-Garibaldi irlandais était superlativement en forme et sa voix de stentor donna tous ses effets dans cet hymne consacré, rendu comme seul notre concitoyen peut le rendre. Cette manifestation vocale de tout premier ordre qui, par sa qualité hors pair, mit à son comble une réputation déjà universelle, fut frénétiquement applaudie par la nombreuse assistance dans laquelle on pouvait distinguer force notabilités ecclésiastiques aussi bien que des représentants de la presse, du barreau et autres professions libérales. Et sur ces entrefaites la séance fut levée.

Parmi les membres du clergé présents nous citerons le très Révérend William Delany, Société de Jésus, Docteur ès lettres ; le très Rév. Gerold Molloy, Docteur en théologie ; le Rév. Père P. J. Kavanagh, de la Communauté du Saint-Esprit ; le Rév. T. Waters, Prêtre Catholique ; le Rév. John M. Ivers, Prêtre Paroissial ; le Rév. P. J. Cleray, de l'Ordre de St François ; le Rév. L. J. Hickey de l'Ordre des Prêcheurs ; le très Rév. Fr. Nicholas, de l'Ordre de St François ; le très Rév. B. Gorman, de l'Ordre des Carmélites Déchaussés ; le Rév. T. M. Maher, S. J. ; le très Rév. James Murphy, S. J. ; le Rév. John Lavery, des Pères de Saint Vincent ; le très Rév. William Doherty, D. T. ; le Rév. Peter Fagan, de l'Ordre des Maristes ; le Rév. T. Brangan, de l'Ordre de St Augustin ; le Rév. J. Flavin, P. C. ; le Rév. M. A. Hackett, P. C. ; le Rév. W. Hurley, P. C. ; le très Rév. Mgr M'Manus, Vicaire général ; le Rév. B. R. Slattery, de l'Ordre de Marie Immaculée ; le très Rév. M. D. Scally, P. P. ; le Rév. F. T. Purcell, O. P. ; le très Rév. Timothy Canon Gorman, P. P. ; le Rév. J. Flanagan, P. C. ; en dehors du clergé citons P. Fay, T. Quirke, etc., etc.

— A propos d'exercices violents, que dit Alf, est-ce que vous étiez à ce match Keogh-Bennett ?

— Non, que dit Joe.

— J'ai entendu dire que monsieur Untel n'a pas ramassé moins de deux mille cinq cents balles dans cette affaire, que dit Alf.

— Qui ça ? Dache ? que dit Joe.

Et qu'il dit, Bloom :

— Ce que je veux dire pour le tennis, par l'exemple, c'est l'agilité et l'éducation de l'œil.

— Hé oui, Dache, que dit Alf. Il faisait courir le bruit que Myler ne dessoûlait pas pour faire monter la cote et, allez voir, il s'entraînait tant qu'il pouvait.

— On le connaît, que dit le citoyen. Le fils d'un traître. Nous savons comment l'or anglais entrait dans ses poches.

— Vous avez raison, que dit Joe.

Et Bloom qui en revient encore au lawn-tennis et à la circulation du sang, et il demande à Alf :

— Et vous, qu'en pensez-vous, Bergan ?

— Myler lui a fait embrasser le plateau, que dit Alf. Heenan et Sayers ça n'était que de la roupie de singe, à côté. Il l'a servi chaud, bon poids bonne mesure. Fallait voir le petit sécot qui arrivait juste au nombril de l'autre gros père qui tapait dans le vide. Bon sang de dieu, il lui en a décoché un raide au creux de l'estomac. Les règles de la boxe et tout le bazar il lui a fait dégueuler ce qu'il n'avait jamais bouffé.

Ce fut un match extraordinaire et qui restera dans les annales que celui où Myler et Percy devaient combattre pour une bourse de cinquante souverains. L'idole de Dublin, handicapé par son manque de poids, y suppléait par sa science consommée du ring. Le bouquet de ce feu d'artifice fut presque fatal à l'un et l'autre des champions. Le sergent-major avait fait couler le raisiné pendant la mêlée précédente et Keogh avait été receveur-général de droits et de gauches, l'artilleur travaillant ferme le nez de l'idole, et quand Myler s'avança il paraissait groggy. Le soldat prit l'offensive avec un vigoureux court du gauche auquel l'athlète irlandais répliqua par un raide au ras de la mâchoire de Bennett. La tunique rouge évita de la tête mais le Dublinois l'atteignit d'un

459

crochet du gauche, avec un remarquable coup au corps. Les hommes s'accrochèrent, Myler précipitant ses coups et manœuvrant son adversaire, le round se termina avec le poids lourd dans les cordes, Myler en train de le punir. L'Anglais dont l'œil droit était à peu près fermé gagna son coin où il fut copieusement aspergé d'eau, et lorsque la cloche sonna, il revint bien en train et plein de cran, avec l'espoir de mettre knock out en un rien de temps le pugiliste éblanite. Ce fut un match sans merci, et la victoire au meilleur. Tous deux se battaient comme des lions et l'excitation du public était à son paroxysme. L'arbitre avertit à deux reprises Battling Percy pour des corps-à-corps mais l'idole était farcie de ruses et le travail de ses pieds un régal à suivre. Après un vif échange de politesses au cours desquelles un habile uppercut du militaire fit couler un flot de sang de la bouche du poulain, celui-ci se précipita prenant subitement l'avantage et plaça un gauche foudroyant dans l'estomac de Battling Bennett, l'abattant raide. Ce fut un knock out de grand style. Quand on eut compté les secondes pour le cogneur de Portobello dans l'anxiété générale, le manager de Bennett, Ole Pfotts Wettstein, jeta la serviette et l'enfant de Santry fut déclaré vainqueur aux applaudissements d'un public en délire qui déborda les cordes et faillit l'étouffer dans son enthousiasme.

— Il s'y entend à faire son beurre, dit Alf. On parle qu'il monte maintenant une tournée de concerts dans le Nord.

— C'est vrai, que dit Joe. N'est-ce pas ?

— Qui ? dit Bloom. Ah, oui. Tout à fait exact. Oui, une espèce de tournée d'été, voyez-vous. Des petites vacances.

— C'est Mᵐᵉ Bloom qui est la principale vedette, pas vrai ? que dit Joe.

— Ma femme ? que dit Bloom. Oui, elle chante. Je

crois aussi que ce sera un succès. C'est un excellent organisateur. Excellent.

Oh, oh, mon coco, que je dis à bibi, que je dis. Le voilà bien le fin mot de l'histoire et pourquoi les zhomards ils ont du poil aux pattes. Dache il jouera son petit air de flûte. Tournée de concerts. Le fils de ce cochon malade de Dan le courtier d'Island Bridge qui a vendu deux fois les mêmes chevaux au Gouvernement pour envoyer contre les Boers. Le vieux Quoi-quoi. Je viens pour la taxe des pauvres et celle de l'eau, M. Boylan. Vous quoi ? La taxe de l'eau, M. Boylan. Vous quoiquoi ? Ah le gaillard, c'est elle qu'il va organiser, je t'en réponds. Entre toi et moi Monpoulo.

Orgueil de la cime rocheuse de Calpe, la fille de Tweedy, la fille aux cheveux d'ébène. Là elle grandit toujours plus parfaite en beauté, là où le kaki et l'amande parfument l'air. Les jardins d'Alameda connaissaient son pas : les oliviers de l'enclos la connaissaient aussi et s'inclinaient. C'est elle la chaste épouse de Léopold : Marion aux seins généreux.

Et voyez-le qui entre, ce membre du clan des O'Molloy, cet avenant héros à la blanche face encore que quelque peu rougie, ce conseiller de Sa Majesté versé dans la science des lois, et le prince héritier de la noble maison des Lambert l'accompagne.

— Héla, Ned.

— Héla, Alf.

— Héla, Jack.

— Héla, Joe.

— Dieu vous garde, dit le citoyen.

— Qu'il vous ait en sa sainte garde, dit J. J. Que prendrez-vous, Ned ?

— Un demi, dit Ned.

Et J. J. commande les consommations.

— Fait un tour au tribunal ? dit Joe.

— Oui, dit J. J. Il arrangera ça, Ned, qu'il dit.

— Espérons-le, dit Ned.

461

Allons, qu'est-ce qu'ils manigancent ces deux-là ? J. J. l'efface de la liste des jurés et l'autre va le tirer d'un mauvais pas. Son nom est sur le Stubbs. Il joue aux cartes et tape sur le ventre à des noceurs de la haute qui ont un carreau dans l'œil, et il siffle le champagne lui qui est jusqu'au cou dans les oppositions et les saisies. Il a engagé sa toquante en or chez Cummins de Francis Street où il croyait que personne ne le connaîtrait dans l'arrière-boutique où que je me trouvais avec Pisser qui venait décrocher ses bottines du clou. Quel est votre nom, monsieur ? Lebas, qu'il dit. Oui, et bien bas que je dis. Gachte, m'est avis que ça pourrait bien finir un de ces jours entre quatre murs.

— Avez-vous vu passer ce bougre d'aliéné de Breen ? dit Alf. Fou. Tu. : Foutu.

— Oui, dit J. J. Il cherchait un détective privé.

— Parbleu, dit Ned, il voulait aller tête baissée saisir le tribunal mais Corny Kelleher l'a retourné et persuadé de faire faire d'abord un examen de l'écriture.

— Dix mille livres, que dit Alf en riant. Bon dieu je donnerais quelque chose pour le voir devant le juge et le jury.

— C'est y vous le coupable, Alf ? que dit Joe. La vérité, toute la vérité et rien que la vérité, avec l'aide de Jimmy Johnson.

— Moi ? dit Alf. Quand t'auras fini de me charrier.

— Quelque déclaration que vous fassiez, que dit Joe, elle sera retenue contre vous par l'accusation.

— Évidemment une action serait recevable, qu'il dit J. J. On laisse entendre qu'il est pas *compos mentis*. Fou. Tu. : Foutu.

— Compos et ta sœur, que dit Alf en riant. Vous savez bien qu'il est piqué. Il n'y a qu'à voir sa tête. Il y a des jours où il est obligé de prendre sa corne à souliers pour entrer son chapeau.

— Oui, dit J. J., mais aux yeux de la loi la preuve n'est pas admise en matière de diffamation.

— Ah, ah, ah ! Alf, que dit Joe.

— Tout de même, dit Bloom, par égard pour la pauvre femme, je veux dire sa femme.

— Elle est à plaindre, que dit le citoyen. Et toutes celles qui épousent un comme ci comme ça.

— Comment comme ci comme ça ? que dit Bloom. Voulez-vous dire qu'il...

— Un comme ci comme ça que je dis, fait le citoyen. Un type qui n'est ni chair ni poisson.

— Ni homme ni femme ni auvergnat, que dit Joe.

— C'est ça que je veux dire, que dit le citoyen. Un pouacre, si vous savez ce que c'est.

Gachte de gachte, j'ai vu que ça allait se gâter. Bloom expliquait qu'il voulait dire que c'était cruel pour la pauvre femme d'être forcée d'emboîter le pas à son vieux gâteux. Ça c'est vraiment de la cruauté envers les animaux que de laisser ce sacré meurt-de-faim de Breen prendre la clef des champs avec sa barbe entre les jambes à faire tomber la pluie. Et elle qui se rengorgeait avec son nez conquérant après l'avoir épousé parce qu'un cousin de son bonhomme ouvrait son banc au pape. Y avait son portrait sur le mur avec ses moustaches hérissées de vieux Celte. Le Signor Brini de Summerhill, le macareloni, le zouave pontifical au Saint-Père, qui a quitté le quai et s'est établi à Moss Street. Et qu'est-ce que c'était, je vous le demande ? Un rien du tout, avec un logement de deux pièces et une entrée, sur la cour, sept shillings par semaine, et ça se pavanait avec toute une ferblanterie sur la poitrine pour épater les populations.

— Et de plus, dit J. J., une carte postale équivaut à une publication. On l'a considéré comme une preuve suffisante d'intention criminelle dans l'affaire Sadgrove-Hole, qui fait autorité. A mon avis une action serait recevable.

C'est six shillings huit, s'il vous plaît. Qui est-ce qui vous a demandé une consultation ? Laissez-nous pinter en paix. Gaɓhte, y a pas même moyen de moyenner tranquillement.

— Eh bien à la vôtre, Jack, que dit Ned.

— A la vôtre, Ned, que dit J. J.

— Et le revoilà, que dit Joe.

— Où ? que dit Alf.

Et gachte de gachte c'était bien lui qui passait devant la porte avec ses bouquins sous son aileron et sa femme à côté et Corny Kelleher avec son œil éteint qui a regardé à l'intérieur quand c'est qu'ils ont passé lui parlant pareil un père, essayant de lui refiler un cercueil usagé.

— Comment ça a-t-il tourné avec l'escroquerie canadienne ? que dit Joe.

— Jugement à huitaine, que dit J. J.

Un de la confrérie des nez crochus qui était connu sous le nom de James Wought alias Saphiro alias Spark et Spiro, qui a mis une annonce dans les journaux disant qu'il fournirait un billet pour le Canada moyennant vingt balles. Hein ? Quel amateur de bonnes poires ! Pour sûr que c'était un bel attrape-nigauds. Hein ? Il les avait tous fourrés dedans, bon-niches et culs terreux du comté Meath, et même il y en a eu de la tribu qui ont marché. J. J. nous racontait qu'il y avait un vieil Israélite Zaretsky ou quelque chose comme ça qui pleurait à la barre des témoins avec son chapeau dans sa tête, jurant par le sacro-saint Moïse qu'il était refait de quarante balles.

— Qu'est-ce qui présidait ?

— Le Président de Cour, que dit Ned.

— Pauvre vieux sir Frederick, que dit Alf, on peut s'offrir facilement sa tête.

— Un cœur tout en or, dit Ned. Racontez-lui une histoire bien triste de loyer en retard et de femme malade avec toute une marmaille et, ma parole, il pleure comme une Madeleine dans son fauteuil.

— Je te crois, que dit Alf, Ruben J. a eu une sacrée veine qu'il ne lui fasse pas tâter de la paille humide l'autre jour pour avoir poursuivi le pauvre petit Gumley qui garde le chantier de pierres de la ville près du Pont Butt.

Et il se met à singer le vieux juge en faisant semblant de pleurer.

— Quelque chose de vraiment scandaleux ! Ce pauvre homme, qui gagne sa vie à la sueur de son front ! Combien d'enfants ? C'est bien dix que vous avez dit ?

— Oui, mon président. Et ma femme avec la typhoïde !

— Et une femme qui a la fièvre typhoïde ! Scandaleux ! Sortez immédiatement, monsieur. Non, monsieur, je ne signerai aucune réquisition. Comment osez-vous, monsieur, vous présenter devant moi pour me demander un commandement ! Un pauvre homme laborieux et qui gagne son pain à la force de ses poignets ! La cause est entendue.

Et comme on se trouvait au seizième jour du mois de la déesse aux yeux de vache et dans la troisième semaine après la fête de la Sainte et Indivisible Trinité, la fille des cieux, la vierge Lune étant alors dans son premier quartier, il advint que ces magistrats éclairés se transportèrent dans le temple de la loi. Là Maître Courtenay, siégeant dans sa propre chambre, donna consultation, et le vénérable Juge Andrews siégeant sans jury dans la Cour Probate, examina et pesa avec la plus grande attention les droits du premier demandeur aux biens faisant l'objet du testament en question et de la disposition testamentaire finale, *in re*, propriété réelle et personnelle de feu Jacob Halliday, marchand de vins, décédé, contre Livingston, mineur, et minus habens, et consort. Et à la Session solennelle de Green Street vint sir Frédéric le Fauconnier. Et aux environs de la cinquième heure il entra en séance pour appliquer l'antique loi des Bréhons, à la Commission spéciale pour tout ce district et ses dépendances qui doit siéger dans et pour le comté de la ville de Dublin. Et là siégeaient avec lui les membres du grand sanhédrin des douze tribus de Iar, un homme pour chaque tribu, de la tribu de Patrick et de la tribu de Hugh et de la tribu d'Owen et de la tribu de Conn et de la tribu d'Oscar et de la tribu de Fergus et de la tribu de Finn et de la tribu de Dermot et de la tribu de Cormac et de la tribu de Kevin et de la tribu de Caolte et de la tribu d'Ossian, douze hommes sans peur et sans reproche. Et il les conjura par Celui qui mourut sur l'arbre sacré de juger en leur âme et conscience, de mener à bonne conclusion l'action pendante entre le roi leur souverain maître et l'accusé ici présent, et de rendre un verdict équitable s'inspirant des preuves administrées aux débats avec l'aide de Dieu et embrassez le Saint Livre. Et ils se levèrent de leurs sièges, les douze de Iar, et ils jurèrent par le nom de Celui qui est de toute éternité qu'ils feraient selon Sa droite Justice. Et dans l'instant les émissaires de la loi firent sortir des oubliettes de leur donjon un homme que les limiers de la Prévôté avaient appréhendé au corps sur la foi d'une dénonciation formelle. Et ils lui enchaînèrent les pieds et les mains et ne voulurent accepter de lui ne bail ne main prise mais le décrétèrent d'accusation pour ce qu'il s'était rendu coupable d'un crime.

— Ce sont de charmants cocos, dit le citoyen, de venir débarquer chez nous et de remplir le pays de punaises.

Pour lors Bloom fait celui qui n'entend pas et engage la conversation avec Joe, lui dit qu'il n'a pas besoin de s'en faire pour une chose qui a si peu d'importance jusqu'au premier, mais que s'il voulait bien glisser un mot à M. Crawford. Et là-dessus Joe qui jure par tous les saints du paradis et patati et patata qu'il va remuer ciel et terre.

— Parce que voyez-vous pour qu'une annonce porte, dit Bloom, il faut pouvoir la répéter. Là est tout le secret.

— Comptez sur moi, que dit Joe.

— Et de dépouiller les paysans, que dit le citoyen, et les pauvres. Nous ne voulons plus d'étrangers chez nous.

— Oh je suis persuadé que ça ira très bien, Hynes, dit Bloom. C'est la question de ce Cleys, voyez-vous.

— C'est une affaire entendue, que dit Joe.

— Vous êtes très gentil, dit Bloom.

— Les étrangers, disait le citoyen. C'est de notre faute. Nous les avons laissés entrer. Nous les avons amenés. La femme adultère et son amant ont amené ici les Saxons pour nous piller.

— Jugement provisoire, disait J. J.

Et Bloom qui fait semblant de s'intéresser le plus qu'il peut à rien du tout, à une toile d'araignée derrière le tonneau, et le citoyen qui lui fait des mines féroces et le vieux chien à ses pieds qui dresse le museau pour savoir qui il faut mordre et si c'est le moment.

— Une épouse déshonorée, que dit le citoyen, voilà la cause de nos malheurs.

— Et, dit Alf, qui faisait la petite folle avec Terry au comptoir en regardant *Les Derniers Scandales*, la voici sur le pied de guerre.

— Laissez-nous la zieuter, que je dis.

Et c'était pas autre chose qu'une de ces cochoncetés d'illustrations yankees que Corny Kelleher passe à Terry. Secrets pour développer vos parties intimes. Les frasques d'une jolie femme. Norman W. Tupper, riche entrepreneur de Chicago, trouve sa charmante et volage moitié sur les genoux du lieutenant Taylor. La belle sans remords et en coquin de petit pantalon et son béguin en train de chercher où c'est qu'elle est le plus chatouilleuse, et Norman W. Tupper arrivant comme une bombe avec son rigolo juste comme elle avait fini de boucler la boucle avec le lieutenant Taylor.

— O Jeannette, ma chère, dit Joe, que ta liquette est légère !

— Y a du poil ! Joe, que je dis. Et tu parles d'une culotte de bœuf salé qu'on taillerait sur cette vache, hein mon colon ?

Pas moins, voilà John Wyse Nolan qui s'amène et Lenehan derrière lui avec une gueule d'enterrement.

— Eh bien, que dit le citoyen, quelles sont les dernières nouvelles du théâtre des opérations ? Qu'est-ce qu'ils ont décidé pour la langue irlandaise des gâcheurs de l'hôtel de ville dans leur réunion préparatoire ?

O'Nolan, revêtu d'une fulgurante armure, et s'inclinant jusqu'à terre, rendit hommage au chef puissant, illustre et redouté de toutes les Irlandes et lui manda ce qui en était advenu, comment les graves aînés de la très féale cité, seconde du royaume, les avaient rencontrés sous la coupole, et là, après les prières dues aux dieux qui habitent les hauteurs éthérées, comment ils avaient tenu un solennel conseil, assavoir s'ils devaient, encore que fût la chose possible, remettre en honneur parmi les mortels le langage ailé des Gaëls que séparent les mers.

— Un jour viendra, que dit le citoyen. Merde pour ces sacrées brutes de Saxons et leur patois.

Et puis alors J. J. qui commence avec son air de barbacole à nous sortir que tout a son envers et son endroit et qu'on se bouche les yeux et le truc de Nelson qui regardait dans sa longue-vue avec son œil borgne et que c'est idiot de décréter d'accusation toute une nation et Bloom qui arrive à la rescousse, la modération et la barbification et leurs colonies et leur civilisation.

— Leur syphilisation, vous voulez dire, que dit le citoyen. Merde pour eux ! Qu'un sacré nom de dieu de bondieu de bois les empapaoute ces bougres d'idiots de fils de putains ! Pas de musique et pas d'art et pas seulement ce qu'on peut appeler une littérature. Tout ce qu'ils ont de civilisation ils nous l'ont volé. Tas de cons et tas de trous-du-cul.

— La famille européenne, que dit J. J...

— C'est pas des Européens, que dit le citoyen. J'y suis été en Europe avec Kevin Egan de Paris. Il n'y en a pas trace ni de leur baragouin non plus sauf dans un *cabinet d'aisance*.

Et que dit John Wyse :

— Mainte fleur naît pour fleurir inconnue.

Et que dit Lenehan qui sait un peu du jargon :

— *Conspuez les Anglais ! Perfide Albion !*

Il dit et élevant alors dans ses mains larges, rudes et pleines de vigueur la corne d'ale, sombre, forte, écumeuse, il poussa le cri de guerre de sa tribu *Lamh Dearg Abu*, et but à la défaite de ses ennemis, race de formidables héros, qui règnent sur les flots, et sont assis sur des trônes d'albâtre, silencieux comme les dieux immortels.

— Qu'est-ce qui vous arrive pour lors ? que je dis à Lenehan. Vous avez l'air d'un type qui a perdu vingt sous et qui trouve un rond.

— La Coupe d'Or, qu'il dit.

— Qui a gagné, M. Lenehan ? dit Terry.

— *Prospectus*, qu'il dit, à vingt contre un. Un ignoble outsider. Et les autres ils n'ont pas existé.

— Et la jument de Bass ? que dit Terry.

— Court encore, qu'il dit. Nous sommes tous dans le lac. Boylan avait risqué cinquante balles sur mon tuyau *Sceptre* pour lui et pour une dame de sa connaissance.

— J'avais moi-même une demi-couronne sur *Zin-fandel* que M. Flynn m'avait donné comme bon. Le canard à Lord Howard de Walden.

— Vingt contre un, dit Lenehan. Si il n'y a pas de quoi aller vivre avec les cochons. *Prospectus*, qu'il dit. Ça c'est le pompon, ça c'est la fin de tout. Fragilité, ton nom est *Sceptre*.

Et alors il s'en va à la boîte à biscuits de Bob Doran pour voir s'il n'y aurait pas quelque chose à se mettre sous la dent à l'œil, et le vieux pouilleux de cabot qui le suit histoire de courir sa chance avec sa truffe galeuse en avant. Et Grand-Maman Hubbard alla à son placard.

— Plus rien, mon éfant, qu'il dit.

— Allons, un peu de cœur au ventre, que dit Joe. Elle aurait gagné si l'autre lévrier s'en était pas mêlé.

Et J. J. et le citoyen qui discutent de législation et d'histoire et mon Bloom qui place son mot par-ci par-là.

— *Raimeis*, que dit le citoyen. Y a pas plus sourd que celui qui ne veut pas entendre, si vous savez ce que ça veut dire. Où sont nos vingt millions en moins d'Irlandais qui devraient être ici aujourd'hui au lieu de quatre millions, nos tribus perdues ? Et nos poteries et nos textiles, sans rivaux dans le monde ! Et notre laine qui se vendait à Rome au temps de Juvénal et notre lin et nos damas tissés à Antrim et nos dentelles de Limerick, nos tanneries et nos cristalleries là-bas du côté de Ballybough et notre popeline huguenote que nous avons depuis Jacquard de Lyon et nos soies tramées et nos draps de Foxford et la guipure ivoire des Carmélites de New Ross, rien de pareil dans le monde entier. Où sont les marchands grecs qui passaient les Colonnes d'Hercule, le Gibraltar que l'ennemi du genre humain a mis sous sa coupe, pour aller vendre à Wexford sur le marché de Carmen l'or et la pourpre de Tyr ? Lisez Tacite et Ptolémée, et

470

même Giraldus Cambrensis. Du vin, des pelleteries, le marbre de Connemara, l'argent de Tipperary, aussi bon que le meilleur, nos chevaux universellement réputés encore aujourd'hui, les chevaux de trait irlandais, sans compter le roi Philippe d'Espagne qui offrait de payer des redevances pour avoir le droit de pêche dans nos eaux. Qu'est-ce qu'ils nous doivent les choléras d'Angliches pour notre commerce ruiné, pour nos foyers dévastés ? Et les lits du Barrow et du Shannon qu'ils ne veulent pas approfondir, des millions d'acres de boue et de marécages de quoi nous faire tous crever de tuberculose.

— Nous aurons bientôt aussi peu d'arbres que le Portugal, que dit John Wyse, ou qu'Héligoland avec son arbre unique, si on ne fait rien pour reboiser le pays. Laryx, sapins, toutes les espèces de conifères disparaissent rapidement. Je lisais un rapport de lord Castletown...

— Sauvez-les, dit le citoyen, le frêne géant de Galway et le roi des ormes, à Kildare, avec son tronc de quarante pieds de circonférence et son feuillage qui couvre un acre. Sauvez les arbres de notre Irlande pour les hommes de la future Irlande sur les divines collines d'Eire, O !

— L'Europe a les yeux sur vous, dit Lenehan.

Cet après-midi-là l'élite de la société cosmopolite se pressait en masse au mariage du chevalier Jean Wyse de Neaulan, grand maître des Eaux et Forêts, avec Miss Epicea Conifère de la Sapinière. Lady Sylvestre Delombre de l'Orme, Mme Barbara de la Verge du Bouleau, Mme É.T.T. Le Frêne, Mme Coudrette du Houx, Mlle Daphné Dulaurier, Mlle Dorothée Desroseaux, Mme Clyde de la Clairière, Mme Rowan Auvert, Mme Hélène Follavoine, Mlle Virginie Vignevierge, Mlle Gladys Églantine, Mlle Olive de l'Enclos, Mlle Blanche Érable, Mlle Maud Acajou, Mlle Myra Myrte, Mlle Ursule Sureau, Mlle Reine Chèvrefeuille, Mlle Grace Dujardin,

Mlle O'Mimosa San, Mlle Rachel Rameau de Cèdre, Mlles Lilian et Viola Lilas, Mlle Modeste du Tremble, Mme Kitty Mousse de Rosée, Mlle May de l'Aubespin, Mme Gloriane Palme, Mme Liane Forest, Mme Arabella Dubois-Débène, Mme Norma Saint-Chêne de la Chesnaie rechaussèrent de leur gracieuse présence cette solennité mondaine. La mariée, conduite par son père le Chevalier MacConifère de la Sapinière des Glandiers, était absolument ravissante dans une création réalisée en soie mercerisée verte, avec un dessous gris crépusculaire, comme ceinture un large ruban vert émeraude, et se terminant par une triple rangée de franges d'un vert plus soutenu, ensemble relevé par des glands de bronze disposés en bretelles et en motifs sur les hanches. Les demoiselles d'honneur, Mlle Laryx Conifère et Mlle Épinette Conifère, sœurs de la mariée, portaient des toilettes extrêmement seyantes dans le même ton, un délicat filet rose flamant courant dans les plis et se répétant capricieusement sur les toques vert jade en aigrettes de héron d'une tendre nuance corail. Le Señor Enrique Flor tenait l'orgue avec sa maîtrise bien connue et, en plus de la musique ordinaire de la messe de mariage, il exécuta un arrangement aussi remarquable qu'inédit de *Écoute, bûcheron, arrête un peu le bras* à la fin de la cérémonie nuptiale. En quittant l'église de Saint-Fiacre *in Horto* après avoir reçu la bénédiction du souverain pontife, les heureux époux eurent à supporter un plaisant feu croisé de noisettes, faînes de hêtre, feuilles de laurier, chatons de saule, boutons de lierre, baies de houx, brins de gui, bourgeons et autres croissez et multipliez. M. et Mme Wyse Conifère de Neaulan passeront tranquillement leur lune de miel dans la Forêt Noire.

— Et nous, nous ne perdons pas l'Europe de vue, dit le citoyen. Nous faisons du commerce avec l'Espagne et les Français et les Flamands avant que cette sacrée chiennerie soit seulement à l'état de chiots, dans la

Galway, ollé ! les nonchalants chalands chargés de jus de raisin sur le chemin d'eau couleur de vin.

— Nous reverrons cela, que dit Joe.

— Avec l'aide de la sainte Mère de Dieu nous reverrons ça, qu'il dit le citoyen, en se tapant sur la cuisse. Nos ports qui sont vides se rempliront, Queenstown, Kinsale, Galway, Blacksod Bay, Ventry dans la principauté de Kerry, Killybegs, le troisième port du monde pour la grandeur avec la forêt de mâts des Lynches de Galway et les O'Reillys de Cavan et les O'Kennedys de Dublin au temps où le comte de Desmond pouvait faire un traité avec l'empereur Charles Quint lui-même. On reverra ça, qu'il dit, quand le premier cuirassé irlandais fendant les vagues et arborant nos couleurs, pour sûr pas le pavillon des Tudor avec ses harpes, mais le plus ancien pavillon qui ait jamais balayé les mers, le pavillon de la province de Desmond et Thomond, trois couronnes sur champ d'azur, les trois fils de Milesius.

Et il expédia le fond de sa chope, cocagne ! Un vrai farceur de la messe de minuit. Les ânes ont des oreilles. Qu'il ait donc le sacré culot de débiter ça au populo de Shanagolden où il ose pas montrer le bout de son nez rapport aux Molly Maguires qui sont à le guetter pour le farcir de pruneaux parce qu'il a sauté sur le bien d'un exproprié.

— Bravo, bien envoyé ! que dit John Wyse. Qu'est-ce que vous prendrez ?

— Un kolback, dit Lenehan, c'est de circonstance.

— Un demi, Terry ! que dit John Wyse, et une vieille chope. Terry ! Dormez-vous ?

— Oui, monsieur, que dit Terry. Un demi-whisky et une bouteille d'Allsop. Entendu, monsieur.

En train de chercher avec Alf des choses excitantes dans le sacré illustré au lieu de s'occuper de la clientèle. Ça représente un match à coups de tête, ils essayent de défoncer leurs bondieu de boules, le copain qui se lance sur l'autre, tête base, un taureau sur une barrière. Et une autre image : *Bête Noire Brûlée à Omaha. Ga.* Une bande de Pirates de la Savane sous leurs chapeaux clabauds et ils sont à tirer sur un bamboula en pendant à un arbre avec sa langue dehors et un feu de joie sous ses pieds. Gachte, pourquoi est-ce qu'ils le noyent pas et puis qu'ils l'électrocutent pas et puis qu'ils le crucifient pas pour être sûrs de leur affaire ?

— Mais cette invincible marine devant qui l'ennemi s'incline, que dit Ned, qu'est-ce que vous en faites ?

— Je peux vous dire ce qui en est, que dit le citoyen. C'est l'enfer sur la terre. Lisez donc les révélations qui paraissent dans les journaux sur les châtiments corporels à bord des bateaux-écoles de Portsmouth. Un particulier qui écrit et qui signe comme ça : *Un Écœuré.*

Et le voilà parti à raconter les châtiments corporels et l'équipage et les officiers et contre-amiraux bien sanglés avec leurs bicornes et l'aumônier avec sa bible protestante pour assister à l'affaire et un jeune gars qu'ils amènent et qui crie maman, maman, et qu'ils attachent à la culasse d'un canon.

— Un bifteck saignant et douze coups de sec, que dit le citoyen. c'était comme ça que le vieux forban de sir John Beresford appelait ça, mais au jour d'aujourd'hui nos bondieu d'Anglais du bondieu appellent ça la bastonnade à la culasse.

Et qu'il dit John Wyse :

— Préférable d'être le culasseur que le culassé.

Et il raconte que le capitaine d'armes il s'amène avec un grand jonc et il prend de l'élan et il t'astique le bondieu de derrière du pauvre diable jusqu'à ce qu'il crie au meurtre et à l'assassin.

— La voilà votre marine anglaise pleine de gloire, dit le citoyen, avec ses airs de mettre le monde dans sa poche. Les types qui ne seront jamais esclaves, avec la

474

seule chambre héréditaire qui existe sous la calotte des cieux et toutes leurs terres entre les mains d'une douzaine de gros cochons de la chasse à courre et de barons de la balle de coton. Voilà le grand empire de quoi ils sont tellement fiers, des serfs qu'on exploite et qu'on rosse.

— Sur lequel le soleil ne se lève jamais, que dit Joe.

— Et ce qu'il y a de plus tragique, que dit le citoyen, c'est qu'il y croient. Ils y croient les infortunés yahous.

Ils croient au fouet, père tout-puissant, créateur de l'enfer sur la terre, et en Jacky Tar, fils d'une garcette, qui fut conçu d'un esprit vain, né de la verge marine, qui a souffert sous douze coups de sec son bifteck saignant, fut scarifié à bord, a été mis au lit, a fait un potin d'enfer, le troisième jour a pu regagner bâbord, a recommencé tout le bordel et est assis en mauvaise posture sur son derrière jusqu'à ce qu'il se remette à trimer ce bon vivant de plus en plus mort.

— Mais, dit Bloom, est-ce que la discipline n'est pas la même partout ? Je veux dire que si vous organisez la résistance est-ce qu'elle ne sera pas la même ici ?

Je vous l'avais pas dit ? Aussi sûr que je suis en train de siffler mon verre il vous soutiendra mordicus jusqu'à son dernier soupir que les vessies sont des lanternes.

— Nous opposerons la force à la force, que dit le citoyen. Nous avons notre grande Irlande d'outre-mer. Ils ont été chassés de leur maison et de leur pays en la sombre année 47. Leurs chaumières de terre battue et leurs huttes du bord de la route ont été jetées bas à coups de bélier et le *Times* s'est frotté les mains et il a dit à ses poules mouillées de lecteurs saxons qu'il y aurait bientôt aussi peu d'Irlandais en Irlande que de Peaux-Rouges en Amérique. Même le grand Turc qui nous a envoyé des piastres. Mais le Saxon il voulait affamer le pays et pour ça ces hyènes d'Anglais avaient raflé tout notre blé, et la terre en était couverte, pour le revendre à Rio-de-Janeiro. Oui, ils ont chassé les paysans en masse. Vingt mille ont laissé leur peau dans les bateaux-cercueils. Mais ceux qui ont touché la terre de liberté se souviennent de la terre d'esclavage. Et ils reviendront et je ne te dis que ça ! c'est pas des lâches les fils de Granuaile, les défenseurs de Kathleen ni Houlihan.

— Tout à fait exact, dit Bloom. Mais voici ce que je...

— Il y a un certain temps que nous attendons ce jour-là, citoyen, dit Ned. Depuis que la Pauvre Vieille a annoncé que les Français arrivaient et débarquaient à Killala.

— Oui, dit John Wyse. Nous nous sommes battus pour les Stuarts qui nous avaient reniés contre les partisans de Guillaume III et nous avons été trahis. Rappelez-vous Limerick et la pierre brisée du traité. Nous avons donné le meilleur de notre sang à la France et à l'Espagne, oiseaux migrateurs que nous sommes. Fontenoy, hein ? Et Sarsfield et O'Donnell, duc de Tétouan, et Ulysse Browne de Camus qui a été maréchal de camp de Marie-Thérèse. Mais qu'est-ce ce que ça nous a jamais rapporté ?

— Les Français, que dit le citoyen. Une bande de maîtres à danser. Si vous ne le saviez pas. Pour l'Irlande tout ça ne vaut pas un pet de lapin. Est-ce que maintenant ils ne sont pas en train à ce dîner de T. P. de tripatouiller une *Entente Cordiale* avec la perfide Albion ? C'est toujours eux qui mettent le feu à l'Europe pour changer.

— *Conspuez les Français*, dit Lenehan, escamotant sa bière.

— Et pour les Prouchiens et les Hanovauriens, que dit Joe, nous en avons eu assez sur le trône de ces sacrés mangeurs de choucroute, depuis George l'Électeur jusqu'au jeune consort et la vieille garce de pétomane qu'est défuntée ?

Crédié, il y avait de quoi se bidonner avec tout ce qu'il nous a sorti sur la vieille qui ginginait de l'œil, ivre morte dans son palais royal tous les soirs que Dieu fait, la vieille Vic, avec sa biture de whisky irlandais et son cocher ramassant tout le tas pour l'envoyer rouler dans le lit et elle qui lui tirait les côtelettes et lui chantait des vieilles bribes de romances comme voilà *Ehren sur le Rhin* et viens ousque l'picolo il est l'moins chérot.

— Mais maintenant nous avons Édouard le pacificateur, que dit J. J.

— Allez raconter ça à d'autres, que dit le citoyen. Pacifi ? Foutrement plus syphi que pacifi ce numéro. Édouard de Guelph-Wettin.

— Et qu'est-ce que vous pensez, que dit Joe, de nos saints farceurs, les prêtres et évêques d'Irlande qui lui décorent sa chambre à Maynooth avec les couleurs sportives de Sa Majesté Satanique et les portraits de tous les chevaux que ses jockeys ont montés ? Le comte de Dublin, pas moins.

— Ils auraient dû y coller aussi toutes les femmes qu'il a montées lui-même, qu'il dit le petit Alf.

Et J. J. dit :

— Leurs seigneuries ont dû y renoncer faute d'espace.

— Voulez-vous remettre ça, citoyen, que dit Joe.

— Comment donc, qu'il fait.

— Et vous ? que dit Joe.

— Bien obligé, Joe, que je dis. Et que ça vous profite.

— Une nouvelle tournée, que dit Joe.

Bloom jabotait avec John Wyse et ce qu'il avait l'air excité dans sa pelure couleurdecacad'oiendeuil et ce qu'il riboulait des calots.

— Persécution, qu'il dit, l'histoire du monde n'est

pleine que de ça. On entretient une haine nationale entre les nations.

— Mais savez-vous ce que c'est qu'une nation? que dit John Wyse.

— Oui, qu'il dit, Bloom.

— Qu'est-ce que c'est? que dit John Wyse.

— Une nation? que dit Bloom. Une nation c'est tous les gens qui vivent dans le même endroit.

— Fichtre, que dit Ned en riant, alors je suis une nation puisque je vis depuis cinq ans au même endroit.

Du coup tout le monde à se fiche de Bloom et lui qu'essaye de se dépétrer :

— Ou qui vivent aussi en des lieux différents.

— Ça c'est mon rayon, que dit Joe.

— Quelle est votre nation si ça n'est pas indiscret? qu'il dit le citoyen.

— L'Irlande, que dit Bloom. Je suis né ici. C'est l'Irlande.

Le citoyen il dit rien, seulement il se met à racler ce qu'il avait dans le gosier, et gachte, il t'envoie une huître Côtes-Rouges droit dans le coin.

— Par ici le sirop de grenouilles, Joe, qu'il dit, et il tire son mouchoir pour se torcher la gueule.

— Vous y êtes, citoyen, que dit Joe. Prenez ça dans votre main droite et répétez après moi les mots fatidiques.

Le trésor inestimable brodé et rebrodé, l'ancien voile irlandais pour la face des morts attribué à Salomon de Droma et Manus Tomaltach og MacDonogh, auteur du Livre de Ballymote, fut alors déployé avec précaution et suscita une admiration prolongée. Il serait bien utile de s'étendre sur la beauté légendaire de ses quatre coins, le comble de l'art, et où l'on peut distinguer les quatre évangélistes présentant chacun son symbole évangélique à chacun des quatre maîtres, un sceptre en chêne fossilisé, un puma de l'Amérique du Nord (un roi des animaux autrement noble que l'article britannique, soit dit en passant), un veau de Kerry et un aigle doré de Carrantuohill. Les scènes figurées dans le champ pituitaire et montrant nos anciennes collines fortifiées, nos cromlechs et grianauns, nos lieux inspirés et nos pierres maudites, sont aussi merveilleusement belles et les coloris aussi fins que du temps où les enlumineurs de Sligo donnaient libre cours à leur fantaisie d'artistes à l'époque combien lointaine des Barmecides Glendalough, les beaux lacs de Killarney, les ruines de Clonmacnois, l'abbaye de Cong, Glen Inagh et les Douze Pins, l'île MacNessan, les collines d'Émeraude de Tallaght, Croagh Patrick, la brasserie Arthur Guinness, Fils et Cie (Limited), les bords du Lough Neagh, le val d'Ovoca, la tour d'Isolde, l'obélisque de Mapas, l'hôpital de Sir Patrick Dun, le cap Clear, la lande d'Aherlow, le château de Lynch, la Maison Écossaise, l'Asile de Nuit communal de Rathdown à Loughlinstown, la geôle de Tullamore, les torrents de Castleconnel, Kilballymacshonakill, la croix de Monasterboice, le Jury's Hotel, le purgatoire de St Patrick, le saut du Saunom, le réfectoire du collège de Maynooth, le trou Curley, les trois lieux de naissance du premier duc de Wellington, le rocher de Cashel, la tourbière d'Allen, les dépôts d'Henry Street, la grotte de Fingal, — tous ces lieux émouvants nous sont encore visibles sur ce tissu et nous semblent plus beaux d'avoir été arrosés des flots de la douceur et rehaussés des riches incrustations du temps.

— Passez-nous les verres, que je dis. Chacun le sien.

— Ça c'est à moi, comme le civet est au lapin, que dit Joe.

— Et moi aussi j'appartiens à une race qui est haïe, que dit Bloom, et persécutée. Encore de notre temps. Aujourd'hui même. En ce même instant.

Gachte, un peu de plus il se grillait les doigts avec le restant de son mégot.

— Volée, qu'il dit. Dépouillée. Insultée. Persécutée. On nous prend ce qui nous appartient de droit. En ce moment, qu'il dit, en levant le poing, on nous vend à l'encan comme des esclaves ou du bétail sur les marchés du Maroc.

— Est-ce que vous parlez de la nouvelle Sion ? que demande le citoyen.

— Je parle de l'injustice, que dit Bloom.

— Très bien ! que dit John Wyse. Mais alors opposez-y la force, comme des hommes.

Tenez, voilà une image d'almanach. Une vraie cible pour balle dumdum. La vieille tête en saindoux qui se dresse crânement à la gueule du canon. Gachte, moi je le vois plutôt décorant le manche d'un plumeau, si seulement il avait un tablier de bonne d'enfant. Et puis subito il n'y a plus personne, changement à vue, c'est une chiffe, une loque.

— Mais tout est inutile, qu'il dit. La force, la haine, l'histoire, tout. C'est pas une vie pour des hommes et des femmes, l'insulte et la haine. Et tout le monde sait que c'est le contraire qui est la vraie vie.

— Quoi ? dit Alf.

— L'amour, dit Bloom. C'est-à-dire tout l'opposé de la haine. Il faut que je m'en aille, qu'il dit à John Wyse. Un coup de pied jusqu'au Palais pour voir si Martin est là. S'il vient, dites-lui que je serai de retour dans une seconde. Une petite minute.

Personne vous retient. Et le voilà qui file comme un dard.

— Un nouvel apôtre pour les gentils, que dit le citoyen. L'amour universel.

— Eh bien, que dit John Wyse. Est-ce que ça n'est pas ce qu'on nous enseigne ? Aimez votre prochain.

— Ce bonhomme-là ? que dit le citoyen. Plumer

mon prochain voilà sa devise. L'amour, cocagne ! Je le vois d'ici en Roméo et Juliette.

L'amour aime aimer l'amour. L'infirmière aime le nouveau pharmacien. L'agent 14 A aime Mary Kelly. Gertie MacDowell aime le jeune homme qui a une bicyclette. M. B. aime un monsieur blond. Li Chi Han li aime embrasse Cha Pu Chow. Jumbo, l'éléphant, aime Alice, l'éléphante. Le vieux M. Verschoyle qui a un cornet acoustique aime la vieille Mme Verschoyle qui a un œil qui dit zut à l'autre. L'homme au mackintosh brun aime une dame qui est morte. Sa Majesté le Roi aime Sa Majesté la Reine. Mme Norman W. Tupper aime le lieutenant Taylor. Vous aimez une personne. Et cette personne aime une autre personne parce que tout le monde aime quelqu'un, mais Dieu, lui, aime tout le monde.

— Eh bien, Joe, que je dis, à votre très bonne santé. À votre succès, citoyen.

— Hourra ! que dit Joe.

— Que la bénédiction de Dieu de la Sainte Vierge et de Saint Patrick descende sur vous, dit le citoyen.

Et hop le voilà qui se rince la dalle.

— Nous connaissons ces cagots, qu'il dit, qui font leur prêche tout en nous faisant le porte-monnaie. Y a bien eu ce confit en dévotion de Cromwell et ses Côtes de Fer qui passaient les femmes et les enfants de Drogheda au fil de l'épée avec les paroles de la bible *Dieu est amour* collées autour de la gueule de ses canons. A propos de la bible ! Avez-vous lu dans le *Patriote Irlandais* d'aujourd'hui cette blague sur le chef Zoulou qui est en train de visiter l'Angleterre ?

— Non, qu'est-ce que c'est ? que dit Joe.

Alors le citoyen qui attrape une des feuilles de son assortiment et il commence à lire tout haut :

— Une délégation des principaux magnats du coton de Manchester fut présentée hier à Sa Majesté l'Alaki d'Abeakuta par le Chef du Protocole, Lord Tumarches

481

de la Marche sur des Œufs, et offrit à Sa Majesté les remerciements émus des commerçants anglais pour les facilités qui leur ont été données dans ses états. La délégation fut invitée à un lunch à la suite duquel le monarque basané, dans un discours des plus heureux, librement traduit par le chapelain anglais, le Révérend Ananias Esperandieu Sacdos, offrit ses meilleurs remerciements à Missié Tumarches et exalta les relations cordiales établies entre Abeakuta et l'Empire Britannique, affirmant qu'il considérait comme l'un de ses trésors les plus précieux une bible enluminée, livre de la parole de Dieu et secret de la grandeur de l'Angleterre, qu'il tenait des gracieuses mains de la grande chefesse blanche, l'illustre squaw Victoria, avec une dédicace personnelle écrite de la main de la Royale Donatrice. Portant un toast au *Black and White* l'Alaki but alors une coupe d'amitié du meilleur usquebac dans le crâne de son prédécesseur immédiat dans la dynastie Kakachakachak, surnommé Quarante-Poireaux, après quoi il visita la plus importante manufacture de Cotonoplis, fit une croix sur le livre des visiteurs, et exécuta pour finir une vieille danse de guerre abeakutique, pendant laquelle il avala quelques couteaux et fourchettes, aux applaudissements des jeunes ouvrières en joie.

— La royale veuve, dit Ned, au-dessus de tout soupçon. Me demande s'il a fait de cette bible l'usage que j'en eusse fait moi-même.

— Le même et plus, dit Lenehan. Et depuis dans cette terre féconde le manguier aux larges feuilles fut prodigieusement florissant.

— Est-ce de Griffith ? demanda John Wyse.

— Non, que dit le citoyen. Ça n'est pas signé Shanganagh. Il n'y a que l'initiale P.

— Une initiale assez suggestive, que dit Joe.

— Voilà comment c'est machiné, que dit le citoyen. Le commerce suit le drapeau.

— Eh bien, dit J. J., s'ils sont pires que les Belges dans l'État-Libre du Congo ça doit être quelque chose de beau. Avez-vous lu ces révélations par un certain... comment s'appelle-t-il déjà ?

— Casement, dit le citoyen. C'est un Irlandais.

— Oui, c'est bien ça, dit J. J. Ils violent les femmes et les filles et ils bâtonnent les indigènes sur le ventre pour extraire d'eux le maximum de caoutchouc rouge.

— Je sais où il est parti, que dit Lenehan, qui faisait craquer ses doigts.

— Qui ? que je dis.

— Bloom, qu'il dit, le Palais de Justice c'est une craque. Il avait quelques ronds sur *Prospectus* et il est parti récolter la manne.

— Le voilà bien le rasta qui roule des yeux blancs, que dit le citoyen, qui n'a jamais misé sur un cheval même avec une fleur.

— C'est là qu'il est allé, que dit Lenehan. J'ai rencontré Bantam Lyons qui allait mettre sur le canasson si je ne l'avais pas empêché et il m'a dit que c'était Bloom qui lui avait donné le tuyau. Je parie tout ce que vous voudrez qu'il gagne cent shillings pour cinq. Il est seul dans Dublin à avoir ça. Une rosse de la dernière heure.

— Foutue rosse de la dernière heure lui-même, que dit Joe.

— Sans vous commander, Joe, que je dis. Montrez voir l'entrée pour sortir.

— Vous y êtes, que dit Terry.

Adieu l'Irlande je m'en vas à Gort. Alors donc que je faisais un petit tour au fond de la cour histoire de faire mon petit pipi d'enfant et gachte de gachte (cent shillings pour cinq) pendant que j'étais en train de lâcher (*Prospectus* vingt à), de lâcher mon trop plein, gachte que je me dis, j'avais bien vu qu'il avait (deux chopes de Joe et une chez Slattery) qu'il avait des démangeaisons de se défiler pour (cent shillings ça fait cinq sigues) et quand qu'ils étaient à (rosse de la dernière heure) Pisser Burke il me racontait les parties de cartes et qu'il disait comme ça convenu que l'enfant était malade (gachte, ça doit pas faire loin d'un litre) et la femme aux fesses flasques qui lui disait comme ça dans l'appareil qu'*elle va mieux* ou qu'*elle* (han!) un plan qu'il avait tiré pour décamper avec le pognon si il gagnait ou (crédié, ce que j'étais plein) faire du commerce sans patente (han!) c'est l'Irlande mon pays qu'il dit (Rrrô! Phut!). On saura jamais y faire comme ces (ça z'y est) sacrés coucous (ah!) de Jérusalem.

Ce qu'y a de sûr c'est que quand je me suis ramené chacun y allait de son son de cloche, John Wyse qui disait que c'était Bloom qui avait donné à Griffith l'idée de mettre dans son journal toutes sortes de bourrages de crâne, les jurys truqués et la tricherie avec les impôts et de nommer des consuls partout qui s'en iraient placer les produits manufacturés d'Irlande. Voler Pierre pour payer Paul. Gachte, y a plus qu'à tirer l'échelle si ce sacré vieux Tartare il se mêle à faire du gâchis dans nos affaires. Qu'on nous laisse nous démerder tout seuls. Faudrait bien que le Père Éternel il sauve l'Irlande des pattes de ce sacré fouinard et de ses pareils. M. Bloom avec tous ses boniments à la mords-moi-le-nœud. Et son paternel avant lui qui s'y entendait à mettre le pauvre monde dedans, ce vieux Mathusalem Bloom, le bonisseur aux pattes croches, qui s'est détruit avec de l'acide prussique une fois qu'il a eu empoisonné le pays avec sa pacotille et ses diamants à un sou. Prêts par correspondance, conditions modérées. N'importe quelle somme avancée sur signature. Pas de limites de distance. Aucune garantie exigée. Gachte, c'est comme la chèvre à Lanty MacHale qui faisait un bout de route avec tout le monde.

— Enfin c'est un fait, que dit John Wyse. Et voilà

l'homme qui vous dira tout là-dessus, de a jusqu'à z, Martin Cunningham.

Et c'était ni plus ni moins que la voiture du Gouvernement qu'arrivait avec Martin Cunningham dessus sans compter Jack Power et un bonhomme du nom de Crofter ou Crofton, un retraité de la Recette générale, un Orangiste qu'est dans l'Enregistrement à Blackburn et il gagne son traitement (ou c'est-il Crawford, qu'il s'appelle ?) à vadrouiller dans tout le pays aux frais de la Couronne.

Nos voyageurs atteignaient la rustique hôtellerie et sautaient à bas de leurs montures.

— Hé là, foquin ! cria celui qui, à en juger par sa mine, devait être le chef. Impudent maraud ! Viens ça !

Tout en parlant il donnait à grand bruit de son épée contre le volet ouvert.

A cet appel le bon hôte sortit tout en ceignant son tablier de cuir.

— Bien le bonsoir, mes seigneurs, dit-il avec un salut obséquieux.

— Grouille, drôle ! cria celui qui avait frappé. Veille à nos montures. Et pour ce qui est de nous songe à nous traiter de ton mieux, car par ma foi nos ventres crient famine.

— Par la malheure, mes bons maîtres, dit l'hôtelier, ma pauvre maison n'a qu'un pauvre cellier. Je ne sais ce que je vais offrir à vos seigneuries.

— Qu'est-ce à dire, bonhomme ? s'écria le second voyageur, un homme aux avenantes façons, est-ce ainsi que tu reçois les messagers du Roi, Maître Futaille ?

Sur-le-champ on vit l'aubergiste changer de visage.

— Baillez-moi votre mercy, mes bons gentils-hommes, dit-il humblement. Or, si vous êtes les messagers du Roi (Dieu protège Sa Majesté !) vous ne manquerez de rien. Les amis du Roi (Dieu bénisse Sa

Majesté!) ne feront point jeûne en mon logis, le jure Dieu.

— Lors à l'œuvre! s'écria le voyageur qui n'avait point encore ouvert la bouche et qui présentait toutes les apparences d'un maîtrefripe-lippe. Que nous vas-tu bailler?

Le bon hôte se courba derechef et répondit :

— Que diriez-vous, mes bons seigneurs, d'un pâté de pigeonneaux dodus, de quelques escalopes de venaison, d'une selle de veau, d'une poule d'eau bardée de lard croustillant, d'une hure de sanglier aux pistaches, d'une jatte de fine crème, d'un clafouty et d'un flacon de vieux vin du Rhin?

— Palsambleu! s'exclama celui qui avait parlé le dernier. Voilà qui me convient fort. Des pistaches!

— Haha! s'écria le cavalier à la mine avenante. Une pauvre maison et un cellier vide, diablezot! Le plaisant coquin!

Sur ce voilà Martin qui entre et qui demande où est Bloom.

— Où il est? que dit Lenehan. A dépouiller la veuve et l'orphelin.

— Est-ce que ce n'est pas vrai, que dit John Wyse, ce que je viens de raconter au citoyen sur Bloom et le Sinn Fein?

— Oui, que dit Martin. Ou du moins on l'allègue?

— Et qui est-ce qui est responsable de ces allégations? que dit Alf.

— Moi, que dit Joe. C'est moi l'alligator.

— Et après tout, que dit John Wyse, pourquoi est-ce qu'un Juif n'aimerait pas son pays autant que n'importe qui?

— Pourquoi pas? que dit J. J., une fois qu'il est bien fixé sur ce pays.

— Est-il juif ou gentil ou catholique ou méthodiste ou qu'est-ce qu'il peut bien être le bougre? que dit Ned. Ou qui est-il au juste? Pas d'offense, Crofton.

— Nous ne voulons pas de lui, dit Crofter l'Orangiste ou le presbytérien.

— Qui est Junius ? que demande J. J.

— C'est un Juif renégat, que dit Martin, qui vient de Hongrie et c'est lui qui a tiré tous les plans selon le système hongrois. Nous savons cela au Gouvernement.

— Est-ce qu'il est cousin du dentiste Bloom ? que dit Jack Power.

— Nullement, dit Martin. Ils n'ont que le nom de commun. Il s'appelait Virag. C'est le nom du père qui s'est empoisonné. Il a obtenu de changer de nom par décret, pas lui, le père.

— Voilà le nouveau Messie de l'Irlande, dit le citoyen, l'île des Saints et des sages !

— Oui, eux aussi ils attendent encore leur rédempteur, dit Martin. Tout comme nous, en somme.

— Oui, dit J. J., et chaque fois qu'ils ont un enfant mâle ils croient que ce peut être le Messie. Et tout Juif est, paraît-il, dans une agitation extraordinaire jusqu'à ce qu'il sache s'il est père ou mère.

— S'attendant à ce que chaque minute qui vient soit sa prochaine, dit Lenehan.

— Bon dieu, que dit Ned, il fallait voir Bloom avant qu'il ait eu ce fils qui est mort. Je l'ai rencontré un jour au marché Sud qui achetait une boîte de phosphatine six semaines avant l'accouchement de sa femme.

— *En ventre sa mère*, que dit J. J.

— Appelez-vous ça un homme ? que dit le citoyen.

— A-t-il seulement pu trouver où que ça se met ? que dit Joe.

— Pourtant il a réussi à avoir deux enfants, que dit Jack Power.

— Et qui soupçonne-t-il ? que dit le citoyen.

— Gachte, on blague mais n'empêche que c'est vrai. Cet Indien-là ça n'est qu'une fausse-couche. A

487

l'hôtel que me disait Pisser Burke il se fourrait au lit avec la migraine une fois par mois comme une jeunesse qui a ses affaires. Voulez-vous que je vous dise ? Ça serait pain bénit que d'empoigner un gaillard comme ça par la peau du cou et de la faire boire à la grande tasse. Ça serait un cas de légitime défense. C'est-il se conduire en homme que de jouer la fille de l'air avec son bénef sans même payer un verre aux amis ? Bénissez-nous, Seigneur ! Pas seulement de quoi noyer une puce.

— Soyons charitables, dit Martin. Mais où est-il ? Nous n'avons pas le temps de l'attendre.

— C'est un loup dans la peau d'un mouton, que dit le citoyen. Un vrai loup. Virag de Hongrie ! Ahasvérus que je l'appelle. Maudit de Dieu.

— Avez-vous le temps de faire une courte libation, Martin ? dit Ned.

— Oui mais une seule, dit Martin. Il faut nous presser. Un J. J. et S.

— Vous, Jack ? Crofton ? Trois demis, Terry.

— Saint Patrick aurait besoin de redébarquer à Ballykinlar et de recommencer à nous convertir, que dit le citoyen, puisque nous permettons à des animaux pareils d'empester nos rivages.

— Bon, bon, dit Martin, qui frappait sur la table pour se faire servir. Moi je prie pour que Dieu nous bénisse tous.

— *Amen*, que dit le citoyen.

— Dieu nous entendra, que dit Joe.

Et au tintement de la clochette consacrée, précédée d'un crucifère et de ses acolytes, thuriféraires, porteurs de bateaux, lecteurs, ostiarii, diacres et sous-diacres, s'avança le saint cortège des abbés mitrés et des prieurs, des supérieurs, des moines et des frères : les moines de Saint Benoît de Spolète, Chartreux et Camaldules, Cisterciens et Olivétains, Oratoriens et Vallombrosiens, et les frères Augustins, Brigittins,

Prémontrés, Serviens, Trinitaires, les enfants de Saint Pierre Nolasque ; et encore venus du mont Carmel le fils et les filles du Prophète Élie conduits par l'évêque Albert et Thérèse d'Avila, chaux et déchaux ; et les frères bruns et gris, fils du pauvre François, capucins, cordeliers, minimes et observants et les filles de Claire ; et les fils de Dominique, les frères prêcheurs, et les fils de Vincent ; et les moines de S. Wolstan ; et d'Ignace les fils ; et la confrérie des frères des Écoles chrétiennes conduits par le Révérend Père Edmund Ignatius Rice. Et venaient ensuite tous les saints et martyrs, vierges et confesseurs : S. Cyr et S. Isidore Arator et S. Jacques le Mineur et S. Phocas de Sinope et S. Julien l'Hospitalier et S. Félix de Cantalice et S. Siméon Styliste et S. Étienne Protomartyr et S. Jean de Dieu et S. Ferréol et S. Leugarde et S. Théodote et S. Vulmar et S. Richard et S. Vincent de Paul, et S. Martin de Todi et S. Martin de Tours et S. Alfred et S. Joseph et S. Denis et S. Cornelius et S. Léopold et S. Bernard et S. Térence et S. Édouard et S. Owen Canicule et S. Anonyme et S. Eponyme et S. Pseudonyme et S. Homonyme et S. Paronyme et S. Synonyme et S. Laurence O'Tool et S. Jacques de Dingle et Compostelle et S. Columcille et Ste Colombe et Ste Célestine et S. Colman, et S. Kevin et S. Brendan et S. Frigidian et S. Senan et S. Fachtna et S. Columban et S. Gall et S. Fursey et S. Fintan et S. Fiacre et S. Jean Népomucène et S. Thomas d'Aquin et S. Yves de Bretagne et S. Michan et S. Herman-Joseph et les trois patrons de la jeunesse chrétienne S. Louis de Gonzague et S. Stanislas Kostka et S. Jean Berchmans et les Saints Gervais, Servais, et Boniface et S. Bride et S. Kieran et S. S. Canice et Kilkenny et S. Jarlath de Tuam et S. Finbarr et S. Pappin de Ballymun et Frère Aloysius Pacificus et Frère Louis Bellicosus et les saintes Rose de Lima et de Viterbe et Ste Marthe de Béthanie et Ste Marie Égyptienne et

Ste Lucie et Ste Brigitte et Ste Attracta et Ste Dympna et Ste Ita et Ste Marion Calpensis et la Bienheureuse Sœur Thérèse de l'Enfant Jésus et Ste Barbe et Ste Scholastique et Ste Ursule et les onze mille vierges. Et tous et toutes, avec des nimbes, des auréoles et des gloires, portaient des palmes et des harpes et des épées et des couronnes d'olivier, et vêtus de robes dans lesquelles étaient tissés les sacrés symboles de leurs efficaces, des écritoires, flèches, pains, cruches, fers, haches, arbres, ponts, bébés dans une baignoire, coquilles, besaces, cisailles, clefs, dragons, lis, carabines, barbes, cochons, lampes, soufflets, ruches, cuillers à pot, étoiles, serpents, enclumes, pots de vaseline, cloches, béquilles, forceps, cornes de cerfs, chaussures imperméables, faucons, meules de moulin, yeux sur un plat, bougies de cire, goupillons, licornes. Et comme ils suivaient leur itinéraire par la colonne Nelson, Henry Street, Mary Street, Capel Street, Little Britain Street, en chantant l'Introït du Dimanche de l'Épiphanie qui commence par *Surge, illuminare,* et ensuite avec une grande onction le graduel *Omnes* qui dit *de Saba venient,* ils accomplirent des miracles variés tels que de chasser les démons, ressusciter les morts, multiplier les poissons, guérir l'aveugle et le paralytique, retrouver différents objets perdus, interpréter et accomplir les Écritures, bénir et prophétiser. Et fermant la marche, sous un dais de drap d'or, s'avançait le Révérend Père O'Flynn assisté par Malachie et Patrick. Et quand les bons Pères furent arrivés au lieu préfix, la maison de Bernard Kiernan et Cie, limited, 8, 9 et 10, Little Britain Street, épiciers en gros, négociants en vins et spiritueux, consommation sur place autorisée pour la bière, les vins et les alcools, le célébrant bénit l'édifice et encensa les fenêtres à croisillons, les arêtes, et les cintres et les arêtes de brisure et les chapiteaux et les frontons et les corniches et les arcs dentelés et les clochetons et les coupoles et aspergea les linteaux d'icelle avec de l'eau bénite et pria Dieu de bénir cette maison comme il avait béni la maison d'Abraham et d'Isaac et de Jacob et d'envoyer pour y résider ses anges de Lumière. Et étant entré il bénit les viandes et les vins et tous ceux qui avaient reçu sa bénédiction lui donnèrent les répons.

— *Adiutorium nostrum in nomine Domini.*

— *Qui fecit cœlum et terram.*

— *Dominus vobiscum.*

— *Et cum spiritu tuo.*

Et il leur imposa les mains pour les bénir et récita l'action de grâces et pria et tous prièrent avec lui :

— *Deus, cuius verbo sanctificantur omnia, benedictionem tuam effunde super creaturas istas : et praesta ut quisquis eis secundum legem et voluntatem Tuam cum gratiarum actione usus fuerit per invocationem sanctissimi nominis Tui corporis sanitatem et animae tutelam Te auctore percipiat per Christum Dominum nostrum.*

— Brigadier, vous avez raison, que dit Jack.

— Je vous souhaite vingt-cinq mille francs de rentes, Lambert, qu'il dit Crofton ou Crawford.

— Parfaitement, dit Ned, levant son whisky John Jameson. Et du beurre dans les épinards.

Je jetais un coup d'œil en rond pour savoir qui aurait l'heureuse inspiration quand merde le voilà qui radine en faisant celui qui a le diable à ses trousses.

— J'ai juste fait le tour du Palais à votre recherche qu'il dit, j'espère que je ne suis pas...

— Non, dit Martin, nous sommes prêts.

Le Palais, regarde mon œil, et tes poches qui pendent avec l'or et l'argent. Sacré bougre de râleux. Nous payer à boire ? On peut toujours courir ! Pour un youpin il n'a pas loupé la commande ! Tout pour bibi. Et c'est rusé comme un chat d'égout. Cent pour cinq.

— Gardez bien ça pour vous, que dit le citoyen.

— Plaît-il ? qu'il dit.

491

— Allons, mes enfants, que dit Martin, qui voit que ça commence à sentir mauvais. Allons, en route.

— Gardez bien ça pour vous, que dit le citoyen, en lâchant un grognement. C'est un secret.

Et le bondieu de chien qui se réveille et groume lui aussi.

— Au revoir tout le monde, dit Martin.

Et il les fait sortir aussi vite qu'il peut, Jack Power et Crofton ou machinchouette et lui dans le milieu qui fait semblant de ne pas être à la page et hop les voilà tous dans ce bondieu de car.

— Filons, dit Martin au cocher.

Le dauphin neigeux secoua sa crinière, et, montant vers la poupe dorée, le nautonier déploya la voile gonflée, allant au vent toutes voiles dehors, armures à bâbord. Une multitude de nymphes charmantes s'approchèrent de bâbord et de tribord et s'attachant aux flancs de la noble nef elles entrelacèrent leurs corps éclatants ainsi que fait le charron habile quand il accommode au cœur de sa roue les rayons équidistants dont chacun est frère de l'autre et qu'il les relie tous par un cercle, gratifiant ainsi de vitesse les pieds des hommes, soit qu'ils courent au combat soit qu'ils s'efforcent de conquérir le sourire de la beauté. Ainsi les vit-on accourir et se placer, ces nymphes aimables, ces sœurs immortelles. Et elles riaient, s'ébattant dans leur cirque écumeux : et le navire fendait les flots.

Mais gachte de gachte j'avais pas reposé mon verre sur son cul que je vois le citoyen qui se lève et qui va en chaloupant vers la porte, soufflant du nez et de la goule comme un hydropique, et qui lance sur Bloom la malédiction de Cromwell, *livre, cloche et chandelle*, en Irlandais, et qui fume et qui crache avec Joe et le petit Alf pendus après lui comme des sangsues pour essayer à le faire tenir tranquille.

— Foutez-moi la paix, qu'il dit.

Et gachte de gachte, il a pu arriver jusqu'à la porte et eux qui tiraient dessus et lui qui se met à brailler :

— Trois bans pour Israël !

Malloz-ru ! Pour l'amour du bon dieu tenez-vous tranquille sur votre cul de grand'messe et vêpres. C'est pas des choses à faire que se donner comme ça en spectacle. Crédié y a toujours comme ça quéque sacré farceur qui fait arriver une sacrée sale histoire à propos de nib. Gachte, ça vous tourne le porter en vinaigre dans les boyaux, ma parole.

Et tous les mendigos et toutes les pouffiasses du pays devant la porte et Martin qui disait au cocher de démarrer et le citoyen qui gueulait et Alf et Joe à essayer de la lui boucler et lui là monté sur ses grands chevaux à parler des juifs et les badauds qui en tenaient pour un laïus et Jack Power à tâcher de le faire asseoir et qu'il ferme ça et un zigoto avec un bandeau sur l'œil qui se met à chanter *Si l'homme dans la lune était un juif, juif, juif*, et une fumelle qui lui envoie du haut de sa tête :

— Eh, msieur ! Votre devanture qu'est ouverte, msieur !

Et, qu'il dit :

— Mendelssohn était juif et Karl Marx et Mercadante et Spinoza. Et le Rédempteur était un juif et son père était un juif. Votre dieu.

— Il n'avait pas de père, dit Martin. Ça suffit maintenant, En route.

— Le dieu de qui ? que dit le citoyen.

— Soit, son oncle était un juif, qu'il recommence. Votre dieu était un juif. Le Christ était un juif comme moi.

Gachte, voilà le citoyen qui fait un plongeon dans la boutique.

— Sacrédié, qu'il dit, je lui casserai la gueule à ce foutu juif pour profaner le saint nom. Sacrédié, je lui ferai pisser le sang, il verra ça. Passez-moi c'te boîte à biscuit.

— Arrêtez ! Arrêtez ! que dit Joe.

Une immense et sympathique assemblée, des milliers d'amis et connaissances venus de la métropole et de sa banlieue s'étaient donné rendez-vous pour dire adieu à Nagyásagos uram Lipóti Virag, ex-collaborateur de MM. Alexander Thom, imprimeurs de Sa Majesté, à l'occasion de son départ pour les lointains horizons de Százharmincz brojúgulyás-Dugulás (la Vallée des Eaux Vives). Cette cérémonie qui se déroula de la façon la plus brillante fut empreinte de la plus affectueuse cordialité. Un rouleau de parchemin irlandais orné de miniatures anciennes, œuvre d'artistes irlandais, fut offert au distingué phénoménologiste de la part d'une fraction importante de l'assemblée et fut accompagné du don d'une cassette d'argent, exécutée avec goût dans le vieux style ornemental celtique, œuvre qui fait le plus grand honneur à ces artistes. MM. Jacob *agus* Jacob. Le héros de cette fête d'adieux fut l'objet de la plus chaleureuse ovation et un grand nombre des assistants sembla visiblement ému quand l'orchestre choisi des cornemuses irlandaises attaqua l'air célèbre de *Reviens à Erin*, immédiatement suivi par la Marche de Rakoczsy. Des barils de goudron et autres feux de joie furent allumés tout le long des côtes des quatre mers sur les sommets de la Colline de Howth, de la Three Rock Mountain, du Pain de Sucre, du Bray Head, des montagnes de Mourne, des Galtees, des pitons d'Ox, de Donegal et de Sperrin, des Nagles et des Bograghs, des hauteurs de Connemara, des plateaux marécageux de M'Gillicuddy, du mont Aughty, du mont Bernagh et du mont Bloom. Au milieu d'acclamations à ébranler la voûte céleste, et auxquelles faisaient écho les vivats d'un groupe important de partisans écossais postés sur les lointaines crêtes de la Cambrie et de la Calédonie, le gigantesque bateau de plaisance démarra lentement, salué pour finir par les offrandes fleuries des nombreux représentants du beau sexe, et pendant qu'il descendait la rivière, escorté d'une flottille de barques, il reçut le salut des pavillons du Ballast Office et de la Douane et plus loin le salut des pavillons de la Station Électrique du Pigeonnier. *Visszontlátásra, kedvés barátom! Visszontlátásra!* Il part emportant nos cœurs.

Gachte, le diable ne l'aurait pas empêché d'empoigner la sacrée boîte de fer-blanc et le voilà dehors avec le petit Alf cramponné à son coude et il beuglait comme un cochon qu'on zigouille, que c'était aussi fort que n'importe quel sacré drame noir du Queen's Royal Theatre.

— Où est-ce qu'il est que je lui règle son compte ?

Et Ned et J. J. bras et jambes coupés à force de rigoler.

— Mille millions de tonnerres! que je dis, j' vas arriver pour le dernier évangile.

Mais par un coup de chance le collignon il avait tourné la tête de sa rosse de l'autre bord, et fouette cocher.

— Faites pas ça, citoyen, que dit Joe. Arrêtez!

Gachte de gachte, il t'allonge le bras et prend de l'élan et pan, à toute volée. Miséricorde! Il avait le soleil dans l'œil, sans ça l'autre était nettoyé. Gachte, c'est tout juste s'il l'a pas envoyé dans le comté Longford. Et la sacrée rosse la voilà qui a le taf et le sacré enfant de garce de cabot après le cab à faire un raffut du diable et le populo qui gueule et qui se paye de la rigolade, mes aïeux! et la vieille boîte de fer blanc qui pétarade sur les pavés.

Les effets de la terrible catastrophe furent instantanés et terrifiants. L'observatoire de Dunsik n'enregistra pas moins de onze oscillations, toutes du cinquième degré de l'échelle de Mercalli, et pareil séisme ne s'était pas manifesté dans notre île depuis le tremblement de terre de 1534, l'année de la rébellion de Thomas le Musqué. Il semble que le séisme ait eu pour épicentre cette partie de la métropole qui constitue le quartier d'Inn's Quay et la paroisse de St Michan sur une surface de quarante et un acres, deux verges et une perche. Les résidences aristocratiques qui entourent le Palais de Justice furent démolies de fond en comble et ce noble édifice lui-même où d'importants débats se poursuivaient au moment de la catastrophe n'est plus à proprement parler qu'un monceau de ruines sous lesquelles il est malheureusement à craindre que toutes les personnes présentes n'aient été enterrées vives. D'après les récits des témoins oculaires il s'avère que les ondes sismiques furent accompagnées de perturbations atmosphériques de nature cyclonique. Un article de chapellerie qu'on a reconnu depuis comme ayant appartenu au très estimé greffier de la Couronne, M. George Fottrell, et un parapluie de soie à manche d'or où étaient gravées les initiales, les armes et l'adresse de l'érudit et vénérable Président de cour des Quatre-Sessions, sir Frederik Falkiner, premier magistrat de Dublin, furent découverts par des équipes de sauveteurs dans des régions écartées de l'île, le premier sur le troisième pilier basaltique de la Chaussée des Géants, le second enlisé à la profondeur d'un pied trois pouces dans la grève sablonneuse de la baie d'Holeopen près du vieux cap Kinsale. D'autres témoins oculaires déclarent qu'ils ont aperçu quelque chose d'énorme et d'incandescent qui trouait l'atmosphère à une vitesse vertigineuse selon une trajectoire sud-sud-ouest. Des télégrammes de sympathie et de condoléances sont reçus d'heure en heure de tous les points du monde et le Souverain Pontife dans son extrême bienveillance a daigné ordonner qu'une *missa pro defunctis* extraordinaire serait célébrée simultanément par les desservants de toutes les églises cathédrales de tous les diocèses épiscopaux relevant de l'autorité spirituelle du Saint-Siège, à l'intention des âmes de ces fidèles trépassés qui d'une façon si soudaine nous ont quittés pour un monde meilleur. Les travaux de sauvetage, l'enlèvement des débris, restes humains, etc., ont été confiés par adjudication à MM. Michael Meade & Fils, 159 Great Brunswick Street, et à MM. T et C. Martin, 77, 78, 79 et 80 North Wall, secondés par les officiers et soldats d'infanterie légère du régiment du Duc de Cornouailles, sous la haute direction de Son Altesse Royale en personne et du contre-amiral le Très Honorable sir Hercules Hannibal Habeas Corpus Anderson, Chevalier du Très Noble Ordre de la Jarretière, Chevalier du Très Illustre Ordre de St Patrick, Chevalier du Très Ancien et Très Noble Ordre du Chardon, Conseiller Privé, Commandeur du Très Honorable Ordre du Bain, Membre du Parlement, Juge de Paix, Diplômé de la Faculté de Médecine, Décoré de l'Ordre pour Services Distingués, Chevalier du Figne, Maître des Chasses, Membre de l'Académie Royale d'Irlande, Bachelier en Droit, Docteur en Musique, Administrateur des Œuvres d'Assistance, Membre de Trinity College, Dublin, Membre de l'Université Royale d'Irlande, Membre de la Faculté Royale de Médecine d'Irlande, Membre du Collège Royal de Chirurgie d'Irlande.

Vous avez jamais vu une chose comme ça dans votre sacré bordel de vie. Gachte, si il avait reçu ce gros lot-là sur le coin de la hure il s'aurait rappelé la Coupe d'Or un bout de temps, j'en réponds, mais gachte de gachte le citoyen on l'aurait coffré pour violences sur la voie publique et Joe rapport à son aide et assistance. Le collignon te lui a sauvé la mise en foutant le camp à fond de train aussi sûr et certain que Moïse il s'a essauvé des eaux. Hein ? Crédié y a pas de doute. Et l'autre encore qui lâche après lui une bordée de jurons.

— L'ai-je tué, qu'il dit, oui ou non ?

Et il gueule pour exciter le sacré clebs :

— Vas-y Guary ! Vas-y vieux frère !

Et ce qu'on a vu en dernier c'est le sacré cab qui tournait le coin et la vieille tête de bouc en chaleur qui se gesticulait comme un perdu et le sacré enfant de garce de clebs par derrière avec ses esgourdes raplaties qui en mettait tant qu'il pouvait le bougre pour le déboyauter et le détripailler. Cent pour cinq ! Crédié, je vous fous mon billet qu'on lui en a donné pour son argent.

Or voici qu'une lumière éclatante descendit sur eux et ils virent le char où Il se tenait debout qui montait au ciel. Et ils Le virent dans le char, vêtu de la gloire de cette lumière, et Son vêtement était tel que le soleil, et plus gracieux que la lune et si terrible que dans leur crainte ils n'osaient plus lever les yeux vers Lui. Et une voix qui venait du ciel appela : *Élie ! Élie !* Et Il répondit dans un grand cri : *Abba ! Adonaï !* Et ils Le virent Lui, Lui-même, Ben Bloom Élie, monter parmi les tourbillons d'anges vers la gloire de la lumière à un angle de quarante-cinq degrés au-dessus de chez Donohoe, Little Green Street, comme une pleine pellée de poussier.

DU MÊME AUTEUR

Aux Éditions Gallimard

DEDALUS, *autobiographie.*

STEPHEN LE HÉROS, *roman.*

LES EXILÉS, *théâtre.*

LA NUIT D'ULYSSE, *théâtre.*

FINNEGANS WAKE, *fragments adaptés par André Du Bouchet.*

LETTRES :
   I. 1901-1940
   II. 1882-1915
   III. 1915-1931

LE CHAT ET LE DIABLE, *conte illustré par Jacques Borel (Enfantimages).*

ESSAIS CRITIQUES.

POÈMES.

GIACOMO JOYCE.

GENS DE DUBLIN.

FINNEGANS WAKE

Bibliothèque de la Pléiade

ŒUVRES, I.

Dernières parutions

Impression Bussière à Saint-Amand (Cher),
le 28 juillet 1989.
Dépôt légal : juillet 1989.
1ᵉʳ dépôt légal dans la collection : novembre 1972.
Numéro d'imprimeur : 9088.
ISBN 2-07-036771-1./Imprimé en France.